日本リウマチ学会

関節リウマチ
診療ガイドライン

2024 改訂

若年性特発性関節炎 少関節炎型・多関節炎型
診療ガイドラインを含む

編集　一般社団法人日本リウマチ学会

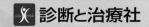

診断と治療社

本診療ガイドラインの**クイックリファレンス**

1 関節リウマチ診療ガイドライン作成の背景と目的

わが国の関節リウマチ患者数は約83万人と推定され，その診療には全国のリウマチ専門医を中心に多くの医療従事者が関与しています．日本の関節リウマチ患者さんが，全国のどこでも標準的な治療を受けられるようにするためには，これまでわかっている医学的な事実（エビデンス）に基づく治療方針を記した診療ガイドラインが必要とされています．

「関節リウマチ診療ガイドライン2020」の改訂から3年が経過したことから，その後に示された新たなエビデンスを加えることにより「関節リウマチ診療ガイドライン2024改訂—若年性特発性関節炎少関節炎型・多関節炎型診療ガイドラインを含む」が作成されました．

本診療ガイドラインは，日本における関節リウマチの診療レベルを標準化し，関節リウマチ患者さんに適切な治療を提供し，病気の活動性をコントロールすることにより，長期的な生活の質を最大限まで改善し，様々なライフイベントに対応したきめ細やかな支援を可能にすることを目的としています．

2 本診療ガイドラインの使い方

臨床現場における治療の意思決定の際に，本書を判断材料の1つとして役立てるために，正しく使用していただきたいと思います．

実際に使用される前に，下記の注意点をご確認ください

- 本診療ガイドラインは関節リウマチ専門医をおもな利用者と想定していますが，関節リウマチ診療にかかわる医療従事者や患者さんとそのご家族の方も利用できます．
- 患者さん向けの資料として「クイックリファレンス」を設けました．しかし，これ以外の部分につきましては，医療従事者以外の方にはわかりにくい内容が多く含まれることを，どうかご理解ください．
- 本診療ガイドラインの推奨は，成人の関節リウマチ，高齢者の関節リウマチ，妊娠・授乳期の関節リウマチ，小児および移行期・成人期の若年性特発性関節炎 少関節炎型・多関節炎型が対象です．推奨された治療を行う前に，治療対象となる患者さんの診断名がこれらの疾患であることを確認してください．なお，小児および移行期・成人期の若年性特発性関節炎 少関節炎型・多関節炎型については，成人の関節リウマチとは別に第4章に推奨とその解説，またはQ&A形式で掲載してあります（「第4章6. 小児および移行期・成人期の若年性特発性関節炎マネジメント」〔p.241〕）．
- 診療ガイドラインは実際の治療を束縛するものではありません．本書に掲載した各疾患の診療に精通した専門医や治療経験豊富な医師は，診療ガイドラインの推奨とは異なる治療を行うことがあります．また，本診療ガイドラインで示されるのは一般的な治療方法であるため，必ずしも個々の患者さんの治療にあてはまるとは限りません．臨床現場においての最終的な判断は，主治医と患者さんが協働して行うものであることをご理解ください．
- 本書に掲載した各疾患の診療の経験や推奨される薬剤の使用経験が少ない医師は，それらの経験が豊富な医師に可能であれば相談してください．
- 今後，研究の発展や医療環境の整備とともに治療法が変化・進歩する可能性があり，本診療ガイドラインもこれらに応じて定期的に改訂される予定です．
- 本診療ガイドラインは臨床現場で診療にかかわる医療従事者や患者さんが，適切な判断や決断を下せるように支援する目的で作成されました．医事紛争や医療裁判の資料としての利用は，その目的から逸脱しているので用いないでください．

3 クリニカルクエスチョンと推奨

　診療の現場において意見が分かれる，あるいは判断に迷う問題点についてその構成要素を明確にして疑問文で表したものがクリニカルクエスチョン（CQ）であり，CQに対する回答が推奨です．関節リウマチの専門家（医師・看護師）（若年性特発性関節炎少関節炎型・多関節炎型の推奨に関しては小児リウマチ性疾患の専門家も加わっています），診療ガイドラインの専門家，患者さんの代表（日本リウマチ友の会）が参加して推奨を検討する

ための会議（パネル会議）を開催し，「エビデンスの確実性」，「患者さんの価値観と意向」，「利益と害のバランス」，「コスト（医療費と医療資源）」の4つの要因を総合的に検討し，推奨を作成しました．推奨の作成過程は「第2章2．推奨の作成手順」（p.12）を，その読み方については以下の「推奨を読み解くポイント」および次ページの「4．推奨と解説の読み方」を参照してください．

> 推奨を読み解くポイントです

① 推奨にはどのような種類がありますか？

　推奨は強さ（強い推奨，弱い推奨）と方向（推奨する，推奨しない）で，4段階に分かれます．すなわち，「〜することを推奨する」（強い推奨），「〜することを推奨する（条件付き）」（弱い推奨），「〜しないことを推奨する（条件付き）」（弱い推奨），「〜しないことを推奨する」（強い推奨）となります．なお，前述のように，必ずしもすべてが個々の患者さんの治療にあてはまるとは限りません．患者さんにとっての強い推奨とは，説明を受けたほとんどの患者さんがその内容を選択する推奨であり，弱い推奨とは，説明を受けた患者さんの価値観や意向によりその内容を選択するかどうかが変わる推奨を意味します．

② 「エビデンスの確実性」とは何ですか？

　重大な治療結果（アウトカム）（例：臨床的寛解の達成割合，人工関節再置換術の頻度など）（「第2章1．2）アウトカムの重要性に関する合意形成」（p.8）参照）に関する研究結果をまとめた内容の「確からしさ」のことです．複数の要因をもとに，「高」「中」「低」「非常に低」の4段階で判定します．治療Aについての「エビデンスの確実性」とは，治療Aの真の効果（どの程度有効か，安全か）とエビデンス（＝研究論文の中で示された結果）から推定した治療Aの効果の方向（患者さんにとって利益か害か）と大きさが同程度かどうかについての「確からしさ」を意味します．「エビデンスの確実性」が高いほど，研究論文で示された治療Aの効果が真の効果を表している可能性が高いと考えられます．逆に「エビデンスの確実性」が低いほど，研究論文で示された治療Aの効果が真の効果とは異なる可能性が高いと考えられます．通

常，1つの治療には複数の重大なアウトカムがあるので，それらを統合した「アウトカム全体のエビデンスの確実性」を決定します（「第2章2．4）推奨の作成，推奨の強さの決定」（p.13）参照）．各推奨文の下に記載した「エビデンスの確実性」は，「アウトカム全体のエビデンスの確実性」です．例えば，安全性に関する重大なアウトカムは治療Aのほうが優れていてエビデンスの確実性が「低」，有効性に関する重大なアウトカムは治療Bのほうが優れていてエビデンスの確実性が「中」の場合は，重大なアウトカムの患者さんにとっての方向性が異なる（治療Bのほうが有効だが安全性が低い）ため，「アウトカム全体のエビデンスの確実性」は最も低いものを採用し，「低」になります．このような理由で，臨床試験が多数実施された生物学的製剤やJAK阻害薬でも，アウトカム全体のエビデンスの確実性が「低」や「非常に低」となる場合があります．また，本診療ガイドラインでは同じカテゴリーの薬剤に対して，対象となる患者さんや使用条件が異なる複数の推奨が作成されています．それぞれの推奨ごとに参照したエビデンスが違うため，「エビデンスの確実性」も同じでないことにもご注意ください．

③ 「推奨の強さ」と「エビデンスの確実性」の関係は？

　「推奨の強さ」は，上の本文で述べた4つの要因（「エビデンスの確実性」，「患者さんの価値観と意向」，「利益と害のバランス」，「コスト（医療費と医療資源）」）で決まります．「エビデンスの確実性」は推奨の強さを決める1つの要因ですが，「エビデンスの確実性」のみで推奨の強さが決まるわけではありません．しかし，「エビデンスの確実性」が「非常に低」の場合には，一般的に弱い推奨になります．

4 推奨と解説の読み方

ここでは,「推奨」に書かれた内容および「解説文」の
読み方について解説します.

1. 推奨
CQ（クリニカルクエスチョン）
ごとの推奨文が記載されています

2. 推奨の強さ
推奨の強さが2段階で示されています（前ページの「3. クリニカルクエスチョンと推奨」を参照）

3. エビデンスの確実性
アウトカム全体のエビデンスの確実性です.「高」「中」「低」「非常に低」の4段階で示されています

5. CQ
今回取り上げた関節リウマチ治療上の疑問点です

6. サマリー
本推奨の解説文の要約です

7. 注記
本推奨の注意点や付け加えて説明すべき点が記載されてます

8. 推奨の背景
本CQが取り上げられた理由やその背景を記載しています

9. エビデンスの要約
推奨の根拠として採用されたエビデンス（研究論文の結果）の要約です

4. 同意度
パネル会議で診療ガイドライン作成委員が,9点満点で投票した推奨に対する同意度の平均点です

10. エビデンスの確実性
重大な治療結果（アウトカム）（例：臨床的寛解の達成割合,人工関節再置換術の頻度など）ごとのエビデンスの確実性と,それらをまとめたエビデンス全体の確実性を評価しています

11. 利益と害のバランスの評価
取り上げた治療の望ましい点と望ましくない点を考慮し,有用性を評価しています

第3章 クリニカルクエスチョンと推奨

RA 推奨 4
2024 NEW　MTX 4

推奨文

疾患活動性を有する RA 患者に対し,MTX 皮下注射を MTX 内服と同等に推奨する
（条件付き）.

推奨の強さ **弱い**　エビデンスの確実性 **非常に低**　パネルメンバーの同意度 **8.00**

RA CQ4

疾患活動性を有する RA 患者に,MTX 皮下注射は MTX 内服と比べ有用か？

サマリー	疾患活動性を有する RA 患者への MTX 皮下注射は,MTX 内服よりも優れた有効性と同等以上の安全性が期待される.
注記	MTX 内服と同様に,慎重投与や副作用リスク因子を考慮し,投与の適否を決定する.ただし,コスト面ら MTX 未投与患者ではまず内服が優先される.

1）推奨の背景

葉酸代謝拮抗薬である MTX はわが国においても RA 治療の中心的薬剤である.従来,MTX は内服薬として保険収載され使用れてきたが,皮下注製剤が2022年に保険収載されており,活動性を有する RA 患者への MTX 皮下注射投与の効果お反び副作用について,MTX 内服と比較・検討することは臨床上重要である.

2）エビデンスの要約

1900年1月1日から2022年9月30日までの期間に,PubMed,Cochrane Central Register of Controlled Trials,Embase,医学中央雑誌に報告された,RA 患者における MTX 皮下注製剤に関する論を系統的にレビューし,本 CQ の対象となる MTX 内服製の RCT 2件が同定された.

CQ の重大なアウトカムとして,治療開始12～24週時の50達成割合,12週時の HAQ-DI の変化量,重篤な有害事重篤な感染症および薬剤継続率を取り上げた.

MTX 内服と比較した,MTX 皮下注射の望ましい効果は,治開始12～24週時の ACR50達成の絶対効果が1,000人あたり9人増加,95%CI［5, 237］,相対効果は RR = 1.23, 95%CI.01, 1.50］であった.12週時の HAQ-DI の変化量の絶対効果,MD = 0, 95%CI［−0.22, 0.22］であった.また,12週時の薬剤継続率の絶対効果は1,000人あたり0人と不変,95%CI[−67, 77］,相対効果は RR = 1.00, 95%CI［0.93, 1.08］であっ,望ましい効果は「小さい」とした.

効果として,重篤な有害事象および重篤な感服用,皮下注射群ともに0件であった.以上よ

り,望ましくない効果の差は「わずか」とした.

3）エビデンスの確実性

本推奨作成に用いたエビデンスは,ずれも RCT に基づいている.

ACR50達成割合に関しては,「非一貫性」接性」「その他の検討」では深刻な問題は認められなかっ者および評価者に対する盲検性の欠如や観察期間の違いがイアスのリスク」は非常に深刻と判断,また RR の95%CI利益」とみなされる基準の1.25を含んでいるは深刻と判断し,エビデンスの確実性は「た.

HAQ-DI の変化量,重篤な有害事象,重続率に関しては,「バイアスのリスク」「非「その他の検討」では深刻な問題は認められブル数および総イベント数が少ないため,限界があると判断し,エビデンスの確実性は

重大なアウトカムにおける介入の効果がいるため,アウトカム全般のエビデンスのを採用し,「非常に低」とした.

4）推奨の強さ決定の理由

① 利益と害のバランスの評価
望ましい効果では,MTX 皮下注射における治療開始12～24重篤な副作用,重篤な感染症ともに0件で計算不能であった.内第3相臨床試験では安全性に関して MTX 皮下注 7.5mg/週（52個）と経口8mg/週（50個）における12週時の群間

---

iv

比較が示されている．いずれかの群で 5% 以上認められた有害事象は，上咽頭炎（皮下注 4/52〔7.7%〕，経口 6/50〔12.0%〕），RA（皮下注 4/52〔7.7%〕，経口 3/50〔6.0%〕），口内炎（皮下注…%〕），経口 3/50〔6.0%〕），悪心（皮下注 2/52〔3.8%〕…〔14.0%〕），便秘（皮下注 1/52〔1.9%〕，経口 3/50…下痢（皮下注 0/52，経口 3/50〔6.0%〕），湿疹（皮下…経口 3/50〔6.0%〕）であり，悪心などの消化管障害が…で少ない傾向を認めた（参考文献 1）．これらのことか…性においては MTX 皮下注射のほうが優れており，安全性においても皮下注射が同等以上であることが示唆される．

② 患者の価値観・意向
一般的な患者は，関節炎改善と重篤な有害事象の両者に価値をおくと考えられ，本診療ガイドラインでは，リウマチ専門医の投票によって意思決定に重大と判断されたアウトカムを選択しており，アウトカムに対する価値観の重要性に関するばらつきは少ないものと考えられる．MTX 内服に対する 1,055 人の患者アンケート（第 4 章 2）の結果では，「良い効果があった」との回答は 67.9%（716 人）で，「良い効果がなかった」との回答は 6.4%（68 人），「どちらともいえない」との回答は 23.7%（250 人）であった．3 分の 2 以上の患者が有効性を感じている一方で，一部の患者は有効性を感じていない結果であった．また MTX 内服の副作用に関しては，「強い」との回答は 27.2%（287 人），「弱い」との回答は 37.2%（392 人），「どちらでもない」との回答は 32.9%（347 人）であった．薬剤による副作用が「強い」との回答割合は，副腎皮質ステロイド（32.0%）に次いで多かった．また「治療を受けて良かったか」の質問に対しては「良い点のほうが多い」との回答は 50.3%（531 人），「悪い点のほうが多い」との回答は 11.0%（116 人），「どちらともいえない」との回答が 36.5%（385 人）となっており，患者の意識において，MTX 内服の副作用は比較的大きなウエイトを占めていることがうかがわれた．

③ コスト
QALY など費用対効果を検討した論文，エビデンスはない．MTX 内服製剤 2mg の薬価は 149.30 円/カプセル（2023 年 5 月現在）であり，MTX 皮下注製剤 7.5mg の薬価は 1,797.00 円/筒である．MTX 内服 8mg/週と皮下注 7.5mg/週で比較すると，内服 2,388.80 円/4 週，皮下注射 7,188.00 円/4 週となり，内服製剤

のほうが安価である．また，皮下注製剤では自己注…合，保険診療として在宅自己注射指導管理料 650 点/…なる．

④ パネル会議での意見
パネル会議において，薬価や在宅自己注射管理料…から，MTX 未投与患者においてはまず内服薬が優…の意見が複数のパネルメンバーから示された．また…相臨床試験の結果から，MTX 皮下注製剤は消化管障害の副作用が内服製剤よりも少ない可能性が示されており，内服薬で悪心などの副作用が強い症例において，よい適応となるとの意見が示された．疾患活動性を有する RA 患者への MTX 皮下注射投与は，MTX 内服よりも優れた有効性と同等以上の安全性が期待されるが，コスト面では内服薬のほうが安価であり，MTX 未投与患者ではまず内服薬が優先されるため，推奨の強さとしては「弱い」（条件付き）とすることとなった．RA 患者を対象としたアンケートでも MTX の副作用は比較的大きなウエイトを占めており，内服薬において悪心などの消化管障害の出現が認められた症例においては特に使用が推奨されると考える．また MTX 内服と同様に，慎重投与や副作用リスク因子を考慮し，投与の適否を決定する必要がある．

5) 採用論文リスト

1) Islam MS, et al : Mymensingh Me… 2013 ; 22 : 483-488.
2) Tanaka Y, et al : Mod Rheumatol 2023… -689.

6) 推奨作成関連資料一覧（推奨作成関連…）

資料 A RA CQ4 文献検索式
資料 B RA CQ4 文献検索フローチャート
資料 C RA CQ4 バイアスのリス…
資料 D RA CQ4 エビデンスプロフ…
資料 E RA CQ4 フォレストプロット
資料 F RA CQ4 Evidence to Decision テー…

■参考文献
1) 医薬品医療機器総合機構：メトジェクト_日本…工…社_審査報告書，2022 年 8 月．

2

---

12. 患者の価値観・意向
取り上げた治療に対する患者さんの評価をアンケート結果などから検討しています

13. コスト*
取り上げた治療のコストやその医療経済的評価，医療資源の必要性などを記載しています
*2024 年改定の薬価一覧は，下記 Web サイトの本書紹介ページにて掲載
[https://www.shindan.co.jp/]

14. パネル会議での意見
エビデンスの確実性，患者の価値観や意向，利益と害のバランス，コストなどをふまえて診療ガイドライン作成委員のパネル会議で出された意見，海外のガイドラインでの評価，最終的に推奨の方向と強さを決定した経緯などを記載しています

15. 採用論文リスト
この推奨を作成するために使用した研究論文の一覧です

16. 推奨作成関連資料一覧
推奨の背景にあるエビデンスとその解析データ，判断根拠の要約資料一覧です

17. 参考文献
推奨を作成するための参考とした研究論文の一覧です

5 CQ と推奨一覧

推奨番号	推奨	CQ	推奨文	推奨の強さ	エビデンスの確実性	同意度【9点満点】
RA 推奨 1 ⇒ 20 ページ	MTX 1	疾患活動性を有する RA 患者に MTX 投与は有用か？	疾患活動性を有する RA 患者に MTX 投与を推奨する．	強い	低 ⊕⊕○○	8.78
RA 推奨 2 ⇒ 22 ページ	MTX 2	MTX 使用 RA 患者に葉酸または活性型葉酸の投与は有用か？	MTX 使用 RA 患者に葉酸の投与を推奨する．	強い	低 ⊕⊕○○	8.59
RA 推奨 3 ⇒ 24 ページ	MTX 3	MTX で効果不十分な RA 患者に，MTX と csDMARD の併用療法は MTX 単剤療法に比して有用か？	MTX で効果不十分な RA 患者に，MTX と csDMARD の併用療法を推奨する（条件付き）．	弱い	非常に低 ⊕○○○	7.76
RA 推奨 4 2024 NEW ⇒ 27 ページ	MTX 4	疾患活動性を有する RA 患者に，MTX 皮下注射は MTX 内服と比べ有用か？	疾患活動性を有する RA 患者に対し，MTX 皮下注射を MTX 内服と同等に推奨する（条件付き）．	弱い	非常に低 ⊕○○○	8.00
RA 推奨 5 ⇒ 29 ページ	csDMARD 1	疾患活動性を有する RA 患者に，MTX 以外の csDMARD は有用か？	MTX が使えないまたは効果不十分の RA 患者に，MTX 以外の csDMARD の使用を推奨する（条件付き）．	弱い	低 ⊕⊕○○	8.00
RA 推奨 6 ⇒ 32 ページ	csDMARD 2	bDMARD または JAK 阻害薬と csDMARD 併用で寛解または低疾患活動性を維持している RA 患者に，csDMARD の減量は可能か？	bDMARD または JAK 阻害薬と csDMARD 併用で寛解または低疾患活動性を維持している RA 患者に，csDMARD の減量を推奨する（条件付き）．	弱い	非常に低 ⊕○○○	7.18
RA 推奨 7 ⇒ 34 ページ	NSAID	RA 患者に NSAID 投与は有用か？	RA 患者に疼痛軽減目的で NSAID 使用を推奨する（条件付き）．	弱い	低 ⊕⊕○○	7.78
RA 推奨 8 ⇒ 37 ページ	ステロイド	疾患活動性を有する RA 患者に副腎皮質ステロイド投与は有用か？	疾患活動性を有する早期 RA 患者に，csDMARD に短期間の副腎皮質ステロイド投与の併用を推奨する（条件付き）．	弱い	非常に低 ⊕○○○	7.39
RA 推奨 9 2024 NEW ⇒ 41 ページ	bDMARD 1	csDMARD で効果不十分で中等度以上の疾患活動性を有する RA 患者に，TNF 阻害薬の併用は有用か？	csDMARD で効果不十分で中等度以上の疾患活動性を有する RA 患者に，TNF 阻害薬の併用を推奨する．	強い	高 ⊕⊕⊕⊕	8.77
RA 推奨 10 ⇒ 44 ページ	bDMARD 2	csDMARD で効果不十分で中等度以上の疾患活動性を有する RA 患者に，非 TNF 阻害薬の併用は有用か？	csDMARD で効果不十分で中等度以上の疾患活動性を有する RA 患者に，非 TNF 阻害薬の併用を推奨する．	強い	低 ⊕⊕○○	8.82
RA 推奨 11 ⇒ 47 ページ	bDMARD 3	MTX が使えないまたは MTX を含む csDMARD で効果不十分の中等度以上の疾患活動性を有する RA 患者に，TNF 阻害薬の単剤療法は有用か？	MTX が使えないまたは MTX を含む csDMARD で効果不十分の中等度以上の疾患活動性を有する RA 患者に，TNF 阻害薬単剤投与を推奨する（条件付き）．	弱い	非常に低 ⊕○○○	7.61
RA 推奨 12 ⇒ 50 ページ	bDMARD 4	MTX が使えないまたは MTX を含む csDMARD で効果不十分の中等度以上の疾患活動性を有する RA 患者に，非 TNF 阻害薬の単剤療法は有用か？	MTX が使えないまたは MTX を含む csDMARD で効果不十分の中等度以上の疾患活動性を有する RA 患者に，非 TNF 阻害薬単剤投与を推奨する（条件付き）．	弱い	低 ⊕⊕○○	8.24

推奨番号	推奨	CQ	推奨文	推奨の強さ	エビデンスの確実性	同意度【9点満点】
RA 推奨 13 ⇨ 53 ページ	bDMARD 5	MTX で効果不十分，かつ，中等度以上の疾患活動性を有する RA 患者に，MTX に追加して bDMARD を併用する場合，非 TNF 阻害薬（IL-6 阻害薬，T 細胞選択的共刺激調節薬）は，TNF 阻害薬と比べ有用か？	MTX で効果不十分，かつ，中等度以上の疾患活動性を有する RA 患者に，MTX に追加して bDMARD を併用する場合，非 TNF 阻害薬（T 細胞選択的共刺激調節薬）と TNF 阻害薬を同等に推奨する．	強い	高 ⊕⊕⊕⊕	8.19
RA 推奨 14 ⇨ 55 ページ	bDMARD 6	MTX が使えないまたは効果不十分，かつ，中等度以上の疾患活動性を有する RA 患者に，MTX を併用せずに bDMARD を投与する場合，非 TNF 阻害薬(IL-6 阻害薬，T 細胞選択的共刺激調節薬)は，TNF 阻害薬と比べ有用か？	MTX が使えないまたは効果不十分，かつ，中等度以上の疾患活動性を有する RA 患者に，MTX を併用せずに bDMARD を投与する場合，TNF 阻害薬よりも非 TNF 阻害薬（IL-6 阻害薬）を推奨する．	強い	中 ⊕⊕⊕◯	7.94
RA 推奨 15 ⇨ 57 ページ	bDMARD 7	TNF 阻害薬で効果不十分で中等度以上の疾患活動性を有する RA 患者に，非 TNF 阻害薬への切り替えは，他の TNF 阻害薬への切り替えと比べ有用か？	TNF 阻害薬で効果不十分で中等度以上の疾患活動性を有する RA 患者に，他の TNF 阻害薬よりも非 TNF 阻害薬への切り替えを推奨する（条件付き）．	弱い	非常に低 ⊕◯◯◯	7.82
RA 推奨 16 ⇨ 59 ページ	bDMARD 8	TNF 阻害薬で寛解または低疾患活動性を維持している RA 患者に，TNF 阻害薬の減量は可能か？	TNF 阻害薬で寛解を維持している RA 患者に，TNF 阻害薬の減量を推奨する（条件付き）．	弱い	非常に低 ⊕◯◯◯	7.33
RA 推奨 17 ⇨ 62 ページ	bDMARD 9	IL-6 阻害薬で寛解または低疾患活動性を維持している RA 患者に，IL-6 阻害薬の減量は可能か？	IL-6 阻害薬で寛解または低疾患活動性を維持している RA 患者に，IL-6 阻害薬の減量を推奨する（条件付き）．	弱い	非常に低 ⊕◯◯◯	7.29
RA 推奨 18 ⇨ 64 ページ	bDMARD 10	T 細胞選択的共刺激調節薬で寛解または低疾患活動性を維持している RA 患者に，T 細胞選択的共刺激調節薬の減量は可能か？	T 細胞選択的共刺激調節薬で寛解または低疾患活動性を維持している RA 患者に，T 細胞選択的共刺激調節薬の減量を推奨する（条件付き）．	弱い	非常に低 ⊕◯◯◯	7.29
RA 推奨 19 2024 NEW ⇨ 66 ページ	RTX 1	csDMARD で効果不十分で中等度以上の疾患活動性を有する RA 患者に，RTX の併用は有用か？	MTX を含む csDMARD で効果不十分で中等度以上の疾患活動性を有する RA 患者に，RTX 併用を推奨する（条件付き）．ただし，保険適用外使用を考慮する際には，現在臨床試験中であり，国内のエビデンスが不足していること，患者背景などを十分勘案する．	弱い	非常に低 ⊕◯◯◯	7.75

推奨番号	推奨	CQ	推奨文	推奨の強さ	エビデンスの確実性	同意度【9点満点】
RA 推奨 20 2024 NEW ⇒ 69 ページ	RTX 2	MTX を含む csDMARD が使えないまたは効果不十分で中等度以上の疾患活動性を有する RA 患者に，RTX の単剤投与は有用か？	MTX を含む csDMARD が使えないまたは効果不十分で中等度以上の疾患活動性を有する RA 患者に，RTX 単剤投与を推奨する（条件付き）．ただし，保険適用外使用を考慮する際には，現在臨床試験中であり，国内のエビデンスが不足していること，患者背景などを十分に勘案する．	弱い	非常に低 ⊕○○○	7.75
RA 推奨 21 2024 NEW ⇒ 72 ページ	RTX 3	MTX を含む csDMARD で効果不十分で中等度以上の疾患活動性を有する RA 患者に，RTX は TNF 阻害薬と比べ有用か？	MTX を含む csDMARD で効果不十分で中等度以上の疾患活動性を有する RA 患者に，MTX に追加して使用する場合，RTX より TNF 阻害薬の投与を推奨する（条件付き）．RTX の保険適用外使用を考慮する際には，現在臨床試験中であり，国内のエビデンスが不足していること，患者背景などを十分に勘案する．	弱い	非常に低 ⊕○○○	8.42
RA 推奨 22 2024 NEW ⇒ 75 ページ	RTX 4	RTX を除く 1 剤以上の bDMARD が使えないまたは効果不十分で中等度以上の疾患活動性を有する RA 患者に，RTX は有用か？	1 剤以上の TNF 阻害薬が使えないまたは効果不十分で中等度以上の疾患活動性を有する RA 患者に，MTX と RTX の併用を推奨する（条件付き）．ただし，保険適用外使用を考慮する際には，現在臨床試験中であり，国内のエビデンスが不足していること，患者背景などを十分に勘案する．	弱い	低 ⊕⊕○○	8.00
RA 推奨 23 2024 NEW ⇒ 78 ページ	RTX 5	RTX を除く 1 剤以上の bDMARD が使えないまたは効果不十分で中等度以上の疾患活動性を有する RA 患者に，RTX は他の bDMARD と比べ有用か？	RTX を除く 1 剤以上の bDMARD が使えないまたは効果不十分で中等度以上の疾患活動性を有する RA 患者に，MTX と RTX の併用より，MTX と他の bDMARD の併用を推奨する（条件付き）．RTX の保険適用外使用を考慮する際には，現在臨床試験中であり，国内のエビデンスが不足していること，患者背景などを十分に勘案する．	弱い	非常に低 ⊕○○○	8.08
RA 推奨 24 2024 NEW ⇒ 81 ページ	JAKi 1	MTX で効果不十分で中等度以上の疾患活動性を有する RA 患者に，短期的治療において，JAK 阻害薬の単剤投与は有用か？	MTX で効果不十分で中等度以上の疾患活動性を有する RA 患者に，短期的治療において，JAK 阻害薬の単剤投与を推奨する（条件付き）．	弱い	高 ⊕⊕⊕⊕	8.15

推奨番号	推奨	CQ	推奨文	推奨の強さ	エビデンスの確実性	同意度【9点満点】
RA 推奨 25 2024 NEW ⇒ 84 ページ	JAKi 2	MTX で効果不十分で中等度以上の疾患活動性を有する RA 患者に，短期的治療において，MTX と JAK 阻害薬の併用は有用か？	MTX で効果不十分で中等度以上の疾患活動性を有する RA 患者に，短期的治療において，MTX と JAK 阻害薬の併用を推奨する（条件付き）．	弱い	低 ⊕⊕◯◯	8.38
RA 推奨 26 2024 NEW ⇒ 87 ページ	JAKi 3	MTX で効果不十分で中等度以上の疾患活動性を有する RA 患者に，短期的治療において，MTX と JAK 阻害薬の併用は，MTX と TNF 阻害薬の併用に比べ有用か？	MTX で効果不十分で中等度以上の疾患活動性を有する RA 患者に，短期的治療において，MTX と JAK 阻害薬の併用と，MTX と TNF 阻害薬の併用を同等に推奨する（条件付き）．	弱い	低 ⊕⊕◯◯	8.17
RA 推奨 27 2024 NEW ⇒ 90 ページ	JAKi 4	MTX で効果不十分で中等度以上の疾患活動性を有する RA 患者に，長期的治療において，MTX と JAK 阻害薬の併用は，MTX と TNF 阻害薬の併用に比べ有用か？	MTX で効果不十分で中等度以上の疾患活動性を有する RA 患者に，長期的治療において，MTX と JAK 阻害薬の併用より，MTX と TNF 阻害薬の併用を推奨する（条件付き）．特に高齢，現在または過去の喫煙，悪性腫瘍リスク因子，心血管疾患リスク因子，血栓塞栓症リスク因子を有する患者では，JAK 阻害薬使用中の有害事象に注意が必要である．	弱い	低 ⊕⊕◯◯	8.50
RA 推奨 28 2024 NEW ⇒ 94 ページ	JAKi 5	bDMARD で効果不十分で中等度以上の疾患活動性を有する RA 患者に，MTX と JAK 阻害薬の併用は有用か？	bDMARD で効果不十分で中等度以上の疾患活動性を有する RA 患者に，MTX と JAK 阻害薬の併用を推奨する（条件付き）．	弱い	低 ⊕⊕◯◯	8.38
RA 推奨 29 2024 NEW ⇒ 97 ページ	JAKi 6	bDMARD で効果不十分で中等度以上の疾患活動性を有する RA 患者に，JAK 阻害薬の投与は bDMARD に比べ有用か？	bDMARD で効果不十分で中等度以上の疾患活動性を有する RA 患者に，bDMARD と JAK 阻害薬を同等に推奨する（条件付き）．	弱い	低 ⊕⊕◯◯	8.08
RA 推奨 30 ⇒ 100 ページ	JAKi 7	JAK 阻害薬で寛解または低疾患活動性を維持している RA 患者に，JAK 阻害薬の減量は可能か？	JAK 阻害薬で寛解または低疾患活動性を維持している RA 患者に，JAK 阻害薬の減量を推奨する（条件付き）．	弱い	低 ⊕⊕◯◯	7.18
RA 推奨 31 ⇒ 102 ページ	deno-sumab	疾患活動性を有する RA 患者に抗 RANKL 抗体投与は有用か？	骨びらんを伴い疾患活動性を有する RA 患者に，骨びらんの進行抑制目的に，DMARD への上乗せとして抗 RANKL 抗体の投与を推奨する（条件付き）．	弱い	高 ⊕⊕⊕⊕	6.88
RA 推奨 32 2024 NEW ⇒ 104 ページ	バイオ後続品 1	既存治療で効果不十分で中等度以上の疾患活動性を有する RA 患者に，バイオ後続品は先行バイオ医薬品と比べ，同等に有用か？	既存治療で効果不十分で中等度以上の疾患活動性を有する RA 患者に，先行バイオ医薬品とバイオ後続品投与を同等に推奨する（条件付き）．	弱い	中 ⊕⊕⊕◯	8.46

推奨番号	推奨	CQ	推奨文	推奨の強さ	エビデンスの確実性	同意度【9点満点】
RA 推奨 42 ⇒133 ページ	合併症 5	HCV 感染 RA 患者に DMARD の投与は安全か？	HCV 感染 RA 患者では，肝臓専門医と連携し，通常の治療戦略に沿い RA を治療することを推奨する．	強い	非常に低 ⊕◯◯◯	8.06
RA 推奨 43 ⇒135 ページ	合併症 6	HTLV-1 陽性 RA 患者に DMARD の投与は安全か？	HTLV-1 陽性 RA 患者では，経過を注意深く観察しながら DMARD を投与することを推奨する（条件付き）．	弱い	非常に低 ⊕◯◯◯	7.59
RA 推奨 44 ⇒138 ページ	合併症 7	悪性腫瘍の合併または既往のある RA 患者に DMARD の投与は安全か？	悪性腫瘍の合併または既往のある RA 患者では，悪性腫瘍を治療する主治医と連携し，十分な説明による患者の同意のうえ，bDMARD を使用することを推奨する（条件付き）．	弱い	非常に低 ⊕◯◯◯	7.50
RA 推奨 45 ⇒141 ページ	合併症 8	副腎皮質ステロイド，DMARD 投与中の RA 患者にワクチン接種は有効かつ安全か？	副腎皮質ステロイド，DMARD 投与中の RA 患者にインフルエンザワクチンおよび肺炎球菌ワクチンの接種を推奨し，生ワクチンは接種しないことを推奨する（条件付き）．	弱い	非常に低 ⊕◯◯◯	8.12
RA 推奨 46 ⇒144 ページ	手術・リハビリテーション 1	整形外科手術の周術期に MTX の休薬は必要か？	整形外科手術の周術期には MTX を休薬しないことを推奨する（条件付き）．	弱い	非常に低 ⊕◯◯◯	7.11
RA 推奨 47 ⇒147 ページ	手術・リハビリテーション 2	整形外科手術の周術期に bDMARD の休薬は必要か？	整形外科手術の周術期には bDMARD の休薬を推奨する（条件付き）．	弱い	非常に低 ⊕◯◯◯	8.35
RA 推奨 48 ⇒150 ページ	手術・リハビリテーション 3	RA 治療において人工肘関節全置換術は有用か？	RA 患者の肘関節破壊を伴う機能障害に対して人工肘関節全置換術を推奨する（条件付き）．	弱い	非常に低 ⊕◯◯◯	7.71
RA 推奨 49 ⇒153 ページ	手術・リハビリテーション 4	RA 治療において手関節形成術（人工関節以外）は有用か？	RA 患者の手関節障害に対する橈骨手根骨間部分関節固定術および Sauvé-Kapandji 手術を推奨する（条件付き）．	弱い	非常に低 ⊕◯◯◯	7.67
RA 推奨 50 ⇒156 ページ	手術・リハビリテーション 5	RA 治療において人工指関節置換術は有用か？	RA 患者の MCP 関節障害に対してシリコンインプラントによる人工指関節置換術を推奨する（条件付き）．	弱い	非常に低 ⊕◯◯◯	7.53
RA 推奨 51 ⇒159 ページ	手術・リハビリテーション 6	RA 治療において人工肩関節全置換術は有用か？	RA 患者の肩関節破壊を伴う機能障害に対して人工肩関節全置換術を推奨する（条件付き）．	弱い	非常に低 ⊕◯◯◯	7.56
RA 推奨 52 ⇒162 ページ	手術・リハビリテーション 7	RA 患者の肩関節障害に対して人工肩関節全置換術は，上腕骨人工骨頭置換術よりも有用か？	RA 患者の肩関節障害に対して人工肩関節全置換術，上腕骨人工骨頭置換術をともに推奨する（条件付き）．	弱い	非常に低 ⊕◯◯◯	7.40
RA 推奨 53 ⇒165 ページ	手術・リハビリテーション 8	RA 治療において人工股関節全置換術は有用か？	RA 患者の股関節破壊を伴う機能障害に対して人工股関節全置換術を推奨する．	強い	非常に低 ⊕◯◯◯	8.44

推奨番号	推奨	CQ	推奨文	推奨の強さ	エビデンスの確実性	同意度【9点満点】
RA 推奨 54 ➡ 167 ページ	手術・リハビリテーション 9	RA 患者の股関節障害に対してセメントレス人工股関節全置換術は，セメント人工股関節全置換術と同等に有用か？	RA 患者の股関節障害に対してセメントおよびセメントレス人工股関節全置換術をともに推奨する（条件付き）．	弱い	非常に低 ⊕◯◯◯	7.93
RA 推奨 55 ➡ 170 ページ	手術・リハビリテーション 10	RA 治療において人工膝関節全置換術は有用か？	RA 患者の膝関節破壊を伴う機能障害に対して人工膝関節全置換術を推奨する．	強い	非常に低 ⊕◯◯◯	8.50
RA 推奨 56 ➡ 173 ページ	手術・リハビリテーション 11	RA 治療において人工足関節全置換術は足関節固定術より有用か？	RA 患者の足関節破壊を伴う機能障害に対して人工足関節全置換術，足関節固定術をともに推奨する（条件付き）．	弱い	非常に低 ⊕◯◯◯	7.67
RA 推奨 57 ➡ 176 ページ	手術・リハビリテーション 12	併存症を有する RA 患者に対して整形外科手術を行った場合，手術部位感染，創傷治癒遅延，死亡の発生が増えるか？	併存症を有する RA 患者に対して整形外科手術を行った場合，手術部位感染，創傷治癒遅延，死亡の発生が増える可能性があり，特に注意し観察・治療を行うことを推奨する．	強い	低 ⊕⊕◯◯	8.39
RA 推奨 58 ➡ 178 ページ	手術・リハビリテーション 13	RA 治療において足趾形成術における関節温存手術は切除関節形成術よりも有用か？	RA 患者の足趾変形による機能障害に対して切除関節形成術，関節温存手術をともに推奨する（条件付き）．	弱い	非常に低 ⊕◯◯◯	8.00
RA 推奨 59 ➡ 180 ページ	手術・リハビリテーション 14	RA 患者の頚髄症に対し頚椎手術は有用か？	RA 患者の頚髄症に対して，神経症状が重症になる前に，また環軸椎不安定性が整復可能である間に頚椎手術を行うことを推奨する（条件付き）．	弱い	非常に低 ⊕◯◯◯	8.06
RA 推奨 60 ➡ 183 ページ	手術・リハビリテーション 15	将来の整形外科手術のリスク因子をもつRA 患者に対して，薬物治療は整形外科手術の発生率を減少させるか？	将来の整形外科手術が必要になるリスクを低減するために，RA 患者に対する，早期ないし有効性の高い薬物治療を行うことを推奨する（条件付き）．	弱い	非常に低 ⊕◯◯◯	8.00
RA 推奨 61 ➡ 186 ページ	手術・リハビリテーション 16	RA 患者に対する運動療法は，患者主観的評価を改善させる有用な治療か？	RA 患者に対する運動療法は，患者主観的評価を改善させるため，推奨する．	強い	中 ⊕⊕⊕◯	8.50
RA 推奨 62 ➡ 188 ページ	手術・リハビリテーション 17	RA 患者に対する作業療法は，患者主観的評価を改善させる有用な治療か？	RA 患者に対する作業療法は，患者主観的評価を改善させるため，推奨する．	強い	非常に低 ⊕◯◯◯	8.50
RA 推奨 63 ➡ 190 ページ	手術・リハビリテーション 18	RA 患者に対するステロイド関節内注射は，患者主観的評価を改善させる有用な治療か？	RA 患者に対するステロイド関節内注射は，患者主観的評価を改善させるため，推奨する（条件付き）．十分な薬物治療を継続することを前提とし，短期使用に限定する．	弱い	非常に低 ⊕◯◯◯	7.94
RA 推奨 64 ➡ 192 ページ	手術・リハビリテーション 19	RA 患者に対する関節手術は，患者主観的評価を改善する有用な治療か？	RA 患者に対する関節手術は，患者主観的評価を改善させるため，推奨する（条件付き）．慎重な身体機能評価により，適正なタイミングで行うことが望ましい．	弱い	非常に低 ⊕◯◯◯	8.17

推奨番号	推奨	CQ	推奨文	推奨の強さ	エビデンスの確実性	同意度【9点満点】
RA 推奨 65 2024 NEW ⇒ 194 ページ	妊娠・授乳期 1	妊娠中の RA 患者に対する TNF 阻害薬の投与は児への安全性において許容されるか？	妊娠中の RA 患者への TNF 阻害薬の投与は許容される（条件付き）．ただし，その使用にあたっては，治療の必要性についての十分な検討と，児の先天異常や新生児感染症の発症に対する慎重なモニタリングの実施が求められる．	弱い	非常に低 ⊕○○○	7.92
RA 推奨 66 2024 NEW ⇒ 196 ページ	妊娠・授乳期 2	男性 RA 患者のパートナーが妊娠を望む場合，csDMARD，bDMARD，JAK 阻害薬の投与は児への安全性において許容されるか？	男性 RA 患者のパートナーが妊娠を望む場合，TNF 阻害薬と MTX の投与は許容される（条件付き）．	弱い	非常に低 ⊕○○○	8.23
JIA 推奨 1 2024 NEW ⇒ 249 ページ	JIA 少関節炎型・多関節炎型 1	JIA 少関節炎型・多関節炎型の患者（児）に，MTX は有用か？	JIA 少関節炎型・多関節炎型の患者（児）に，MTX 投与を推奨する．	強い	非常に低 ⊕○○○	8.69
JIA 推奨 2 2024 NEW ⇒ 252 ページ	JIA 少関節炎型・多関節炎型 2	JIA 少関節炎型・多関節炎型の患者（児）に，MTX 以外の csDMARD は有用か？	JIA 少関節炎型・多関節炎型の患者（児）に，AZA，SASP，LEF を投与しないことを推奨する（条件付き）．	弱い	非常に低 ⊕○○○	7.88
JIA 推奨 3 2024 NEW ⇒ 255 ページ	JIA 少関節炎型・多関節炎型 3	JIA 少関節炎型・多関節炎型の患者（児）に，副腎皮質ステロイド全身投与は有用か？	JIA 少関節炎型・多関節炎型の患者（児）に，csDMARD による治療に追加して短期間の副腎皮質ステロイドの全身投与を行わないことを推奨する（条件付き）．	弱い	非常に低 ⊕○○○	7.94
JIA 推奨 4 2024 NEW ⇒ 258 ページ	JIA 少関節炎型・多関節炎型 4	JIA 少関節炎型・多関節炎型の患者（児）に，TNF 阻害薬は有用か？	csDMARD が使えないまたは効果不十分で，中等度以上の疾患活動性を有する JIA 少関節炎型・多関節炎型の患者（児）に，TNF 阻害薬を推奨する．	強い	非常に低 ⊕○○○	8.44
JIA 推奨 5 2024 NEW ⇒ 261 ページ	JIA 少関節炎型・多関節炎型 5	JIA 少関節炎型・多関節炎型の患者（児）に，IL-6 阻害薬は有用か？	csDMARD が使えないまたは効果不十分で，中等度以上の疾患活動性を有する JIA 少関節炎型・多関節炎型の患者（児）に，IL-6 阻害薬を推奨する．	強い	中 ⊕⊕⊕○	8.50
JIA 推奨 6 2024 NEW ⇒ 263 ページ	JIA 少関節炎型・多関節炎型 6	JIA 少関節炎型・多関節炎型の患者（児）に，JAK 阻害薬は有用か？	他の DMARD が使えないまたは効果不十分で中等度以上の疾患活動性を有する JIA 少関節炎型・多関節炎型の患者（児）に，短期的治療において，JAK 阻害薬投与を推奨する（条件付き）．	弱い	低 ⊕⊕○○	7.63

6 エビデンスプロファイルの読み方

エビデンスプロファイルは推奨を作成するのに重要な資料です．「重大」とされた個々のアウトカムにおける，エビデンスの確実性を評価するために，各研究論文の確実性を5つの要素（バイアスのリスク，非一貫性，非直接性，不精確さ，その他）で評価しています．

1. アウトカムの種類と評価された時期を示しています

2. エビデンスの確実性を決定するための5つの要素における評価結果を示しています．深刻でない，深刻，非常に深刻の3段階で評価しています

3. 各推奨の「エビデンスの要約」に記載された研究結果を示しています

4. 個々のアウトカムごとのエビデンスの確実性を示しています

5. 個々のアウトカムごとのアウトカムの重要性を示しています

Denosumab1：疾患活動性を有するRA患者に抗RANKL抗体投与は有用か？

研究数 [文献番号]	研究デザイン	確実性評価 (Certainty assessment)					結果の要約 (Summary of findings)				エビデンスの確実性 (GRADE)	重要性
		バイアスのリスク	非一貫性	非直接性	不精確	その他の検討	患者数		効果			
							denosumab	placebo	相対 (95%CI)	絶対		
推奨に用いたエビデンスプロファイル												
DAS28-CRP変化量(12か月)												
3 [1, 2, 3]	ランダム化試験	深刻でない	深刻でない	深刻でない	深刻でない	なし	348	361	-	MD -0.06 (-0.07〜-0.05)	⊕⊕⊕⊕ 高	重大
ACR50達成(12か月)												
3 [1, 2, 3]	ランダム化試験	深刻でない	深刻でない	深刻でない	深刻[#1]	なし	55/348 (15.8%)	52/365 (14.2%)	RR 1.11 (0.78 to 1.57)	-	⊕⊕⊕◯ 中	重大
m-TSS非進行(0以下)(12か月)												
3 [1, 2, 3]	ランダム化試験	深刻でない	深刻でない	深刻でない	深刻でない	なし	245/371 (66.0%)	202/377 (53.6%)	RR 1.23 (1.09 to 1.39)	-	⊕⊕⊕⊕ 高	重大
重篤な副作用(12か月)												
3 [1, 2, 3]	ランダム化試験	深刻でない	深刻でない	深刻でない	非常に深刻[#2]	なし	26/				◯◯	重
推奨の参考となる他のアウトカムのエビデンスプロファイル												
Sharpびらんスコア変化量(12か月)												
3 [1, 2, 3]	ランダム化試験	深刻でない	深刻でない	深刻でない	深刻でない	なし	346	361				

#1.RRの95%信頼区間の下限と上限がそれぞれ、『効果なし』と『相当な利益』と見なされる基準RR>1.25を含んでいる

#2. RRの95%信頼区間の下限と上限がそれぞれ、『相当な利益』と見なされる基準RR<0.75と『相当な害』と見なされる基準RR>1.25の双方を含んでいる

書誌情報

1: Cohen SB et al. *Arthritis Rheum* 2008; 58: 1299–1309.

2: Takeuchi T et al. *Ann Rheum Dis* 2016;75:983–990

3: Takeuchi T et al. *Ann Rheum Dis* 2019;78:899–907

※エビデンスプロファイルは「推奨作成関連資料」として下記 Web サイトの本書紹介ページのみに掲載 [https://www.shindan.co.jp/]

「関節リウマチ診療ガイドライン 2024 改訂」
序　文

　関節リウマチは，関節滑膜炎を主座とする自己免疫疾患である．遷延性・破壊性関節炎を特徴とし，疼痛や不可逆的な変形による身体機能障害を生じ，関節外症候を併発する．古代より人類を苦しめてきた難病であるが，20世紀後半より免疫異常を抑制して疾患活動性を制御することを目的としてメトトレキサートなどの抗リウマチ薬，生物学的製剤やJAK阻害薬などの分子標的治療が導入されて治療に大変革がもたらされた．すべての患者において寛解が治療目標となり，関節の構造的損傷の防止が可能となった．結果，欧米において関節リウマチ医療に対する新しい考え方，新しい分類基準，寛解基準，治療戦略が公表・改訂された．関節リウマチの遺伝・環境要因，治療薬の使用量や方法が異なる日本における日常臨床の課題に応じるべく，日本リウマチ学会でも2014年に関節リウマチ診療ガイドラインを公表し，さらに，2020年に診療ガイドラインを改訂した．さらに，その後，新規治療薬の登場，これまで認識されていなかった短期・長期的な安全性に関する懸念，コロナ禍での医療，難治症例や臓器障害への対応，個々の患者との同意形成など，新たな臨床的な課題も析出してきた．そこで，日本リウマチ学会では，関節リウマチ診療ガイドライン小委員会 針谷正祥委員長を中心に，全国の専門医の皆様の多大なるご協力を得て，「日本リウマチ学会 関節リウマチ診療ガイドライン2024改訂—若年性特発性関節炎 少関節炎型・多関節炎型 診療ガイドラインを含む」を作成し，パブリックコメントを経て理事会で承認した．担当の先生方には心から御礼を申し上げる．また，厚生労働科学研究費補助金 免疫・アレルギー疾患政策研究事業，日本小児リウマチ学会，日本整形外科学会等のご協力には，重ねて感謝を申し上げる．本診療ガイドラインを関節リウマチ医療の実践に広く役立て，疾患を正しく理解し，様々な問題点に的確に対処することを目指していただければと期待する．

一般社団法人日本リウマチ学会理事長
産業医科大学医学部第1内科学講座教授
田中良哉

「関節リウマチ診療ガイドライン 2024 改訂」
刊行によせて

　複数の関節に炎症をもたらし，日常生活を奪う関節リウマチ．日本中で約80万人の方がこの病気とともに暮らしています．幸いにも，この四半世紀で関節リウマチ診療は飛躍的に進歩し，専門家による治療成績は格段に向上しました．

　関節リウマチの最新の治療を国内のどこでも受けられるようにするため，「関節リウマチ診療ガイドライン2020」（2020版）が日本リウマチ学会から2021年春に発表されました．おかげさまで，多くの方に2020版を手にとっていただき，最新のエビデンスとガイドライン作成手法に基づいた治療アルゴリズムを日常診療に活用していただきました．2020版で掲げた「長期予後の改善，特にQOLの最大化と生命予後の改善」という治療目標を達成するためには，関節リウマチ患者のライフステージに応じた治療の提供が必要ですが，2020版ではそのための記述が十分とはいえませんでした．また，2020版発表後も，関節リウマチの新規治療薬の上市，バイオ後続品の上市，既存治療薬の新たなエビデンスの発表が相次いでおります．これらの背景を受けて，日本リウマチ学会は2020版の改訂を計画し，厚生労働科学研究費補助金（免疫・アレルギー疾患政策研究事業）関節リウマチ診療ガイドラインの改訂による医療水準の向上に関する研究班の協力のもとで，2年間をかけて「関節リウマチ診療ガイドライン2024改訂―若年性特発性関節炎 少関節炎型・多関節炎型 診療ガイドラインを含む」（2024版）を完成させました．関節リウマチ患者さんとそのご家族が読みやすいように，クイックリファレンスの説明をさらに充実させ，目次では改訂した推奨が一目でわかるように工夫されています．

　2024版を作成するにあたりご協力いただきました公益社団法人日本リウマチ友の会の皆様，コクランジャパンの皆様，システマティックレビューおよびパネル会議にご協力・ご参加いただいた皆様，ご執筆いただいた皆様に厚く御礼申し上げます．また，作成期間中，「関節リウマチ診療ガイドラインの改訂による医療水準の向上に関する研究」を支えていただいた事務局の皆様に感謝申し上げます．

　関節リウマチを診療する先生方に2024版をご活用いただき，患者さんのQOLがますます改善し，笑顔が増えていくことを心より願っております．

日本リウマチ学会関節リウマチ診療ガイドライン小委員会委員長
厚生労働科学研究費補助金（免疫・アレルギー疾患政策研究事業）
関節リウマチ診療ガイドラインの改訂による医療水準の向上に関する研究 研究代表
東京女子医科大学医学部内科学講座膠原病リウマチ内科学分野 教授・基幹分野長
針谷正祥

「関節リウマチ診療ガイドライン 2024 改訂」刊行によせて

日本リウマチ友の会は 2025 年，創立 65 周年を迎えます．患者会としての 65 年間にリウマチ医療は大きく進展し，"治療は患者と医師の合意に基づいて行う" というところまできていて，寛解も目指せるようになりました．

「関節リウマチ診療ガイドライン 2014」作成時に，患者の価値観や意向を反映することを目的に当会会員はアンケート調査に参加し，また患者代表として 3 名がパネル会議に初めて参加しました．「関節リウマチ診療ガイドライン 2020」作成時にも，患者の声をエビデンスとして反映させることを目的としたアンケート実施に参加・協力し，パネル会議に患者代表として 3 名が参加しました．

今回の，患者のライフステージに応じて治療を適切に実施し，疾患の重症化・難治化を未然に防止するためのガイドライン改訂を目的とする「関節リウマチ診療ガイドライン 2024 改訂―若年性特発性関節炎 少関節炎型・多関節炎型 診療ガイドラインを含む」においても，患者代表として 2 名が参加しました．患者代表の意見，患者とリウマチ専門医が協働的意思決定に基づいて治療を選択できるよう考えられた推奨が作成され，患者代表として理解しやすい推奨の合意形成に参加できました．患者として臨床の場でしか会うことのない医師が，多くの文献や症例の検証を重ねる姿を，この場でなければ知ることもなく，関節リウマチ診療ガイドラインを改訂していく "場" に参加できたことは患者会として誇らしい思いです．

関節リウマチの診療ガイドライン作成が進展した中，住む地域を選べない患者が望むことは，地域間の医療格差，医療費，医師との協働的意思決定，チームによる医療，病診連携などの問題が解決されることです．

この「関節リウマチ診療ガイドライン 2024 改訂」が，全国のリウマチ医療の質の向上を目指してエビデンスに基づいて作成・活用され，格差の縮小につながったとき，患者はどこに住んでいても安心して必要な医療を受けることができます．

「関節リウマチ診療ガイドライン 2024 改訂」により，リウマチ医療のより一層の進展を期待しています．

公益社団法人日本リウマチ友の会会長

門永登志栄

「関節リウマチ診療ガイドライン 2020」
序　文

　関節リウマチの診療体系は，直近の10年間で劇的な変貌を遂げた．グローバルでは，分類基準，目標達成に向けた治療戦略，寛解基準，そして標準的治療推奨・指針などが新たに作成され，また定期的に改訂されてきた．わが国においても，世界的な流れと同様に，診療の標準化に向けた取り組みは行われ，日本ならではの薬剤や，日本人に特有の課題などに応えるべく「関節リウマチ診療ガイドライン」初版は，2014年に刊行された．それから7年が経過し，この間膨大なエビデンスが収集された．それらの情報を満載した2020年版は，厚生労働省免疫・アレルギー疾患政策研究事業の一環として東京女子医科大学の針谷正祥教授の下，全国のエキスパートの力を結集して作成され，日本リウマチ学会・日本小児リウマチ学会・日本整形外科学会評議員のパブリックコメントを頂戴した．これを受けて，日本リウマチ学会は，この診療ガイドラインを学会ガイドラインとして承認させていただいた．学会を代表して，ここに針谷先生はじめ作成にご尽力された先生方に心より感謝を申し上げたい．

　皆様に本診療ガイドラインを広く臨床現場で活用していただき，関節リウマチ診療のさらなるレベルアップが図られることを祈念して，刊行の挨拶とさせていただきたい．

一般社団法人日本リウマチ学会理事長
慶應義塾大学医学部リウマチ・膠原病内科教授
竹内　勤

「関節リウマチ診療ガイドライン 2020」 刊行によせて

　わが国の関節リウマチ診療に携わる医師および医療関係者の皆様に，「関節リウマチ診療ガイドライン 2020」をお届けすることができ，大変うれしく思います．関節リウマチ診療はこの 20 年間で最も進歩した医学領域の 1 つといわれています．新規治療薬開発と治療戦略の進歩によってもたらされた果実を，関節リウマチ患者とそのご家族の皆様に確実にお届けすることは，リウマチ専門医の使命であり，喜びでもあります．

　関節リウマチは原因不明の多発関節炎を主徴とする炎症性疾患であり，最新の疫学研究では全国で約 83 万人の患者がいると推定されています．30 歳代から 50 歳代の女性に好発する病気であり，患者は病気と上手に付き合いながら様々なライフイベントに対応しなければなりません．また，関節リウマチ患者はその経過中に多くの合併症を経験します．そのため，リウマチ専門医は単に関節のみを評価・治療するだけでなく，家庭や社会の中で患者がおかれている状況や役割を理解し，医学的に全身状態を評価しつつ，その時々で最適な治療方法を提案し，患者との協働的意思決定を積み重ねていくことが求められています．

　私たちはこのような要請に応えるべく「関節リウマチ診療ガイドライン 2014」の改訂を企画・立案し，3 年の年月をかけて本書を完成させました．この間，診療・教育・研究でご多忙な中，本書の作成に多くの時間を割いてご尽力いただいた医師，研究者の先生方，患者代表として会議にご参加いただくとともにアンケート調査にご協力いただいた公益社団法人日本リウマチ友の会の皆様に厚く御礼申し上げます．また，本診療ガイドラインを学会の診療ガイドラインとしてご承認いただきました，一般社団法人日本リウマチ学会に深謝申し上げます．3 年間の作成期間中，膨大な事務作業を担当していただいた「我が国の関節リウマチ診療の標準化に関する臨床疫学研究」事務局の皆様，どうもありがとうございました．

　本ガイドラインの普及により，関節リウマチ患者とご家族の皆様の日々の笑顔が今よりももっと増えていくことを，本ガイドラインの作成者一同，心より祈念しております．

厚生労働行政推進調査事業費（免疫・アレルギー疾患政策研究事業）
我が国の関節リウマチ診療の標準化に関する臨床疫学研究 研究代表者
東京女子医科大学医学部膠原病リウマチ内科学講座 教授・講座主任
針谷正祥

「関節リウマチ診療ガイドライン 2020」 刊行によせて

2020 年，日本リウマチ友の会は創立 60 周年となりました．患者会としての 60 年間に，リウマチ医療は大きく進展し，「治療は患者と医師の合意に基づいて行う」というところまできました．

その中で，2014 年の「関節リウマチ診療ガイドライン」作成に，患者の価値観や意向を反映することを目的に当会会員はアンケート調査に参加，また 3 名が患者代表として作成分科会に参加しました．

患者にとって，初めての場であり，また遠い存在であったガイドライン作成にどう対応するか戸惑いながら新たな経験を積む場となりました．

患者として臨床の場でしか会うことのない医師が，多くの文献や症例の検証を重ねる姿も，この場でなければ知ることもありませんでした．2014 年のガイドラインは高い評価を得，リウマチ患者として誇らしい思いでした．

そして，2014 年より 6 年が経過し「関節リウマチ診療ガイドライン 2020」作成には，当然のように作成分科会に患者代表 3 名が参加．また，会員は患者の声をエビデンスとして反映させることを目的としたアンケート実施に参加協力しました．今回の作成グループでは，患者アンケートや患者代表の意見，患者とリウマチ専門医が協働的意思決定に基づいて治療を選択できるよう考えられた推奨が作成され，患者代表として理解しやすく推奨の合意形成に参加できました．関節リウマチのガイドライン作成がここまで進展した中，住む地域を選べない患者が望むことは，地域間の医療格差，医療費，医師との協働的意思決定，チームによる医療，病診連携などの問題が解決されることです．

この「関節リウマチ診療ガイドライン 2020」が，全国のリウマチ医療の質の向上，を目指してエビデンスに基づいて作成・活用されて，格差の縮小につながった時，患者はどこに住んでいても安心して必要な医療を受けることができます．

「関節リウマチ診療ガイドライン 2020」によりリウマチ医療のより一層の進展を期待しています．

公益社団法人日本リウマチ友の会会長
長谷川三枝子

目　次

推奨作成関連資料，2024 年改定の薬価一覧，統括委員会・CPG パネル委員・SR グループ構成員の経済的 COI と学術的 COI，「関節リウマチ診療ガイドライン 2020」の「第 2 章 2．推奨の作成手順」は下記 Web サイトの本書紹介ページにて掲載

[https://www.shindan.co.jp/]

「関節リウマチ診療ガイドライン 2024 改訂」執筆者一覧

◆編 集

一般社団法人日本リウマチ学会

◆編集委員

針谷正祥	日本リウマチ学会関節リウマチ診療ガイドライン小委員会委員長
川人　豊	日本リウマチ学会関節リウマチ診療ガイドライン小委員会副委員長

◆編集協力

厚生労働科学研究費補助金（免疫・アレルギー疾患政策研究事業）関節リウマチ診療ガイドラインの改訂による医療水準の向上に関する研究班

針谷正祥	研究代表

◆執 筆（50音順）

伊藤　宣	倉敷中央病院整形外科
井上永介	昭和大学統括研究推進センター
井上祐三朗	千葉大学総合医科学
金子佳代子	国立成育医療研究センター周産期・母性診療センター母性内科
金子祐子	慶應義塾大学リウマチ・膠原病内科
亀田秀人	東邦大学膠原病学分野（大橋）
川人　豊	京都府立医科大学免疫内科学
河野正孝	京都府立医科大学免疫内科学
岸本暢将	杏林大学腎臓・リウマチ膠原病内科
久保田知洋	鹿児島県立薩南病院小児科
小嶋俊久	国立病院機構名古屋医療センター整形外科
小嶋雅代	名古屋市立大学
後藤美賀子	国立成育医療研究センター妊娠と薬情報センター
酒井良子	明治薬科大学公衆衛生・疫学研究室
杉原毅彦	東邦大学膠原病学分野（大森）
瀬戸洋平	元 東京女子医科大学八千代医療センターリウマチ膠原病内科
祖父江康司	日本赤十字社愛知医療センター名古屋第一病院関節外科リウマチ科
田中榮一	東京女子医科大学膠原病リウマチ内科学分野
中島亜矢子	三重大学リウマチ膠原病内科学
西田圭一郎	岡山大学病院運動器疼通センター
長谷川三枝子	公益社団法人日本リウマチ友の会
針谷正祥	東京女子医科大学膠原病リウマチ内科学分野
平田信太郎	広島大学病院リウマチ・膠原病科
松下　功	金沢医科大学リハビリテーション医学科
宮前多佳子	東京女子医科大学膠原病リウマチ内科学分野
森信暁雄	京都大学臨床免疫学
矢嶋宣幸	昭和大学リウマチ膠原病内科学部門

「関節リウマチ診療ガイドライン 2020」 執筆者一覧

◆編　集

針谷正祥	東京女子医科大学医学部膠原病リウマチ内科学講座

◆執　筆（50 音順）

伊藤　宣	京都大学大学院医学研究科リウマチ性疾患先進医療学講座
井上永介	昭和大学統括研究推進センター
梅林宏明	宮城県立こども病院総合診療科
金子祐子	慶應義塾大学医学部リウマチ・膠原病内科
川人　豊	京都府立医科大学大学院医学研究科免疫内科学
岸本暢将	杏林大学医学部腎臓・リウマチ膠原病内科
河野正孝	京都府立医科大学大学院医学研究科免疫内科学
小嶋俊久	名古屋大学医学部附属病院整形外科
小嶋雅代	国立長寿医療研究センターフレイル研究部
後藤美賀子	国立成育医療研究センター周産期・母性診療センター／妊娠と薬情報センター
酒井良子	東京女子医科大学医学部膠原病リウマチ内科学講座リウマチ性疾患先進的集学医療寄附研究部門
杉原毅彦	東京医科歯科大学生涯免疫難病学講座
鈴木康夫	東海大学医学部内科学系リウマチ内科学
瀬戸洋平	東京女子医科大学八千代医療センターリウマチ膠原病内科
祖父江康司	名古屋大学医学部附属病院整形外科
田中榮一	東京女子医科大学医学部膠原病リウマチ内科学講座
中島亜矢子	三重大学医学部附属病院リウマチ・膠原病センター
中山健夫	京都大学大学院医学研究科社会健康医学系専攻健康情報学分野
西田圭一郎	岡山大学大学院医歯薬総合研究科整形外科
長谷川三枝子	公益社団法人日本リウマチ友の会
平田信太郎	広島大学病院リウマチ・膠原病科
松下　功	金沢医科大学リハビリテーション医学科
宮前多佳子	東京女子医科大学病院膠原病リウマチ痛風センター小児リウマチ科
村島温子	国立成育医療研究センター周産期・母性診療センター／妊娠と薬情報センター
森　雅亮	東京医科歯科大学生涯免疫難病学講座
森信暁雄	京都大学大学院医学研究科臨床免疫学

※所属は「関節リウマチ診療ガイドライン 2020」発刊当時のものを記載

略語一覧

●薬剤名

略語	欧語	和語
ABT	abatacept	アバタセプト
ADA	adalimumab	アダリムマブ
AZA	azathioprine	アザチオプリン
BARI	baricitinib	バリシチニブ
BUC	bucillamine	ブシラミン
CsA	cyclosporine	シクロスポリン
CZP	cetolizumab pegol	セルトリズマブ ペゴル
DEX	dexamethasone	デキサメタゾン
ETN	etanercept	エタネルセプト
FIL	filgotinib	フィルゴチニブ
GOL	golimumab	ゴリムマブ
GST	sodium aurothiomalate	金チオリンゴ酸ナトリウム
HCQ	hydroxychloroquine	ヒドロキシクロロキン
IFX	infliximab	インフリキシマブ
IGU	iguratimod	イグラチモド
LEF	leflunomide	レフルノミド
MTX	methotrexate	メトトレキサート
MZR	mizoribine	ミゾリビン
OZR	ozoralizumab	オゾラリズマブ
PEFI	peficitinib	ペフィシチニブ
PSL	prednisolone	プレドニゾロン
RTX	rituximab	リツキシマブ
SAR	sarilumab	サリルマブ
SASP	salazosulfapyridine	サラゾスルファピリジン
TAC	tacrolimus	タクロリムス
TCZ	tocilizumab	トシリズマブ
TOF	tofacitinib	トファシチニブ
UPA	upadacitinib	ウパダシチニブ

●臨床試験・臨床研究名

略語	欧語	和語
ADACTA	Tocilizumab monotherapy versus adalimumab monotherapy for treatment of rheumatoid arthritis	―
AMPLE	Abatacept versus adalimumab comparison in biologic-naive rheumatoid arthritis subjects with background methotrexate	―
ANOUVEAU	Adalimumab Non-interventional Trial for Up-verified Effects and Utility	―
ATTEST	Abatacept or infliximab versus placebo, a Trial for Tolerability, Efficacy and Safety in Treating RA	―

略語	欧語	和語
ATTRACT	Anti-Tumour Necrosis Factor Trial in Rheumatoid Arthritis with Concomitant Therapy	—
AVERT	Assessing Very Early Rheumatoid Arthritis Treatment	—
AWARDS	Effect of Adalimumab on Work Ability Assessed in Rheumatoid Arthritis Disease Patients in Saudi Arabia	—
BSRBR-RA	British Society for Rheumatology Biologics Register for Rheumatoid Arthritis	—
CanAct	Canadian Adalimumab Clinical Trial	—
CIMESTRA	Combination treatment with methotrexate, cyclosporine, and intraarticular betamethasone compared with methotrexate and intraarticular betamethasone in early active rheumatoid arthritis	—
COMET	COmbination of Methotrexate and ETanercept	—
CRANE	Choju registry of RA treated with non-biologic DMARDs and biologics in elderly patients in Japan	—
DRESS	Dose REduction Strategy of Subcutaneous TNF inhibitors	—
FIRST ACT-SC	—	生物学的製剤未使用の関節リウマチ患者に対する疾患活動性等に関するトシリズマブ皮下注の有効性
FUNCTION	Tocilizumab in early progressive rheumatoid arthritis	—
GO-FORWARD	Golimumab, a human antibody to tumour necrosis factor α given by monthly subcutaneous injections, in active rheumatoid arthritis despite methotrexate therapy	—
IORRA	Institute of Rheumatology, Rheumatoid Arthritis	—
KAKEHASHI	Sarilumab plus methotrexate in patients with active rheumatoid arthritis and inadequate response to methotrexate	—
KURAMA	Kyoto University Rheumatoid Arthritis Management Alliance	—
LORIS	Late-onset Rheumatoid Arthritis Registry	—
NICER-J	Nationwide Inception Cohort of Early Rheumatoid Arthritis Patients in Japan	—
NinJa	National Database of Rheumatic Diseases by iR-net in Japan	—
NOAR	Norfolk Arthritis Register	—
MOBILITY	Monoclonal antibody to IL-6R α in RA patients : a pivotal trial with X-ray	—
MONARCH	Efficacy and safety of sarilumab monotherapy versus adalimumab monotherapy for the treatment of patients with active rheumatoid arthritis	—
OHZORA	anti-TNF multivalent NANOBODY compound ozoralizumab in patients with RA	—
OMERACT	Outcome Measures in Rheumatoid Arthritis Clinical Trial	—
OPERA	Certolizumab-Optimal Prevention of joint damage for Early RA	—
OPTIMA	Optimal Protocol for Treatment Initiation with Methotrexate and Adalimumab	—
ORAL	Oral Rheumatoid Arthritis Trial	—

略語	欧語	和語
POET	Potential Optimalisation of（Expediency）and Effectiveness of TNF-blockers	―
PREMIER	A Prospective multi-center Randomized, double-blind, active comparator-controlled, parallEl-group study comparing the fully human Monoclonal anti-TNF α antibody adalimumab given every second week with methotrexate given weekly and the combination of adalimumab and methotrexate（MTX）administered over 2 years In patients with Early Rheumatoid arthritis	―
PRESERVE	Maintenance, reduction, or withdrawal of etanercept after treatment with etanercept and methotrexate in patients with moderate rheumatoid arthritis	―
PRIZE	Productivity and Remission in a Randomized Controlled Trial of Etanercept vs. Standard of Care in Early Rheumatoid Arthritis	―
PROWD	PRevention Of Work Disability	―
RABBIT	Rheumatoid Arthritis Observation of Biologic Therapy	―
RAPID	Rheumatoid Arthritis Prevention of Structural Damage	―
SAMURAI	Study of Active Controlled Monotherapy Used for Rheumatoid Arthritis, an IL-6 Inhibitor	―
SECURE	Safety of Biologics in Clinical Use in Japanese Patients with Rheumatoid Arthritis	―
SRR	Swedish Rheumatology Quality of Care Register	―
STRASS	Spacing of TNF-blocker injections in Rheumatoid ArthritiS Study	―
STURE	Stockholm TNF-alpha follow-up registry	―
SWEFOT	SWEdish FarmacOTherapy	―
TBCR	Tsurumai Biologics Communication Registry	―
TEAR	Treatment of Early Aggressive Rheumatoid Arthritis	―
TEMPO	Trial of Etanercept and Methotrexate with Radiographic Patient Outcomes	―

●組織名

略語	欧語	和語
AAOS	American Academy of Orthopaedic Surgeons	米国整形外科学会
ACR	American College of Rheumatology	米国リウマチ学会
AMED	Japan Agency for Medical Research and Development	日本医療研究開発機構
APLAR	Asia Pacific League of Associations for Rheumatology	アジア太平洋リウマチ学会
CDC	Centers for Disease Control and Prevention	米国疾病予防管理センター
CORRONA	Consortium of Rheumatology Researchers of North America	―
ENTIS	European Network of Teratology Information Services	―
EULAR	European League Against Rheumatism	欧州リウマチ学会
ILAR	International League of Association for Rheumatology	国際リウマチ学会
JOA	The Japanese Orthopaedic Association	日本整形外科学会
Minds	Medical Information Distribution Service	EBM 普及推進事業
MSIS	Musculoskeletal Infection Society	米国筋骨格感染症学会
NHS	National Health Service	英国国民保健サービス

略語	欧語	和語
NICE	National Institute for Health and Care Excellence	英国国立医療技術評価機構
NIOSH	National Institute for Occupational Safety and Health	米国国立労働安全衛生研究所
NYHA	New York Heart Association	ニューヨーク心臓協会
OTIS	Organization of Teratology Information Specialists	―
PReS	Paediatric Rheumatology European Society	小児リウマチ欧州協会
PRINTO	Pediatric Rheumatology International Trials Organization	小児リウマチ国際試験機構
WHO	World Health Organization	世界保健機構

●おもな略語

略語	欧語	和語
3E Initiative	3E（Evidence, Expertise, Exchange）Initiative	―
ACPA	anti-citrullininated ptotein antibody	抗シトルリン化蛋白抗体
ACR20/50/70	American College of Rheumatology ≧ 20%/50%/70% improvement criteria	―
ACR Pedi 30/50/70/90	30%50%/70%/90% improvement in the American College of Rheumatology criteria for juvenile idiopathic arthritis	―
ACR Pedi Response	American College of Rheumatology Pediatric Response Criteria	―
ADL	activities of daily living	日常生活動作
AGREE	Appraisal of Guidelines for Research and Evaluation	―
ALT	alanine aminotransferase	アラニンアミノ基転移酵素
AST	aspartate transaminase	アスパラギン酸アミノトランスフェラーセ
ATL	adult T-cell leukemia-lymphoma	成人 T 細胞白血病
AUC	area under the curve	曲線下面積
BCG	Bacillus Calmette-Guérin	―
bDMARD	biologic synthetic disease-modifying antirheumatic drug	生物学的疾患修飾（性）抗リウマチ薬
BMI	body mass index	ボディマス指数／体格指数
BS	biosimilar	バイオ後続品
CCP	cyclic citrullinated peptide	シトルリン化ペプチド
CDAI	Clinical Disease Activity Index	―
CHAQ	Childhood Health Assessment Questionnaire	小児健康評価質問票
CI	confidence interval	信頼区間
CID	clinically inactive disease	臨床的非活動状態
CKD	chronic kidney disease	慢性腎臓病
CoCr	cobalt-chromium alloy	コバルト・クロム合金
COI	conflict of interest	利益相反
COPD	chronic obstructive pulmonary disease	慢性閉塞性肺疾患
COX	cyclooxygenase	シクロオキシゲナーゼ
CPG	clinical practice guideline	診療ガイドライン
CQ	clinical question	クリニカルクエスチョン
CRP	C-reactive protein	C 反応性蛋白
csDMARD	conventional synthetic disease-modifying antirheumatic drugs	従来型合成疾患修飾（性）抗リウマチ薬
CTLA-4	cytotoxic T lymphocyte-associated antigen 4	細胞傷害性 T リンパ球抗原 4

略語	欧語	和語
CVD	cardiovascular disease	心血管疾患
DANBIO	Danish Database for Biological Treatment	―
DAS	Disease Activity Score	―
DASH	Disability of the Arm, Shoulder and Hand	上肢障害評価表
DCER	decremental cost-effectiveness ratio	費用対効果の減少率
DLBCL	diffuse large B-cell lymphoma	びまん性大細胞型 B 細胞リンパ腫
DLCO	diffusing capacity for carbon monoxide	一酸化炭素肺拡散能
DMARD	disease-modifying antirheumatic drug	疾患修飾（性）抗リウマチ薬
DPC	diagnosis procedure combination	包括払い制度
EBM	evidence-based medicine	根拠（エビデンス）に基づく医療
eGFR	estimated glomerular filtration rate	推算糸球体濾過量
EQ-5D	EuroQol 5 dimention	―
ESR	erythrocyte sedimentation rate	赤血球沈降速度
FVC	forced vital capacity	努力肺活量
Genant mTSS	Genant modified total Sharp score	Genant 修正総 Sharp スコア
GH	global health	患者全般評価／患者総合評価
GRADE	Grading of Recommendations Assessment, Development and Evaluation	―
GRADEpro GDT	GRADEpro Guideline Development Tool	―
HAM	HTLV-1 associated myelopathy	HTLV-1 関連脊髄症
HAQ	Health Assessment Questionnaire	健康評価質問票
HAQ-DI	Health Assessment Questionnaire-Disability Index	健康評価質問票を用いた機能障害指数
HBV	hepatitis B virus	B 型肝炎ウイルス
HCV	hepatitis C virus	C 型肝炎ウイルス
HHR	humeral head replacement	上腕骨人工骨頭置換術
HLA	human leukocyte antigen	ヒト白血球抗原
HLQ	Health and Labour Questionnaire	―
HR	hazard ratio	ハザード比
HTLV-1	human T-cell leukemia virus type 1	ヒト T 細胞白血病ウイルス 1 型
HTLV-1 PVL	HTLV-1 proviral load	HTLV-1 プロウイルス負荷
HU/HAU	HTLV-1 uveitis / HTLV-1 associated uveitis	HTLV-1 ぶどう膜炎／ HTLV-1 関連ぶどう膜炎
ICER	incremental cost-effectiveness ratio	増分費用効果比
Ig	immunoglobulin	免疫グロブリン
IL-6	interleukin-6	インターロイキン 6
ILD	interstitial lung disease	間質性肺疾患
IQR	interquartile range	四分位範囲
JADAS	Juvenile Arthritis Disease Activity Score	―
JAK	Janus kinase	ヤヌスキナーゼ
JAKi	Janus kinase inhibitor	ヤヌスキナーゼ阻害薬
J-HAQ	Japanese version of Health assessment Questionnaire	日本語版 HAQ（身体機能評価スケール）
JIA	juvenile idiopathic arthritis	若年性特発性関節炎
LPD	lymphoproliferative disorder	リンパ増殖性疾患
MAD median	mean absolute deviation about the median	平均絶対偏差
MB	metal-back	メタルバック
MCID	minimally clinical important difference	臨床的意義のある最小差／最小変化量

略語	欧語	和語
MCP	metacarpophalangeal joint	中手指節関節
MD	mean difference	平均値差／平均値の差
MEPI	Mayo elbow performance index	メイヨー肘パフォーマンス指数
MHQ	Michigan Hand Outcome Questionnaire	ミシガン手の質問票
MID	minimally important difference	最小重要差
MMRC	Medical Research Council dyspnea scale	修正 MRC（英国医学研究会議）息切れスケール
MTP	metatarsophalangeal joint	中足趾節関節
mTSS	van der Hejide modified total Sharp score	修正総 Sharp スコア
N/A	not applicable	該当なし
NDB Japan	National Database of Japan	ナショナルデータベース
NNH	number needed to harm	—
NNT	number needed to treat	治療必要数
NSAID	nonsteroidal anti-inflammatory drugs	非ステロイド抗炎症薬
OA	osteoarthritis	変形性関節症
OR	odds ratio	オッズ比
PCV13	13-valent pneumococcal conjugate vaccine	13 価肺炎球菌結合型ワクチン
PGA	patient's global assessment	患者全般疾患活動性評価
PICO	patient, intervention, comparison, outcome	—
PIP	proximal interphalangeal joint	近位指節間関節
PMS	post marketing surveillance	市販後調査
PPSV23	23-valent pneumococcal polysaccharide vaccine	23 価肺炎球菌莢膜ポリサッカライドワクチン
PRISMA	Preferred Reporting Items for Systematic Reviews and Meta-Analyses	—
QALY	quality-adjusted life year	質調整生存年
QOL	quality of life	生活の質
QUIPS	Quality in Prognostic Studies	—
RA	rheumatoid arthritis	関節リウマチ
RANKL	receptor activator of NF-κB ligand	—
RAPID3	Routine Assessment of Patient Index 3	—
RA-WIS	Rheumatoid Arthritis Work Instability Scale	—
RCT	randomized controlled trial	ランダム化比較試験
RevMan	Review Manager	—
RF	rheumatoid factor	リウマトイド因子
RID	relative infant dose	相対的乳児薬物投与量
RoBANS	Risk of Bias Assessment Tool for Nonrandomized Studies	—
RP	reference product	先行バイオ医薬品
RR	risk ratio	リスク比
RSD	reflex sympathetic dystrophy	反射性交感神経性ジストロフィー
sc	subcutaneous injection	皮下注射
SDAI	Simplified Disease Activity Index	—
SF-36	MOS 36-Item Short-Form Health Survey	—
SJC	swollen joint count	腫脹関節数
SR	systematic review	システマティックレビュー
SRM	standardized response mean	標準化反応平均

略語	欧語	和語
SSI	surgical site infection	手術部位感染
T2T	treat to target	目標達成に向けた治療
TAA	total ankle arthroplasty	人工足関節全置換術
TEA	total elbow arthroplasty	人工肘関節全置換術
THA	total hip arthroplasty	人工股関節全置換術
TJC	tender joint count	圧痛関節数
TKA	total knee arthroplasty	人工膝関節全置換術
TNF	tumor necrosis factor	腫瘍壊死因子
TNFi	tumor necrosis factor inhibitor	TNF 阻害薬
TSA	total shoulder arthroplasty	人工肩関節全置換術
tsDMARD	targeted synthetic disease-modifying antirheumatic drug	分子標的型合成疾患修飾（性）抗リウマチ薬
TSS	total Sharp score	総 Sharp スコア
UIP	usual interstitial pneumonia	通常型間質性肺炎
VAS	visual analogue scale	—
VOLP	Valuation of Lost Productivity Questionnaire	—
VTE	venous thromboembolism	静脈血栓塞栓症
WLQ	Work Limitations Questionnaire	—
WMD	weighted mean difference	加重平均差
WOMAC	Western Ontario and McMaster Universities Osteoarthritis Index	ウェスタンオンタリオとマクマスター大学の変形性関節症指数
WPAI	Work Productivity and Activity Impairment	仕事の生産性および活動障害に関する質問票
WPS-RA	Rheumatoid Arthritis-Specific Work Productivity Survey	—

第 1 章

本診療ガイドラインについて

1 背景・特徴と使用上の注意

2024
NEW

1）本診療ガイドラインの背景・特徴

(1)「関節リウマチ診療ガイドライン」の動向

　近年，有効性の高い bDMARD や JAK 阻害薬などの新規分子標的治療薬の登場で，RA の予後は飛躍的に改善した．2010 年に早期 RA を診断するための ACR/EULAR の RA 分類基準，2011 年には将来の関節破壊の進行を抑えるための治療目標として ACR/EULAR 寛解基準が発表され，治療の開始時期と治療目標が明確になった．また，RA 患者が身体機能障害をきたさないためには，厳密な疾患活動性の管理による早期からの「臨床的寛解」の達成，すなわちタイトコントロールを行う必要があるが，そのアプローチ法として，2010 年に T2T が国際的なエキスパートコンセンサスとして公表された[1]．この T2T の概念を日常診療に応用し，多様化した RA 治療薬をいかに有効に使用して RA 患者の機能的予後を改善させるかについては，いまだに多くの問題点が存在している．その解決の1つの「道しるべ」となる診療ツールが，T2T 概念を反映させた「関節リウマチ診療ガイドライン」である．近年，欧米からのガイドライン，リコメンデーションが数多く発表されているが，日本は欧米と比較して人口構成，薬剤の種類，保険制度や専門医制度などの医療提供体制が異なり，わが国の医療環境を反映した独自の診療ガイドラインが求められており，前回は 2021 年に発刊された．

(2) 日本の「関節リウマチ診療ガイドライン」の歴史

　わが国における最初の関節リウマチに関する診療マニュアルあるいはガイドラインは，1997 年に日本リウマチ財団から発行され，2004 年に厚生労働省のエビデンスに基づく診療ガイドライン作成研究班（班長：越智隆弘）により作成された改訂版が，日本リウマチ財団から出版された[2]．2014 年には，厚生労働科学研究費補助金 免疫アレルギー疾患等予防・治療研究事業 我が国における関節リウマチ治療の標準化に関する多層的研究（2011〜2013 年，研究代表者：宮坂信之）関節リウマチ診療ガイドライン作成分科会（分科会長：山中　寿）が「関節リウマチ診療ガイドライン 2014」（以下，2014 年版診療ガイドライン）を作成し，日本リウマチ学会の承認を受けて，公表された[3]．欧米のガイドラインに先行して，GRADE 法[4]を使用して作成され，わが国で初めて bDMARD の使用の推奨が明記されたほ

か，様々な DMARD や手術，リハビリに関する推奨を含めた包括的な診療ガイドラインであった．その後，JAK 阻害薬を含む新規 RA 治療薬の承認，医療保険制度の変化をはじめとして，RA 診療を取り巻く環境はさらなる変化を遂げており，RA 治療の目標も，"臨床的寛解"から"関節破壊の進行抑制とさらなる身体機能の改善"へと変化してきた．また，わが国の RA 診療における解決すべき課題として，地域間の医療格差，ライフステージ別の RA 治療，高騰する医療費，患者との協働的意思決定の在り方，多職種によるチームワーク医療の実践などが指摘されている．「関節リウマチ診療ガイドライン 2020」（以下，2020 年版診療ガイドライン）[5]は，これらの課題を念頭に，厚生労働行政推進調査事業費補助金（免疫・アレルギー疾患政策研究事業）我が国の関節リウマチ診療の標準化に関する臨床疫学研究（研究代表者：針谷正祥）の関節リウマチ診療ガイドライン分科会（分科会長：川人　豊）において，2014 年版診療ガイドラインのアップデート版，RA の包括的な診療ガイドラインとして策定され，日本リウマチ学会のガイドラインとして発刊された．今回の「関節リウマチ診療ガイドライン 2024 改訂—若年性特発性関節炎 少関節炎型・多関節炎型診療ガイドラインを含む」（以下，2024 年版診療ガイドライン）は，この 2020 年版診療ガイドラインに新たなエビデンスを加えたアップデート版であり，厚生労働行政推進調査事業費補助金（免疫・アレルギー疾患政策研究事業）我が国の関節リウマチ診療の標準化に関する臨床疫学研究（研究代表者：針谷正祥，診療ガイドラインパネル委員長：川人　豊）において作成され，日本リウマチ学会の承認を得て公表に至った．

(3) 診療ガイドラインの作成方法と特徴

　本診療ガイドラインの作成には，エビデンスの質の評価と各治療が対象アウトカムに与える影響を提示するための具体的なアプローチとして確立された GRADE 法を用いている．医療は患者のアウトカムの改善を目的として，医師と患者で治療の意思決定を行うものであるが，RCT のエビデンスは限られている．参考となるエビデンスがなくても実際の医療現場では治療しなくてはならないため，診療ガイドラインが単なるエビデンス集となってしまうと，臨床応用可能な有用な情報を提供できない．GRADE 法は，患者および医療者の意思決定に関連する

複数のアウトカムについてのエビデンスの確実性に加え，利益と害のバランス，患者の価値観や意向，資源の利用を考慮して作成する方法である．この GRADE 法を用い，リウマチ専門医で構成された SR グループと，リウマチ専門医，看護師，ガイドライン専門家，患者代表（日本リウマチ友の会）で構成された診療ガイドラインパネル委員会が，患者とリウマチ専門医が協働的意思決定に基づいて治療を選択ができるように工夫された推奨を作成し，合意形成がなされた．

2020 年版診療ガイドラインでは，①バイオ後続品を含む bDMARD，JAK 阻害薬などの新規薬剤に関連した推奨，②高齢者，合併症を伴う患者を対象とした推奨，③手術治療・リハビリテーション治療の進歩に伴う推奨，④薬物治療および非薬物治療・外科的治療のアルゴリズム，⑤医療経済学的評価，⑥患者アンケート調査による患者の価値観・意向，⑦JIA，移行期，妊娠・授乳期などの幅広いライフステージにおける RA 治療に関する総説が掲載された．また，厚生労働省研究班「我が国の関節リウマチ診療の標準化に関する臨床疫学研究」の関節リウマチ関連リンパ増殖性疾患分科会（分科会長：鈴木康夫）と関節リウマチ疫学研究分科会（分科会長：中島亜矢子）の研究データを加えて，RA 患者における LPD と地域医療対策のためのエビデンスも提供された．今回の 2024 年版診療ガイドラインでは，その後に発表されたエビデンスをもとに，バイオ後続品を含む bDMARD，JAK 阻害薬などの新規薬剤，高齢者，妊娠・授乳期などのライフステージ別の RA 治療の推奨を改訂または新規に作成し，HCQ および妊娠・授乳期の Q&A も改訂した．また，小児および移行期・成人期の JIA については，2020 年版診療ガイドラインでは Q&A 形式の総説を掲載したが，今回は JIA の中でも移行期・成人期に継続して医療を必要とする可能性が高い少関節炎型・多関節炎型（RF 陽性または陰性）に関する CQ を設定し，それらに対する推奨を作成した．なお，LPD についての記載は，「関節リウマチ関連リンパ増殖性疾患の診断と管理の手引き」（3 学会合同 RA 関連 LPD ワーキンググループ編）が公表されたため，2024 年版診療ガイドラインでは割愛した．

(a) 薬物療法と非薬物療法

2020 年版診療ガイドラインでは，抗 RANKL 抗体，JAK 阻害薬，バイオ後続品の有用性とその位置づけについて解説した．今回の 2024 年版診療ガイドラインでは，新規 JAK 阻害薬，MTX の皮下注製剤，新規 TNF 阻害薬である OZR や新規バイオ後続品のエビデンスを追記し，2023 年 3 月現在，保険適用外であるが国内臨床試験中の RTX についての推奨を作成した．RTX は，わが国では B 細胞性非 Hodgkin リンパ腫のほか，顕微鏡的多発血管炎，多発血管炎性肉芽腫症，ネフローゼ症候群などで承認されている．海外では RA の治療薬として承認され豊富なエビデンスが存在し，ACR のガイドラインでは RTX が承認さ

れている LPD の治療後の中～高疾患活動性を有する RA 患者に RTX 治療が条件付きで推奨されている．LPD の既往を有する RA 患者数はわが国でも増加しており，今後の RA 治療の選択肢を増やすうえで重要な推奨である．HCQ も海外では RA 治療薬として承認され広く使用されているが，わが国では 2015 年 7 月に皮膚エリテマトーデス・全身性エリテマトーデスに対する保険適用が認められ，RA に対する国内のエビデンスが集積すれば今後わが国での適用拡大も期待されることから，Q&A としてその有用性のエビデンスを紹介した．非薬物療法については，人工関節手術を含めた広範囲の関節手術療法，および近年重要視されているリハビリテーション治療についての 2020 年版診療ガイドラインの推奨を引き続き用いることとした．

(b) 治療のアルゴリズム

2014 年版診療ガイドラインでは，EULAR リコメンデーションのアルゴリズムを基本にして，わが国の実情とパネル会議での議論をふまえて修正したアルゴリズムを採用した．2020 年版診療ガイドラインでは，T2T の基本概念は順守しながら，わが国の RA 治療薬や高齢社会の背景を念頭におき，医療経済も考慮してアルゴリズムを作成した．特に非薬物治療・外科的治療のアルゴリズムは，関節機能再建手術，関節内注射，リハビリテーションを組み合わせて作成したもので，欧米の診療ガイドライン，リコメンデーションでも作成されていない，世界で初めての RA に対する非薬物治療・外科的治療のアルゴリズムである．薬物療法アルゴリズム，非薬物治療・外科的治療のアルゴリズムともに，2024 年版診療ガイドラインでも引き続き用いることとした．

(c) ライフステージ別の RA，JIA 診療

① 高齢者

わが国の RA 患者は急速に高齢化している．その理由として，RA 治療の進歩による生命予後の改善があげられる．加齢に伴う筋力，免疫能，肝・腎機能の低下が存在し，治療の選択および強度の調節が非常にむずかしい．具体的には，腎機能低下に伴う MTX を初めとする DMARD 投与量の調整，重症感染症発症リスクの増大，免疫不全関連 LPD 発症リスクの増大などの問題を高齢者は抱えており，薬剤選択および用法用量に工夫が必要である．各個人の合併症やアドヒアランスを考え，安全性の高い治療を実施するため，医師は多様な DMARD の特性を十分把握しておかなければならない．これらの点をふまえて，bDMARD，JAK 阻害薬，副腎皮質ステロイドの使用の推奨と解説を作成した．

② 妊娠・授乳期

高齢社会とともにわが国で課題となっているのが人口の少子化である．これまでは，RA のために妊娠がむずかしく諦めてしまうケースも多々あったが，RA の治療が進歩し，疾患活動性制御による妊孕性の改善，妊娠中および授乳期に使用可能な

3

薬剤の増加によって，安全性の高い妊娠・出産，子育てが可能となってきている．本診療ガイドラインでは，妊娠中・授乳中のDMARD治療の安全性，男性RA患者の配偶者が妊娠を望む場合の注意点などについて，推奨と解説およびQ&Aを掲載した．

③　JIA少関節炎型・多関節炎型の小児および移行期・成人期

RAの薬物治療の進歩により，JIAの関節機能の予後は著明に改善した．しかし，小児から成人への移行期および成人期に引き続き医療を必要とする可能性が高いJIA少関節炎型・多関節炎型の患者に対する医療提供体制は十分とはいえず，これらのJIA患者に対応可能な成人科のリウマチ専門医の増加が求められている．JIA少関節炎型・多関節炎型の基本的な病態，疾患活動性評価，治療，保険制度などにおける留意点について成人科のリウマチ専門医が理解し，診療に活用できるように，本診療ガイドラインでは，第4章でJIA少関節炎型・多関節炎型に関する推奨と解説を掲載した．

(d) 医療経済

2014年版診療ガイドラインでは，診療ガイドラインに収載される可能性のある医薬品すべてについて網羅的に経済的指標としての薬価を調査し，欧米の状況を主として総論的に医療経済評価を検討した．診療ガイドラインにおける経済評価は，近年さらにその重要性が増している．医療資源は有限であり，臨床的有用性と同時に，その公平な配分の基礎となる費用対効果や効率性を考慮する社会的必要性がある．しかし，わが国での医療経済を考慮したRA治療薬のエビデンスは限られており，不確実性が大きい．高齢社会における医療コストの負担増やTNF阻害薬のバイオ後続品が承認・使用されている背景から，今回の本診療ガイドラインでは，バイオ後続品については2020年版診療ガイドラインに引き続きGRADE法に基づき推奨を作成し，RA治療の医療経済評価については第4章の総説をアップデートした．

(4) さいごに

わが国でのRA治療は本診療ガイドラインに示されている治療アルゴリズムと推奨をふまえて実践されることが期待されるが，日常臨床で遭遇する多様な背景を有するすべての患者に診療ガイドラインに基づいた治療を行うことは困難である．リウマチ専門医は，患者と情報を共有し，利益と害，患者の価値観や意向，医療経済的視点も加えたうえで，患者との協働的意思決定により治療法を選択していかなければならない．本診療ガイドラインがどのような過程を経て作成されたかを理解したう

えで，その内容を評価し，日常診療に役立てていただきたい．

2)　本診療ガイドラインの対象疾患と利用者

本診療ガイドラインの対象患者は全ライフステージのRA患者であり，利用者はリウマチ専門医である．リウマチ専門医が本診療ガイドラインの内容を十分に理解し，RA診療に携わるメディカルスタッフを教育し，自らの診療経験と患者背景をふまえて，RAのトータルケアを実践していただくことを期待する．

3)　使用上の注意

・CQおよび推奨は，リウマチ専門医を対象とした記述となっているが，RA診療に携わるメディカルスタッフや患者とその家族が，本書を参考にする場合も考慮し，「クイックリファレンス」を作成した．

・本診療ガイドラインは，個々の患者背景を考慮したリウマチ専門医による治療の判断を支援するために使用されるべきであり，実際の医療を束縛するものではない．

・本診療ガイドラインはRA医療の向上を目指しエビデンスに基づき作成されたため，わが国で保険収載されていない薬剤についても言及されており，注意が必要である．保険適用外薬剤は推奨文の中に明記した．

・本診療ガイドラインは，リウマチ専門医が日常臨床で適切な治療の判断を下せるように支援する目的で作成された．医事紛争や医療裁判の資料としての利用は本来の目的とは逸脱しているので用いないこと．

■文献

1) Smolen JS, et al：Ann Rheum Dis 2010；69：631-637.
2) 越智隆弘, 他編：関節リウマチの診療マニュアル（改訂版）診断のマニュアルとEBMに基づく治療ガイドライン．日本リウマチ財団 2004.
3) 日本リウマチ学会編：関節リウマチ診療ガイドライン2014．メディカルレビュー社 2014.
4) The GRADE working group. http://www.gradeworkinggroup.org/
5) 日本リウマチ学会編：関節リウマチ診療ガイドライン2020．診断と治療社 2021.

2 ガイドライン作成組織

2024
NEW

1）ガイドライン作成組織

統括委員会委員長

針谷　正祥	東京女子医科大学膠原病リウマチ内科学分野

統括委員会

川人　　豊	京都府立医科大学免疫内科学
針谷　正祥	東京女子医科大学膠原病リウマチ内科学分野
金子　祐子	慶應義塾大学リウマチ・膠原病内科
田中　榮一	東京女子医科大学膠原病リウマチ内科学分野

診療ガイドライン（CPG）パネル委員長

川人　　豊	京都府立医科大学免疫内科学

CPG パネル委員会

井上祐三朗	千葉大学総合医科学
金子佳代子	国立成育医療研究センター周産期・母性診療センター母性内科
金子　祐子	慶應義塾大学リウマチ・膠原病内科
亀田　秀人	東邦大学膠原病学分野（大橋）
川人　　豊	京都府立医科大学免疫内科学
岸本　暢将	杏林大学腎臓・リウマチ膠原病内科
久保田知洋	鹿児島県立薩南病院小児科
河野　正孝	京都府立医科大学免疫内科学
小嶋　俊久	国立病院機構名古屋医療センター整形外科
小嶋　雅代	名古屋市立大学
杉原　毅彦	東邦大学膠原病学分野（大森）
田中　榮一	東京女子医科大学膠原病リウマチ内科学分野
中島亜矢子	三重大学リウマチ膠原病内科学
針谷　正祥	東京女子医科大学膠原病リウマチ内科学分野
平田信太郎	広島大学病院リウマチ・膠原病科
房間　美恵	宝塚大学看護学部成人看護学分野
宮前多佳子	東京女子医科大学膠原病リウマチ内科学分野
森信　暁雄	京都大学臨床免疫学

患者代表

門永登志栄	公益社団法人日本リウマチ友の会
長谷川三枝子	公益社団法人日本リウマチ友の会

関節リウマチシステマティックレビュー（SR）グループ

池内　寛子	京都大学社会健康医学系専攻予防医療学分野
上野　匡庸	産業医科大学第1内科学講座
大久保直紀	株式会社麻生 飯塚病院人事課医務室
大野久美子	東京大学医科学研究所関節外科
川邊　智宏	東京女子医科大学膠原病リウマチ内科学分野
河森　一毅	昭和大学リウマチ膠原病内科学部門
齋藤俊太郎	慶應義塾大学リウマチ・膠原病内科
住友　秀次	神戸市立医療センター中央市民病院膠原病・リウマチ内科
祖父江秀晃	京都府立医科大学免疫内科学
竹内　陽一	前橋赤十字病院リウマチ・腎臓内科
田淵　裕也	京都大学臨床免疫学
土井　吾郎	九州大学病院別府病院免疫・血液・代謝内科
永田　　亘	防衛医科大学校薬理学講座
中西優市郎	京都府立医科大学免疫内科学
中村　昌平	東京女子医科大学膠原病リウマチ内科学分野
中山　洋一	京都大学臨床免疫学
廣田　智哉	福井大学感染症・膠原病内科
福井　　翔	杏林大学総合医療学教室
藤田　悠哉	産業医科大学第1内科学講座
細川　洋平	広島大学病院リウマチ・膠原病科
前島　圭佑	慈恵会西田病院リウマチ・膠原病内科
南　　瑠那	美杉会男山病院整形外科・リウマチ科
峯岸　　薫	横浜市立大学幹細胞免疫制御内科学
本山　　亮	東京女子医科大学膠原病リウマチ内科学分野

若年性特発性関節炎 SR グループ

伊良部　仁	東京医科歯科大学小児科
梅林　宏明	宮城県立病院総合診療科
江波戸孝輔	北里大学小児科学
岡本　奈美	大阪医科薬科大学泌尿生殖・発達医学講座小児科

5

久保　裕	京都府立医科大学小児科	
佐藤　知実	滋賀医科大学医師臨床教育センター	
杉田　侑子	大阪医科薬科大学泌尿生殖・発達医学講座小児科	
髙梨　敏史	慶應義塾大学リウマチ・膠原病内科	
田中　孝之	大津赤十字病院小児科	
光永可奈子	千葉県こども病院アレルギー・膠原病科	
八代　将登	岡山大学病院小児科	
山西　愼吾	日本医科大学小児科学教室	

妊娠・授乳期 SR グループ

河野　千慧	国立成育医療研究センター妊娠と薬情報センター
後藤美賀子	国立成育医療研究センター妊娠と薬情報センター
髙井　千夏	国立成育医療研究センター周産期・母性診療センター母性内科
宮川　英子	国立成育医療研究センター周産期・母性診療センター母性内科

SR 支援委員

大西　輝	京都大学リウマチ性疾患先進医療学講座
木田　節	京都府立医科大学免疫内科学
鈴木翔太郎	聖マリアンナ医科大学リウマチ・膠原病・アレルギー内科
西岡　典宏	京都大学社会健康医学系専攻予防医療学分野
西村　謙一	横浜市立大学発生成育小児医療学
西脇　宏樹	昭和大学藤が丘病院内科系診療センター内科（腎臓）
矢嶋　宣幸	昭和大学リウマチ膠原病内科学部門
柳井　亮	昭和大学リウマチ膠原病内科学部門
和田　琢	埼玉医科大学リウマチ膠原病科
渡部　龍	大阪公立大学膠原病・リウマチ内科

厚生労働科学研究費研究班・日本医療研究開発機構 (AMED) 研究班研究代表者

小嶋　雅代	名古屋市立大学
宮前多佳子	東京女子医科大学膠原病リウマチ内科学分野
森　雅亮	東京医科歯科大学生涯免疫難病学講座

CPG パネル委員会事務局

川人　豊	京都府立医科大学免疫内科学
河野　正孝	京都府立医科大学免疫内科学

SR グループ事務局

木田　節	京都府立医科大学免疫内科学
西脇　宏樹	昭和大学藤が丘病院内科系診療センター内科（腎臓）
矢嶋　宣幸	昭和大学リウマチ膠原病内科学部門
柳井　亮	昭和大学リウマチ膠原病内科学部門

ガイドライン作成協力者

辻本　康	日本コクランセンター（コクランジャパン）／おく内科・在宅クリニック
渡辺　範雄	日本コクランセンター（コクランジャパン）

外部評価委員

石黒　直樹	愛知県医療療育総合センター
武井　修治	鹿児島大学
山中　寿	山王メディカルセンター

2) ガイドライン作成資金

　本診療ガイドラインは，厚生労働科学研究費補助金（免疫・アレルギー疾患政策研究事業）関節リウマチ診療ガイドラインの改訂による医療水準の向上に関する研究および日本リウマチ学会の研究費を用いて作成された．研究費は，本診療ガイドライン作成のための旅費，通信費，消耗品，委託費，人件費などに使用した．

　上述のように，本研究にかかわる資金の提供はガイドラインの内容には影響を与えていない．

3) 利益相反（COI）の管理とガイドライン作成に及ぼす影響

　統括委員会，CPG パネル委員，SR グループの構成員は，経済的 COI および学術的 COI の自己申告書を作成した．経済的 COI，学術的 COI は，本書の Web 付録にて公開している．日本リウマチ学会の各種委員会に所属している CPG パネル委員の COI は日本リウマチ学会利益相反委員会で審議され，同学会の規定により，2 名の CPG パネル委員はパネル会議の議論には参加したが投票には参加しなかった．

　COI がガイドライン作成過程や推奨作成にできる限り影響を与えないように CPG パネル委員と SR グループのメンバーを選出した．また，患者代表を交えたパネル会議で意見を収集し，推奨に対する投票に上記の 2 名を除いた CPG パネル委員全員が参加することにより，COI がガイドライン作成過程や推奨作成に影響しないように努めた．

第 2 章

重要臨床課題と推奨作成手順

1 重要臨床課題・アウトカムとクリニカルクエスチョン

2024 NEW

1) ガイドラインスコープの選択

本診療ガイドラインは，「関節リウマチ診療ガイドライン2020」の改訂版である．2020年版診療ガイドラインでは，新規薬剤を含むRAに対する薬物治療，非薬物治療をまず重要臨床課題とした．さらにRA患者の幅広いライフステージに対応可能な診療ガイドラインを目指して，新たな重要臨床課題として，①患者教育，②RA治療の医療経済，③RA治療と妊娠・出産，④JIAの移行期医療，⑤高齢患者のRA治療を取り上げた．また，RA診療に対する本診療ガイドライン利用者の理解を深めるため，厚生労働行政推進調査事業費（免疫・アレルギー疾患政策研究事業）我が国の関節リウマチ診療の標準化に関する臨床疫学研究で実施した研究成果をふまえて，「わが国における関節リウマチ診療の実態」，「関節リウマチとリンパ増殖性疾患」についての総説を2020年版診療ガイドラインに含めた．

本診療ガイドラインは，RA患者のライフステージに応じてより適切な治療を実施するための指針を提供することを目的とした．改訂のおもな対象は，成人，高齢者，妊娠・授乳期のRA患者診療における薬物治療，小児期および移行期・成人期のJIA少関節炎型・多関節炎型患者（児）における薬物治療とした．成人・高齢者では2020年版診療ガイドラインを作成後に発表されたJAK阻害薬，新規bDMARD，新規バイオ後続品，既存薬の新規剤形，ならびに今後承認が見込まれるDMARDを検討した．妊娠・授乳期のRA治療については2020年版診療ガイドラインで取り上げた3個のCQを見直し，妊娠中のTNF阻害薬の安全性，男性RA患者の配偶者・パートナーが妊娠を望む場合のDMARDの安全性，妊娠中のTNF阻害薬以外のDMARDの安全性，授乳中のDMARDの安全性，bDMARDに胎内曝露された児へのワクチン投与を取り上げた．JIA少関節炎型・多関節炎型患者（児）の小児期および移行期・成人期における医療に関しては，成人科のリウマチ医が診療する際に有用な推奨の作成を目指した．合併症・手術・リハビリテーション治療は重要な臨床課題であるが，2020年版診療ガイドライン以降でのエビデンスに大きな変化はないため今回の改訂には含めず，次回の全面改訂に検討を委ねることとした．なお，「関節リウマチとリンパ増殖性疾患」については，別途，3学会合同ワーキンググループから「関節リウマチ関連リンパ増殖性疾患の診断と管理の手引き」が発刊されたため，本診療ガイドラインでは割愛した．

2) アウトカムの重要性に関する合意形成

診療ガイドラインで扱われるべきCQは，患者にとって重要なアウトカムについての治療介入効果を決定するものでなければならない．2020年版診療ガイドラインでは，第1回診療ガイドライン作成分科会において，最初にアウトカムの重要性を決定した．またその後の作業に対する分科会委員の意見を標準化する手段として，修正Delphi法を採用した（表1）．

2020年版診療ガイドラインでは，2014年版診療ガイドラインにおけるアウトカムの再評価に関し各委員からの投票を行い，必要ないものについては削除し，また，各委員からの追加アウトカムの提案を募り，それらすべてに対し修正Delphi法で評価を行った．それぞれのアウトカムに対し各2回の投票を行い，ガイドライン作成委員全員で討議し，合意が得られた結果を**表2**に示す．

GRADE法では，エビデンスプロファイルに含める重大アウトカムの数を絞り込んだうえで，エビデンスを評価する手順が推奨されている．そこで，本診療ガイドラインの薬物治療の推奨作成に用いる重大なアウトカムを，GRADE working groupの推奨[1]に従い原則7個以内に絞り込んだ（**表3a**）．臨床試験が実施された年代，薬物の種類などにより薬物治療の効果判定に用いる複合指標が異なるため，特定の複合指標には限定しなかった．ただし，古くから使用されている薬剤などで複合指標によるエビデンスが存在しない場合には，代替指標として

表1 アウトカムとしての重要性の等級スケール

1～3点：重要でない ⇔ 4～6点：重要だが重大でない ⇔ 7～9点：重大である

表2　修正 Delphi 法によるアウトカム重要性の合意形成

意思決定として重大（7〜9点）	・死亡率	8.5
	・複合指標（DAS28, SDAI, CDAI, RAPID3 など）	8
	・HAQ	8
	・関節破壊に関する指標（TSS など）	8
	・重篤な副作用頻度	8
	・重篤な感染症頻度	8
	・腫脹関節数	8
	・寛解率	8
	・患者満足度	8
	・患者疼痛評価（Pain）	7.5
	・ACR20, 50, 70	7
	・薬剤継続率	7
	・副作用頻度	7
	・圧痛関節数	7
	・術後合併症	7
	・人工関節再置換頻度	7
	・手術後の患者主観的評価	7
	・患者全般健康評価	7
	・患者全般疾患活動性評価	7
	・医師疾患評価	7
	・感染症頻度	7
	・間質性肺炎頻度	7
	・QALY	7
	・SF-36 またはその変法	7
	・EQ-5D	7
	・結核発症率	7
	・悪性新生物発症率	7
	・出産率	7
	・離職率ないし就業継続率	7
	・患者経済負担	7
	・低疾患活動性達成率	7
	・悪性リンパ腫発症率	7
	・出生率	7
	・妊娠合併症発症率	7
	・周産期合併症発症率	7
	・出生児・新生児合併症発症率	7
意思決定として重要だが重大ではない（4〜6点）	・骨折頻度	6.5
	・JOA スコア	6
	・再手術頻度（人工関節手術以外）	6
	・疲労度	6
	・骨密度	6
	・MRI 指標	6
	・超音波指標	6
	・心血管障害頻度	6
	・消化管傷害頻度	6
	・入院頻度	6
	・抑うつ	6
	・低出生児率	6
	・早産の頻度	6
	・流産の頻度	6
	・死産の頻度	6
	・朝のこわばり持続時間	5
	・手術時間	5

表3　重大なアウトカム，推奨作成に使用したアウトカム（薬物治療）

a：薬物治療（RA CQ2〔MTX 2〕除く）の重大なアウトカム

- ・複合指標（DAS28, SDAI, CDAI, RAPID3 など）
- ・ACR20，ACR50，ACR70
- ・HAQ
- ・関節破壊に関する指標（TSS など）
- ・重篤な副作用頻度
- ・重篤な感染症頻度
- ・薬剤継続率

複合指標が使用されていない場合は，圧痛関節数，腫脹関節数を代替指標として使用する．

b：RA CQ2（MTX 2）の推奨作成に使用したアウトカム

- ・腫脹関節数
- ・圧痛関節数
- ・消化管症状
- ・口内炎
- ・肝障害
- ・好中球減少抑制
- ・MTX 中止

RA CQ2（MTX 2）に対する推奨作成に表3a のアウトカムを使用することは困難と判断し，推奨作成に使用するアウトカムを別途選定した．

c：合併症を有する患者の薬物治療に関する推奨作成に使用したアウトカム

呼吸器合併症（ILD）	・MMRC の悪化なし ・FVC の悪化なし ・DLCO の悪化なし ・CT 所見の悪化なし ・CT スコア
循環器合併症（心不全，心血管疾患）	・複合心血管イベント ・心不全 ・副作用
腎機能障害	・副作用 ・eGFR ・死亡
肝機能障害	・ALT ・ウイルス量 ・ALT＞100 IU/L またはウイルス量＞1 log/mL ・肝硬変 ・HBV 再活性化
HTLV-1	・EULAR response criteria の good or moderate response ・低疾患活動性または寛解 ・ATL，HAM，HU/HAU の発症
悪性腫瘍	・癌の再発 ・再発を含むすべての癌の発生 ・死亡
ワクチン	・Seroprotection, seroresponse ・インフルエンザ罹患 ・インフルエンザに関連する合併症 ・肺炎での入院 ・感染症 ・重篤な感染症 ・重篤な副作用 ・死亡

合併症を有する患者の薬物治療に関する推奨作成に表3a のアウトカムを使用することは困難と判断し，推奨作成に使用するアウトカムを別途選定した．

<table>
<tr><td>表 4</td><td>重大なアウトカム，推奨作成に使用したアウトカム（非薬物治療・外科治療）</td></tr>
</table>

表 4　重大なアウトカム，推奨作成に使用したアウトカム（非薬物治療・外科治療）

a：非薬物治療・外科治療（RA CQ60〔手術・リハビリテーション 15〕除く）の重大なアウトカム

- 人工関節生存率
- 人工関節以外手術生存率
- 手術後の患者主観的評価
- 臨床スコア
- 術後合併症
- 関節破壊指標
- 複合指標（DAS28，SDAI）

b：RA CQ60（手術・リハビリテーション 15）の推奨作成に使用したアウトカム

- 整形外科手術（以下を含む）
  - 人工関節置換術
  - 人工膝関節置換術
  - 大関節の人工関節置換術
  - 手関節手術

RA CQ60（手術・リハビリテーション 15）に対する推奨作成に表 4a のアウトカムを使用することは困難と判断し，推奨作成に使用するアウトカムを別途選定した.

表 5　妊娠・授乳期 RA における重大なアウトカム

妊娠 CQ1	児の先天異常（大奇形），重篤な新生児感染症
妊娠 CQ2	児の先天異常（大奇形）

表 6　JIA 少関節炎型・多関節炎型における重大なアウトカム

JIA CQ1	活動性関節数の変化量，ACR Pedi 30 に類似した治療効果複合指標の達成割合，可動域制限を有する関節数の変化量，薬剤継続率，薬剤毒性割合
JIA CQ2	AZA：可動域制限を有する関節数の変化量，薬剤継続率
	LEF：活動性関節数の変化量，ACR Pedi 30 達成割合，可動域制限を有する関節数の変化量，薬剤継続率，重篤な有害事象，重篤な感染症
	SASP：活動性関節数の変化量，可動域制限を有する関節数の変化量
JIA CQ3	DEX：ACR Pedi 30 達成割合，重篤な有害事象
	PSL：臨床的非活動状態達成割合（Wallace preliminary criteria），ACR Pedi 30 達成割合，重篤な有害事象
JIA CQ4	並行群間比較試験：ACR Pedi 30 達成割合，CHAQ-DI 変化量
	薬剤中止試験：再燃割合，ACR Pedi 30 達成割合，重篤な有害事象
JIA CQ5	再燃割合，ACR Pedi 30 達成割合，CHAQ-DI 変化量，重篤な有害事象，重篤な感染症
JIA CQ6	臨床的非活動状態達成割合（JIA/ACR inactive disease），JADAS-27-CRP 変化量，再燃割合，ACR Pedi 30 達成割合，CHAQ-DI 変化量，重篤な有害事象，重篤な感染症
JIA Q&A	ナラティブレビューのため，重大なアウトカム設定なし

TJC，SJC の使用を認めた. また，RA CQ2（MTX 2）のアウトカムについては**表 3a** のアウトカムの使用は困難と判断し，**表 3b** のアウトカムを用いて推奨を作成した. 合併症を有する患者の薬物治療については，各 CQ ごとに推奨に用いるべきアウトカムが異なると考えられるため，CQ ごとに推奨作成に使用するアウトカムを最大 7 個程度まで設定した（**表 3c**）. **表 3b**，**3c** に記載したアウトカムについては通常の GRADE 法のアウトカム選定とは異なる手順で選定したため，エビデンスプロファイルに重大・重要などの区分を記載せず，N/A（not applicable）と記載した.

　整形外科領域については，特有のアウトカム指標を用いるので，薬物治療とは別に重大アウトカムを 7 個選定した（**表 4a**）. その際，当初の修正 Delphi 投票で重要だが重大でないアウトカムとされた人工関節手術以外の再手術頻度と JOA スコア等の臨床スコアは，RA 診療ガイドライン分科会で手術の重大なアウトカム指標であると討議のうえ再評価されたため，重大なアウトカムとして採用した.

　RA CQ60（手術・リハビリテーション 15）のアウトカムについては**表 4a** のアウトカムの使用は困難と判断し，人工関節置換術などの整形外科手術をアウトカムとして用い推奨を作成した（**表 4b**）. **表 3b**，**3c** に記載したアウトカムと同様に，エビデンスプロファイルには N/A（not applicable）と記載した.

　本診療ガイドラインの成人・高齢 RA におけるアウトカムは 2020 年版診療ガイドラインを踏襲した. 妊娠・授乳期 RA における重大なアウトカムとして**表 5** のアウトカムを用いた. JIA 少関節炎型・多関節炎型では，採用論文が少なく，使用可能なアウトカムが限られていたため，重大なアウトカムおよびそれらの代替アウトカムを設定しエビデンスを評価した（**表 6**）.

3）CQ の策定

　GRADE 法では，ガイドラインの作成手順としてまず初めに臨床上の疑問を定式化し，先に述べた重大なアウトカムごとに複数の研究のエビデンスを統合して評価を行う. PICO 形式は CQ の定式化によく用いられるフォーマットで，これを使用することでキーワードを整理することができる. すなわち，

P：Patient（患者）／Population（集団）……推奨が使用されることが意図されている患者や集団

I：Intervention（介入）……調査対象の治療，検査，またはその他の介入（実験的介入，観察研究における曝露因子）

C：Comparison（比較）……代替介入，対照群の介入

O：Outcome（転帰）……関心のあるアウトカム

である.

　2020 年版診療ガイドラインに関しては，第 1 回診療ガイドライン作成分科会において，2014 年版診療ガイドラインにおける

CQ を基本的に踏襲するが，スコープで取り上げるべき重要臨床課題をもとにして CQ 設定をするため，その中で必要のないものは削除し，新規 CQ の追加をすることとし，ガイドラインパネルメンバーよりすべての分野から各自 5 個ずつ PICO 形式での CQ 案を募った．各推奨担当者を交えて議論を行ったのちに，2018 年 11 月 11 日に検討する CQ が提案された．これらをもとに，移行期，高齢者，周産期の各ライフステージ別の CQ についても各担当者が設定を行い，分科会の討議を経たのちに最終的に計 55（薬物療法 25，合併症 8，高齢者 3，手術・リハビリテーション 19）の CQ が決定された．

今回の改訂では，2020 年版診療ガイドライン以降の新規薬剤のエビデンスや医療情勢の変化に則した形で，前回の CQ に追加する形で新規の CQ を作成することとなった．統括委員会で CQ 原案を作成し，SR 支援委員が PICO フォーマットに変換後，RCT 数を確認し，パネル会議で CQ を承認した．最終的に計 31（RA 薬物療法 15，RA 高齢者 4，RA 妊娠・授乳期 5，JIA 少関節炎型・多関節炎型 7）の CQ が決定された．これらのうち，RA 妊娠・授乳期の 3 CQ，JIA 少関節炎型・多関節型の 1 CQ については，GRADE 法による推奨作成は困難と判断し，ナラティブレビューを行い，Q&A 形式で Answer と解説を作成した．

■参考文献

1）相原守夫：診療ガイドラインのための GRADE システム第 3 版．中外医学社 2018.

2 推奨の作成手順

2024
NEW

本診療ガイドライン作成にあたっては GRADE 法を採用した．GRADE（Grading of Recommendations Assessment, Development and Evaluation）とは，エビデンスの確実性と推奨の強さを系統的にグレーディングする手法であり，推奨の強さをエビデンスの確実性だけではなく，価値観や好み，医療資源などを考慮して判定する．

SR グループは，診療ガイドラインパネル（CPG パネル）委員会と独立して構成された．1 つの CQ あたり 2 名の SR 担当者が各々の工程を独立して実施し，2 名で内容の合意形成を行った．意見が分かれた場合，第三者に意見を求めたうえで最終合意とした．また，SR グループ事務局が，SR に関する各種意思決定を行った．

1）SR

CPG パネル委員会によって定められた CQ は PICO 形式により定式化された．PICO とは，患者（patient），介入（intervention），比較（comparison），アウトカム（outcome）の略である．

今回の改訂では，論文の選定は基本的には RCT のみとし，RCT がない CQ は観察研究を対象とした．文献検索式は，SR グループにより作成され，SR グループ事務局による最終確認のうえで検索を行った．検索対象データベースは，Cochrane Central Register of Controlled Trials，PubMed，Embase，医学中央雑誌とした．対象言語に制限は設けず，検索期間は原則，1900 年 1 月 1 日から 2022 年 6 月 30 日までとし，TNF 阻害薬は，2014 年版診療ガイドライン作成時に SR を実施した 2012 年 7 月 31 日までの期間は対象とせず，2012 年 8 月 1 日から 2022 年 6 月 30 日とした．また，未出版データについては，対象としなかった．

抽出された文献から，SR グループが重複文献を除外し，論文採用基準に基づいて論文タイトルとアブストラクトから一次スクリーニングを行い，明らかに基準に合致しない文献を除外した．次に，一次スクリーニングで除外されなかった論文のフルテキストレビューを行い，論文を選定した．なお，必要な情報やアウトカムについて記載がない場合は，著者に問い合わせた．二次スクリーニングでは，論文の採否と，採用しなかった

場合には除外理由（①P が採用基準を満たさない，②介入群と対照群が SR の採用基準を満たさない，③研究デザインが採用基準を満たさない，④O が採用基準を満たさない，⑤ongoing study である，⑥publication date が 2022 年 7 月 1 日以降である，⑦（TNF 阻害薬のみの選択肢）改訂前の 2014 年版・2020 年版診療ガイドラインにすでに組み込まれている文献である，の①→⑦の順で最初に該当する除外理由 1 つを選択）を記録した．また，サブグループ解析（男性や高齢などの一部集団のみで解析）は二次スクリーニングの段階で「①P が異なる」の理由で除外とした．さらに，1 つの RCT に複数の文献（プロトコル論文や会議録，post hoc の解析論文など）がある場合，二次スクリーニングでは除外せず，「1 study（5 articles）」のようにまとめ，結果を統合した．上記の文献スクリーニングは rayyan（https://www.rayyan.ai/）を用いて実施した．なお，2020 年版診療ガイドラインの SR の方法については，当該ガイドラインを参照すること．

文献検索式および選択の流れ（PRISMA チャート）は推奨作成関連資料に示した．また，採用論文は推奨各項の「5）採用論文リスト」にリストアップし，論文の概要は推奨作成関連資料に示した．

2）エビデンスの要約

CQ に合致した文献から，各アウトカムに関する効果の推定値，予期される利益や害，エビデンスの確実性やコストについて必要なデータを抽出し，エビデンスプロファイルを作成した（推奨作成関連資料）．

各 CQ の各アウトカムに分けられた論文のデータは，Cochrane Review Manager（RevMan5）software ver.5.4.1（http://tech.Cochrane.org/revman）を用いて統合して評価した．2 値アウトカムは，random effect モデル（Mantel-Haenzel 法）を用いて，RR，95％CI を計算した．連続値アウトカムは，random effect モデル（inverse variance 法）を用いて，MD，95％CI を計算した．

3) エビデンスの確実性の評価

エビデンスの確実性の評価においては，GRADE working group の提唱する方法に従い，「高（high）」「中（moderate）」「低（low）」「非常に低（very low）」の4段階にグレーティングした．RCT の評価では，エビデンスの確実性は「高（high）」から開始し，グレードを下げる5要因（①「バイアスのリスク（risk of bias）」，②「非一貫性（inconsistency）」，③「非直接性（indirectness）」，④「不精確さ（imprecision）」，⑤「その他（other considerations）」）を評価し，グレーディングを行った．非RCT の評価でグレードを上げる3要因（①「効果の大きさ」，②「用量反応勾配」，③「交絡因子」）についても評価した．グレードを下げる5要因の評価内容を以下に示す．

①　「バイアスのリスク（risk of bias）」：個々の研究の結果を歪めるバイアスが含まれる可能性について評価した．前回の2020年版診療ガイドライン作成時にはバイアスのリスクの評価項目は，The Cochrane Collaboration's tool for assessing risk of bias in randomised trials（RoB1）（https://www.bmj.com/content/343/bmj.d5928）を用いていたが，今回の改訂作業で新規にSR 対象となった論文については，Version 2 of the Cochrane Risk of Bias tool for randomized trials（RoB2）（https://methods.cochrane.org/risk-bias-2）を用いて評価した．非RCT については，非RCT 用のバイアスのリスク評価ツール（RoBANS，QUIPS）をもとに評価した．

②　「非一貫性（inconsistency）」：研究間の効果の推定値のばらつき（異質性〔heterogeneity〕）を評価した．

③　「非直接性（indirectness）」：メタ解析した文献のPICO と，CQ のPICO との乖離を評価したもので，外的妥当性や一般化可能性，適応可能性と同様である．

④　「不精確さ（imprecision）」：メタ解析した文献に含まれる患者数（サンプルサイズ）やイベント数が少ない場合，ランダム誤差が大きくなり，効果推定値の精度が低下する可能性があるため，その不精確さを評価した．

⑤　「その他（other considerations）」：今回の改訂では出版バイアス（publication bias）についてのみ評価した．出版バイアスは，研究が偏って出版されることにより効果の推定が過大評価もしくは過小評価されるため，その程度を評価した．

各アウトカムのエビデンスの確実性を決定したのちに，GRADE pro GDT（http://gdt.guidelinedevelopment.org/）を用いて，Summary of Findings（SoF）テーブル，エビデンスプロファイルを作成した．ただし，SoF テーブルは今回の推奨作成関連資料には含まれていない．

なお，採用されたアウトカムについて，論文中で報告がなかった場合は解析対象から除外した．

4) 推奨の作成，推奨の強さの決定

GRADE 法においては，推奨は「介入による望ましい効果が望ましくない効果を上回るか下回るかについて，どの程度確信できるかを示すもの」と定義される．推奨は，①アウトカム全体のエビデンスの確実性，②望ましい効果と望ましくない効果とのバランス，③患者の価値観や意向，④コストや資源の利用，の主要4基準に基づいて作成した．アウトカム全体のエビデンスの確実性は以下のように決定した．重大なアウトカム間でエビデンスの確実性が異なり，かつ，各アウトカムが異なる方向（利益と害）を示している場合は，重大なアウトカムに関するエビデンスの確実性の中で最も低いグレードを採用した．すべてのアウトカムが同じ方向を示している場合は，重大なアウトカムに関するエビデンスの確実性の中で最も高いグレードを採用した．

SoF テーブルとエビデンスプロファイルより，疑問（question）セクション，評価（assessment）セクション，結論（conclusion）セクションからなる Evidence to Decision（EtD）テーブルを作成し，推奨文案を作成した．EtD テーブルの評価セクションには，エビデンスの確実性，利益と害の大きさとバランス，患者の価値観や意向のばらつき，費用対効果や必要資源量，公平性，許容可能性，実行可能性についての検討事項を記載し，それらをパネル会議で議論し，推奨を作成した．EtD テーブル作成が困難な一部のCQ では，EtD テーブルは作成しなかった．

推奨の強さは「強い」と「弱い／条件付き」の2種類，推奨の方向は「実施する」か「実施しない」かの2種類とし，その組み合わせによって4つに分かれる．各担当者が提示し，パネル会議の討議を経て修正された推奨案に対し，CPG パネル委員会メンバーが投票した．修正 Delphi 法により，同意度1～9点で7点以上を同意の基準とし，1回目の投票で70%以上，2回目，3回目の投票では3分の2以上の参加者が同意した場合に，合意が得られたと判断した．すべてのCQ について，初回の投票で合意が得られた（「本診療ガイドラインのクイックリファレンス」の「5. CQ と推奨一覧」〔p.vi〕参照）．

5) 推奨の報告

パネル会議でのディスカッションをふまえ，推奨文案を作成した．推奨文は，平易な表現で簡潔に推奨の強さと方向を示し，エビデンスの確実性，パネルメンバーの同意度と注意点を掲載した．また，解説文として，推奨の背景，エビデンスの要約，エビデンスの確実性，推奨の強さ決定の理由（利益と害のバランスの評価，患者の価値観・意向，コスト，パネル会議での意

見）を文献リストとともにまとめた．文献検索式，文献検索フローチャート（PRISMAチャート），バイアスのリスク，エビデンスプロファイル，フォレストプロット，EtDテーブルなどの参考資料はWeb上に公開することとした（公開する資料の種類はRA，JIA，妊娠・授乳期，高齢者で異なる）．

担当者が作成した推奨文および解説文案はパネルメンバーによる確認・修正後に承認された．十分なエビデンスが得られないなどの理由により，推奨文の内容は必ずしも当該CQと完全には対応しない場合がある．本診療ガイドラインは，外部評価委員の審査を受け，日本リウマチ学会，日本小児リウマチ学会，日本整形外科学会で2週間パブリックコメントを募り，最終案

を決定した．最終案を日本リウマチ学会に提出し，同学会理事会による審議・承認を受けた．また，日本医療機能評価機構EBM普及推進事業（Minds）による公開前評価を受けた．

■参考文献

1）相原守夫：診療ガイドラインのためのGRADEシステム第3版．中外医学社2018．
2）The GRADE working group．http://www.gradeworkinggroup.org/
3）日本医療機能評価機構EBM普及推進事業（Minds）ガイドラインライブラリ．https://minds.jcqhc.or.jp/

第3章

クリニカルクエスチョンと推奨

1 治療方針

2024
NEW

1) 治療目標

RA は関節炎を主徴とする慢性炎症性疾患であり, 肺・神経・血管などの関節以外の臓器にも病変が波及しうる全身性疾患でもある. 関節炎が遷延すれば関節破壊が進行し, より重症な身体機能障害と QOL の低下をきたす. さらに病状が進行すれば, 関節外病変の出現・進行, 感染症, 心血管病変の合併などによって, 生命予後にも影響が及ぶ.

RA 診療は過去 20 年間で飛躍的に進歩した. 現在の薬物治療は RA の病態を改善することにより臨床症状を改善させ, 関節破壊の進行を防止するものであり, RA の病因を標的にした治療法や, 発症リスクの高い個体に対する発症予防策はいまだ開発途上にある.

これらの状況, 2014 年版診療ガイドラインの治療目標およびわが国のリウマチ対策の全体目標をふまえて, 2020 年版診療ガイドラインと同様に本診療ガイドラインにおける RA の治療目標を以下のように定める.

治療目標	RA の疾患活動性の低下および関節破壊の進行抑制を介して, 長期予後の改善, 特に QOL の最大化と生命予後の改善を目指す.

2) 治療原則

RA 患者の治療を行う際には, 本診療ガイドラインで提唱す

治療原則	A. RA 患者の治療目標は最善のケアであり, 患者とリウマチ医の協働的意思決定に基づかねばならない.
	B. 治療方針は, 疾患活動性や安全性とその他の患者因子(合併病態, 関節破壊の進行など)に基づいて決定する.
	C. リウマチ医は RA 患者の医学的問題にまず対応すべき専門医である.
	D. RA は多様であるため, 患者は作用機序が異なる複数の薬剤を必要とする. 生涯を通じていくつもの治療を順番に必要とするかもしれない.
	E. RA 患者の個人的, 医療的, 社会的な費用負担が大きいことを, 治療にあたるリウマチ医は考慮すべきである.

る個々の治療推奨の基盤となる治療原則が必要である. RA の治療原則は, EULAR や ACR のリコメンデーションにも記載されており, これらは国・地域を越えて共通の原則と考えられる. したがって, 本診療ガイドラインでは, 2014 年版・2020 年版診療ガイドラインと同様に, 最新の EULAR リコメンデーション 2019 改訂版の治療原則を採用することとした.

3) 薬物治療のアルゴリズム

「関節リウマチ診療ガイドライン」では, 患者とリウマチ専門医の協働的意思決定に基づく治療選択を行い, T2T の概念のもと速やかに臨床的寛解をめざし, その寛解を維持し薬物の減量も検討することが示されている. これらを背景に2020年版診療ガイドラインでは, GRADE 法に基づきリウマチ専門医と患者代表が作成した推奨から, 医療経済面も考慮しながら薬物治療のアルゴリズムを作成した(図1). 2024 年版診療ガイドラインでも引き続きこのアルゴリズムを採用する.

薬物治療のアルゴリズムは, T2T の治療概念である "6 か月以内に治療目標である「臨床的寛解もしくは低疾患活動性」が達成できない場合には, 次のフェーズに進む" を原則にし, フェーズ I からフェーズⅢまで順に治療を進める. また, RF/ACPA 陽性(特に高力価陽性)や早期からの骨びらんを有する症例は関節破壊が進みやすいため, より積極的な治療を考慮し, 1~3 か月ごとに疾患活動性を評価し, 治療開始後 3 か月で改善がみられなければ治療を見直す. 本診療ガイドラインにおける強い推奨(90~100%が介入に同意する内容)は太い矢印, 弱い推奨(60~90%が介入に同意する内容)は細い矢印, エキスパートオピニオンは点線矢印で表した.

この治療のアルゴリズムは, RA と診断された患者を対象にしている. RA と診断後は速やかに, フェーズ I でまず MTX の使用を検討し(RA 推奨 1), すべてのフェーズにおいて MTX を基本的な薬剤として考慮すべきとした. ただし, わが国の RA 患者は高齢者が多く, また海外と比較し LPD や ILD の合併頻度が高く, 禁忌事項のほかに, 年齢, 腎機能, 肺合併症などを考慮して(RA 推奨 34, 38, 39, 40), MTX の適応の有無と開始量を判断する. MTX の副作用の予防目的では葉酸の使用が

太い矢印は"強い推奨"，細い矢印は"弱い推奨"であることを示す．
点線矢印（▪▪▪▪▪➤）はエキスパートオピニオンであることを示す．

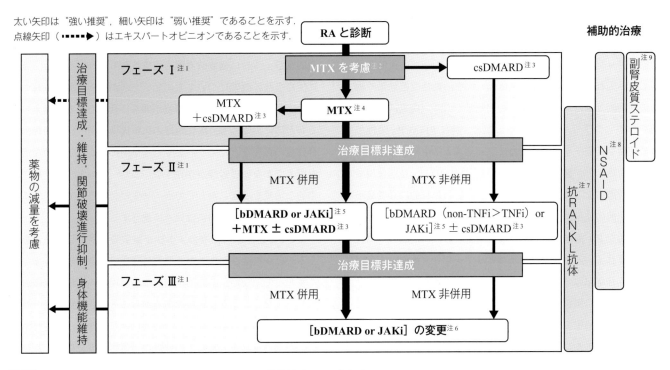

図1 関節リウマチ診療ガイドライン2024改訂 薬物治療アルゴリズム

注1：原則として6か月以内に治療目標である「臨床的寛解もしくは低疾患活動性」が達成できない場合には，次のフェーズに進む．治療開始後3か月で改善がみられなければ治療を見直し，RF/ACPA陽性（特に高力価陽性）や早期からの骨びらんを有する症例は関節破壊が進みやすいため，より積極的な治療を考慮する．
注2：禁忌事項のほかに，年齢，腎機能，肺合併症などを考慮して決定する．
注3：MTX以外のcsDMARDを指す．
注4：皮下注射投与は，内服よりも優れた有効性と同等以上の安全性が期待されるが，コスト面からMTX未投与患者ではまず内服を優先する．
注5：短期的治療ではTNF阻害薬とJAK阻害薬の有用性はほぼ同等だが，長期安全性，医療経済の観点からbDMARDを優先する．JAK阻害薬使用時には，悪性腫瘍，心血管イベント，血栓イベントのリスク因子を考慮する．
注6：TNF阻害薬で効果不十分な場合は，他のTNF阻害薬よりも非TNF阻害薬への切り替えを優先する．
注7：疾患活動性が低下しても骨びらんの進行がある患者，特にRF/ACPA陽性患者で使用を考慮する．
注8：疼痛緩和目的に必要最小量で短期間が望ましい．
注9：早期かつcsDMARD使用RAに必要最小量を投与し，可能な限り短期間（数か月以内）で漸減中止する．再燃時などに使用する場合も同様である．
RA：関節リウマチ，MTX：メトトレキサート，csDMARD：従来型合成疾患修飾（性）抗リウマチ薬，bDMARD：生物学的疾患修飾（性）抗リウマチ薬，JAKi：ヤヌスキナーゼ阻害薬，TNFi：TNF阻害薬，RANKL：receptor activator of NF-κB ligand，NSAID：非ステロイド抗炎症薬

推奨され（RA推奨2），MTX使用がむずかしいもしくは不可の場合，MTX以外のcsDMARDを使用する（RA推奨5）．また，MTX単剤使用で効果が不十分な場合は，他のcsDMARDを追加して併用療法を検討する（RA推奨3）．欧米で使用されていないわが国独自のcsDMARDとして，BUC，IGU，TACなどがあり，併用で治療効果の増強が期待できる．フェーズⅠで治療目標非達成の場合，フェーズⅡに進む．

フェーズⅡでは，MTX併用・非併用のいずれの場合もbDMARDまたはJAK阻害薬の使用を検討するが，長期安全性，医療経済の観点からbDMARDの使用を考慮する（RA推奨27）．MTX非併用の場合はbDMARDでは非TNF阻害薬をTNF阻害薬より優先するが，この場合の非TNF阻害薬はIL-6阻害薬を意味する（RA推奨14）．また，MTX非併用の場合，bDMARDまたはJAK阻害薬の単剤療法も考慮できる（RA推奨11，12，20，24）．フェーズⅡで治療目標非達成の場合はさらにフェーズⅢに進む．

フェーズⅡでbDMARDまたはJAK阻害薬を使用しても効果不十分である場合，フェーズⅢでは他のbDMARDまたはJAK

阻害薬への変更を検討する．このとき，TNF阻害薬で効果不十分な場合は非TNF阻害薬への切り替えを優先するが（RA推奨15），その他の薬剤については，どの薬剤への変更が適切であるかのエビデンスは不足しているため推奨は作成しておらず，future questionとして次のガイドラインでアップデート予定とした．

治療目標達成・維持，関節破壊進行抑制，身体機能維持ができた場合に，薬物の減量を考慮する．フェーズⅠよりのMTXを含むcsDMARDの減量は推奨には含まれていないが，実臨床ではこれらの薬剤を減量可能な症例も存在する．エビデンスによる推奨は今後の課題として，今回のアルゴリズムではエキスパートオピニオンとした．

2014年版診療ガイドラインと異なり，NSAIDに加えて副腎皮質ステロイド（以下，ステロイド）（経口や筋肉注射などによる全身投与），抗RANKL抗体はすべて補助的治療と位置づけた．ステロイドは，早期のRA患者で少量短期間の使用にとどめ（RA推奨8，37），減量後，フェーズⅠ期間内に可能な限り中止する．ステロイドの関節内投与は非薬物治療・外科的治療

のアルゴリズムに組み入れた. 抗RANKL抗体による治療は, 海外のリコメンデーションやガイドラインに推奨がなく, 薬物治療のアルゴリズムの中でわが国独自のRAの補助的治療薬として組み入れた. 抗RANKL抗体は, 疾患活動性改善効果や軟骨破壊抑制効果はないが骨破壊抑制効果があり, 疾患活動性が低下しても骨びらんの進行がある患者, 特にRF/ACPA陽性患者で使用を考慮する. このため, フェーズⅠの中程からの使用を検討することが**図1**で示されている. NSAIDは, 長期使用での消化管障害などの副作用を考慮し, 疼痛緩和目的に必要最小量で短期間の使用が望ましいとした.

集学的なRA治療において, 薬物療法とともに治療の4本柱にも含まれている手術療法やリハビリテーション治療, あるいは関節内注射による補助的治療は, RAの経過中に必要に応じて適切な時期に実施されるべきである. 本診療ガイドラインでは, これらの治療を非薬物治療・外科的治療と位置づけ, 薬物治療とは別のアルゴリズムを作成した. 以下に非薬物治療のアルゴリズムについて解説する.

4) 非薬物治療・外科的治療のアルゴリズム

2020年版診療ガイドラインでは, おそらく世界初の試みとして, RA診療における非薬物治療・外科的治療アルゴリズムを作成した(**図2**). 2024年版診療ガイドラインでも引き続きこのアルゴリズムを採用する.

MTXおよび分子標的治療薬の世界規模の導入によって, RA患者の疾患活動性は著明に低下し, 臨床的寛解のみならず, 構造的寛解, さらに機能的寛解も達成されるようになった. さらに生命予後の改善についてもエビデンスが徐々に発表されつつある. しかしながら, 医療環境が非常に良好であると考えられるわが国においても, 居住地域の医療提供体制, 経済的理由, 合併症の存在などにより, 必ずしも早期に, また効果的な治療を導入できない患者群が存在する. また, どのように早期に効果的な治療を導入したとしても, 一定割合の患者で関節破壊や関節変形が中・長期的には徐々に進行する.

RAでは古くから治療の4本柱を集学的に使用して患者を支えることが推奨されてきた. それは現在の医療環境でもまったく変わっていない. 薬物治療が進歩した現在の医療環境においても, またそのような環境であるからこそ, 非薬物治療・外科的治療を適切な時期に検討し, 必要に応じて速やかに実行することが求められる. 特にこの分野は, 薬物治療を担当するリウマチ専門医だけでなく, 整形外科専門医, リハビリテーション専門医, 理学療法士, 作業療法士, 看護師や介護関係者などが緊密に連携をとり, 適切な機能評価と治療検討を進める必要がある. 2020年版診療ガイドラインでは薬物治療のアルゴリズムと同様に, リウマチ専門医と患者代表が作成した推奨から非薬物治療・外科的治療アルゴリズムを作成した. 非薬物治療・外科的治療は, 分野や部位によって治療の考え方が異なるため, 単一のアルゴリズムの作成には困難を伴った. 本アルゴリズム

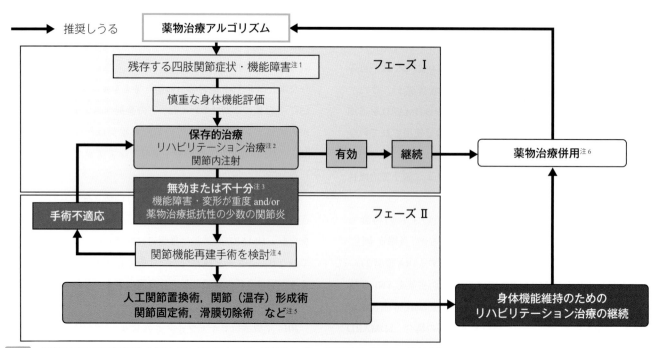

図2 関節リウマチ診療ガイドライン2024改訂 非薬物治療・外科的治療アルゴリズム

注1: 骨折, 感染, 脊髄障害, 腱断裂など急性病態や緊急手術が必要な状態を除く.
注2: 装具療法, 生活指導を含む.
注3: 適切な手術のタイミングが重要である.
注4: 手術によって十分な改善が得られない, または害が利益を上回ると判断される場合, 不適応とする. 患者の意思・サポート体制を考慮する.
注5: 有効な人工関節置換術, 関節温存手術がある場合はまず考慮する.
注6: 保存的治療継続中および外科的治療後も, 適正な薬物治療を常に検討する.

は，急性病態や緊急手術が必要な状態，また脊椎病変を除く，「残存する四肢関節症状・機能障害」に対する全般的な考え方として提示するためのものであることを前提とした．

非薬物治療・外科的治療のアルゴリズムは，薬物治療アルゴリズムに付随するものとして存在することをまず明記したい．すなわち，あらゆる RA 患者において，薬物治療を必要かつ十分行うことは，身体機能の維持・改善を含めた，すべての治療目標達成のための原則である．したがって，薬物療法のいずれのフェーズにおいても，残存する四肢関節症状および機能障害に対して，個々の患者における適切な時期に非薬物治療・外科的治療を検討し，このアルゴリズムのフェーズ I に入る．フェーズ I でまず重要なのは，慎重な身体機能評価である．画像診断による関節破壊の評価は必須であり，1 つ 1 つの関節の機能評価およびいくつかの関節にまたがる複合的な機能評価も行う必要がある．画像診断として単純 X 線撮影に加え，関節超音波検査，MRI 検査，CT 検査を適宜行う．そのうえで，包括的な保存的治療を決定し実行する．保存的治療には，装具療法，生活指導を含むリハビリテーション治療，短期的なステロイドなどの関節内注射が含まれる．もしこれらの治療が有効であればそれらを継続し，適切な薬物治療を併用して機能的寛解の達成・維持を目指す．

保存的治療を十分に行っても無効ないし不十分な場合には，フェーズ II に進む．特に機能障害や変形が重度である場合，ま

たは薬物治療抵抗性の少数の関節炎が残存する場合は，関節機能再建手術を検討する．しかし，手術によっても十分な改善が得られないと予想される場合，または害が利益を上回ると判断される場合は手術不適応とする．これらの問題がないと判断した場合であっても，十分な説明にもかかわらず患者が手術を選択しない場合，また周術期および術後に患者に対する十分なサポート体制が得られないと判断した場合は，手術不適応となる．そのような場合は再び可能な限りの保存的治療を検討する．手術によって十分な機能回復が得られると判断し，患者も手術に同意した場合に，手術を行う．手術には人工関節置換術，関節（温存）形成術，関節固定術，滑膜切除術などがある．年齢，要求される関節機能，該当関節の関節破壊の程度，それぞれの手術の長期成績などを総合的に判断し，患者との協働的意思決定によって手術内容・時期等を決定する．有効な人工関節置換術や関節温存手術がある場合は，まずそれらを優先して検討する．

術後は当該関節に対する術後早期のリハビリテーション治療を行うが，その後も長期的に身体機能を維持するためにリハビリテーション治療を継続する．そして適正な薬物治療を継続し，機能的寛解達成・維持を目指す．このアルゴリズムを遂行するうえで最も重要なのは，薬物治療を担当するリウマチ専門医との連携であることを強調したい．

RA 推奨 1

推奨文

疾患活動性を有する RA 患者に MTX 投与を推奨する.

推奨の強さ **強い**　エビデンスの確実性 **低**　パネルメンバーの同意度 **8.78**

RA CQ1

疾患活動性を有する RA 患者に MTX 投与は有用か?

サマリー	疾患活動性を有する RA 患者に MTX 投与は,疾患活動性の改善効果と関節破壊進行の抑制効果が期待できる.
注　記	MTX は,RA 薬物治療の基本的な薬剤であり,副作用に注意すべきであるが,csDMARD としての総体的な有用性は高い.

1) 推奨の背景

MTX は,葉酸を核酸合成に必要な活性型葉酸に還元させる酵素 dihydrofolate reductase の働きを阻止し,チミジル酸合成およびプリン合成系を阻害して,抗免疫・抗炎症作用を発揮する薬剤である(参考文献 1).疾患活動性を有する RA 患者の治療において,MTX は中心的な存在を占めており,特に欧米では MTX はアンカードラッグとよばれ,第一選択薬として使用されている.活動性を有する RA 患者に対する MTX の有用性を確認し,利益と害のバランス,患者の価値観や意向を考慮し推奨の強さを決定することの重要性は高い.

2) エビデンスの要約

2014 年から 2018 年まで,PubMed,Cochrane Central Register of Controlled Trials,医学中央雑誌で報告された MTX の有用性を評価した論文を抽出した.2014 年以降の報告について追加検索したが MTX とプラセボを比較する研究はみられなかったため,2014 年の Cochrane systematic review で,RA 患者を対象とし MTX 単剤とプラセボを比較した計 6 件の RCT($n=732$)がエビデンスの解析に選ばれた.MTX 以外の csDMARD(金製剤,ペニシラミン,AZA,抗マラリア薬)不応性の RA 患者において,プラセボ群に比し,MTX 投与群は統計的に有意な有効性が観察された.1999 年の Strand らによる RCT では投与 52 週時点の ACR50 が評価され,有効性において統計的な有意差が示されている(RR = 3.03,95%CI[1.53, 5.98])(採用論文 1).プラセボ群と比較し MTX 投与群は 15% 多く ACR50 を達成している(絶対治療効果 15%,95%CI[8, 23]).その他の重要なアウトカムである身体障害指標の HAQ や関節破壊進行の指標である mTSS においても MTX の有効性が示されている(HAQ:

MD = −0.30,95%CI[−0.42, −0.18],mTSS:MD = −1.28,95%CI[−2.30, −0.26])(採用論文 1).

一方で,投与 12~52 週で MTX 投与群では 16%,プラセボ群では 8% と両群比較し約 2 倍の患者が副作用により治療を継続することができず(RR = 2.06,95%CI[1.30, 3.25]),副作用発症も 12 週時点で MTX 投与群では 45%,プラセボ群では 15% と有意差をもって多く観察された.ただし,27~52 週における重篤な副作用の発症は MTX 投与群で 3%,プラセボ群で 2% と差は示さなかった(RR = 1.44,95%CI[0.36, 5.74])(採用論文 1,6).対象はすべて MTX 以外の csDMARD 不応例であり,かつ罹患歴も 10 年前後と長い難治例であるが,短期使用(12~52 週)においてはプラセボ群に比べ MTX 群では有意な効果をもたらすことが示されている.

3) エビデンスの確実性

本 CQ で検討したアウトカムは,いずれも RCT に基づいており,ACR50 達成割合と副作用による中止のアウトカムでは総サンプル数およびイベント発生の総数が少なく,また HAQ と mTSS のアウトカムでは総サンプル数が少ないため,「不精確さ」に深刻な限界があると判断された.また重篤副作用においては RR の 95%CI の下限と上限がそれぞれ,「相当な利益」とみなされる基準 RR<0.75 と「相当な害」とみなされる基準 RR>1.25 の双方を含んでいるため「不精確さ」に非常に深刻な限界があると判断された.「バイアスのリスク」「非一貫性」「非直接性」など他の項目では問題は認められなかった.これらのことから,ACR50 達成割合,HAQ,mTSS,副作用による中止のアウトカムのエビデンスの確実性は「中」,重篤な副作用のアウトカムは「低」と評価した.

重大なアウトカムの RR の点推定値は ACR50 達成割合,

HAQ，mTSS では同じ方向を向いていたが，重篤な副作用や副作用による中止は逆の方向を向いていたことから，アウトカム全般にわたる全体的なエビデンスの確実性は最も低いグレードである「低」とした．

4）推奨の強さ決定の理由

① 利益と害のバランスの評価

MTX 投与によって，RA の疾患活動性を抑制する効果は示されており，利益の効果の確実性は高い．一方で感染症，口内炎，消化管障害，肝酵素上昇などの副作用の頻度についてインタビューフォームでは頻度不明とされているが，エビデンスの要約で述べたとおり重篤な副作用発現割合はプラセボと比較し有意差が示されなかった．よって，総合的に MTX の投与による望ましい効果は望ましくない効果を上回ると考えられるが，副作用の慎重なモニタリングと適切な患者選択を行うことを前提とする．

② 患者の価値観・意向

患者アンケート（第 4 章 2）の結果では，MTX の効果を「良い点のほうが多い」との回答は 50.3%（531 人）で，一方「悪い点のほうが多い」との回答は 11.0%（116 人）であった．良かったか悪かったか「どちらでもない」との回答が 36.5%（385人）であった．半数以上の患者に有効性を感じられている一方で，一部の患者では有効性を感じていない結果であった．

③ コスト

MTX 2mg の薬価は 210.10 円/カプセル（2020 年 8 月現在）であり，最大量の 16mg/週を内服した場合，年間 87,401 円（52 週計算）となる．MTX 以外の csDMARD の年間薬価は 34,625 円（SASP）から 673,327 円（TAC）と幅広いが，MTX はこれらの中では比較的安価な部類に該当する．また，先行バイオ医薬品の年間薬価 844,610 円（TCZ 皮下注製剤シリンジ：162mg/2 週）〜1,637,376 円（ADA 皮下注製剤シリンジ：40mg/2 週）や JAK阻害薬の年間薬価 1,851,631 円（PEFI：150mg/日）〜1,936,407円（TOF：10mg/日）と比較すると安価である．またバイオ後続品の年間薬価は，最安値で 873,392 円（ETN BS シリンジ：50mg/週）となり，これと比較しても安価である．

④ パネル会議での意見

パネル会議において，MTX 投与の RA 治療での有用性が支持され，8.78 という高い同意度が得られた．利益と害のバランス，患者アンケート，コストを総合的に判断し，推奨の強さは前回の 2014 年版診療ガイドラインと同様に「強い」となった．EULAR リコメンデーション 2019，ACR ガイドライン 2015 でも MTX が使用できる患者では第一選択薬として MTX を使用することを推奨すると述べており，今回の結果と一致する．MTXは本診療ガイドラインにおいても，治療アルゴリズムの基本的な薬剤として位置づけられており，その有用性の評価に変化はない．

5）採用論文リスト

1）Strand V, et al：Arch Intern Med 1999；159：2542-2550.
2）Pinheiro GR, et al：Rev Assoc Med Bras（1992）. 1993；39：91-94.
3）Weinblatt M, et al：N Engl J Med 1985；312：818-822.
4）Furst D, et al：J Rheumatol 1989；16：313-320.
5）Williams H, et al：Arthritis Rheum 1985；28：721-730.
6）Andersen P, et al：Ann Intern Med 1985；103：489-496.

6）推奨作成関連資料一覧 （推奨作成関連資料 1 に掲載）

資料 A　RA CQ1　文献検索式
資料 B　RA CQ1　文献検索フローチャート
資料 C　RA CQ1　エビデンスプロファイル
資料 D　RA CQ1　フォレストプロット

■参考文献

1）Cronstein BN, et al：Nat Rev Rheumatol 2020；16：145-154.

RA 推奨2

推奨文

MTX 使用 RA 患者に葉酸の投与を推奨する.

推奨の強さ **強い**　エビデンスの確実性 **低**　パネルメンバーの同意度 **8.59**

RA CQ2

MTX 使用 RA 患者に葉酸または活性型葉酸の投与は有用か？

サマリー	葉酸もしくは活性型葉酸は MTX による消化管症状や肝障害などの副作用を軽減し，MTX 継続率を上げる効果が期待できる.

1）推奨の背景

　葉酸代謝拮抗薬である MTX は RA 治療における中心的薬剤である一方，嘔気や腹痛などの消化管症状や AST，ALT 値の上昇などの肝障害等の副作用により治療継続が困難になることがある. 葉酸もしくは活性型葉酸は MTX の副作用を軽減する可能性があり，葉酸もしくは活性型葉酸併用が有用であるかどうかを明らかにすることは重要である.

2）エビデンスの要約

　2012 年から 2018 年まで，PubMed，Cochrane Central Register of Controlled Trials，医学中央雑誌で報告された，RA 患者において MTX 内服時の葉酸もしくは活性型葉酸投与の有用性について評価した論文を検索し SR を行った. 2011 年以前の報告に関しては 2013 年に報告された RA 患者に対する MTX 使用時の葉酸，活性型葉酸の併用効果を評価した Cochrane systematic review を参考に文献を抽出した. その結果，今回の CQ の対象となる 6 件の RCT が同定された.

　本 CQ の重大なアウトカムとして，薬剤継続率の評価に関して MTX の中止を取り上げた. 重大なアウトカムである重篤な副作用ではないが，RA 治療の第一選択薬である MTX 使用における日常臨床で最も重要視される副作用として，消化管症状，口内炎，肝障害，血球減少も推奨作成に用いるアウトカムとして取り上げた. また，薬剤の投与により MTX の効果が減弱するかは，やはり日常臨床の課題でありかつ葉酸の推奨を考慮するうえでも重要事項であるが，MTX を評価したエビデンスは古く DAS28 などの複合性指標がないため，代替評価指標として TJC，SJC を取り上げた（「第 2 章 1. 重要臨床課題・アウトカムとクリニカルクエスチョン」を参照）.

　MTX の継続率に関する解析では投与開始後 8〜52 週の MTX 中止率はプラセボ群に対し葉酸もしくは活性型葉酸併用群は有意に低い結果となった（RR＝0.39，95％CI［0.28，0.53］）（採用論文 1〜6）.

　副作用予防については，6 件の RCT から MTX 使用 RA 患者に対し 1 週間で 7mg 以下の低用量の葉酸もしくは活性型葉酸併用における効果を評価した.

　嘔気や嘔吐，腹痛など消化管症状を評価した 6 件の RCT（n＝644）では，発現割合の有意な低下が示された（RR＝0.74，95％CI［0.59，0.92］）（採用論文 1〜6）. また，口内炎あるいは口腔内びらんの発現を評価した 4 件の RCT（n＝575）では有意な差は示さなかったが減少する傾向が示され（RR＝0.72，95％CI［0.49，1.06］），MTX による血清 AST，ALT 値の異常上昇を評価した 4 件の RCT（n＝551）では，有意な発現割合の低下が示された（RR＝0.23，95％CI［0.15，0.34］）（採用論文 1，2，4〜6）. 一方で，MTX による好中球減少症の抑制効果を評価した 2 件の RCT（n＝443）では，有意な有効性は示されなかった（RR＝1.55，95％CI［0.40，5.91］）（採用論文 2，5）.

　MTX の効果減弱に対する評価では，葉酸もしくは活性型葉酸併用群とプラセボ群を比較した RCT では，TJC，SJC いずれにおいても有意な MTX の効果減弱を示さなかった（TJC：standardized MD＝0.09，95％CI［−0.27，0.45］，SJC：standardized MD＝0.05，95％CI［−0.28，0.38］）（採用論文 1，3，4，6）.

　総括すると RA 患者において MTX 投与時の葉酸もしくは活性型葉酸の併用は消化管障害，肝障害の副作用発現を有意に軽減し，MTX の効果減弱は示さなかった.

3）エビデンスの確実性

　本 CQ においては，いずれのアウトカムも RCT に基づいている. MTX 中止に関しては，総サンプル数とイベント発生総数が少ないため，「不精確さ」に深刻な限界があると判断された. 同様に消化管症状と肝障害についても，いずれも総サンプル数とイベント発生総数が少ないため，「不精確さ」に深刻な限界があ

ると判断された．口内炎についてはRRの95％CIの下限と上限がそれぞれ，「相当な利益」とみなされる基準RR＜0.75と「効果なし」を含んでおり，また好中球減少抑制についてはRRの95％CIの下限と上限がそれぞれ，「相当な利益」とみなされる基準RR＜0.75と「相当な害」とみなされる基準RR＞1.25の双方を含んでいるため，それぞれ「不精確さ」に深刻な限界，非常に深刻な限界があると評価された．またTJC，SJCの変化については，いずれも総サンプル数が少ないため「不精確さ」に深刻な限界があると判断された．口内炎については点推定値のばらつきが認められ，中等度の異質性があるため，「非一貫性」に深刻な限界があると判断された．「バイアスのリスク」「非直接性」に関してはいずれのアウトカムにおいても深刻な問題はないと判断された．

これらのことからエビデンスの確実性は口内炎および好中球減少抑制については「低」，それ以外のアウトカムについては「中」と評価した．

すべてのアウトカムにおいて異なる方向を向いていることから，アウトカム全般にわたる全体的なエビデンスの確実性は，重大なアウトカムの中で最も低いグレードである「低」と評価した．

4) 推奨の強さ決定の理由

① 利益と害のバランスの評価

MTX使用RA患者への葉酸または活性型葉酸の投与は，MTXによる消化管症状・肝障害等の副作用抑制効果やMTX投与継続率を上げる利益が期待でき，MTXの効果減弱も示されていない．また葉酸または活性型葉酸の添付文書・インタビューフォームでは副作用に過敏症（頻度不明）の記載はあるが頻度として非常に少なく，総合的に葉酸または活性型葉酸の併用による利益は害を上回ると考えられる．GRADE法では推奨作成には重大なアウトカムのみを用いるが，本推奨に関してはパネル会議で討議のうえ，重要なアウトカムも用いることとした．

② 患者の価値観・意向

患者アンケート（第4章2）の結果では，MTXの副作用に関して，「強い」との回答は27.2％（287人），「弱い」との回答は37.2％（392人），「どちらでもない」との回答は32.9％（347人）

であった．薬剤による副作用が「強い」との回答割合は，ステロイド（32.0％）に次いで多く，患者の意識において，MTXの副作用は比較的大きなウエイトを占めていることがうかがわれた．

③ コスト

葉酸5mgの薬価は9.80円/錠（2020年8月現在）であり，5mg/週内服した場合，年間509円（52週計算）と比較的安価である．併用によりMTXの継続率を上げることができれば，高額であるbDMARD等の使用も回避できる可能性があり，コスト面で有用であると考えられる．

活性型葉酸5mgの薬価は728.80円/錠（2020年8月現在）であり，5mg/週内服した場合，年間37,897円（52週計算）となり，葉酸と比較すると高額である．

④ パネル会議での意見

パネル会議において，高齢者を含めたRA患者にMTXの副作用を軽減して安全に使用し，また十分量を投与するために，葉酸併用の有用性が支持された．葉酸または活性型葉酸は副作用も少なく，利益が害を上回ると考えられるため，推奨の強さとしては「強い」となった．また葉酸よりも活性型葉酸を使用すべきであるとするエビデンスは限られており，コスト面からも，まずは活性型葉酸ではなく葉酸の投与を推奨した．

5) 採用論文リスト

1) Buckley L, et al：J Rheumatol 1990；17：1158-1161.

2) Morgan SL, et al：Arthritis Rheum 1990；33：9-18.

3) Morgan SL, et al：Ann Intern Med 1994；121：833-841.

4) Shiroky JB, et al：Arthritis Rheum 1993；36：795-803.

5) Van Ede AE, et al：Arthritis Rheum 2001；44：2525-2530.

6) Weinblatt M, et al：J Rheumatol 1993；20：950-952.

6) 推奨作成関連資料一覧 （推奨作成関連資料1に掲載）

資料A　RA CQ2　文献検索式

資料B　RA CQ2　文献検索フローチャート

資料C　RA CQ2　エビデンスプロファイル

資料D　RA CQ2　フォレストプロット

RA 推奨3

推奨文

MTX で効果不十分な RA 患者に，MTX と csDMARD の併用療法を推奨する（条件付き）．

推奨の強さ **弱い**　エビデンスの確実性 **非常に低**　パネルメンバーの同意度 **7.76**

RA CQ3

MTX で効果不十分な RA 患者に，MTX と csDMARD の併用療法は MTX 単剤療法に比して有用か？

サマリー	十分量の MTX で効果不十分な RA 患者に，MTX と csDMARD の併用療法はエビデンスは限定的であるが，考慮できる治療選択肢である．
注　記	効果を示した報告が限られているため，予後不良因子，患者の価値観・優先度などを総合的に判断し，MTX と csDMARD 併用療法に適した患者を選択することが必要である．

1) 推奨の背景

十分量の MTX で効果不十分な RA 患者において，RA 推奨 9・10（bDMARD 1・2）や RA 推奨 25（JAKi 2）でも記載のとおり bDMARD や JAK 阻害薬の併用は疾患活動性や関節破壊進行の抑制に有用である．一方で，これらの薬剤による害やコスト面により導入が困難な症例も存在する．

MTX と csDMARD の併用療法が，MTX 単剤で効果不十分な RA 患者の治療戦略として有用であるかどうかを明らかにすることは重要である．

2) エビデンスの要約

2012 年 1 月から 2018 年 12 月の期間に限定し，PubMed，Cochrane Central Register of Controlled Trials，医学中央雑誌で報告された MTX で効果不十分な RA 患者に対して csDMARD 併用療法を評価した論文を抽出し SR を行った．2011 年以前の報告に関しては 2016 年に報告された MTX と csDMARD の併用療法の効果を評価した Cochrane systematic review を参考に文献を評価した．

まず SASP についてであるが，MTX で効果不十分な RA 患者において MTX と SASP 併用群と MTX 単剤群を比較した RCT は存在しなかった．ただし，2016 年に報告された Cochrane systematic review のネットワークメタ解析において MTX で効果不十分な RA 患者を対象に上記 2 群を比較した解析結果が報告された．ACR50 達成割合をアウトカムとした解析で，有意な効果は示されなかった（OR = 2.5，95%CI[0.49, 13.76]）が，エビデンスの評価も「低」となっており，確定的な結論には至っていない．この報告の中で，MTX で効果不十分な RA 患者において，MTX と SASP と HCQ の 3 剤併用群と MTX 単剤群も比較されており，直接比較した研究の結果ではないが，3 剤併用群の有効性を示す結果となっている（OR = 10.51，95%CI[4.46, 30.81]）．

IGU に関しては，MTX で効果不十分な RA 患者において MTX と IGU 併用群と MTX 単剤群を比較した RCT（n = 252）がわが国より報告されている（採用論文 1）．投与開始 24 週後の ACR20，50，70 いずれにおいても有意な有効性が示されており（ACR20：RR = 2.27，95%CI[1.63, 3.15]，ACR50：RR = 2.41，95%CI[1.44, 4.05]，ACR70：RR = 3.00，95%CI[1.20, 7.51]），DAS28-CRP 寛解，HAQ においても有効性が示されている（DAS28-CRP 寛解：RR = 3.02，95%CI[1.49, 6.11]，HAQ：MD = −0.38，95%CI[−0.51, −0.25]）．また重篤な副作用については両群に有意差は示されていない（RR = 0.89，95%CI[0.22, 3.65]）．

BUC に関しては MTX で効果不十分な RA 患者を対象に，BUC の追加併用を評価した RCT は存在しなかった．MTX，SASP，BUC いずれかに効果不十分な RA 患者を対象に MTX，BUC，SASP の 3 剤併用と MTX，TNF 阻害薬（IFX，ETN，ADA，GOL）併用を比較した非 RCT（n = 112）がわが国より報告されている（採用論文 2）．投与開始 52 週後の DAS28-CRP と mTSS のいずれにおいても両群に有意な差は示されなかった（52 週後 DAS28：3 剤併用群 3.39 ± 1.43，TNF 阻害薬群 3.05 ± 1.43，p = 0.39）（52 週後 mTSS：3 剤併用群 4.14 ± 6.63，TNF 阻害薬群 3.82 ± 8.37，p = 0.87）．

TAC に関しても BUC と同様，TAC の追加併用を評価した RCT は存在しなかった．シングルアーム試験になるが，MTX で効果不十分な RA 患者に TAC を追加併用した観察研究（n = 19）

がわが国より報告されている（採用論文3）．投与開始52週後の寛解が0例（0.0%）から3例（15.8%），低疾患活動性が1例（5.3%）から2例（10.5%）という改善が示された．またMTXで効果不十分なRA患者においてMTXとTAC併用群とMTX単剤もしくはTAC以外のcsDMARD併用群を比較したプロペンシティスコアマッチングを用いた観察研究（n＝599）がわが国より報告されており，投与開始28週以降のDAS28-CRPにおいて有効性が示されている（TAC併用：4.54→3.62，MTX単剤もしくはTAC以外のcsDMARD併用：4.12→3.61，p＜0.05）（採用論文4）．

3) エビデンスの確実性

本CQに対する推奨は，IGUに関する1件のRCTおよびcsDMARD併用に関する3件の観察研究に基づいている．

MTXで効果不十分例に対するIGU投与に関しては，複合指標，ACR20，50，70達成率，HAQのアウトカムにおいて，総サンプル数もしくはイベント発生の総数が少ないため，「不精確さ」に深刻な限界があると判断されたが，「バイアスのリスク」「非一貫性」「非直接性」では深刻な問題はないと評価され，エビデンスの確実性は「中」と評価した．重篤な副作用に関してはRRの95%CIの下限と上限がそれぞれ，「相当な利益」とみなされる基準RR＜0.75と「相当な害」とみなされる基準RR＞1.25の双方を含んでいるため，「不精確さ」に非常に深刻な限界があると判断し，エビデンスの確実性は「低」と評価した．

MTX，SASP，BUCの3剤併用に関する観察研究では，DAS28-CRP，mTSSにおいて組み入れがランダム化されておらず「バイアスのリスク」に深刻な限界があると判断し，総サンプル数が少ないため，「不精確さ」に深刻な限界があると判断した．このことからエビデンスの確実性は「非常に低」と評価した．

MTX効果不十分例に対するTACの追加併用に関する観察研究においては，寛解および低疾患活動性のアウトカムについて，対照群が設定されておらず組み入れもランダム化されておらず，「バイアスのリスク」は非常に深刻な限界があると判断，総サンプル数が少ないため，「不精確さ」に深刻な限界があると判断し，エビデンスの確実性は「非常に低」と評価した．

MTX効果不十分例に対するTAC併用とMTX単剤またはTAC以外のcsDMARDの2剤併用に関する観察研究においては，DAS28-CRPの変化量のアウトカムで，組み入れがランダム化されておらず，「バイアスのリスク」に，対照群にTAC以外のcsDMARDを併用している症例を含むため「非直接性」に，また総サンプル数が少ないため「不精確さ」にそれぞれ深刻な限界があると判断し，エビデンスの確実性は「非常に低」と評価した．

今回検討した1件のRCTはIGUのみに関する研究であり，csDMARDの追加併用療法に関する全体的なエビデンスの確実性は，他の3件の観察研究も含めて検討する必要がある．3件の観察研究におけるエビデンスの確実性はいずれも「非常に低」であったことから，全体的なエビデンスの確実性は，「非常に低」と評価した．

4) 推奨の強さ決定の理由

① 利益と害のバランスの評価

MTXで効果不十分なRA患者に対する，MTXとcsDMARD併用療法の効果や副作用に関しては，エビデンスが不十分な薬剤が多くを占める．その中でIGUにおいては疾患活動性抑制の利益が示されており，重篤な副作用という害の明らかな増加は認めていない．TACの追加併用やSASPとBUCの3剤併用療法は疾患活動性の抑制の利益の可能性が示唆されており，明らかな副作用の増加は認めていない．これらのことから，総合的には利益が害を上回る可能性が示唆される．総括すると，MTXで効果不十分なRA患者に対するcsDMARDの併用療法は利益が害を上回る可能性があると考えられる．

② 患者の価値観・意向

患者アンケート（第4章2）の結果では，MTXを除くcsDMARDの良い効果の有無についての質問には，「あった」が40.2%（352人），「なかった」が22.3%（195人）の回答であり，副作用については「強い」19.5%（171人），「弱い」37.6%（329人），投与を受けてよかったかという質問に対しては，「良い点のほうが多い」との回答は25.9%（227人）で，「悪い点のほうが多い」との回答は17.3%（151人），良かったか悪かったかどちらでもないとの回答が54.1%（473人）であった．患者の実感としては，効果を感じる割合が低めで，その分副作用もそれほど強くない薬剤との位置づけであることが示唆された．

③ コスト

各csDMARDの年間薬価は2020年8月現在で，34,625円（SASP 1,000mg/日），53,726円（BUC 300mg/日），114,805円（IGU 50mg/日），676,603円（TAC 3mg/日）となっており，TACが比較的高額となっている．先行バイオ医薬品の年間薬価844,610円（TCZ皮下注製剤シリンジ：162mg/2週）～1,637,376円（ADA皮下注製剤シリンジ：40mg/2週）やJAK阻害薬の年間薬価1,851,631円（PEFI：150mg/日）～1,936,407円（TOF：10mg/日）と比較すると安価である．またバイオ後続品の年間薬価は，最安値で873,392円（ETN BSシリンジ：50mg/週）となり，これと比較しても安価である．コスト面では明らかに有利であり，症例によってはbDMARDを使用する前の選択肢として考慮しうると考える．

④ パネル会議での意見

EULARリコメンデーション2019では，「最初のcsDMARD治療で治療目標に達しない場合，予後不良因子がなければ他の

25

csDMARDへの変更を考慮すべきである」の推奨は，ACRガイドライン2015から変更されていないが，csDMARDの併用がMTX単剤療法（特に副腎皮質ステロイド併用時）に対して優れているとはいえないとしている（参考文献1，2）.

わが国では，欧米で承認されていないIGUなどのcsDMARDが使用でき，csDMARDの併用療法の位置づけは，海外と多少異なる．パネル会議において，MTXで効果不十分なRA患者に，MTXとcsDMARDの併用療法の有用性が条件付きで支持された．ただし，十分量のMTXが投与されたうえで効果不十分なRA患者という条件であり，MTX単剤で寛解もしくは低疾患活動性となっている患者に積極的にcsDMARD併用療法を推奨するということではない．また，有用性を示した報告が限定的で，bDMARDやJAK阻害薬の有用性を示すエビデンスのほうが多いことから，治療のアルゴリズムにもあるように，疾患活動性が高く，RF/ACPA陽性（特に高力価陽性）や早期からの骨びらんを有する症例は関節破壊が進みやすいためより積極的な治療を考慮し，利益と害のバランス，患者の価値観・意向，コスト面などを総合的に判断し，治療を検討するべきである.

5）採用論文リスト

1）Ishiguro N, et al：Mod Rheumatol 2013；23：430-439.

2）Matsuno H, et al：Mod Rheumatol 2016；26：51-56.

3）Kanzaki T, et al：Rheumatol Int 2013；33：871-877.

4）Kitahama M, et al：Mod Rheumatol 2013；23：788-793.

6）推奨作成関連資料一覧（推奨作成関連資料1に掲載）

資料A　RA CQ3　文献検索式

資料B　RA CQ3　文献検索フローチャート

資料C　RA CQ3　エビデンスプロファイル

資料D　RA CQ3　フォレストプロット

■参考文献

1）Smolen JS, et al：Ann Rheum Dis 2020；79：685-699.

2）Singh JA, et al：Arthritis Rheum 2016；68：1-26.

RA 推奨 4

推奨文

疾患活動性を有する RA 患者に対し，MTX 皮下注射を MTX 内服と同等に推奨する（条件付き）．

推奨の強さ **弱い**　エビデンスの確実性 **非常に低**　パネルメンバーの同意度 **8.00**

RA CQ4

疾患活動性を有する RA 患者に，MTX 皮下注射は MTX 内服と比べ有用か？

サマリー	疾患活動性を有する RA 患者への MTX 皮下注射は，MTX 内服よりも優れた有効性と同等以上の安全性が期待される．
注　記	MTX 内服と同様に，慎重投与や副作用リスク因子を考慮し，投与の適否を決定する．ただし，コスト面から MTX 未投与患者ではまず内服が優先される．

1）推奨の背景

葉酸代謝拮抗薬である MTX はわが国においても RA 治療の中心的薬剤である．従来，MTX は内服薬として保険収載され使用されてきたが，皮下注製剤が 2022 年に保険収載されており，疾患活動性を有する RA 患者への MTX 皮下注射投与の効果および副作用について，MTX 内服と比較・検討することは臨床上重要である．

2）エビデンスの要約

1900 年 1 月 1 日から 2022 年 9 月 30 日までの期間に，PubMed，Cochrane Central Register of Controlled Trials，Embase，医学中央雑誌で報告された，RA 患者における MTX 皮下注製剤に関する論文を系統的にレビューし，本 CQ の対象となる MTX 内服製剤との RCT 2 件が同定された．

本 CQ の重大なアウトカムとして，治療開始 12～24 週時の ACR50 達成割合，12 週時の HAQ-DI の変化量，重篤な有害事象，重篤な感染症および薬剤継続率を取り上げた．

MTX 内服と比較した，MTX 皮下注射の望ましい効果は，治療開始 12～24 週時の ACR50 達成の絶対効果が 1,000 人あたり 109 人増加，95％CI［5, 237］，相対効果は RR = 1.23，95％CI［1.01, 1.50］であった．12 週時の HAQ-DI の変化量の絶対効果は，MD = 0，95％CI［－0.22, 0.22］であった．また，12 週時の薬剤継続率の絶対効果は 1,000 人あたり 0 人と不変，95％CI［－67, 77］，相対効果は RR = 1.00，95％CI［0.93, 1.08］であった．以上より，望ましい効果は「小さい」とした．

望ましくない効果として，重篤な有害事象および重篤な感染症は，MTX 内服群，皮下注射群ともに 0 件であった．以上よ

り，望ましくない効果の差は「わずか」とした．

3）エビデンスの確実性

本推奨作成に用いたエビデンスは，いずれも RCT に基づいている．

ACR50 達成割合に関しては，「非一貫性」「非直接性」「その他の検討」では深刻な問題は認められなかったが，患者および評価者に対する盲検性の欠如や観察期間の違いから「バイアスのリスク」は非常に深刻と判断，また RR の 95％CI が「相当な利益」とみなされる基準の 1.25 を含んでいるため，「不精確さ」は深刻と判断し，エビデンスの確実性は「非常に低」と評価した．

HAQ-DI の変化量，重篤な有害事象，重篤な感染症および継続率に関しては，「バイアスのリスク」「非一貫性」「非直接性」「その他の検討」では深刻な問題は認められなかったが，総サンプル数および総イベント数が少ないため，「不精確さ」に深刻な限界があると判断し，エビデンスの確実性は「中」と評価した．

重大なアウトカムにおける介入の効果が異なる方向を向いているため，アウトカム全般のエビデンスの確実性は最も低いものを採用し，「非常に低」とした．

4）推奨の強さ決定の理由

① 利益と害のバランスの評価

望ましい効果では，MTX 皮下注射における治療開始 12～24 週時の ACR50 達成の NNT が 9.2，望ましくない効果では，NNH は重篤な副作用，重篤な感染症ともに 0 件で計算不能であった．国内第 3 相臨床試験では安全性に関して MTX 皮下注 7.5mg/週群（52 例）と経口 8mg/週群（50 例）における 12 週時での群間

比較が示されている. いずれかの群で5%以上認められた有害事象は, 上咽頭炎（皮下注4/52〔7.7%〕, 経口6/50〔12.0%〕）, RA（皮下注4/52〔7.7%〕, 経口3/50〔6.0%〕）, 口内炎（皮下注3/52〔5.8%〕, 経口3/50〔6.0%〕）, 悪心（皮下注2/52〔3.8%〕, 経口7/50〔14.0%〕）, 便秘（皮下注1/52〔1.9%〕, 経口3/50〔6.0%〕）, 下痢（皮下注0/52, 経口3/50〔6.0%〕）, 湿疹（皮下注0/52, 経口3/50〔6.0%〕）であり, 悪心などの消化管障害が皮下注群で少ない傾向を認めた（参考文献1）. これらのことから, 有効性においてはMTX皮下注射のほうが優れており, 安全性においても皮下注射が同等以上であることが示唆される.

② 患者の価値観・意向

一般的な患者は, 関節炎改善と重篤な有害事象の両者に価値をおくと考えられ, 本診療ガイドラインでは, リウマチ専門医の投票によって意思決定に重大と判断されたアウトカムを選択しており, アウトカムに対する価値観の重要性に関するばらつきは少ないものと考えられる. MTX内服に対する1,055人の患者アンケート（第4章2）の結果では,「良い効果があった」との回答は67.9%（716人）で,「良い効果がなかった」との回答は6.4%（68人）,「どちらともいえない」との回答は23.7%（250人）であった. 3分の2以上の患者が有効性を感じている一方で, 一部の患者は有効性を感じていない結果であった. またMTX内服の副作用に関しては,「強い」との回答は27.2%（287人）,「弱い」との回答は37.2%（392人）,「どちらでもない」との回答は32.9%（347人）であった. 薬剤による副作用が「強い」との回答割合は, 副腎皮質ステロイド（32.0%）に次いで多かった. また「治療を受けて良かったか」の質問に対しては「良い点のほうが多い」との回答は50.3%（531人）,「悪い点のほうが多い」との回答は11.0%（116人）,「どちらともいえない」との回答が36.5%（385人）となっており, 患者の意識において, MTX内服の副作用は比較的大きなウエイトを占めていることがうかがわれた.

③ コスト

QALYなど費用対効果を検討した論文, エビデンスはない. MTX内服製剤2mgの薬価は149.30円/カプセル（2023年5月現在）であり, MTX皮下注製剤7.5mgの薬価は1,797.00円/筒である. MTX内服8mg/週と皮下注射7.5mg/週で比較すると, 内服2,388.80円/4週, 皮下注射7,188.00円/4週となり, 内服製剤のほうが安価である. また, 皮下注製剤では自己注射を行う場合, 保険診療として在宅自己注射指導管理料650点/月が必要となる.

④ パネル会議での意見

パネル会議において, 薬価や在宅自己注射管理料などの観点から, MTX未投与患者においてはまず内服薬が優先されるとの意見が複数のパネルメンバーから示された. また, 国内第3相臨床試験の結果から, MTX皮下注製剤は消化管障害の副作用が内服製剤よりも少ない可能性が示されており, 内服薬で悪心などの副作用が強い症例において, よい適応となるとの意見が示された. 疾患活動性を有するRA患者へのMTX皮下注射投与は, MTX内服よりも優れた有効性と同等以上の安全性が期待されるが, コスト面では内服薬のほうが安価であり, MTX未投与患者ではまず内服薬が優先されるため, 推奨の強さとしては「弱い」（条件付き）とすることとなった. RA患者を対象としたアンケートでもMTXの副作用は比較的大きなウエイトを占めており, 内服薬において悪心などの消化管障害の出現が認められた症例においては特に使用が推奨されると考える. またMTX内服と同様に, 慎重投与や副作用リスク因子を考慮し, 投与の適否を決定する必要がある.

5）採用論文リスト

1) Islam MS, et al：Mymensingh Med J 2013；22：483-488.

2) Tanaka Y, et al：Mod Rheumatol 2023；33：680-689.

6）推奨作成関連資料一覧 （推奨作成関連資料1に掲載）

資料A　RA CQ4　文献検索式

資料B　RA CQ4　文献検索フローチャート

資料C　RA CQ4　バイアスのリスク

資料D　RA CQ4　エビデンスプロファイル

資料E　RA CQ4　フォレストプロット

資料F　RA CQ4　Evidence to Decision テーブル

■参考文献

1) 医薬品医療機器総合機構：メトジェクト_日本メダック株式会社_審査報告書, 2022年8月.

RA 推奨5

推奨文

MTX が使えないまたは効果不十分の RA 患者に，MTX 以外の csDMARD の使用を推奨する（条件付き）．

推奨の強さ **弱い**　エビデンスの確実性 **低**　パネルメンバーの同意度 **8.00**

RA CQ5

疾患活動性を有する RA 患者に，MTX 以外の csDMARD は有用か？

サマリー	csDMARD は，疾患活動性の改善効果があり，MTX が使えないまたは効果不十分の RA 患者に対して有用性がある．
注　記	日本固有あるいは情報が古い薬剤も多いため，患者の背景に応じて安全性に配慮しながら適切な使用を考慮する．

1) 推奨の背景

活動性 RA に対する標準的第一選択薬は MTX である．しかし，MTX 以外の csDMARD は，禁忌や不耐のため MTX を使用できない，あるいは MTX で効果不十分な場合に，使用機会がある．またわが国では海外では用いられない固有の csDMARD が使用されている．これらの有用性を検討することは重要である．

2) エビデンスの要約

MTX 以外の csDMARD 6 剤（SASP, BUC, TAC, IGU, LEF, GST）について，2014 年版診療ガイドライン作成時に，Cochrane review の参照と，1998 年 1 月から 2012 年 8 月の期間における PubMed と医学中央雑誌で SR を行った．以後，新たな MTX 以外の csDMARD は販売されておらず，全般的な結論は 2014 年版診療ガイドラインと同様である．

① SASP

Cochrane review は 1 件あり，6 件の RCT が採択された．PubMed と医学中央雑誌の文献検索では全体で 307 件が抽出され，このうち RCT で，わが国で使用不可能な薬剤を含まず，エビデンスとして情報が得られる論文 4 件を選択した．いずれも SASP の使用量は日本承認量である 1g/日より多く，2g または 3g/日を最大量として使用されていた．SASP では重要なアウトカムとして，治療開始 6〜12 か月後の ACR50 達成率，複合指標の DAS28-CRP の変化量，関節破壊指標である mTSS 変化量を取り上げることとした．

12 か月の ACR50 達成率は，SASP 群（$n=55$）と MTX 群（$n=54$）との間で有意差は示されなかった（RR＝0.37, 95％CI［0.10,

1.31]）．

12 か月の DAS28 変化量については，SASP 群（$n=23$）−0.9，BUC 群（$n=26$）−1.9 で，有意差は示されなかった（MD は記載がなく評価不可）．

48 週の mTSS 変化量については，1 試験では SASP 群（$n=36$）はプラセボ群（$n=37$）と有意差がなく（MD＝−3.60, 95％CI［−11.13, 3.93]），別の 1 試験では SASP 群（$n=69$）4.64，MTX 群（$n=69$）4.50 と有意差がなかった（MD は評価不可）．

② BUC

Cochrane review はなく，PubMed および医学中央雑誌の検索で抽出された 343 件のうち，RCT 5 件が同定された．BUC における重要なアウトカムとして，ACR50 達成率，複合指標の DAS28-CRP の変化量，mTSS の変化量を取り上げることとした．

24 週の ACR50 達成率は，BUC 群（$n=23$）と MTX 群（$n=23$）との間に有意差は示されなかった（RR＝1.13, 95％CI［0.23, 2.40]）．

12 か月の DAS28-CRP 変化量については，BUC 群（$n=26$）−1.9 と SASP 群（$n=23$）−0.9 との間に有意差は示されなかった（MD は記載がなく評価不可）．

96 週の mTSS 変化量については，BUC 群（$n=23$）28.5 と MTX 群（$n=23$）27.4 との間に有意差は示されなかった（MD は記載がなく評価不可）．

③ TAC

Cochrane review はなく，PubMed および医学中央雑誌の検索で抽出された 242 件のうち，RCT 5 件が同定され，その中でプラセボを対照とした 4 件を選択した．TAC における重要なアウトカムとして，ACR50 達成率と機能評価である HAQ-DI 変化を取り上げることとし，TAC 1〜2mg/日と 3mg/日で層別化して検

討した.

16〜28週のACR50達成率については，TAC 1〜2mg群（n = 290）はプラセボ群（n = 292）より有意に高く（RR = 1.71，95% CI[1.20, 2.42]），TAC 3mg群（n = 336）はプラセボ群（n = 354）より有意に高かった（RR = 2.30，95%CI[1.79, 2.86]）.

16〜28週のHAQ-DI変化については，TAC 1〜2mg群（n = 290）はプラセボ群（n = 292）より有意に大きく（MD = −0.22，95%CI[−0.23, −0.21]），TAC 3mg群（n = 280）はプラセボ群（n = 278）より有意に大きかった（MD = −0.13，95%CI[−0.14, −0.12]）.

④ IGU

Cochrane reviewはなく，PubMedおよび医学中央雑誌の検索で抽出された15件のうち，RCTである4件が抽出された．IGUにおける重要なアウトカムとして，ACR50達成率と機能評価であるHAQ-DIの変化量，重篤有害事象発生割合を取り上げることとした.

24〜28週のACR50達成率については，IGU群（n = 104）はSASP群（n = 103）と有意差がなく（RR = 1.03，95%CI[0.58, 1.83]），IGU＋MTX群（n = 164）はMTX群（n = 88）より有意に高く（RR = 2.41，95%CI[1.44, 4.05]），IGU群（n = 163）はMTX群（n = 163）と有意差がなかった（RR = 0.64，95%CI[0.41, 1.83]）.

24〜28週のHAQ-DI変化量については，IGU群（n = 210）はプラセボ群（n = 130）より有意に大きく（MD = −0.60，95%CI[−0.82, −0.37]），IGU＋MTX群（n = 164）はMTX群（n = 88）より有意に大きく（MD = −0.78，95%CI[−1.05, −0.51]），IGU群（n = 163）はMTX群（n = 163）と有意差がなかった（MD = 0.15，95%CI[−0.08, 0.26]）.

重篤有害事象発生割合は，IGU群（n = 456）はSASPまたはMTXまたはプラセボ群（n = 375）と有意差を認めなかった（RR = 0.90，95%CI[0.39, 2.11]）.

加えて，PMS結果を報告した論文が1件同定された．注目すべき有害事象として肝障害が73/377（19.4%）に認めたことが報告された.

⑤ LEF

Cochrane reviewは1件あり，採択文献の中からプラセボまたはMTXを対照とした文献が8件同定された．日本人に注目したPubMedおよび医学中央雑誌の検索でPMS結果を報告した1件が抽出された．本CQにおける重要なアウトカムとして，ACR50達成，複合指標のDAS28-CRP寛解，機能障害指標であるHAQ-DI変化量および関節破壊指標であるmTSS変化量を取り上げることとした.

6〜12か月のACR50達成率は，LEF群（n = 130）はプラセボ群（n = 91）に比して有意に高く（RR = 2.33，95%CI[1.32, 4.00]），LEF群（n = 455）はMTX群（n = 480）との間に有意差は示されなかった（RR = 1.16，95%CI[0.69, 1.92]）.

24週のDAS28-CRP寛解達成率は，LEF群（n = 30）はMTX群（n = 30）との間に有意差は示されなかった（RR = 1.00，95% CI[0.22, 4.54]）.

6か月のHAQ-DI変化量については，LEF群（n = 387）がプラセボ群（n = 292）と比し，有意に改善したことが示された（MD = −0.43，95%CI[−0.52, −0.33]）.

12か月のmTSS変化量については，LEF群（n = 433）はMTX群（n = 460）と比し有意差はなかった（MD = 0.08，95%CI[−1.07, 1.23]）.

日本人のPMS結果を報告した論文が1件同定された．注目すべき有害事象としてILDがILD既往のある群（n = 669）で死亡例を含み5.08%，ILD既往のない群（n = 6,006）で0.62%に認められたことが報告された.

⑥ GST

Cochrane reviewは1件あり，4件のRCTが採択された．PubMedと医学中央雑誌の文献検索では全体で788件が抽出され，このうちRCTで，わが国で使用不可能な薬剤を含まず，エビデンスとして情報が得られ推奨のエビデンスに用いる論文として1件を選択した．GSTでは重要なアウトカムとして，機能障害指標のHAQ-DIの変化を取り上げることとした.

36か月のHAQ-DIの変化量については，GST群（n = 136）−0.45，CsA群（n = 136）−0.54で，有意差は示されなかった（MDは記載がなく評価不可）.

また，推奨の参考として用いた5件の報告のエビデンスからは，SJC，ESR変化量の改善が示され，プラセボ群と比較して有害事象による中止は同等であった.

3) エビデンスの確実性

MTX以外のcsDMARDのエビデンスの確実性については，採用された論文は現在の標準的アウトカムを用いた評価に乏しく，重大なアウトカムについて全般にわたるエビデンスの確実性をGRADE法によって評価することは困難であったが，論文の質，評価されたアウトカムの種類，RRの点推定値の方向性のばらつきなどから，SASPは「非常に低」，BUCは「低」，TACは「高」，IGUは「低」，LEFは「中」，GSTは「非常に低」と判断された．最終的にパネル会議でエビデンスプロファイルに記載したデータを総合的に判断して，MTX以外のcsDMARD全般にわたる総体的なエビデンスの確実性を「低」とした.

4) 推奨の強さ決定の理由

① 利益と害のバランスの評価

MTX以外のcsDMARDは，重大なアウトカムに関するエビデンスの確実性は高くないものの，推奨の参考となるアウトカム評価も考慮に入れると，プラセボに対する優越性と現在の標準

薬である MTX にやや劣る程度の有効性と，プラセボよりはやや劣るが MTX と同程度の安全性を有することが示されており，MTX が使用できないまたは効果不十分な際に使用する抗リウマチ薬として，総合的に望ましい効果は望ましくない効果を上回ると考えられる．

② 患者の価値観・意向

合成抗リウマチ薬に関する患者アンケート（第4章2）では，良い効果が「あった」が「なかった」を上回り（40.2% vs. 22.3%），副作用が「強い」が「弱い」を下回り（19.5% vs. 37.6%），「良い点が多い」が「悪い点が多い」を上回っており（25.9% vs. 17.3%），総合して患者の評価は高かった．

③ コスト

薬価（2020年8月現在）は，RA 用の SASP が 1g あたり 41.40〜95.20円，BUC が 200mg あたり 42.80〜98.40円，TAC が 3mg あたり 875.10〜1,972.5円，IGU が 50mg あたり 315.4円，LEF が 20mg あたり 232.90円，注射 GST 25mg 1筒あたり 369円である．最大承認用量を使用したとすると，年間では SASP が 15,111〜34,748円，BUC が 15,622〜35,916円，TAC が 319,411〜719,962円，IGU が 115,121円，LEF が 85,008円，注射 GST が 4,428円となる．MTX の薬価は 85.70〜210.10円/錠（2019年6月現在）であり，最大 16mg/週内服したとして年間 35,651〜87,401円とすると，SASP，BUC，注射 GST は安価，LEF は同等，IGU は同等からやや高価，TAC は高価となる．

④ パネル会議での意見

パネル会議においては，医療経済学的影響も考慮に入れ，また MTX を使用できない背景をもつ患者も存在することから，MTX に不耐または効果不十分な患者に対する MTX 以外の csDMARD の有用性が支持された．しかしながら，エビデンスレベルは不十分であること，関節破壊抑制効果に関する検討が不十分であることから，推奨の強さとしては「弱い」（条件付き）とすることとなった．

5）採用論文リスト

【SASP】

1）Capell HA, et al：Ann Rheum Dis 2007；66：235-241.
2）Nakajima M, et al：Mod Rheumatol 2009；19：384-389.
3）Hannonen P, et al：Arthritis Rheum 1993；36：1501-1509.
4）Dougadous M, et al：Ann Rheum Dis 1999；58：220-225.
5）Ebringer R, et al：J Rheumatol 1992；19：1672-1677.
6）Farr M, et al：Clin Rheumatol 1995；14：531-536.
7）Pullar T, et al：Br Med J（Clin Res Ed）1983；287：1102-1104.
8）Skosey JL, et al：J Rheumatol 1988；16：5-8.
9）Williams HJ, et al：Arthritis Rheum 1988；31：702-713.
10）Smolen JS, et al：Lancet 1999；353：259-266.
11）Suarez-Almazor ME, et al：Cochrane Database Syst Rev 2010；7：CD000958.

【BUC】

1）Ichikawa Y, et al：Mod Rheumatol 2005；15：323-328.
2）Nakajima M, et al：Mod Rheumatol 2009；19：384-389.
3）Kim HA, et al：Rheumatol Int 1997；17：5-9.
4）Yasuda M, et al：J Rheumatol 1994；21：44-50.
5）塩川優一，他：炎症 1986；6：409-430.

【TAC】

1）Furst DE, et al：Arthritis Rheum 2002；46：2020-2028.
2）Yocum TE, et al：Arthritis Rheum 2003；48：3328-3337.
3）Kondo H, et al：J Rheumatol 2006；33：11.
4）Kawai S, et al：Mod Rheumatol 2011；21：458-468.

【IGU】

1）Hara M, et al：Mod Rheumatol 2007；17：1-9.
2）Ishiguro N, et al：Mod Rheumatol 2013；23：430-439.
3）Lu LJ, et al：Arthritis Rheum 2009；61：979-987.
4）Lu LJ, et al：Chin Med J（Engl）2008；121：615-619.
5）Hara M, et al：Mod Rheumatol 2007；17：10-16.

【LEF】

1）Smolen JS, et al：Lancet 1999；353：259-266.
2）Emery P, et al：Rheumatology 2000；39：655-665.
3）Strand V, et al：Arch Intern Med 1999；159：2542-2550.
4）Wislowska M, et al：Rheumatol Int 2007；27：641-647.
5）Mladenovic V, et al：Arthritis Rheum 1995；38：1595-1603.
6）Shuai ZW, et al：Acta Universitatis Medicinalis Anhui 2002；37：41-44.
7）Sharp JT, et al：Arthritis Rheum 2000；43：495-505.
8）Sawada T, et al：Rheumatology 2009；48：1069-1072.
9）Osiri M, et al：Cochrane Database Syst Rev 2010；7：CD000520.

【GST】

1）Kvien TK, et al：Ann Rheum Dis 2002；61：511-516.
2）The Cooperating Clinics Committee of the American Rheumatism Association：Arthritis Rheum 1973；16：353-358.
3）The Empire Rheumatism Council, et al：Ann Rheum Dis 1960；19：95-117.
4）Ward JR：Arthritis Rheum 1983；26：1303-1315.
5）Sigler JW, et al：Ann Intern Med 1974；80：21-26.

6）推奨作成関連資料一覧（推奨作成関連資料1に掲載）

資料A　RA CQ5　文献検索式
資料B　RA CQ5　文献検索フローチャート
資料C　RA CQ5　エビデンスプロファイル

RA 推奨6　　　　　　　　　　　　　　csDMARD 2

推奨文

bDMARD または JAK 阻害薬と csDMARD 併用で寛解または低疾患活動性を維持している RA 患者に，csDMARD の減量を推奨する（条件付き）.

推奨の強さ **弱い**　エビデンスの確実性 **非常に低**　パネルメンバーの同意度 **7.18**

RA CQ6

bDMARD または JAK 阻害薬と csDMARD 併用で寛解または低疾患活動性を維持している RA 患者に，csDMARD の減量は可能か？

サマリー	bDMARD または JAK 阻害薬と csDMARD 併用で寛解または低疾患活動性を維持している RA 患者に，寛解または低疾患活動性維持を前提に csDMARD の減量を検討してもよい.
注　記	併用 csDMARD の減量に関するエビデンスは十分とはいえない. 患者は薬剤減量に関する希望があり，疾患活動性を注意深く観察しての減量検討が求められる.

1）推奨の背景

RA の治療目標は，適切な治療介入によって寛解や低疾患活動性を達成・維持することである. 治療目標を達成したあとに薬剤を減量することは，副作用や医療費の軽減につながる反面，疾患活動性の再燃リスクを高める可能性がある. bDMARD や JAK 阻害薬と csDMARD 併用で寛解または低疾患活動性を達成したのちに，csDMARD 減量の有用性を明らかにすることは重要である.

2）エビデンスの要約

2012 年 1 月から 2019 年 6 月の期間に限定し，PubMed，Cochrane Library，医学中央雑誌で報告された RA 患者における bDMARD または JAK 阻害薬で治療後に csDMARD を減量した論文について SR を行い，539 件から 3 件の RCT が同定された. 2 件は TCZ＋MTX で加療後に低疾患活動性達成または EULAR moderate response 以上達成患者を対象として TCZ と TCZ＋MTX 群を比較，1 件は ETN＋MTX で加療後に全例で ETN と ETN＋MTX 群を比較した. JAK 阻害薬を用いた試験は見出せなかった.

本 CQ における重要なアウトカムとして，治療開始 6〜12 か月後の ACR50 達成割合，DAS28＜2.6 達成割合，DAS28-ESR 変化量，重篤有害事象を取り上げた.

6 か月後の ACR50 達成割合は，1 論文で報告され，TCZ 群（n＝147）が TCZ＋MTX 群（n＝174）と比し，ACR50 達成割合は有意に低いことが示された（RR＝0.76，95％CI[0.62，0.94]）.

6〜12 か月後の DAS28＜2.6 達成割合は，TCZ 2 論文と ETN 1

論文で報告された. TCZ 2 論文のメタ解析では，TCZ 群（n＝283）が TCZ＋MTX 群（n＝283）と比し，DAS28 寛解達成割合は同等であった（RR＝0.92，95％CI[0.78，1.08]）. ETN 1 論文では，ETN 群（n＝98）が ETN＋MTX 群（n＝107）と比し，DAS28 寛解達成割合は非劣性であった（RR＝0.92，95％CI[0.78，1.08]）.

6 か月後の DAS28-ESR 変化量については TCZ 1 論文と ETN 1 論文で報告され，TCZ 群（n＝136）と TCZ＋MTX 群（n＝136）との間に有意差は示されなかった（MD＝－0.23，95％CI[－1.75，－1.27]）. ETN 群（n＝98）と ETN＋MTX 群（n＝107）では ETN 群で有意に大きかったが（MD＝0.4，95％CI[0.1，0.7]），この論文では割り付け時に低疾患活動性を達成したサブ集団では差がなかったことも報告された.

重篤有害事象は，TCZ 群（n＝144）と TCZ＋MTX 群（n＝139）との間に有意差は示されなかった（RR＝0.72，95％CI[0.26，2.03]）.

3）エビデンスの確実性

本推奨はいずれも RCT に基づいている. TCZ を使用した 2 論文は「バイアスのリスク」に深刻な問題はなかったが，ETN を使用した 1 論文はオープンラベルであり，アウトカム報告も不十分と考えられ，「バイアスのリスク」は非常に深刻とした. また，「非直接性」について，TCZ を使用した研究は深刻な問題はなかったが，ETN を使用した研究は疾患活動性にかかわらず全患者に割り付けを実施しており，寛解または低疾患活動性を維持している患者を対象とした本 CQ とは異なるため，いずれのアウトカムにおいても「非直接性」を深刻とした. ACR50 達

成割合とDAS28寛解達成割合は，「不精確さ」に関してTCZではサンプル数・イベント数が少なく，ETNではRRの95%CI下限が効果なし，95%CI上限が「相当な利益」とみなされる基準の1.25を含んでおり，いずれも深刻と判断され，エビデンスの確実性はTCZで「中」，ETNでは「非常に低」と判断された．DAS28-ESR変化量は，「非一貫性」については深刻な問題はないが，TCZ，ETNともにサンプル数が不足しており「不精確さ」が深刻と判断され，エビデンスの確実性はTCZで「中」，ETNでは「非常に低」と判断された．重篤有害事象発生率（TCZ）に関しては，RRの95%CIの上限と下限が，「相当な害」または「相当な利益」とみなされる基準の0.75と1.25の双方を含んでいるため，「不精確さ」に非常に深刻な限界があると判断されたが，「バイアスのリスク」「非一貫性」「非直接性」などの他の項目では問題は認められず，エビデンスの確実性は「低」と評価した．

　重大アウトカムのRRの点推定値は，ACR50達成，DAS28-CRP寛解達成，DAS28-ESR，重篤有害事象で異なる方向を向いていたことから，アウトカム全般にわたる全体的なエビデンスの確実性は最も低いグレードである「非常に低」とした．

4) 推奨の強さ決定の理由

① 利益と害のバランスの評価

　bDMARDとMTX併用で低疾患活動性または寛解を達成後にMTXを中止した場合，中止によって再燃割合がわずかに高く，試験期間中の重篤有害事象発生割合はほぼ同等である．ただしエビデンスがあるのはTCZおよびETNのみであり，またいずれも関節破壊抑制効果の維持については報告されていない．MTXを長期にわたり中止した場合の有害事象発生割合の変化は不明である．また，MTX中止のみの検討であり，MTX減量や他のcsDMARDについては検討されていない．JAK阻害薬とMTX併用で低疾患活動性または寛解を達成した場合の検討も行われていない．総合的にMTX減量は望ましい効果が望ましくない効果を上回ると考えられる．しかしながら，減量後の低疾患活動性または寛解の維持が前提であること，およびエビデンスレベルは低く今後の研究によって効果推定が変わる可能性について留意が必要である．

② 患者の価値観・意向

　合成抗リウマチ薬に関する患者アンケート（第4章2）では，良い効果が「あった」が「なかった」を上回り（40.2% vs. 22.3%），副作用が「強い」が「弱い」を下回り（19.5% vs. 37.6%），「良い点が多い」が「悪い点が多い」を上回り（25.9%

vs. 17.3%），患者の評価は高かった．一方で，2012年に施行された患者アンケートでは，薬物療法全般について好みの評価は「どちらかというと賛同できる」にとどまり，副作用に対する懸念とできるだけ使いたくないという希望が収集された．

③ コスト

　MTXの薬価は85.70〜210.10円/錠（2020年8月現在）であり，最大16mg/週内服したとして年間35,651〜87,401円となる．年間薬価が約1,000,000〜2,000,000円前後となるbDMARDやJAK阻害薬と比較すると安価であり，中止する経済効果はbDMARDやJAK阻害薬中止と比較すると小さい．

④ パネル会議での意見

　パネル会議においては，bDMARDまたはJAK阻害薬とcsDMARD併用で寛解または低疾患活動性を維持しているRA患者においてcsDMARDを減量することは支持された．しかしながら，エビデンスレベルが低いこと，RA治療においては良好な疾患活動性維持が最重要であることなどから，減量においては十分な注意が必要であることが指摘された．

　なお，JAK阻害薬に関するエビデンスはないが，寛解または低疾患活動性の患者における併用csDMARD減量は安全性上メリットが高いと考えられ，薬剤を減量したい患者の意向にも合致し，臨床現場でもbDMARD使用時のみでなくJAK阻害薬使用時でも広く行われていることをふまえ，本推奨にJAK阻害薬も含めた．

　以上をふまえ，bDMARDまたはJAK阻害薬とcsDMARD併用で寛解または低疾患活動性を維持しているRA患者において，寛解または低疾患活動性維持を前提にcsDMARDの減量を検討することは推奨されるが，エビデンス（特にJAK阻害薬）は十分とはいえず，疾患活動性を注意深く観察しての減量検討が求められることから，「弱い」（条件付き）推奨となった．

5) 採用論文リスト

1) Kremer JM, et al：Arthritis Rheumatol 2018；70：1200-1208.

2) Edwards CJ, et al：Rheumatology（Oxford）2018；57：84-91.

3) Pope JE, et al：Ann Rheum Dis 2014；73：2144-2151.

6) 推奨作成関連資料一覧 （推奨作成関連資料1に掲載）

資料A　RA CQ6　文献検索式

資料B　RA CQ6　文献検索フローチャート

資料C　RA CQ6　エビデンスプロファイル

資料D　RA CQ6　フォレストプロット

RA 推奨7

推奨文

RA 患者に疼痛軽減目的で NSAID 使用を推奨する（条件付き）.

推奨の強さ **弱い**　エビデンスの確実性 **低**　パネルメンバーの同意度 **7.78**

RA CQ7

RA 患者に NSAID 投与は有用か？

サマリー	NSAID は，RA の疾患活動性の改善効果はないが，疼痛などの症状緩和に効果がある．
注　記	常用や長期使用による弊害も考慮に入れ，患者背景や状態に応じた使用が適切である．

1) 推奨の背景

RA 患者の中心的な臨床症状は関節痛であり，疾患活動性が高い時期の定時使用からコントロール良好な時期の頓用まで，RA における補助的治療として NSAID の使用頻度は高い．しかしながら，消化管障害を中心とした副作用が生じるため，その有用性を評価することは重要である．また，副作用の予防策やモニタリング，長期の不必要な処方を減らすことが課題である．

2) エビデンスの要約

NSAID に関するエビデンスは，2014 年版診療ガイドライン作成時に検索したエビデンスを基にした．RA 患者における NSAID の効果に関する論文を，Cochrane review と 1998 年 1 月から 2012 年 8 月の期間における PubMed と医学中央雑誌で SR を行った．

Cochrane review では，NSAID に関して 7 件報告されていた．少量 MTX 使用中の関節炎患者の併用 NSAID の安全性は，RA を対象として 17 論文（RCT 3，観察研究 14）が報告されており，いずれもバイアスリスクが不明であるが，有害事象増加は認めなかった（採用論文 1）．鎮痛剤併用に関しては計 23 件の RCT と比較臨床試験が報告されていたが，すべての試験のバイアスリスクが高く，NSAID 併用療法に関するエビデンスは不十分であった（採用論文 2）．合併症を有する筋骨格系疾患患者における NSAID に関して，計 2 件のバイアスリスク不明な RCT が抽出されており，消化管障害合併患者には NSAID は投与すべきでないとされ，肝・心・腎障害合併症は多くの試験から除外されているため十分な検証がなく評価できないと結論された（採用論文 3，4）．NSAID 使用時の消化管潰瘍予防に関しては，RA を含めた筋骨格系疾患を対象として計 40 件の RCT が抽出された．ミソプロストールは NSAID 使用時の消化管潰瘍予防に有用だが有害事象が多く，低用量使用では有害事象は減るが

有効性も低下した．H2 受容体阻害薬は，通常量使用では十二指腸潰瘍予防に有効であったが胃潰瘍予防効果は認めず，プロトンポンプ阻害薬が胃および十二指腸潰瘍ともに有効であった（採用論文 5）．選択的 COX-2 阻害薬セレコキシブに関する検討では RA と変形性関節症を対象として計 5 件のバイアスリスクの低い RCT が抽出された．セレコキシブはナプロキセン，ジクロフェナク，イブプロフェンと同程度に RA 症状をコントロールでき，プラセボと比較した ACR20 達成率は有意に高かった．内視鏡での 3mm 以上の上部消化管潰瘍は，セレコキシブ 200mg/日および 400mg/日とプラセボとの比較で有意差を認めず，セレコキシブとナプロキセン，ジクロフェナクの比較でセレコキシブが有意に低リスクであった（採用論文 6）．RA を対象とした NSAID とアセトアミノフェンの比較では 4 件のクロスオーバー試験が抽出され，NSAID はアセトアミノフェンよりも好まれる傾向があったが，バイアスリスクがいずれも不明でサンプルサイズが小さく結論するのは困難であった（採用論文 7）．

文献検索では全体で 1,427 件が抽出され，67 件が関連する文献であった．うち比較的新しく，日本で汎用される NSAID に関する RCT 2 件について検討した．いずれも現在の標準的アウトカムの評価は乏しく，本 CQ で推奨に用いるアウトカムとして重篤有害事象，参考とするアウトカムとして TJC 変化量，SJC 変化量，ESR 変化量，消化器症状を取り上げることとした．

米国における多施設第3相二重盲検化無作為割り付け12週試験（採用論文 8）は，メロキシカム 7.5mg または 15mg または 22.5mg/日と，ジクロフェナク 150mg/日，プラセボを比較した．12 週時 TJC は，メロキシカム 7.5mg 群−7.7±0.6，15mg 群−7.0±0.6，22.5mg 群−7.7±0.6，ジクロフェナク群−8.4±0.6，プラセボ群−6.1±0.6，12 週時 SJC は，メロキシカム 7.5mg 群−5.8±0.5，15mg 群−4.5±0.5，22.5mg 群−5.7±0.5，ジクロフェナク群−5.0±0.5，プラセボ群−4.3±0.5 と，メロキシカム 7.5mg 群

と 22.5mg 群およびジクロフェナク群でプラセボ群より有意に改善した．重篤有害事象発生率（メロキシカム 7.5mg 群 1.01，95%CI[0.26，3.98]，15mg 群 0.02，95%CI[0.00，0.04]，22.5mg 群 0.80，95%CI[0.20，2.80]，ジクロフェナク群 0.73，95%CI[0.17-3.23]）はプラセボ群と差がなかった．参考として，重篤有害事象の発生率についてメロキシカムの 3 種類の用量とジクロフェナクの 4 群をまとめてプラセボ群と比較すると，RR＝0.74，95%CI[0.24，2.27]であった．日本 45 施設におけるロキソプロフェンとインドメタシンの 6 週間の比較試験（採用論文 9）では，6 週時 TJC はロキソプロフェン群で−2.0±0.6，インドメタシン群−2.6±0.5，6 週時 SJC はロキソプロフェン群で−1.4±0.3，インドメタシン群−1.6±0.4 で差はなかった．2 試験とも，統計学的処理について詳細な記載に乏しい．NSAID の関節破壊抑制効果に関する評価はない．

3）エビデンスの確実性

本推奨は Cochrane review と日本で比較的よく使用される NSAID を扱った 2 件の RCT に基づいた．いずれの検討も評価時期が古く，現在の標準的アウトカム評価や統計学的処理の詳細に関する記載が乏しい．採用した 2 件の RCT は，推奨に用いるアウトカムを TJC，SJC と重篤有害事象とした．エビデンスの確実性については，1 件は，「バイアスのリスク」「非一貫性」「非直接性」に深刻な問題はなかったが，統計学的処理の記述が不十分で深刻と判断され，エビデンスの確実性は「中」と判断された．1 件は，盲検化の詳細が不明でアウトカム報告も不完全と考えられ「バイアスのリスク」が深刻，サンプルサイズが 400 に満たないことと統計学的処理に関する記述が不十分で，「不精確さ」とその他の検討でそれぞれ深刻な問題があるとみなされ，エビデンスの確実性は，「非常に低」と判断された．重篤有害事象は 1 件で報告され，RR の 95%CI の上限と下限が「相当な害」または「相当な利益」とみなされる基準の 0.75 と 1.25 の双方を含んでいるため，「不精確さ」に非常に深刻な限界があると判断されたが，「非一貫性」「非直接性」などの他の項目では問題は認められず，エビデンスの確実性は「低」と判断された．

今回採用した論文は，いずれも現在の標準的アウトカムを用いた評価は乏しく，全般にわたる全体的なエビデンスの確実性を GRADE 規則によって評価することは困難と判断し，パネル会議でエビデンスプロファイルに記載したデータを総合的に判断して，アウトカムの全般にわたる全体的なエビデンスの確実性を「低」とした．

4）推奨の強さ決定の理由

① 利益と害のバランスの評価

NSAID は TJC 減少など臨床症状の緩和には有効であり，安全性も高い．一方で，疾患活動性の低下には寄与せず，頻度は高くないものの常用や長期使用による消化管障害，腎機能障害，心血管障害などの副作用リスクを考慮に入れる必要がある．疼痛軽減目的の使用として，総合的に望ましい効果は望ましくない効果を上回ると考えられる．

② 患者の価値観・意向

日常臨床では痛みを抑えてほしいとの希望が最も強く，患者アンケートでは NSAID に関して調査していないが，日本リウマチ友の会が発行している「2015 年リウマチ白書」では，アンケートに回答した患者の 20.2% が激しい痛みに苦しみ，21.9% が疼痛緩和と腫脹軽減を治療に一番期待することとしてあげている（参考文献 1）．

③ コスト

NSAID は多数あるが，代表的なものとしてロキソプロフェン 60mg の薬価は 5.90〜13.40 円/錠，ジクロフェナク 25mg の薬価は 5.70〜10.50 円/錠，セレコキシブ 100mg が 19.60〜69.00 円/錠で（2020 年 8 月現在），極めて安価である．ただし，消化管粘膜保護薬やプロトンポンプ阻害薬が併用される症例も多いため，そのコストも勘案する必要がある．

④ パネル会議での意見

パネル会議においては，NSAID の疼痛緩和に対する有用性が支持された．利益は害を上回り，患者の価値観・意向にも合致するが，アウトカムの全般にわたる全体的なエビデンスの確実性は「低」であり，疾患活動性改善効果はなく，あくまで補助的な位置づけであり，推奨の強さとしては「弱い」（条件付き）とすることとなった．

5）採用論文リスト

1）Colebatch AN, et al：Cochrane Database Syst Rev 2011；11：CD008872.

2）Ramiro S, et al：Cochrane Database Syst Rev 2011；10：CD008886.

3）Marks JL, et al：Cochrane Database Syst Rev 2011；10：CD008952.

4）Radner H, et al：Cochrane Database Syst Rev 2012；1：CD008951.

5）Rostom A, et al：Cochrane Database Syst Rev 2002；4：CD002296.

6）Garner SE, et al：Cochrane Database Syst Rev 2002；4：CD003831.

7）Wienecke T, et al：Cochrane Database Syst Rev 2004；1：CD003789.

8）Furst DE, et al：J Rheumatol 2002；29：436-446.

9）Igarashi M, et al：Ryumachi 1985；25：61-72.

6) 推奨作成関連資料一覧 (推奨作成関連資料 1 に掲載)

資料 A　RA CQ7　文献検索式

資料 B　RA CQ7　文献検索フローチャート

資料 C　RA CQ7　エビデンスプロファイル

資料 D　RA CQ7　フォレストプロット

■参考文献

1）日本リウマチ友の会：2015 年リウマチ白書〜患者の声編〜2015.

RA 推奨8 ステロイド

推奨文

疾患活動性を有する早期 RA 患者に，csDMARD に短期間の副腎皮質ステロイド投与の併用を推奨する（条件付き）．

推奨の強さ **弱い**　エビデンスの確実性 **非常に低**　パネルメンバーの同意度 **7.39**

RA CQ8

疾患活動性を有する RA 患者に副腎皮質ステロイド投与は有用か？

サマリー	副腎皮質ステロイドは早期 RA 患者において，効果的な csDMARD 療法併用下で，疾患活動性，身体機能を改善する．一方，長期的には重症感染症，重篤有害事象，死亡のリスクとなる．
注　記	長期的には重大な有害事象のリスクとなり，有効性に関するエビデンスは csDMARD 投与患者（特に早期 RA 患者）に限り報告されており，bDMARD 投与患者における有効性のエビデンスは示されていない．したがって csDMARD 治療の最適化を行い，可能な限り短期間（数か月以内）で漸減中止することが望ましい．至適投与用量や投与経路に関する確立されたエビデンスは存在しないため，患者の背景を考慮して使用する必要がある．

1）推奨の背景

　副腎皮質ステロイド（以下，ステロイド）投与により生じる各種有害事象の存在は広く認知されており，RA においてはアンカードラッグである MTX に加え bDMARD，tsDMARD を含む効果的な治療薬と T2T アプローチによるタイトコントロールの確立に伴い，ステロイドに依存しない治療を行うことは現実的に可能となってきている．一方で，現在の臨床現場においてもステロイドは RA 治療において頻用される補助的治療薬であり，その有効性は2014年版診療ガイドラインで引用されたステロイドに関する Cochrane review 3 件（参考文献 1，2，3）によりすでに示されているが，現在の治療体系においてステロイド併用療法実施の余地があるか検討することが必要である．

2）エビデンスの要約

　2018 年 12 月までの，PubMed，Cochrane Library，医学中央雑誌で報告された RA 患者におけるステロイドの有効性，安全性に関する論文について検索を行い，前述の Cochrane review の引用論文を含めハンドサーチを追加し 1,040 件を抽出した．有効性についてはランダム化二重盲検比較試験を対象とし，分科会で決定した重大なアウトカムとして mTSS，DAS28，HAQ を取り上げた結果，5 件が同定された（採用論文 1〜5）．安全性については長期的な評価が必要と判断し観察研究（メタ解析含む）の検索を行い，同じく分科会で決定した重大なアウトカムとして感染症，重篤有害事象，死亡を取り上げた結果，40 件が同定された（採用論文 6〜45）．

　有効性評価において，5 件中 4 件（採用論文 4 を除く）は発症 1〜3 年以内の比較的早期の RA 患者における csDMARD との併用療法を対象としており，bDMARD 投与患者におけるステロイド併用療法に関する有効性を評価した論文は認められなかった．

　mTSS について，引用した論文において対象 RA 患者が発症早期であり総スコアでの変化が乏しく評価が困難であったため，Sharp 法のなかでアウトカムとして最も多く引用されていた骨びらんスコアを解析した．2 年時点の変化量はステロイド群（$n=255$）がプラセボ群（$n=260$）と比し，より進行が少ないものの，統計学的有意差を認めなかった（MD $=-1.93$，95％ CI$[-5.16,\ 1.31]$，$p=0.24$）．

　疾患活動性は，DAS28 を指標とし，2 年時点でステロイド群（$n=396$）ではプラセボ群（$n=398$）と比し，より疾患活動性の低下が示された（MD $=-0.19$，95％CI$[-0.26,\ -0.11]$，$p<0.00001$）．1 年目のデータが示された 2 論文では（ステロイド群 $n=165$，プラセボ群 $n=162$）では同様の傾向が認められたが統計学的有意差を認めなかった（MD $=-0.39$，95％CI$[-1.05,\ 0.27]$，$p=0.24$）．

　身体機能障害については，HAQ を指標とし，2 年時点でステロイド群（$n=396$）においてプラセボ群（$n=398$）と比し，より改善を認めた（MD $=-0.17$，95％CI$[-0.28,\ -0.07]$，$p=0.001$）．1 年目でのデータが示された 2 論文（ステロイド群 $n=165$，プラセボ群 $n=162$）でも有意にステロイド群で改善を認めた（MD $=-0.20$，95％CI$[-0.23,\ -0.17]$，$p<0.00001$）．

　なお，採用論文 1（ステロイド群 117 人 vs. プラセボ群 119

人）では T2T アプローチにより，bDMARD を含む治療強化の
プロトコルが適用されており，プラセボ群でより高頻度に
bDMARD が追加されている（ステロイド群 25％，プラセボ群
36％）ことが有効性に関するアウトカムに影響している可能性
に留意する必要がある．また疾患活動性や身体機能の改善は投
与後1年のデータでもステロイド群において，より有効性が認
められる傾向にある一方，2年での関節破壊に統計学的有意差
を認めなかったことより，長期間での併用投与よりも T2T アプ
ローチによる DMARD 治療の最適化が重要であると思われた．

　長期の安全性について，わが国の bDMARD の PMS のデータ
を含めた解析を行った．引用論文は出版年が 1994 年から 2018
年（online first 含む）までで，対象患者群は csDMARD 使用患
者（bDMARD 上市前），bDMARD 導入・使用患者，両者含む，
と多様であり（近年は bDMARD 使用患者のものが主），国内外
から背景の異なる論文が抽出された．そのため，csDMARD お
よび／または bDMARD とステロイドの併用による影響を正確
に比較解析することはむずかしく，DMARD とステロイドの併
用による安全性について，効果の種類（HR，RR，OR）で区別
し解析した．

　重篤な感染症の HR，RR，OR と 95％CI，引用した論文数は
それぞれ，HR＝1.8，95％CI［1.60，2.19］，p＜0.00001（10 件），
RR＝2.10，95％CI［1.78，2.48］，p＜0.00001（18 件），OR＝1.69，
95％CI［1.29，2.21］，p＜0.00001（5 件）で，用量反応勾配を認
めた．

　重篤有害事象の HR，RR と 95％CI，引用した論文数はそれぞ
れ，HR＝1.41，95％CI［0.80，2.49］，p＝0.23（3 件），RR＝1.39，
95％CI［1.07，1.79］，p＝0.01（3 件）であった．

　死亡については，8 論文を引用し，HR＝1.72，95％CI［1.43，
2.05］，p＜0.00001 であり，用量反応勾配を認めた．

　上記の副作用解析にも含まれるわが国の貴重なエビデンスで
ある bDMARD の PMS についてそのエビデンスを追記すると，
ABT（採用論文 37），TCZ（採用論文 38），ETN（採用論文 14）
で感染症についてステロイド併用のリスクが検討されており，
脱落症例の少ない ABT，TCZ の報告では有意なリスク上昇が示
されている．わが国での bDMARD 使用患者の観察研究（採用
論文 12，13）においても同様であった．重篤有害事象について
も同様に，前述の PMS（採用論文 37）においてリスク上昇を認
めている．観察研究（採用論文 13，39）においてもステロイド
併用患者での HR は上昇し，前者では用量反応勾配も認められ
た．

3）エビデンスの確実性

　ステロイドの有効性評価については，csDMARD との併用の
ランダム化比較試験によるエビデンスである．なお，採用論文1
では T2T アプローチにより疾患活動性に応じて併用薬の強化が

行われているため，「非直接性」を理由に有効性に関するエビデ
ンスの確実性についてすべて1段階グレードを下げる要因とし
た．

　mTSS の骨びらんスコアについては，高度の異質性（$I^2＝$
98％）を認め，95％CI に「相当な利益」とみなされる基準 RR
＞1.25 と「相当な害」とみなされる基準 RR＜0.75 の両方が含
まれるため，エビデンスの確実性を「非常に低」とした．

　DAS28 は1年目のデータでは高度の異質性（$I^2＝72％$）を認
め，総サンプル数の不足による「不精確さ」を認めたためエビ
デンスの確実性を「非常に低」としたが，2年目のデータは前
述の「非直接性」を除き確実性評価における深刻な問題を認め
ずエビデンスの確実性を「中」とした．

　HAQ は，1年目までのデータでは，総サンプル数の不足によ
る「不精確さ」を認めたためエビデンスの確実性を「低」とし
たが，2年目のデータは前述の「非直接性」を除き確実性評価
における深刻な問題を認めず「中」とした．

　安全性に関するアウトカムについては，DMARD とステロイ
ドの併用による観察研究からのエビデンスである．

　重篤感染症について HR で算出した解析では，中程度の異質
性（$I^2＝52％$）を認めたため，用量反応勾配を認めたがエビデ
ンスの確実性を「非常に低」とした．RR で算出した解析では，
ファンネルプロットの非対称性から「バイアスのリスク」が，
高度の異質性（$I^2＝89％$）を認め「非一貫性」が懸念されたた
め，用量反応勾配，個別の引用文献および全体として効果の大
きさが明らかであったが，同様にエビデンスの確実性を「非常
に低」とした．OR による解析でも同様に高度の異質性（$I^2＝$
82％）を認め，用量反応勾配を認めたが，エビデンスの確実性
を「非常に低」とした．

　重篤有害事象は，HR での解析については，ファンネルプ
ロットの非対称性，高度の異質性（$I^2＝75％$），RR の 95％CI の
上限と下限が，効果なしと「相当な害」とみなされる基準 RR
＞1.25 の双方を含んでいることから，「バイアスのリスク」「非
一貫性」「不精確さ」が懸念されエビデンスの確実性を「非常に
低」とした．RR の算出では症例減少バイアス，高度の異質性
（$I^2＝98％$）を認めたため，用量ごとの解析がなされた文献では
用量反応勾配を認めたがエビデンスの確実性は同じく「非常に
低」とした．

　死亡については，ファンネルプロットの非対称性，高度の異
質性（$I^2＝94％$）を認めたため，用量ごとの解析がなされた文
献では5件すべてで用量反応勾配を認めたがエビデンスの確実
性は「非常に低」とした．

　有効性，安全性のすべてが重大アウトカムであるが，有効性
については RR の点推定値はステロイドの利益を示す一方，安
全性については観察研究による検討のためアウトカムごとのエ
ビデンスの確実性は低いが RR の点推定値はステロイドの害を

示して異なる方向を向いているため，アウトカム全般にわたる全体的なエビデンスの確実性は「非常に低」とした．

4）推奨の強さ決定の理由

① 利益と害のバランスの評価

ステロイドの薬理学的作用と臨床データによる有害作用は明らかであり，除外基準の少ない実臨床を反映した観察研究はエビデンスレベルが低くなるものの，DMARD とステロイドの併用は RA 患者全般においても害が明確となった．一方で限定的な状況ではあるが早期 RA 患者を中心とした csDMARD との併用下での有効性も示されており，これらの患者に限っては利益が上回ると判断される．わが国の RA 患者を対象とした大規模コホート研究では悪性腫瘍，感染症・ILD を含む肺障害，脳・心血管合併症が主要な死亡原因であることが示されており（採用論文 44），ステロイドは血管イベントのリスク因子となるため他の RA 治療薬とは異なり，より長期的な安全性の検討が必要と思われた．死亡をアウトカムとして評価した今回の採用論文の多くでも血管イベントによる死亡を含め検討されており，利益が害を上回る期間は限定されると判断した．

② 患者の価値観・意向

患者アンケート（第 4 章 2）の結果では，ステロイド使用歴のある 873 人のうち，「良い効果があった」との回答は 75.1%（656 人）と bDMARD に次いで高い一方，「副作用が強い」との回答は 32.0%（279 人）と薬物治療の中で最高であった．投与を受けて「良い点のほうが多い」「どちらともいえない」「悪い点のほうが多い」との回答は，それぞれ 37.5%（327 人），47.5%（415 人），12.7%（111 人）であり，利益はあるものの副作用への懸念が強いことがうかがわれた．

③ コスト

ステロイドは安価であり（プレドニン 5mg 錠 9.80 円，PSL 1mg 錠 8.30 円，メチルプレドニゾロン 2mg 錠 8.40 円），早期の疾患活動性および身体機能の改善により患者の社会活動への影響を低減できると予想される．また採用論文 1 では介入群（ステロイド併用）とプラセボ群での bDMARD（ADA〔ペン製剤 62,620 円隔週投与〕）導入患者割合はそれぞれ 25%，36% で，2 年間の研究期間のうち約 1 年間投与を行っていることを考慮すると，bDMARD 使用頻度を低減することでコストを低減できる可能性がある（薬価はいずれも 2020 年 8 月現在）．一方で，ステロイド使用に伴って長期的な合併症の評価，予防，治療を要すると思われるが，そのコストは不明である．

④ パネル会議での意見

パネル会議においては，csDMARD 併用療法での有効性のみ示されていること，ステロイドの用量依存性の死亡リスク上昇の報告（採用論文 40）を中心にステロイドの安全性への懸念が大きく，長期的な害は明らかであること，わが国の bDMARD

の PMS におけるエビデンスではステロイドの併用による有害事象の増加が認められることを考慮し，早期かつ csDMARD 使用時のみに限定し，推奨の強さは「弱い」（条件付き）とすることで合意が得られた．一方，投与用量，期間については具体的に定義するには至らなかった．

EULAR より 2019 年に発表されたリコメンデーションにおいては，ステロイドの使用に関しては 2016 年のものから変更なく，csDMARD 導入時または変更時に短期間のステロイド投与を考慮し臨床的に可能な限り早期に漸減（3 か月以内）すべき，と提言されている（参考文献 4，5）．日本人における至適投与用量，投与期間，投与経路ならびに長期に許容されうる用量については今後検討を要する．

5）採用論文リスト

1）Bakker MF, et al：Ann Intern Med 2012；156：329-339.

2）Capell HA, et al：Ann Rheum Dis 2004；63：797-803.

3）Wassenberg S, et al：Arthritis Rheum 2005；52：3371-3380.

4）Choy EH, et al：Ann Rheum Dis 2005；64：1288-1293.

5）Choy EH, et al：Ann Rheum Dis 2008；67：656-663.

6）Curtis JR, et al：Arthritis Rheum 2007；56：1125-1133.

7）Grijalva CG, et al：Rheumatology（Oxford）2010；49：82-90.

8）Wolfe F, et al：Arthritis Rheum 2006；54：628-634.

9）Curtis JR, et al：Arthritis Care Res（Hoboken）2014；66：990-997.

10）Favalli EG, et al：Autoimmun Rev 2009；8：266-273.

11）Harigai M, et al：N Engl J Med 2007；357：1874-1876.

12）Mori S, et al：PLoS One 2017；12：e0179179.

13）Sakai R, et al：Arthritis Res Ther 2015；17：74.

14）Yamanaka H, et al：Mod Rheumatol 2019；29：737-746.

15）Doran MF, et al：Arthritis Rheum 2002；46：2294-2300.

16）Bernatsky S, et al：Rheumatology（Oxford）2007；46：1157-1160.

17）Fukuda W, et al：Ann Rheum Dis 2017；76：1051-1056.

18）Greenberg JD, et al：Ann Rheum Dis 2010；69：380-386.

19）Movahedi M, et al：Eur J Epidemiol 2016；31：1045-1055.

20）Roubille C, et al：Ann Rheum Dis 2017；76：1797-1802.

21）Schneeweiss S, et al：Arthritis Rheum 2007；56：1754-1764.

22）Smitten AL, et al：J Rheumatol 2008；35：387-393.

23）Askling J, et al：Ann Rheum Dis 2007；66：1339-1344.

24）Richter A, et al：Ann Rheum Dis 2016；75：1667-1673.

25）Schenfeld J, et al：Rheumatol Int 2017；37：1075-1082.

26）Coyne P, et al：J Rheumatol 2007；34：1832-1836.

27）Edwards CJ, et al：Arthritis Rheum 2007；57：1151-1157.

28）Franklin J, et al：Ann Rheum Dis 2007；66：308-312.

29）Jenks KA, et al：J Rheumatol 2007；34：2201-2203.

30）Lacaille D, et al：Arthritis Rheum 2008；59：1074-1081.

31）Malysheva OA, et al：J Rheumatol 2008；35：979-985.

32）Saag KG, et al：Am J Med 1994；96：115-123.

33）Sihvonen S, et al：J Rheumatol 2006；33：1740-1746.

34）Best JH, et al：J Rheumatol 2018；45：320-328.

35）Hashimoto A, et al：Int J Rheumatol 2017；2017：6730812.

36）Sugimoto N, et al：Rheumatol Int 2017；37：1871-1878.

37）Harigai M, et al：Mod Rheumatol 2016；26：491-498.

38）Koike T, et al：J Rheumatol 2014；41：15-23.

39）Cho SK, et al：Mod Rheumatol 2014；24：572-579.

40）del Rincón, et al：Arthritis Rheumatol 2014；66：264-272.

41）England BR, et al：Arthritis Care Res（Hoboken）2016；68：36-45.

42）Listing J, et al：Ann Rheum Dis 2015；74：415-421.

43）Mikuls TR, et al：Rheumatology（Oxford）2011；50：101-109.

44）Nakajima A, et al：Scand J Rheumatol 2010；39：360-367.

45）Nakajima A, et al：Mod Rheumatol 2013；23：945-952.

6）推奨作成関連資料一覧 （推奨作成関連資料 1 に掲載）

資料 A　RA CQ8　文献検索式

資料 B　RA CQ8　文献検索フローチャート

資料 C　RA CQ8　エビデンスプロファイル

資料 D　RA CQ8　フォレストプロット

資料 E　RA CQ8　ファンネルプロット

■参考文献

1）Kirwan JR, et al：Cochrane Database Syst Rev 2007；1：CD006356.

2）Criswell L, et al：Cochrane Database Syst Rev 1998；3：CD001158.

3）Gotzsche P, et al：Cochrane Database Syst Rev 2005；1：CD00189.pub2.

4）Smolen JS, et al：Ann Rheum Dis 2020；79：685-699.

5）Smolen JS, et al：Ann Rheum Dis 2017；76：960-977.

RA 推奨9

推奨文

csDMARD で効果不十分で中等度以上の疾患活動性を有する RA 患者に，TNF 阻害薬の併用を推奨する．

推奨の強さ **強い**　エビデンスの確実性 **高**　パネルメンバーの同意度 **8.77**

RA CQ9

csDMARD で効果不十分で中等度以上の疾患活動性を有する RA 患者に，TNF 阻害薬の併用は有用か？

サマリー	csDMARD で効果不十分で中等度以上の疾患活動性を有する RA 患者への TNF 阻害薬併用は，十分な効果が期待される．一方で，重篤な感染症などの有害事象が増加するため，慎重に適応を決定すべきである．
注　記	日本人レジストリ研究における 3 年間の観察で TNF 阻害薬による重篤な感染症の増加リスクが示され，特に高齢・慢性肺疾患・DAS28-CRP・MTX＞8mg/週・PSL 使用量 10mg/日はそのリスク因子との報告があり(参考文献 1)，リスクとベネフィットを勘案し慎重に適応を判断すべきである．

1）推奨の背景

RA の現在の標準治療は，csDMARD（MTX またはその他の csDMARD）で治療を開始し，効果不十分な場合に bDMARD または tsDMARD の追加治療を検討する（参考文献 2）．csDMARD で効果不十分な RA 患者に，代表的な bDMARD である TNF 阻害薬の追加が有用かを検討することは，治療方針決定に重要である．

日本で RA に承認された TNF 阻害薬は 6 種類である．そのうち 5 種類，IFX，ETN，ADA，GOL，CZP は，2014 年版診療ガイドラインで SR を行った．その後に新規の TNF 阻害薬（先発医薬品）の発売はなく，2020 年版診療ガイドラインでは 2014 年版診療ガイドラインを踏襲した（参考文献 2）．

2022 年 12 月に RA に対する 6 製剤目の新規 TNF 阻害薬 OZR がわが国で発売されたため，OZR の有効性と安全性に関して検討することは臨床上重要である．TNF 阻害薬に関する本推奨についてはすでに質の高いエビデンスが多数存在するため，2014 年版・2020 年版診療ガイドラインの見直しにとどめ，旧版発刊以降に新たに発売された OZR に限って SR を行う方針とした．

2）エビデンスの要約

新規 TNF 阻害薬 OZR を対象として評価した．1900 年 1 月 1 日から 2022 年 6 月 30 日までの期間を設定し，PubMed，Cochrane Central Register of Controlled Trials，Embase，医学中央雑誌で報告された RA 患者における TNF 阻害薬に関する論文を系統的にレビューし，重複を除いた 12,463 件が抽出された．これらのうち 68 件について詳細な検討を行い，本 CQ に関連する 1 件の RCT（OHZORA 試験）から 1 論文が同定された．

本 CQ における重大なアウトカムとして，治療開始 24 週時の ACR50 達成割合，治療開始 1 年後までの重篤な感染症，および重篤な有害事象（期間指定なし）を取り上げた．

csDMARD と比較した，OZR と csDMARD 併用の 24 週時の望ましい効果は，ACR50 達成の絶対効果が 1,000 人あたり 478 人増加，95％CI ［214，926］，相対効果が RR＝3.99，95％CI ［2.34，6.79］で，「大きい」と判断した．

csDMARD と比較した，OZR と csDMARD 併用の望ましくない効果は，1 年時までの重篤な感染症が絶対効果として 1,000 人あたり 19 人増加，95％CI ［−17，190］，相対効果として RR＝1.73，95％CI ［0.37，8.11］，重篤な有害事象（期間指定なし）が絶対効果として 1,000 人あたり 7 人減少，95％CI ［−89，23］，相対効果は RR＝0.74，95％CI ［0.13，4.34］で，「わずか」と判断した．

なお，OZR 以外の TNF 阻害薬 5 剤（IFX，ETN，ADA，GOL，CZP）に関する同様のエビデンスは 2014 年版・2020 年版診療ガイドラインで検証済みである．以下に再掲する（参考文献 2）．

本 CQ における重大なアウトカムとして，複合指標である DAS28 の寛解達成割合，ACR50 達成割合，HAQ 変化量，mTSS，重篤な有害事象および重篤な感染症を取り上げた．わが国の 2014 年版診療ガイドラインでの各 TNF 阻害薬のエビデンスを抜粋して紹介する．

疾患活動性制御に関して，24 週時の ACR50 達成割合の RR は，IFX RR＝5.63，95％CI ［2.02，15.66］，ETN RR＝8.89，95％CI ［3.61，21.89］，ADA（40mg/隔週）RR＝3.73，95％CI ［2.21，6.29］，CZP RR＝2.57，95％CI ［1.34，4.94］である．

mTSS に関しては，1 年時の検討でプラセボと比較した mTSS の WMD は，IFX（3mg/kg，8 週毎）で WMD = −8.70，95％CI ［−11.58，−5.82］，ETN（25mg，週 2 回）で WMD = −10.5，95％CI ［−13.33，−7.67］，ADA（40mg，2 週毎）で WMD = −2.60，95％CI ［−3.83，−1.37］，CZP（200mg，2 週毎）で WMD = −2.4，95％CI ［−3.68，−1.12］といずれも有意に優れていた．GOL については，GO-FORWARD study において，50mg/100mg（4 週毎，MTX 併用）で年間進行度が 0.54±3.64（vs. プラセボ群 1.10±4.68，p = 0.390）と報告されている．

重篤な有害事象に関しては，52 週時での RR は IFX RR = 0.56，95％CI ［0.27，1.13］，ADA RR = 0.74，95％CI ［0.39，1.40］，GOL RR = 1.09，95％CI ［0.54，2.18］，CZP の Peto's OR は Peto's OR = 2.02，95％CI ［1.24，3.30］であった．

重篤な感染症に関しては，IFX の RR は RR = 0.29，95％CI ［0.06，1.34］，ETN の OR は OR = 1.24，95％CI ［0.72，2.45］，ADA は実施された RCT 間でのばらつきが大きいためメタ解析されておらず，GOL の RR は RR = 1.09，95％CI ［0.54，2.18］，CZP の Peto's OR は Peto's OR = 3.30，95％CI ［1.45，7.51］であった．

3）エビデンスの確実性

本推奨作成に用いたエビデンスについてはいずれも RCT に基づいている．OHZORA 試験のエビデンスの確実性は以下のとおりであった．

ACR50 達成割合については，「バイアスのリスク」「非一貫性」「非直接性」「その他の検討」のいずれも深刻な問題は認められなかったが，総サンプルサイズと総イベント数が小さいため「不精確さ」は深刻と判断し，エビデンスの確実性は「中」と評価した．

重篤な感染症に関しては，「バイアスのリスク」「非一貫性」「その他の検討」では深刻な問題は認められなかったが，アウトカム指標の差異による「非直接性」は深刻と判断，RR の 95％CI が「相当な利益」または「相当な害」とみなされる基準の 0.75 と 1.25 の双方を含んでおり，「不精確さ」は非常に深刻と判断し，エビデンスの確実性は「非常に低」と評価した．

重篤な有害事象に関しては，「バイアスのリスク」「非一貫性」「その他の検討」では深刻な問題は認められなかったが，アウトカム指標の差異による「非直接性」は深刻と判断，RR の 95％CI が「相当な利益」または「相当な害」とみなされる基準の 0.75 と 1.25 の双方を含んでおり，「不精確さ」は非常に深刻と判断し，エビデンスの確実性は「非常に低」と評価した．

重大なアウトカムに関する介入の効果は利益が大きく増加，害が小さく増加または小さく減少で，異なる方向となるため，重大なアウトカムの中でエビデンスの確実性の最も低い「非常に低」とした．

なお，OZR 以外の TNF 阻害薬 5 剤（IFX，ETN，ADA，GOL，CZP）に関する同様のエビデンスは 2014 年版・2020 年版診療ガイドラインで検証済みである．以下に再掲する（参考文献 2）．

TNF 阻害薬の IFX，ETN，ADA，GOL，CZP については，2014 年版診療ガイドライン作成時に，Cochrane review の参照と，1998 年 1 月から 2012 年 8 月の期間における PubMed と医学中央雑誌で SR を行った．本推奨については，いずれもガイドラインを変更するだけのエビデンスが新規に公表されたとは考えにくく，2014 年時のエビデンスの確実性を用いた．2014 年版診療ガイドラインの各 bDMARD のエビデンスの確実性は「高」であり，変更はない．

OZR もこれらの製剤と同様に望ましい効果が望ましくない効果を大きく上回り，したがって本 CQ に対する推奨文，推奨の強さ，エビデンスの確実性のいずれも変更不要と判断した．

4）推奨の強さ決定の理由

① 利益と害のバランスの評価

OZR と MTX/csDMARD の併用開始 24 週時の疾患活動性改善効果は，ACR50 達成の NNT が 2.09 と絶対指標においても明らかであり，利益の効果は高い．

一方，MTX と比較した，OZR と MTX/csDMARD の併用投与 1 年時までの有害事象に関しては，RCT においては，重篤な感染症の NNH が 52.63，重篤な有害事象の NNH が算出不能であり，害の効果はわずかであった．

OZR 使用にあたっては，重篤な感染症および重篤な有害事象に留意が必要であるが，総合的に OZR と MTX/csDMARD の併用投与による望ましくない効果が望ましい効果を上回ることはおそらくないと考えられる．

② 患者の価値観・意向

患者アンケート（第 4 章 2）の結果では，bDMARD 全般（単剤投与も含む）について，「良い効果があった」との回答は 89.5％（667/745 人）で，「良い効果がなかった」との回答は 2.1％（16/745 人），「どちらともいえない」との回答が 7.2％（54/745 人）であった．有害事象については「弱い」が 47.1％（351/745 人），「強い」が 15.3％（114/745 人），「どちらともいえない」が 34.9％（260/745 人）であった．投与を受けて「良い点のほうが多い」が 74.2％（553/745 人），「悪い点のほうが多い」が 3.2％（24/745 人），「どちらともいえない」が 20.7％（154/745 人）と，患者が感じる利益が害を上回る結果であった．一般的な患者は，関節炎改善と重篤な有害事象の両者に価値をおくと考えられ，本診療ガイドラインでは，リウマチ専門医の投票によって意思決定に重大と判断されたアウトカムを選択しており，アウトカムに対する価値観の重要性に関するばらつきは少ないものと考えられる．

③ コスト

OZR に関して QALY など費用対効果に対する日本の論文，エビデンスはない．OZR 30mg 0.375mL 1 筒の薬価は 112,476.00 円である．RA に対する OZR の通常の用法用量（30mg/4 週の場合）での 1 日薬価は 4,017.00 円である（2023 年 4 月現在）．

④ パネル会議での意見

OZR の SR 結果およびパネル会議の討議内容をふまえると，OZR の使用に関しては条件付き推奨が妥当であるが，今回の SR の結果は 2014 年版・2020 年版診療ガイドラインで採用した TNF 阻害薬全体の SR 結果と矛盾しない内容であり，今回の SR 結果を仮に従来の TNF 阻害薬の SR 結果と統合した場合でも，TNF 阻害薬全体の SR 結果を大きく変えることはないと予想された．したがって，パネル会議は推奨の強さとして「強い」を採択した．その他，サマリー・注記の「慎重に適応を決定／判断すべき」に対して「～が増加することに留意が必要である」など，少し表現の緩和を提案する意見があった．

5）採用論文リスト

1）Takeuchi T, et al：Arthritis Rheumatol 2022；74：1776-1785.

6）推奨作成関連資料一覧 （推奨作成関連資料 1 に掲載）

資料 A　RA CQ9　文献検索式

資料 B　RA CQ9　文献検索フローチャート

資料 C　RA CQ9　バイアスのリスク

資料 D　RA CQ9　エビデンスプロファイル

資料 E　RA CQ9　フォレストプロット

資料 F　RA CQ9　Evidence to Decision テーブル

■参考文献

1）Sakai R, et al：Arthritis Care Res（Hoboken）2012；64：1125-1134.

2）日本リウマチ学会編：関節リウマチ診療ガイドライン 2020．診断と治療社 2021.

RA 推奨 10

bDMARD 2

推奨文

csDMARD で効果不十分で中等度以上の疾患活動性を有する RA 患者に，非 TNF 阻害薬の併用を推奨する．

推奨の強さ **強い**　エビデンスの確実性 **低**　パネルメンバーの同意度 **8.82**

RA CQ10

csDMARD で効果不十分で中等度以上の疾患活動性を有する RA 患者に，非 TNF 阻害薬の併用は有用か？

サマリー	csDMARD で効果不十分で中等度以上の疾患活動性を有する RA 患者への非 TNF 阻害薬併用は，十分な効果が期待される．一方で，重篤な感染症などの有害事象が報告されているため，慎重に適応を決定すべきである．
注　記	わが国での市販後調査において非 TNF 阻害薬による重篤な有害事象が報告されているため，リスクとベネフィットを勘案し慎重に適応を判断すべきである．

1) 推奨の背景

csDMARD で効果不十分で中等度以上の疾患活動性を有する RA 患者に対して，非 TNF 阻害薬の追加併用は選択肢の 1 つとなる．しかし，効果や副作用・コストの観点からその有用性を明らかにすることは重要である．

2) エビデンスの要約

前回，2014 年版診療ガイドラインで SR を行ったのち，新たな非 TNF 阻害薬（先発医薬品）として SAR が発売された．bDMARD 全般での結論は 2014 年版診療ガイドラインと同様である．

本 CQ における重大なアウトカムとして，複合指標である DAS28 の寛解達成割合，ACR50 達成割合，HAQ 変化量，mTSS，重篤な有害事象および重篤な感染症を取り上げた．

2014 年版診療ガイドラインの非 TNF 阻害薬のエビデンスを抜粋して紹介する（採用論文 1）．

疾患活動性制御に関しては，ACR50 達成割合の RR は，ABT の治療開始後 52 週時点が RR = 2.21，95%CI[1.73，2.82]，TCZ の 24 週時点が RR = 3.17，95%CI[2.72，3.67]であった．

Genant mTSS に関しては，52 週でのベースラインからの変化量は，ABT vs. プラセボ（0.25± vs. 0.53，$p = 0.012$），TCZ vs. プラセボ（0.29 vs. 0.90，$p = 0.0007$）であった．

重篤な有害事象に関しては，ABT の 52 週では Peto's OR = 1.05，95%CI[0.86，1.29]，TCZ の 24 週では RR = 1.17，95%CI[0.83，1.64]であった．

重篤な感染症に関しては，52 週での ABT では Peto's OR = 1.82，95%CI[1.00，3.32]で，24 週での TCZ は RR = 1.75，95%CI[0.99，3.12]であった．

死亡に関しては，52 週での ABT では Peto's OR = 0.82，95%CI[0.26，2.60]であり，24 週での TCZ では RR = −0.00，95%CI[−0.01，0.00]であった．

また，2014 年以降わが国で新規に発売された非 TNF 阻害薬である SAR について，PubMed，Cochrane Library，医学中央雑誌を検索した結果（資料 C，D，E），2 件の RCT が抽出され，SR を行った．いずれも MTX 効果不十分の患者を対象とした MOBILITY 試験（MTX 併用，プラセボ比較，海外）（採用論文 2）と KAKEHASHI 試験（MTX 併用，プラセボ比較，国内）（採用論文 3）である．

複合指標については，2 つの RCT で 24 週後の DAS28-CRP 寛解割合が検討され，RR = 3.29，95%CI[2.44，4.44]で有意に SAR 群が優れていた．また，2 つの RCT で 24 週後の ACR50 達成割合が検討され，RR = 2.40，95%CI[1.57，3.66]で有意に SAR 群が優れていた．

HAQ-DI については 2 つの RCT でベースラインから 24 週時点での変化量が検討され，MD = −0.3，95%CI[−0.46，−0.14]で有意に SAR 群が優れていた．

mTSS（van der Heijde）については 1 つの RCT でベースラインから 24 週時点での変化量が検討され，MD = −2.53，95%CI[−3.41，−1.65]で有意に SAR 群が優れていた．

重篤な有害事象については，2 つの RCT で 24 週までのイベント数が検討され，RR = 1.38，95%CI[0.47，4.04]で両群間に有意差はなかった．

なお，わが国における全例 PMS では，重篤な有害事象が TCZ

で 8.95/100 患者年（参考文献 1），ABT で 2.39/100 患者年（参考文献 2）と報告されている．

3) エビデンスの確実性

SAR については，mTSS 変化量については「バイアスのリスク」「非一貫性」「非直接性」「不精確さ」のいずれも深刻な問題はなく，エビデンスの確実性は「高」と評価した．ACR50 達成率，HAQ-DI 変化量，重篤な有害については，総サンプル数・総イベント数が少ないため，「不精確さ」に深刻な限界があると判断されたため，エビデンスの確実性は「中」と評価した．また，重篤な有害事象については，95%CI に「相当な利益」とみなされる基準 RR<0.75 と「相当な害」とみなされる基準 RR>1.25 の両方が含まれているため，「不精確さ」に非常に深刻な限界があると判断され，エビデンスの確実性は「低」と判断された．SAR のアウトカム全般にわたる全体的なエビデンスの確実性は，重篤な有害事象の RR の方向性が，他のアウトカムの RR と一致していなかったため，上記の中で最も低いグレードを採用して「低」とした．

TCZ と ABT について，2014 年版診療ガイドライン作成時に，Cochrane review の参照と，1998 年 1 月から 2012 年 8 月の期間における PubMed と医学中央雑誌で SR を行った．いずれの薬剤についても，今回の改訂までにガイドラインを変更するだけのエビデンスが新規に公表されてはおらず，2014 年時のエビデンスの確実性を用いた．

TCZ と ABT の 2014 年版診療ガイドラインでのエビデンスの確実性は「高」であり，SAR は上記の評価にあるように「低」であるため，アウトカム全体にわたる全体的なエビデンスの確実性は「低」とした．

4) 推奨の強さ決定の理由

① 利益と害のバランスの評価

2014 年版診療ガイドラインでは，非 TNF 阻害薬投与による RA の疾患活動性を抑制する効果が示され，MTX/csDMARD と比較し重篤な有害事象発生に有意差はなかった．SAR でも同様で，非 TNF 阻害薬の使用は利益が害を上まわると考える．ただし，前述のわが国における全例 PMS で重篤な有害事象の発生が報告されている．このため，ニューモシスチス肺炎，結核や B 型肝炎ウイルス再活性化を含めた感染症等（各製剤の添付文書参照）のリスクとベネフィットを勘案し適応を決定すること，および，治療導入後は副作用出現に対して慎重なモニタリングを行うことが重要である．

② 患者の価値観・意向

日本リウマチ友の会のアンケート（第 4 章 2）結果では，bDMARD による薬物治療において，「良い効果があった」が 89.5%，「良い効果がなかった」が 2.1%，「副作用が強い」が 15.3%，「副作用が弱い」が 47.1%，「悪い点のほうが多い」が 3.2%，「良い点のほうが多い」が 74.2% であった．これらの項目は，MTX，ステロイド，合成抗リウマチ薬，JAK 阻害薬と比べ，bDMARD が最も高評価であった．

③ コスト

各非 TNF 阻害薬の月間薬価は，TCZ 皮下注オートインジェクター 65,216 円（162mg/2 週の場合），SAR 皮下注オートインジェクター 98,096 円（200mg/2 週の場合），ABT 皮下注オートインジェクター 114,532 円（125mg/週）で（2020 年 8 月現在），薬剤の種類・用法用量による組み合わせによって年間薬価が大きく異なる．いずれの bDMARD も高額であり，患者の経済的負担と国民医療費の増大を招くため，コストベネフィットを考慮して使用する必要がある（「第 4 章 4. 関節リウマチ治療における医療経済評価」参照）．

④ パネル会議での意見

本推奨についてはすでに質の高いエビデンスが多数存在するため，2014 年版診療ガイドラインの見直しにとどめ，SR は行わない方針とした．

なお，ACR ガイドライン 2015 では，エビデンスレベルが「中」～「非常に低」であるものの DMARD 単剤で中等度以上の疾患活動性が残存する場合には TNF 阻害薬を追加することが強く推奨されている（csDMARD，非 TNF 阻害薬，TOF の追加併用も同等に推奨されている）（参考文献 3）．また，EULAR リコメンデーション 2019 では，Phase II において予後不良因子がある場合には，非 TNF 阻害薬を含む bDMARD や JAK 阻害薬を併用することが強く推奨されている（参考文献 4）．

また，抗 CD20 抗体である RTX は海外では RA に対して広く使用されており，2017 年の Cochrane review（Singh ら）でその有用性が示されている．しかし，現時点でわが国では RA の適用を取得していないため，推奨に記載することは控えた．

エビデンスの確実性，利益と害のバランス，患者の価値観・意向，コスト，パネル会議での意見，海外での状況を勘案し，2014 年版診療ガイドラインと同様に推奨の強さは「強い」とした．

Future question として，将来的に新規の bDMARD がわが国において使用可能となった場合には追加を検討する．

5) 採用論文リスト

1）日本リウマチ学会編：関節リウマチ診療ガイドライン 2014．メディカルレビュー社 2014．

2）Genovese MC, et al：Arthritis Rheumatol 2015；67：1424-1437．

3）Tanaka Y, et al：Arthritis res ther 2019；21：79．

6) 推奨作成関連資料一覧 （推奨作成関連資料 1 に掲載）

【SAR】

資料 A　RA CQ10　文献検索式

資料 B　RA CQ10　文献検索フローチャート

資料 C　RA CQ10　バイアスのリスク

資料 D　RA CQ10　エビデンスプロファイル

資料 E　RA CQ10　フォレストプロット

■**参考文献**

1) Harigai M, et al：Mod Rheumatol 2016；26：491-498.

2) Koike T, et al：J Rheumatol 2014；41：15-23.

3) Singh JA, et al：Arthritis Rheumatol 2016；68：1-26.

4) Smolen JS, et al：Ann Rheum Dis 2020；79：685-699.

RA 推奨11

推奨文

MTX が使えないまたは MTX を含む csDMARD で効果不十分の中等度以上の疾患
活動性を有する RA 患者に，TNF 阻害薬単剤投与を推奨する（条件付き）．

推奨の強さ **弱い**　エビデンスの確実性 **非常に低**　パネルメンバーの同意度 **7.61**

RA CQ11

MTX が使えないまたは MTX を含む csDMARD で効果不十分の中等度以上の疾患活動性を有
する RA 患者に，TNF 阻害薬の単剤療法は有用か？

サマリー	MTX が使えないまたは MTX を含む csDMARD で効果不十分の中等度以上の疾患活動性を有する RA 患者に，TNF 阻害薬の単剤療法は疾患活動性の改善効果と関節破壊の進行の抑制効果が期待できる．
注　記	TNF 阻害薬の単剤群においても MTX 併用時と同様，副作用発症のリスクが高い RA 患者においては使用を十分注意する必要がある．また，HAQ の改善について単剤群は MTX/csDMARD 群と比較し有意差は示されてなく，有効性・二次無効の観点から MTX は継続可能であれば TNF 阻害薬に併用することが望ましい．

1）推奨の背景

RA 推奨 9（bDMARD 1）で記載のとおり csDMARD で中等度
以上の疾患活動性を有する RA 患者に，TNF 阻害薬の併用は有
用である．一方で MTX を副作用のため使用できない症例も存
在するため，TNF 阻害薬単剤投与が，MTX が使えないまたは
MTX を含む csDMARD で効果不十分の中等度以上の疾患活動
性を有する RA 患者の治療の選択肢となるかを明らかにするこ
との重要性は高い．

2）エビデンスの要約

2012 年から 2018 年に Cochrane Central Register of Controlled
Trials，PubMed，医学中央雑誌で報告された TNF 阻害薬の単剤
効果を評価した論文を抽出し，SR を行った．2011 年以前の報
告に関しては，2016 年に報告された MTX を含む csDMARD 効
果不十分の活動性を有する RA 患者に対して TNF 阻害薬の単剤
効果を評価した Cochrane reviews を参考に文献を抽出した．今
回の CQ の対象となる計 16 件の RCT がエビデンスの解析に選
ばれた．本推奨に関する重大なアウトカムは，DAS28 寛解割
合，ACR50 達成割合，HAQ，mTSS，重篤な副作用，副作用に
よる薬剤中止とした．

まずは TNF 阻害薬の単剤群とプラセボ群の比較であるが，
DAS28 寛解割合をアウトカムとして 1 件の RCT（$n=317$）が解
析され，単剤群はプラセボ群と比し有意に DAS28 寛解割合が高
いことが示された（RR＝1.12，95％CI[1.03，1.22]）（採用論文
1）．ACR50 達成割合をアウトカムとして計 7 件の RCT（$n=$
1,849）が解析され，単剤群はプラセボ群と比し有意に ACR50

達成割合が高いことが示された（RR＝4.13，95％CI[2.51，
6.80]）（採用論文 1 ～ 7）．HAQ 改善については計 6 件の RCT
（$n=1,347$）が解析され，単剤群はプラセボ群と比し有意な改善
が示された（MD＝−0.34，95％CI[−0.44，−0.23]）（採用論文
2 ～ 5，7，8）．重篤な副作用については計 6 件の RCT（$n=1,660$）
が解析され，単剤群とプラセボ群に有意差は示さなかった（RR
＝1.21，95％CI[0.71，2.07]）（採用論文 2 ～ 5，7，8）．副作用
による薬剤中止については計 7 件の RCT（$n=1,612$）が解析さ
れ，単剤群はプラセボ群と比し有意に高いことが示された（RR
＝2.02，95％CI[1.08，3.79]）（採用論文 2 ～ 8）．

続いて，TNF 阻害薬の単剤群と MTX/csDMARD 群の比較で
あるが，DAS28 寛解割合をアウトカムとして 3 件の RCT（$n=$
1,103）が解析され，単剤群と MTX/csDMARD 群に有意差は示
さなかった（RR＝1.50，95％CI[0.84，2.68]）（採用論文 9 ～
11）．ACR50 達成割合をアウトカムとして計 6 件の RCT（$n=$
2,438）が解析され，単剤群は MTX/DMARD 群と比し有意に
ACR50 達成割合が高いことが示された（RR＝1.43，95％CI
[1.06，1.93]）（採用論文 9 ～ 14）．HAQ 改善については計 3 件
の RCT（$n=873$）が解析され，単剤群は MTX/csDMARD 群と
比較し有意差はみられなかった（MD＝−0.21，95％CI[−0.44，
0.02]）（採用論文 9，15，16）．

関節破壊進行の抑制効果において，2007 年に報告された
TEMPO study では，ETN 単剤群と MTX 群の投与 3 年後の mTSS
の変化を評価し，ETN 単剤群は MTX 単剤群に比べて有意に関
節破壊進行の抑制効果が示された（MD＝−4.34，95％CI
[−7.56，−1.12]）（採用論文 10）．重篤な副作用については計
4 件の RCT（$n=1,355$）が解析され，単剤群と MTX/csDMARD

群に有意差は示されなかった（RR＝1.99，95％CI[0.78, 5.09]）（採用論文 9，11，12，14）．また副作用による薬剤中止については計 5 件の RCT（n＝2,052）が解析され，単剤群と MTX/csDMARD 群に有意差は示されなかった（RR＝0.96，95％CI[0.54, 1.69]）（採用論文 9，12 〜 15）．

3) エビデンスの確実性

本 CQ で採用した文献においては，いずれも RCT に基づいている．

TNF 阻害薬の単剤群とプラセボ群の比較において，複合指標については総サンプル数，イベント発生の総数が少なく「不精確さ」に深刻な限界があると判断されたため，エビデンスの確実性は「中」と評価した．ACR50 達成割合，HAQ 改善率については，「バイアスのリスク」「非一貫性」「非直接性」「不精確さ」のいずれも深刻な問題はなく，エビデンスの確実性は「高」と評価した．重篤な副作用については，点推定値のばらつきがややあり，中等度の異質性があったため「非一貫性」に深刻な限界があり，RR の 95％CI の下限と上限がそれぞれ，「相当な利益」とみなされる基準 RR＜0.75 と「相当な害」とみなされる基準 RR＞1.25 の双方を含んでいるため「不精確さ」に非常に深刻な限界があると判断されたため，エビデンスの確実性は「非常に低」と評価した．副作用による薬剤中止については総サンプル数，イベント発生の総数が少なく「不精確さ」に深刻な限界があると判断されたため，エビデンスの確実性は「中」と評価した．

TNF 阻害薬の単剤群と MTX/csDMARD 群の比較において，複合指標については RR の 95％CI の下限と上限がそれぞれ，「効果なし」と「相当な利益」とみなされる基準 RR＞1.25 を含んでおり「不精確さ」に深刻な限界があると判断されたため，エビデンスの確実性は「中」と評価した．ACR50 達成割合については，「バイアスのリスク」「非一貫性」「非直接性」「不精確さ」のいずれも深刻な問題はなく，エビデンスの確実性は「高」と評価した．HAQ 改善率については 95％CI に効果なしが含まれ利益の MID をまたいでおり「不精確さ」に深刻な限界があると判断されたため，エビデンスの確実性は「中」と評価した．mTSS については，「バイアスのリスク」「非一貫性」「非直接性」「不精確さ」のいずれも深刻な問題はなく，エビデンスの確実性は「高」と評価した．重篤な副作用については，点推定値のばらつきがややあり，中等度の異質性があるため「非一貫性」に深刻な限界があり，RR の 95％CI の下限と上限がそれぞれ，「効果なし」と「相当な害」とみなされる基準 RR＞1.25 を含んでおり「不精確さ」にも深刻な限界があったため，エビデンスの確実性は「低」と評価した．副作用による薬剤中止については，点推定値のばらつきがややあり，中等度の異質性があるため「非一貫性」に深刻な限界があり，RR の 95％CI の下限と上限

がそれぞれ，「相当な利益」とみなされる基準 RR＜0.75 と「相当な害」とみなされる基準 RR＞1.25 の双方を含んでおり「不精確さ」にも非常に深刻な限界があったため，エビデンスの確実性は「非常に低」と評価した．

重大アウトカムの RR の点推定値は複合指標，ACR50，HAQ，mTSS では同じ方向を向いていたが，重篤副作用は逆の方向を向いていたことから，アウトカム全般にわたる全体的なエビデンスの確実性は最も低いグレードである「非常に低」とした．

4) 推奨の強さ決定の理由

① 利益と害のバランスの評価

エビデンスの要約で記載したとおり TNF 阻害薬の単剤投与によって，RA の疾患活動性を抑制する効果は示され，プラセボもしくは MTX/csDMARD と比較し重篤な副作用発症に有意差を示さなかった．総合的に TNF 阻害薬の投与による望ましい効果は望ましくない効果を上回ると考えられる．

ただし，RA 推奨 9・10（bDMARD 1・2）の記載と同様，ニューモシスチス肺炎，結核や B 型肝炎ウイルス再活性化を含めた感染症等（各製剤の添付文書参照）のリスクとベネフィットを勘案し適応を決定すること，および，治療導入後は副作用出現に対して慎重なモニタリングを行うことが重要である．

② 患者の価値観・意向

日本リウマチ友の会のアンケート（第 4 章 2）結果では，bDMARD による薬物治療において，「良い効果があった」が89.5％，「良い効果がなかった」が 2.1％，「副作用が強い」が15.3％，「副作用が弱い」が 47.1％，「悪い点のほうが多い」が3.2％，「良い点のほうが多い」が 74.2％であった．これらの項目は，MTX，ステロイド，合成抗リウマチ薬，JAK 阻害薬と比べ，bDMARD が最も高評価であった．

③ コスト

各 TNF 阻害薬の月間薬価は，IFX 75,009 円（200mg まで/8 週の場合），ADA 皮下注ペン 125,240 円（40mg/2 週の場合），ETN 50mg 皮下注ペン 100,684 円（50mg/週），CZP 200mg 皮下注オートクリックス 122,328 円（200mg/2 週），GOL 50mg 皮下注オートインジェクター 119,709 円（50mg/4 週）で（2020 年 8 月現在），薬剤の種類・用法用量による組み合わせによって年間薬価が大きく異なる．バイオ後続品を用いる場合は，これよりも安価となる．TNF 阻害薬は単剤といえども MTX や csDMARD と比較し高額であり，患者の経済的負担と国民医療費の増大を招くためコストベネフィットを考慮して使用する必要がある．

④ パネル会議での意見

パネル会議において，TNF 阻害薬単剤投与の有用性が支持された．MTX が使えない RA 患者において治療選択肢が増えるという点で外的妥当性は高い．

なお，ACR ガイドライン 2015 では，エビデンスレベルが

「中」〜「非常に低」であるものの MTX を中心とした csDMARD 単剤療法抵抗例では，csDMARD 追加併用もしくは bDMARD 単剤あるいは併用投与が強く推奨されている（参考文献 1）．また，EULAR リコメンデーション 2019 では，MTX を中心とした csDMARD 単剤療法抵抗例において予後不良因子がある場合に bDMARD 追加併用投与が強く推奨されている．ただし，csDMARD を併用できない場合，IL-6 阻害薬または tsDMARD がやや有用とされている（参考文献 2）．

パネル会議でも有効性・二次無効の観点から MTX は継続可能であれば TNF 阻害薬と併用することが望ましいという意見で一致した．また感染症等のリスクがあり高額な薬剤であるため，個々の患者の状況を総合的に判断し，TNF 阻害薬単剤投与を検討すべきである．

エビデンスの確実性，利益と害のバランス，患者の価値観・意向，コスト，パネル会議での意見，海外での状況を勘案し，推奨の強さは「弱い」（条件付き）とした．

5）採用論文リスト

1）Takeuchi T, et al：Ann Rheum Dis 2013；72：1488-1495.

2）van de Putte LB, et al：Ann Rheum Dis 2004；63：508-516.

3）Miyasaka N, et al：Mod Rheumatol 2008；18：252-262.

4）Hobbs K, et al：Springerplus 2015；4：113.

5）Yamamoto K, et al：Mod Rheumatol 2014；24：552-560.

6）Moreland LW, et al：Ann Intern Med 1999；130：478-486.

7）van de Putte LB, et al：Ann Rheum Dis 2003；62：1168-1177.

8）Østergaard M, et al：Ann Rheum Dis 2015；74：1156-1163.

9）Keystone EC, et al：Ann Rheum Dis 2009；68：789-796.

10）van der Heijde D, et al：Arthritis Rheum 2007；56：3928-3939.

11）Kremer J, et al：ArthritisRheum 2010；62：917-928

12）Takeuchi T, et al：Mod Rheumatol 2013；23：623-633

13）Genovese MC, et al：Arthritis Rheum 2002；46：1443-1450.

14）Combe B, et al：Ann Rheum Dis 2009；68：1146-1152.

15）van der Heijde D, et al：Arthritis Rheum 2006；54：1063-1074.

16）Mathias SD, et al：Clin Ther 2000；22：128-139.

6）推奨作成関連資料一覧 （推奨作成関連資料 2 に掲載）

資料 A　RA CQ11　文献検索式

資料 B　RA CQ11　文献検索フローチャート

資料 C　RA CQ11　エビデンスプロファイル

資料 D　RA CQ11　フォレストプロット

■参考文献

1）Singh JA, et al：Arthritis Rheum 2016；68：1-26.

2）Smolen JS, et al：Ann Rheum Dis 2020；79：685-699.

RA 推奨12

bDMARD 4

推奨文

MTX が使えないまたは MTX を含む csDMARD で効果不十分の中等度以上の疾患活動性を有する RA 患者に，非 TNF 阻害薬単剤投与を推奨する（条件付き）．

推奨の強さ **弱い**　エビデンスの確実性 **低**　パネルメンバーの同意度 **8.24**

RA CQ12

MTX が使えないまたは MTX を含む csDMARD で効果不十分の中等度以上の疾患活動性を有する RA 患者に，非 TNF 阻害薬の単剤療法は有用か？

サマリー	MTX が使えないまたは MTX を含む csDMARD で効果不十分の中等度以上の疾患活動性を有する RA 患者に，非 TNF 阻害薬の単剤療法は，疾患活動性の改善効果と関節破壊の進行の抑制効果が期待できる．
注 記	副作用発症のリスクが高い RA 患者において，非 TNF 阻害薬の単剤療法は MTX 併用時と同様，副作用出現に十分注意する必要がある．非 TNF 阻害薬と MTX/csDMARD の比較において，有意性を示さないデータも一部含むため，有効性・二次無効の観点から MTX は継続可能であれば非 TNF 阻害薬に併用することが望ましい．

1）推奨の背景

RA 推奨 10（bDMARD 2）で記載のとおり csDMARD で中等度以上の疾患活動性を有する RA 患者に，非 TNF 阻害薬の追加併用は有用である．一方で MTX を副作用のため使用できない症例も存在するため，非 TNF 阻害薬単剤投与が，MTX が使えないまたは MTX を含む csDMARD で効果不十分の中等度以上の疾患活動性を有する RA 患者の治療の選択肢となるかを明らかにすることの重要性は高い．

2）エビデンスの要約

2012 年から 2018 年に Cochrane Central Register of Controlled Trials，PubMed，医学中央雑誌で報告された非 TNF 阻害薬の単剤効果を評価した論文を抽出し SR を行った．2011 年以前の報告に関しては 2016 年に報告された MTX を含む csDMARD 効果不十分の活動性を有する RA 患者に対して非 TNF 阻害薬の単剤療法の効果を評価した Cochrane review を参考に文献を抽出した．今回の CQ の対象となる論文が計 7 件の ABT と TCZ を対象とした RCT がエビデンスの解析に選ばれた．本推奨に関する重大なアウトカムは，DAS28 寛解割合，ACR50 達成割合，HAQ，mTSS，重篤な副作用，副作用による薬剤中止とした．

まずは非 TNF 阻害薬の単剤群とプラセボ群の比較であるが，ACR50 達成割合において計 2 件の RCT（$n = 356$：ABT/TCZ）が解析され，非 TNF 阻害薬単剤群はプラセボ群と比し有意に有効性が示された（RR = 8.23，95%CI[3.44，19.65]）（採用論文 1，2）．副作用による薬剤中止に関して 1 件の RCT（$n = 162$：TCZ）が解析され，単剤群とプラセボ群の間に有意差は示されなかった（RR = 0.24，95%CI[0.05，1.29]）（採用論文 1）．

続いて，非 TNF 阻害薬の単剤群と MTX/csDMARD 群の解析の比較であるが，DAS28 寛解達成割合（DAS28＜2.6）をアウトカムにおいて計 3 件の RCT（$n = 908$：ABT/TCZ）が解析された．単剤群の DAS28 寛解達成割合は MTX/csDMARD 群と比較し有意な差を示さなかった（RR = 1.50，95%CI[0.79，2.85]）（採用論文 3〜5）．ただし，TCZ のみの解析では TCZ 単剤群は MTX/csDMARD 群と比較し有意な有効性を示した（RR = 2.02，95%CI[1.55，2.64]）（採用論文 3，4）．また，ACR50 達成割合をアウトカムにおいて計 4 件の RCT（$n = 1,318$：ABT/TCZ）が解析された．単剤群の ACR50 達成割合は MTX/csDMARD 群と比較し数値的には効果は高いが，有意差は示さなかった（RR = 1.60，95%CI[0.88，2.91]）（採用論文 3，5〜7）．HAQ 改善をアウトカムおいて計 2 件の RCT（$n = 878$：TCZ）が解析され，単剤群は MTX/csDMARD 群と比較し有意な有効性が示された（MD = −0.31，95%CI[−0.38，−0.23]）（採用論文 6，7）．その後，ABT 単剤を MTX 単剤と比較した AVERT 研究（$n = 232$）が報告された（採用論文 5）．52 週後の HAQ≧0.3 の改善率を比較したところ数値的には効果は高かったが（ABT 単剤群 52.6% vs. MTX 単剤群 44.0%），有意差検定は行われていない．その他重大なアウトカムの 1 つである mTSS において，計 2 件の RCT（$n = 842$：TCZ）より解析された（採用論文 4，6）．TCZ 単剤群の mTSS 変化は MTX/csDMARD 群と比較し有意な差を示さなかった（MD = −2.16，95%CI[−5.00，0.68]）が，採用された 2 試験（FUNCTION study，SAMURAI study）の各試験データでは

TCZ 単剤は MTX/csDMARD 単剤と比較し有意な関節破壊進行の抑制効果が報告されている．AVERT 研究（$n = 232$）においてmTSS の評価は行われていないが，MRI（滑膜炎，骨髄浮腫，骨びらん）を用いて評価され，有意差検定は行われていないが12 か月後の MRI スコアは ABT 単剤群においても改善がみられた（採用論文 5）．重篤な副作用については計 4 件の RCT（$n = 1,684$：ABT/TCZ）が解析され，単剤群と MTX/csDMARD 群に有意差は示さなかった（RR = 1.25，95％CI［0.91，1.73］）（採用論文 4 ～ 7）．また，副作用による薬剤中止に関して計 5 件のRCT（$n = 1,892$：ABT/TCZ）が解析され，単剤群と MTX/csD-MARD 群の間に有意差は示されなかった（RR = 1.40，95％CI［0.87，2.26］）（採用論文 1，2）．

各製剤に関して総括すると，TCZ に関してはプラセボを対照にした場合，ACR50 達成割合の有意な有効性をしており，副作用による薬剤中止では有意な差が示されなかった．また MTX/csDMARD を対照にした場合，ACR50 達成割合，mTSS では有意な差は示されなかったが，寛解達成割合（DAS28＜2.6），HAQ改善では有意な有効性が示された．さらに重篤な副作用，副作用による薬剤中止では有意差は示されなかった．ABT に関しても，プラセボを対照にした場合，ACR50 達成割合が有意に優れ，副作用による薬剤中止では有意差は示されなかった．MTX/csDMARD を対照にした場合，寛解達成割合（DAS28＜2.6），ACR50 達成割合に有意な差は示されなかったが，MRI による関節破壊進行評価および HAQ 改善に関して上記のように数値的に改善を示した．また，TCZ 同様，重篤な副作用，副作用による薬剤中止に有意差は示されなかった．

3）エビデンスの確実性

本 CQ で採用した文献においては，いずれも ABT と TCZ のRCT に基づいている．非 TNF 阻害薬の単剤群とプラセボ群の比較において，ACR50 達成割合については総サンプル数，イベント発生の総数が少ないため「不精確さ」に深刻な限界があると判断され，エビデンスの確実性は「中」と評価した．副作用による薬剤中止については総サンプル数，イベント発生の総数が少なく「不精確さ」に非常に深刻な限界があると判断され，エビデンスの確実性は「低」と評価した．

非 TNF 阻害薬の単剤群と MTX/csDMARD 群の比較において，ABT と TCZ による複合指標（DAS28＜2.6）については点推定値のばらつきがあり高度の異質性があるため「非一貫性」でも深刻な限界があると評価し，RR の 95％CI の下限と上限がそれぞれ，「効果なし」と「相当な利益」とみなされる基準 RR＞1.25を含んでいるため「不精確さ」に深刻な限界があると判断され，エビデンスの確実性は「低」と評価した．ABT と TCZ によるACR50 達成割合については，点推定値のばらつきがあり高度の異質性があるため「非一貫性」でも深刻な限界があり，RR の

95％CI の下限と上限がそれぞれ，「効果なし」と「相当な利益」とみなされる基準 RR＞1.25 を含んでいるため「不精確さ」に深刻な限界があるため，エビデンスの確実性は「低」と評価した．TCZ による HAQ 改善については，「バイアスのリスク」「非一貫性」「非直接性」「不精確さ」のいずれも深刻な問題はなく，エビデンスの確実性は「高」と評価した．TCZ による mTSS については，点推定値のばらつきがあり高度の異質性があるため「非一貫性」でも深刻な限界があると評価し，95％CI に効果なしが含まれ利益の MID をまたいでいるため，「不精確さ」に深刻な限界があると判断されエビデンスの確実性は「低」と評価した．ABT と TCZ による重篤副作用・副作用による薬剤中止についてはRR の 95％CI の下限と上限がそれぞれ，「効果なし」と「相当な害」とみなされる基準 RR＞1.25 を含んでいるため「不精確さ」に深刻な限界があると判断され，エビデンスの確実性は「中」と評価した．

重大アウトカムの RR の点推定値は複合指標，ACR50，HAQ，mTSS では同じ方向を向いていたが，重篤副作用と副作用による薬剤中止で逆の方向を向いていたことから，アウトカム全般にわたる全体的なエビデンスの確実性は最も低いグレードである「低」とした．

4）推奨の強さ決定の理由

① 利益と害のバランスの評価

エビデンスの要約で記載したとおり非 TNF 阻害薬の単剤投与によって，プラセボ群と比較し，ABT・TCZ いずれにおいても有意な効果を示した．MTX/csDMARD を対象とした場合には有意性を示さなかったアウトカムもあるが，特に MTX が使えない患者に対しては単剤投与による利益があると考えられる．また，プラセボもしくは MTX/csDMARD と比較し重篤な副作用発症に有意差を示しておらず，総合的に非 TNF 阻害薬の投与による望ましい効果は望ましくない効果を上回ると考えられる．ただし，RA 推奨 9・10（bDMARD 1・2）の記載と同様に，ニューモシスチス肺炎，結核や B 型肝炎ウイルス再活性化を含めた感染症等（各製剤の添付文書参照）のリスクとベネフィットを勘案し適応を決定すること，および，治療介入後は副作用出現に対して慎重なモニタリングを行うことが重要である．

② 患者の価値観・意向

日本リウマチ友の会のアンケート（第 4 章 2）結果では，bDMARD による薬物治療において，「良い効果があった」が89.5％，「良い効果がなかった」が 2.1％，「副作用が強い」が15.3％，「副作用が弱い」が 47.1％，「悪い点のほうが多い」が3.2％，「良い点のほうが多い」が 74.2％であった．これらの項目は，MTX，ステロイド，合成抗リウマチ薬，JAK 阻害薬と比べ，bDMARD が最も高評価であった．

③ コスト

各非TNF阻害薬の月間薬価は，TCZ皮下注オートインジェクター 65,216円（162mg/2週の場合），ABT皮下注オートインジェクター 114,532円（125mg/週）で（2020年8月現在），薬剤の種類・用法用量による組み合わせによって年間薬価が大きく異なる．非TNF阻害薬は単剤といえどもMTXやcsDMARDと比較し高額であり，患者の経済的負担と国民医療費の増大を招くためコストベネフィットを考慮して使用する必要がある．

④ パネル会議での意見

本推奨のエビデンスはABTとTCZによるものであり，ABTに関しては報告が限られており，今後の臨床試験の結果が待たれる．

パネル会議において，非TNF阻害薬単剤投与の有用性が支持された．MTXが使えないRA患者において治療選択肢が増えるという点で外的妥当性は高い．

なお，ACRガイドライン2015では，エビデンスレベルが「中」～「非常に低」であるもののMTXを中心としたcsDMARD単剤療法抵抗例では，csDMARD追加併用もしくはbDMARD単剤あるいは併用投与を強く推奨されている（参考文献1）．また，EULARリコメンデーション2019では，MTXを中心としたcsDMARD単剤療法抵抗例では予後不良因子がある場合にbDMARD追加併用投与を強く推奨されている．ただし，csDMARDを併用できない場合，IL-6阻害薬またはtsDMARDがやや有用とされている（参考文献2）．

パネル会議でも有効性・二次無効の観点からMTXは継続可能であれば非TNF阻害薬と併用することが望ましいという意見で一致した．また感染症等のリスクがあり高額な薬剤であるため，個々の患者の状況を総合的に判断し，非TNF阻害薬単剤投与を検討すべきである．

エビデンスの確実性，利益と害のバランス，患者の価値観・意向，コスト，パネル会議での意見，海外での状況を勘案し，推奨の強さは「弱い」（条件付き）とした．

5）採用論文リスト

1）Nishimoto N, et al：Arthritis Rheum 2004；50：1761-1769.

2）Takeuchi T, et al：Mod Rheumatol 2013；23：226-235.

3）Maini RN, et al：Mod Rheumatol 2008；18：252-262.

4）Burmester GR, et al：Ann Rheum Dis 2016；75：1081-1091.

5）Emery P, et al：Ann Rheum Dis 2015；74：19-26.

6）Nishimoto N, et al：Ann Rheum Dis 2007；66：1162-1167.

7）Jones G, et al：Ann Rheum Dis 2010；69：88-96.

6）推奨作成関連資料一覧 （推奨作成関連資料2に掲載）

資料A　RA CQ12　文献検索式

資料B　RA CQ12　文献検索フローチャート

資料C　RA CQ12　エビデンスプロファイル

資料D　RA CQ12　フォレストプロット

■参考文献

1）Singh JA, et al：Arthritis Rheum 2016；68：1-26.

2）Smolen JS, et al：Ann Rheum Dis 2020；79：685-699.

RA 推奨13

推奨文

MTX で効果不十分，かつ，中等度以上の疾患活動性を有する RA 患者に，MTX に追加して bDMARD を併用する場合，非 TNF 阻害薬(T 細胞選択的共刺激調節薬)と TNF 阻害薬を同等に推奨する．

推奨の強さ **強い**　エビデンスの確実性 **高**　パネルメンバーの同意度 **8.19**

RA CQ13

MTX で効果不十分，かつ，中等度以上の疾患活動性を有する RA 患者に，MTX に追加して bDMARD を併用する場合，非 TNF 阻害薬(IL-6 阻害薬，T 細胞選択的共刺激調節薬)は，TNF 阻害薬と比べ有用か？

サマリー	MTX で効果不十分，かつ，中等度以上の疾患活動性を有する RA 患者に，MTX に追加して bDMARD を併用する場合，非 TNF 阻害薬(T 細胞選択的共刺激調節薬)と TNF 阻害薬の有効性とリスクは同程度であり，同等に推奨する．
注　記	MTX 併用の場合，非 TNF 阻害薬(IL-6 阻害薬，T 細胞選択的共刺激調節薬)と TNF 阻害薬のランダム化比較試験は非 TNF 阻害薬が T 細胞選択的共刺激調節薬のもののみ存在し，IL-6 阻害薬との比較は行われていない．

1) 推奨の背景

MTX で効果不十分，かつ，中等度以上の疾患活動性を有する RA 患者の治療戦略として，bDMARD の追加併用療法が考慮される．しかし，MTX に追加して bDMARD を併用する場合，非 TNF 阻害薬（IL-6 阻害薬，T 細胞選択的共刺激調節薬）と TNF 阻害薬のどちらが有用かを明らかにすることは重要である．

2) エビデンスの要約

2012 年 1 月から 2018 年 12 月の期間に限定し，PubMed，Cochrane Central Register of Controlled Trials，医学中央雑誌で報告された論文について SR を行った．2011 年以前の報告に関しては，2016 年に報告された MTX もしくは csDMARD 効果不十分の活動性を有する RA 患者に対して bDMARD もしくは TOF の効果を評価した Cochrane systematic review を参考に文献を抽出した．対象となった論文 2 件が選ばれた．

本 CQ における重要なアウトカムとして，複合指標である DAS28 の寛解達成割合，ACR50 達成割合，HAQ 変化量，mTSS 変化量，有害事象による薬剤中止，および重篤な有害事象を取り上げた．

2 つの RCT が存在するが，どちらも非 TNF 阻害薬として ABT を用いた比較であった（ATTEST 試験：ABT vs. IFX，AMPLE 試験：ABT vs. ADA）．ATTEST はベースラインから 197 日目までの疾患活動性の変化を各群で検出するデザインで症例数が設定され（採用論文 1），AMPLE は非劣性試験のデザインである（採用論文 2）．

複合指標については，1 つの RCT（ATTEST：点滴静注用 ABT〔$n=156$〕vs. IFX〔$n=165$〕）で 1 年後の DAS28-ESR 寛解割合が検討され RR=1.53，95%CI[0.91，2.60]であり，他の 1 つの RCT（AMPLE：皮下注用 ABT〔$n=318$〕vs. ADA〔$n=328$〕）で DAS28-CRP 寛解割合が検討され RR=1.09，95%CI[0.88，1.33]であり，いずれも有意差は示されなかった．また，2 つの RCT で 1 年後の ACR50 達成割合が検討され両者に有意差はみられなかった（RR=1.09，95%CI[0.89，1.19]）．

HAQ-DI については，1 つの RCT（AMPLE：皮下注用 ABT〔$n=318$〕vs. ADA〔$n=328$〕）で 1 年後の変化量が検討され，わずかに非 TNF 阻害薬で低値となっていた（MD=-0.01，95%CI[-0.02，-0.00]，$p=0.0003$）．

mTSS については，1 つの RCT（AMPLE：皮下注用 ABT〔$n=318$〕vs. ADA〔$n=328$〕）でベースラインから 1 年後の変化量を検討しており，両者に差はみられなかった（MD=0.20，95%CI[-0.45，0.85]，$p=0.54$）．

有害事象による薬剤中止については，2 つの RCT で検討され，両者で差はみられなかった（RR=0.75，95%CI[0.39，1.45]）．

重篤な有害事象については，2 つの RCT で検討され，両者に差はみられなかった（RR=0.78，95%CI[0.38，1.59]）．

MTX で効果不十分，かつ，中等度以上の疾患活動性を有する RA 患者において，非 TNF 阻害薬である IL-6 阻害薬と TNF 阻

害薬を比較した RCT は報告されていない.

3) エビデンスの確実性

本推奨はいずれも RCT に基づいており, HAQ 変化量と mTSS 変化量については,「バイアスのリスク」「非一貫性」「非直接性」「不精確さ」のいずれも深刻な問題はなく, エビデンスの確実性は「高」と評価した.

複合指標は RR の 95%CI が効果なしの RR＝1 をまたぎ「相当な利益」とみなされる基準 1.25 が含まれているため,「不精確さ」に深刻な限界があると判断されたため, エビデンスの確実性は「中」と評価した.

ACR50 達成率については, 点推定値のばらつきから「非一貫性」に深刻な問題があると判断され, また 95%CI に「効果なし」と「相当な利益」とみなされる基準の 1.25 が含まれており「不精確さ」に深刻な限界があると判断されたため, エビデンスの確実性は「低」と評価した. また, 有害事象による薬剤中止については, 95%CI に「相当な利益」とみなされる基準 RR＜0.75 と「相当な害」とみなされる基準 RR＞1.25 の両方が含まれており,「不精確さ」に非常に深刻な限界があると判断されたため, エビデンスの確実性は「低」と評価した.

重篤な有害事象については, 点推定値のばらつきから「非一貫性」に深刻な問題があると判断され, また 95%CI に「相当な利益」とみなされる基準 RR＜0.75 と「相当な害」とみなされる基準 RR＞1.25 の両方が含まれているため「不精確さ」に非常に深刻な限界があると判断されたため, エビデンスの確実性は「非常に低」と評価した.

複合指標・ACR50・HAQ-DI 変化・mTSS 変化・有害事象による薬剤中止・重篤な有害事象において有意差がなく, RR の点推定値は同じ方向を示しているため, アウトカム全般にわたる全体的なエビデンスの確実性は, 最も高いグレードを採用して「高」とした.

4) 推奨の強さ決定の理由

① 利益と害のバランスの評価

MTX で効果不十分, かつ, 中等度以上の疾患活動性を有する RA 患者に, MTX に追加して bDMARD を併用する場合, 非 TNF 阻害薬（T 細胞選択的共刺激調節薬）と TNF 阻害薬を比較すると, 複合指標・ACR50・HAQ-DI 変化・mTSS 変化・有害事象による薬剤中止・重篤な有害事象において有意な差はなかった.

総合的に非 TNF 阻害薬（T 細胞選択的共刺激調節薬）と TNF 阻害薬の比較では, 望ましい効果と望ましくない効果に差はないと考えられる.

② 患者の価値観・意向

患者アンケートでは, 非 TNF 阻害薬（IL-6 阻害薬, T 細胞選択的共刺激調節薬）と TNF 阻害薬を比較しておらず, 評価できない.

③ コスト

薬価表のとおり（「第 4 章 4. 関節リウマチ治療における医療経済評価」表 2 参照）, TNF 阻害薬および非 TNF 阻害薬のどちらも薬剤の種類・用法用量による組み合わせによって年間薬価が大きく異なり, どちらかの製剤が必ず安価となるわけではない. いずれの bDMARD も高額であり, 患者の経済的負担と国民医療費の増大を招くため, コストベネフィットを考慮して使用する必要がある.

④ パネル会議での意見

当初 RA CQ13（bDMARD 5）と RA CQ14（bDMARD 6）は, MTX-IR における TNF 阻害薬 vs. 非 TNF 阻害薬の比較として 1 つの CQ として設定したが, パネル会議において add-on（MTX 併用療法）と switch（bDMARD 単剤療法）に分けるべきとの意見があがり, 議論の結果それぞれ別の CQ・推奨文とした. また, 当初の CQ は TNF 阻害薬 vs. 非 TNF 阻害薬の比較であったが, SR の結果 RA CQ13（bDMARD 5）での非 TNF 阻害薬のエビデンスは ABT に限られたため, 推奨文では T 細胞選択的共刺激調節薬に限って言及することとした. なお, ACR ガイドライン 2015, EULAR リコメンデーション 2019 ともに, TNF 阻害薬と非 TNF 阻害薬を同等に推奨している（参考文献 1, 2）.

Future question として, 非 TNF 阻害薬（IL-6 阻害薬, T 細胞選択的共刺激調節薬, その他 RTX なども含む）の中での使い分け・長期使用での安全性, 非 TNF 阻害薬と JAK 阻害薬の使い分け, 非 TNF 阻害薬と MTX 以外の csDMARD 併用治療の効果と安全性に関するエビデンスはいまだ不十分であり, 今後様々な組み合わせによる head-to-head trial の展開が待たれる.

既存のエビデンスにこれら事象をふまえて, 本推奨の強さとしては「強い」とした.

5) 採用論文リスト

1) Weinblatt ME, et al：Arthritis Rheum 2013；65：28-38.
2) Schiff M, et al：Ann Rheum Dis 2008；67：1096-1103.

6) 推奨作成関連資料一覧 （推奨作成関連資料 2 に掲載）

資料 A　RA CQ13　文献検索式
資料 B　RA CQ13　文献検索フローチャート
資料 C　RA CQ13　バイアスのリスク
資料 D　RA CQ13　エビデンスプロファイル
資料 E　RA CQ13　フォレストプロット

■参考文献

1) Singh JA, et al：Arthritis Rheumatol 2016；68：1-26.
2) Smolen JS, et al：Ann Rheum Dis 2020；79：685-699.

RA 推奨14

推奨文

MTX が使えないまたは効果不十分，かつ，中等度以上の疾患活動性を有する RA 患者に，MTX を併用せずに bDMARD を投与する場合，TNF 阻害薬よりも非 TNF 阻害薬(IL-6 阻害薬)を推奨する.

推奨の強さ **強い**　エビデンスの確実性　**中**　パネルメンバーの同意度　**7.94**

RA CQ14

MTX が使えないまたは効果不十分，かつ，中等度以上の疾患活動性を有する RA 患者に，MTX を併用せずに bDMARD を投与する場合，非 TNF 阻害薬(IL-6 阻害薬，T 細胞選択的共刺激調節薬)は，TNF 阻害薬と比べ有用か？

サマリー	MTX が使えないまたは効果不十分，かつ，中等度以上の疾患活動性を有する RA 患者に，MTX を併用せずに bDMARD を投与する場合，非 TNF 阻害薬(IL-6 阻害薬)は，TNF 阻害薬と比べ疾患活動性を抑制し，リスクに差はない.
注　記	MTX を併用せずに bDMARD を投与する場合，非 TNF 阻害薬(IL-6 阻害薬，T 細胞選択的共刺激調節薬)と TNF 阻害薬のランダム化比較試験は，非 TNF 阻害薬が IL-6 阻害薬のもののみ存在し，T 細胞選択的共刺激調節薬との比較は行われていない.

1) 推奨の背景

MTX で効果不十分，かつ，中等度以上の疾患活動性を有する RA 患者の治療戦略として，bDMARD への switch が考慮される.しかし，MTX を併用せずに bDMARD を単剤投与する場合，非 TNF 阻害薬（IL-6 阻害薬，T 細胞選択的共刺激調節薬）と TNF 阻害薬の有用性の比較を明らかにすることは重要である.

2) エビデンスの要約

2012 年 1 月から 2018 年 12 月の期間に限定し，PubMed，Cochrane Central Register of Controlled Trials，医学中央雑誌で報告された論文について SR を行った.2011 年以前の報告に関しては 2016 年に報告された，csDMARD で効果不十分の RA 患者に対する bDMARD もしくは TOF 単剤の効果を評価した Cochrane systematic review を参考に文献を抽出した.対象となった論文 2 件が選ばれた（1 件は Cochrane に含まれ，1 件は 2012 年以降のもの）.

本 CQ における重大なアウトカムとして，複合指標の DAS28 の寛解達成率，ACR50 達成率，HAQ 変化量，有害事象による薬剤中止，および重篤な有害事象を取り上げた.

2 つの RCT が存在し，どちらも IL-6 阻害薬と ADA の比較であった（MONARCH 試験：SAR〔$n=184$〕 vs. ADA〔$n=185$〕〔採用論文 1〕，ADACTA 試験：点滴静注用 TCZ〔$n=163$〕 vs.

ADA〔$n=162$〕〔採用論文 2〕）.

複合指標については，2 つの RCT で 24 週後の DAS28-ESR＜2.6 の達成割合が検討され，非 TNF 阻害薬が有意に優れていた（RR＝3.80，95％CI〔2.62，5.51〕）.

ACR50 については，2 つの RCT で 24 週後の達成割合が検討され非 TNF 阻害薬が有意に優れていた（RR＝1.61，95％CI〔1.32，1.97〕）.

HAQ-DI については，1 つの RCT（SAR vs. ADA）で 24 週での変化が検討されており，非 TNF 阻害薬が低値であった（MD＝−0.20，95％CI〔−0.34，−0.06〕）.

有害事象による薬剤中止については，2 つの RCT で検討され有意差はなかった（RR＝1.00，95％CI〔0.43，2.34〕）.

重篤な有害事象については，2 つの RCT で検討され有意差はなかった（RR＝0.98，95％CI〔0.62，1.90〕）.

なお，MTX で効果不十分，かつ，中等度以上の疾患活動性を有する RA 患者において，非 TNF 阻害薬である T 細胞選択的共刺激調節薬と TNF 阻害薬を比較した RCT は報告されていない.

3) エビデンスの確実性

複合指標の DAS28-ESR と ACR50 達成率は総イベント数が少ないこと，HAQ 変化量は総サンプル数が少ないことから，「不精確さ」に深刻な限界があると判断され，エビデンスの確実性は「中」とした.

有害事象による薬剤中止と重篤な有害事象については RR の

95％CI の上限と下限が，「相当な利益」とみなされる基準 RR＜0.75 と「相当な害」とみなされる基準 RR＞1.25 の双方を含んでいることから，「不精確さ」に非常に深刻な限界があると判断され，エビデンスの確実性は「低」とした．

有害事象による薬剤中止は RR＝1.00 であるが，それ以外の複合指標・ACR50・HAQ-DI 変化・重篤な有害事象において RR の点推定値は同じ方向を示しているため，アウトカム全般にわたる全体的なエビデンスの確実性は，上記の中で最も高いグレードを採用して「中」とした．

4）推奨の強さ決定の理由

① 利益と害のバランスの評価

MTX で効果不十分，かつ，中等度以上の疾患活動性を有する RA 患者において MTX 非併用の場合，DAS28-ESR の寛解率，ACR50 達成率，HAQ 改善率で非 TNF 阻害薬（IL-6 阻害薬）の効果が上回り，エビデンスの確実性は「中」〜「高」と評価された．一方，確実性は「低」であるものの，有害事象による薬剤中止や重篤な有害事象には差はない．総合的に，MTX 非併用の場合，非 TNF 阻害薬（IL-6 阻害薬）は TNF 阻害薬よりも有効で安全性に差はないと考えられる．

② 患者の価値観・意向

利益と害のバランスから，MTX 非併用下での非 TNF 阻害薬の有用性は高く，患者満足度も低くはないと考えられるが，患者アンケートでは，非 TNF 阻害薬（IL-6 阻害薬，T 細胞選択的共刺激調節薬）と TNF 阻害薬を比較して評価できていない．

③ コスト

通常の投与量の場合には，TCZ 皮下注シリンジ（1 回/2 週）が IL-6 阻害薬の中では最も安価（1 か月薬価 64,970 円，2020 年8 月現在）であり，これはバイオ後続品を除いていずれの TNF 阻害薬よりも安価である．本推奨で採用した論文では TCZ 点滴静注用と SAR 皮下注シリンジが用いられており，それぞれの 1 か月薬価は 75,198 円，73,662 円である．しかし，医療経済分析は行っておらず，また TNF 阻害薬および非 TNF 阻害薬のどちらも薬剤の種類・用法用量による組み合わせによって年間薬価が大きく異なり，いずれかの bDMARD が必ず安価となるわけ

ではない．また，いずれの bDMARD も高額であり，患者の経済的負担と国民医療費の増大を招くため，コストベネフィットを考慮して使用する必要がある．

④ パネル会議での意見

当初の CQ は TNF 阻害薬 vs. 非 TNF 阻害薬の比較であったが，SR の結果 RA CQ14（bDMARD 6）での非 TNF 阻害薬のエビデンスは TCZ と SAR に限られたため，推奨文では IL-6 阻害薬に限って言及した．

なお，ACR ガイドライン 2015 では，両者の推奨に差はない（参考文献 1）．しかし，EULAR リコメンデーション 2019 では csDMARD 非併用の場合には IL-6 阻害薬を推奨している（参考文献 2）．

Future question として，非 TNF 阻害薬（IL-6 阻害薬，T 細胞選択的共刺激調節薬，その他 RTX なども含む）の中での使い分け・長期使用での安全性，非 TNF 阻害薬と MTX 以外の csDMARD 併用治療の効果と安全性に関するエビデンスはいまだ不十分であり，今後様々な組み合わせによる head-to-head trial の展開が待たれる．

既存のエビデンスにこれら事象をふまえて，本推奨の強さとしては「強い」とした．

5）採用論文リスト

1) Burmester GR, et al：Ann rheum dis 2017；76：840-847.
2) Gabay C, et al：Lancet 2013；381：1541-1550.

6）推奨作成関連資料一覧 （推奨作成関連資料 2 に掲載）

資料 A　RA CQ14　文献検索式
資料 B　RA CQ14　文献検索フローチャート
資料 C　RA CQ14　バイアスのリスク
資料 D　RA CQ14　エビデンスプロファイル
資料 E　RA CQ14　フォレストプロット

■参考文献
1) Singh JA, et al：Arthritis Rheumatol 2016；68：1-26.
2) Smolen JS, et al：Ann Rheum Dis 2020；79：685-699.

RA 推奨 15

推奨文

TNF 阻害薬で効果不十分で中等度以上の疾患活動性を有する RA 患者に，他の TNF 阻害薬よりも非 TNF 阻害薬への切り替えを推奨する（条件付き）．

推奨の強さ **弱い**　エビデンスの確実性 **非常に低**　パネルメンバーの同意度 **7.82**

RA CQ15

TNF 阻害薬で効果不十分で中等度以上の疾患活動性を有する RA 患者に，非 TNF 阻害薬への切り替えは，他の TNF 阻害薬への切り替えと比べ有用か？

サマリー	TNF 阻害薬で効果不十分で中等度以上の疾患活動性を有する RA 患者に，非 TNF 阻害薬への切り替えは他の TNF 阻害薬への切り替えと比べ有用と考えられる．しかし，両者を直接比較した盲検化試験はなく，エビデンスは限られている．
注　記	非 TNF 阻害薬への切り替えと 2nd TNF 阻害薬への切り替えを比較した試験は，オープンラベル試験が 1 つしか存在しない．またこの試験では，非 TNF 阻害薬の中にわが国では RA の保険適用がない RTX が含まれている．

1) 推奨の背景

TNF 阻害薬で効果不十分かつ中等度以上の疾患活動性を有する RA 患者の治療の選択肢として，他の bDMARD への変更が考慮される．しかし，他の TNF 阻害薬もしくは非 TNF 阻害薬（IL-6 阻害薬，T 細胞選択的共刺激調節薬，抗 CD20 抗体）の有用性の比較を明らかにすることは重要である．

2) エビデンスの要約

TNF 阻害薬で効果不十分で中等度以上の疾患活動性を有する RA 患者に対して，非 TNF 阻害薬への切り替えと他の TNF 阻害薬への切り替えについて有効性・安全性に関して検討した．

2012 年 1 月から 2018 年 12 月の期間に限定し，PubMed，Cochrane Central Register of Controlled Trials，医学中央雑誌で報告された論文について SR を行った．2011 年以前の報告に関しては，2017 年に報告された bDMARD 効果不十分の活動性を有する RA 患者に対して bDMARD もしくは TOF の効果を評価した Cochrane systematic review を参考に文献を抽出した．対象となった論文 1 件が選ばれた．

また，本 CQ における重大なアウトカムとして，複合指標（DAS28-ESR 寛解），EULAR response，および重篤な有害事象，重篤な感染症を取り上げた．

TNF 阻害薬から 2 剤目の TNF 阻害薬（2nd TNF 阻害薬）へ変更と，非 TNF 阻害薬への切り替えの比較では，RCT が 1 つだけ存在した（採用論文 1）．この RCT は TNF 阻害薬が効果不十分で，DAS28-ESR≧3.2 の RA 患者 300 人を無作為に 2nd TNF 阻害薬群と非 TNF 阻害薬群（RTX 28%，ABT 23%，TCZ 49%）に割り付け，非盲検で 52 週観察したものである．併用薬については，MTX が 63% で，経口ステロイドが 53% で併用されていた．主要評価項目は 24 週後の EULAR good or moderate response であった．

疾患活動性に関しては，24 週後の EULAR good or moderate response は RR = 1.33，95%CI[1.10，1.61] であり，DAS28-ESR 寛解は RR = 1.47，95%CI[0.95，2.29] であったが，総じて非 TNF 阻害薬への切り替えが優れていた．

1 回以上の重篤な有害事象（52 週）については，有意差はなかった（RR = 2.00，95%CI[0.88，4.53]）．重篤な感染症（52 週）についても，有意差はなかった（RR = 0.70，95%CI[0.27，1.79]）．

上記以外の有効性指標を含め，TNF 阻害薬から他の TNF 阻害薬または非 TNF 阻害薬のいずれかへの切り替えでは，作用機序の異なる非 TNF 阻害薬への切り替えが優れている結果であった．

3) エビデンスの確実性

盲検化に重大な限界がある研究であり「バイアスのリスク」に深刻な限界があると判断した．EULAR good or moderate response，複合指標（DAS28-ESR 寛解）と重篤な有害事象は総イベント数が少なく「不精確さ」に深刻な限界があるため，エビデンスの確実性は「低」と評価した．

また，重篤な感染症は 95%CI に「相当な利益」とみなされる基準 RR<0.75 と「相当な害」とみなされる基準 RR>1.25 の両方が含まれており，「不精確さ」に非常に深刻な限界があるため，エビデンスの確実性は「非常に低」と評価した．

TNF 阻害薬と非 TNF 阻害薬の直接比較では EULAR response・複合指標・重篤な感染症と重篤な有害事象の RR の点推定値は他のアウトカムの RR と異なった方向を示しているため，アウトカム全般にわたる全体的なエビデンスの確実性は，最も低いグレードを採用して「非常に低」とした．

4) 推奨の強さ決定の理由

① 利益と害のバランスの評価

TNF 阻害薬で効果不十分で中等度以上の疾患活動性を有する RA 患者において，非 TNF 阻害薬（IL-6 阻害薬，T 細胞選択的共刺激調節薬，抗 CD20 抗体）と他の TNF 阻害薬への切り替えを比較すると，複合指標（DAS28-ESR 寛解）・重篤な有害事象・重篤な感染症に有意差はなく，EULAR good or moderate response では有意差をもって非 TNF 阻害薬が優れていた．エビデンスは限定的であるものの，総合的に，非 TNF 阻害薬への切り替えは他の TNF 阻害薬への切り替えよりも望ましい効果が高く有用と考えられた．

いずれの薬剤を選択する場合でも，結核や B 型肝炎を含めた感染症等（各製剤の添付文書参照）のリスクとベネフィットを勘案し適応を決定すること，および，治療導入後は副作用出現に対して慎重なモニタリングを行うことが重要である．

② 患者の価値観・意向

益と害のバランスから，TNF 阻害薬から非 TNF 阻害薬への切り替えは，2 剤目の TNF 阻害薬への切り替えより有用性が高く，実臨床でも患者満足度は低くないと考えられるが，患者アンケートでは，非 TNF 阻害薬（IL-6 阻害薬，T 細胞選択的共刺激調節薬，抗 CD20 抗体）と TNF 阻害薬を比較しておらず，患者の価値観や優先度の評価は今後の課題である．

③ コスト

通常の投与量の場合には，TCZ 皮下注シリンジ（1 回/2 週）が IL-6 阻害薬の中では最も安価（1 か月薬価 64,970 円，2020 年 8 月現在）であり，これはバイオ後続品を除いていずれの TNF 阻害薬よりも安価である．また，ABT 点滴静注の 1 か月薬価は 111,354 円，RTX はわが国では RA の保険適用はないため，保険診療では使用できない．しかし，医療経済分析は行っておらず，また TNF 阻害薬および非 TNF 阻害薬のどちらも薬剤の種類・用法用量による組み合わせによって年間薬価が大きく異なり，いずれかの bDMARD が必ず安価となるわけではない．いずれの bDMARD も高額であり，患者の経済的負担と国民医療費の増大を招くため，コストベネフィットを考慮して使用する必要がある．

④ パネル会議での意見

ACR ガイドライン 2015 ではエビデンスレベルが「低」〜「非常に低」であるものの，他の TNF 阻害薬への変更よりも非 TNF 阻害薬への切り替えを弱く推奨している．また，EULAR リコメンデーション 2019 でも他の TNF 阻害薬よりも作用機序の異なる bDMARD への変更を推奨文中で先に記載している．また，本推奨はパネル会議においても高い同意度が得られた．エビデンスの確実性，患者の価値観・意向，コスト，とパネル会議での意見をふまえて，本推奨の強さとしては「弱い」（条件付き）とした．

Future question として，非 TNF 阻害薬（IL-6 阻害薬，T 細胞選択的共刺激調節薬，その他 RTX なども含む）の中での使い分け・長期使用での安全性，非 TNF 阻害薬と MTX 以外の csDMARD 併用治療の効果と安全性に関するエビデンスはいまだ不十分であり，今後様々な組み合わせによる head-to-head trial の展開が待たれる．

5) 採用論文リスト

1) Gottenberg JE, et al：JAMA 2016；316：1172-1180.

6) 推奨作成関連資料一覧 (推奨作成関連資料 2 に掲載)

資料 A　RA CQ15　文献検索式

資料 B　RA CQ15　文献検索フローチャート

資料 C　RA CQ15　バイアスのリスク

資料 D　RA CQ15　エビデンスプロファイル

資料 E　RA CQ15　フォレストプロット

■参考文献

1) Singh JA, et al：Cochrane Database Syst Rev 2017；3：CD012591.

2) Singh JA, et al：Arthritis Rheumatol 2016；68：1-26.

3) Smolen JS, et al：Ann Rheum Dis 2020；79：685-699.

RA 推奨16

推奨文

TNF 阻害薬で寛解を維持している RA 患者に，TNF 阻害薬の減量を推奨する（条件付き）．

推奨の強さ **弱い**　エビデンスの確実性 **非常に低**　パネルメンバーの同意度 **7.33**

RA CQ16

TNF 阻害薬で寛解または低疾患活動性を維持している RA 患者に，TNF 阻害薬の減量は可能か？

サマリー	TNF 阻害薬で寛解または低疾患活動性を維持している RA 患者では，TNF 阻害薬の減量を考慮できる．再燃リスクを含めて十分説明したうえで，TNF 阻害薬の減量を検討するべきである．
注 記	寛解を得られたすべての RA 患者において減量をするべきという推奨ではなく，再燃のリスクも考慮し，患者の希望やコストにも配慮したうえで TNF 阻害薬の減量を検討すべきである．

1）推奨の背景

RA 推奨 9（bDMARD 1）に記載されたとおり csDMARD で中等度以上の疾患活動性を有する RA 患者に，TNF 阻害薬の併用は有用である．しかしこれらの薬剤は高額であり，患者の医療費負担や医療経済，また長期使用による副作用などを考慮すると，寛解または低疾患活動性を達成したのちに，TNF 阻害薬の減量が可能かを明らかにすることは重要である．

2）エビデンスの要約

2012 年から 2018 年まで，Cochrane Central Register of Controlled Trials, PubMed, 医学中央雑誌で報告された RA 患者における TNF 阻害薬の中止，減量を評価した論文を抽出し SR を行った．2011 年以前の報告に関しては 2019 年に報告された低疾患活動性ないし寛解を維持できた RA 患者における TNF 阻害薬の中止，減量について評価した Cochrane systematic review を参考に文献の抽出を行った．TNF 阻害薬の減量・中止方法として，減量された投与量を試験終了まで継続する減量群，TNF 阻害薬をプラセボに変える中止群，疾患活動性を指標に投与量減量，もしくは投与期間延長をする漸減群，の 3 群があり，それぞれ TNF 阻害薬継続群と比較し評価している．これらの試験では ADA，ETN を使用した報告が多くを占める．

まず減量群を対象にした研究では，計 5 件の RCT が解析された．対象患者の組み入れまでの低疾患活動性または寛解期間は 3 か月から 12 か月であった．減量後の疾患活動性に関する解析では，減量 52 週後の寛解（DAS28＜2.6）維持率は継続群と比較して，有意差は示されなかった（RR＝1.01，95％CI［0.80，1.28]）（採用論文 1，2）．また減量 52 週後の関節破壊の進行

（mTSS＞0.5），減量 26〜52 週後の HAQ においても，両群に有意差を認めなかった（関節破壊の進行：RR＝1.22，95％CI［0.76，1.95]），（HAQ：MD＝0.09，95％CI［−0.00，0.19]）（採用論文 1〜3）．減量後 26〜52 週時点の重篤な副作用の発症（RR＝1.09，95％CI［0.65，1.82]）や副作用による薬剤の中止（RR＝1.07，95％CI［0.51，2.24]）に関しても両群に有意差は示されなかった（採用論文 1〜5）．

次に中止群を対象にした研究では，計 8 件の RCT が解析された．対象患者の組み入れまでの低疾患活動性または寛解期間は 0 か月から 11 か月であった．中止後の疾患活動性に関する解析では，中止 28〜52 週時点の寛解（DAS28＜2.6）維持率を継続群と比較した計 6 件の解析において，継続群の寛解維持率が中止群に比べ有意に高かった（RR＝0.56，95％CI［0.41，0.75]）（採用論文 1，2，6，8，9，10）．また中止後 52 週時点の関節破壊の進行（mTSS＞0.5），中止後 28〜52 週時点の HAQ も評価され，中止群の関節破壊進行，身体機能の劣勢が有意差をもって示された（関節破壊の進行：RR＝1.69，95％CI［1.10，2.59]，HAQ：MD＝0.18，95％CI［0.05，0.31]）（採用論文 1，2，6〜9）．中止後 28〜52 週時点の重篤な副作用の発症（RR＝1.29，95％CI［0.82，2.03]），副作用による薬剤中止に関しては両群に有意な差を認めなかった（RR＝1.46，95％CI［0.75，2.84]）（採用論文 1，2，5〜10）．

最後に漸減群を対象にした研究では，計 2 件の RCT が解析された．対象患者の組み入れまでの低疾患活動性または寛解期間は 3 か月から 6 か月であった．漸減後の疾患活動性に関する解析の結果では，漸減後 18 か月時点で漸減群の寛解（DAS28＜2.6）維持率は継続群と比較し，有意差を認めなかった（RR＝0.89，95％CI［0.75，1.06]）（採用論文 11）．また漸減後 18 か月

時点の関節破壊の進行（mTSS＞0.5 or ＞1.0）および漸減後 18 か月時点の HAQ においても両群に有意差を認めなかった（関節破壊の進行：RR＝1.45，95％CI［0.77, 2.73］，HAQ：MD＝0.20，95％CI［－0.02, 0.42］）（採用論文 11，12）．漸減後 18 か月時点の重篤な副作用の発症に関しても両群に有意差は認めなかった（RR＝1.24，95％CI［0.42, 3.70］）（採用論文 11，12）．

総括すると TNF 阻害薬中止群と TNF 阻害薬継続群を比較した研究では，中止群の寛解維持率は低く，関節破壊の進行，身体機能の低下が示された．一方で，TNF 阻害薬減量群，漸減群では TNF 阻害薬継続群と比較し寛解維持率，関節破壊進行，身体機能の低下に有意差は示されなかった．また重篤な副作用に関してはいずれの場合においても有意差は示されなかった．

3) エビデンスの確実性

本 CQ においては，いずれも RCT に基づいている．

TNF 阻害薬の減量群と継続群の比較においては，HAQ に関しては「バイアスのリスク」「非一貫性」「非直接性」「不精確さ」のいずれも深刻な問題はなく，エビデンスの確実性は「高」と評価した．寛解の維持率に関しては点推定値のばらつきがあり大きな異質性があるため，また RR の 95％CI の上限と下限が，「効果なし」と「相当な利益」とみなされる基準 RR＞1.25 を含んでいるため，「非一貫性」および「不精確さ」に深刻な限界があると判断し，エビデンスの確実性は「低」と評価した．関節破壊の進行については RR の 95％CI の上限と下限が，「効果なし」と「相当な利益」とみなされる基準 RR＞1.25 を含んでいるため，「不精確さ」に深刻な限界があると判断されエビデンスの確実性は「中」と評価した．重篤な副作用と副作用による薬剤中止については「バイアスのリスク」が高い論文が含まれていたこと，RR の 95％CI の上限と下限が，「相当な利益」とみなされる基準 RR＜0.75 と「相当な害」とみなされる基準 RR＞1.25 の双方を含んでいることから，「バイアスのリスク」および「不精確さ」にそれぞれ深刻な限界，非常に深刻な限界があると判断し，エビデンスの確実性は「非常に低」と評価した．

TNF 阻害薬の中止群と継続群の比較においては，HAQ，寛解の維持率に関しては「バイアスのリスク」「非一貫性」「非直接性」「不精確さ」のいずれも深刻な問題はなく，エビデンスの確実性は「高」と評価した．関節破壊の進行においては総サンプル数，イベント発生総数がともに少ないため，「不精確さ」に深刻な限界があると判断されエビデンスの確実性は「中」と評価した．重篤な副作用においては点推定値のばらつきがあり中等度の異質性があるため，また RR の 95％CI の上限と下限が，「効果なし」と「相当な害」とみなされる基準 RR＞1.25 を含んでいるため，「非一貫性」および「不精確さ」に深刻な限界があると判断し，エビデンスの確実性は「低」と評価した．副作用による薬剤中止については RR の 95％CI の上限と下限が，「効

果なし」と「相当な害」とみなされる基準 RR＞1.25 を含んでいるため，深刻な限界があると判断し，エビデンスの確実性は「中」と評価した．

TNF 阻害薬の漸減群と継続群の比較においては，寛解の維持率に関しては総サンプル数，イベント発生総数がともに少ないため，「不精確さ」に深刻な限界があると判断され，エビデンスの確実性は「中」と評価した．関節破壊の進行に関しては点推定値のばらつきがあり中等度の異質性があるため，「非一貫性」に深刻な限界があると判断され，また RR の 95％CI の上限と下限が，「効果なし」と「相当な害」とみなされる基準 RR＞1.25 を含んでいるため，「不精確さ」に深刻な限界があると判断されたため，エビデンスの確実性は「低」と評価した．HAQ に関しては総サンプル数が少なく，また上限信頼限界が MID をまたいでいるため，「不精確さ」に非常に深刻な限界があると判断し，エビデンスの確実性は「低」と評価した．重篤な副作用発現に関しては点推定値のばらつきがあり大きな異質性があるため，「非一貫性」に深刻な限界があると判断され，また RR の 95％CI の上限と下限が，「相当な利益」とみなされる基準 RR＜0.75 と「相当な害」とみなされる基準 RR＞1.25 の双方を含んでいるため，「不精確さ」に非常に深刻な限界があると判断されたため，エビデンスの確実性は「非常に低」と評価した．

すべてのアウトカムが同じ方向を向いていないことから，全体的なエビデンスの確実性は，重大なアウトカムの中で最も低いグレードである「非常に低」と評価した．

4) 推奨の強さ決定の理由

① 利益と害のバランスの評価

エビデンスの要約で記載したとおり TNF 阻害薬で低疾患活動性ないし寛解を維持できた RA 患者における，TNF 阻害薬の中止は，寛解維持割合の低下，関節破壊の進行，身体機能の低下等が示されており，中止することは，害が利益の効果を上回ると考えられる．一方，TNF 阻害薬の減量は寛解維持割合や関節破壊の進行，身体機能の低下等において害の効果は認めなかった．減量することによる重篤な副作用の明らかな低下は示さなかったが，TNF 阻害薬にはニューモシスチス肺炎，結核や B 型肝炎再活性化を含めた重篤な感染症等の副作用が報告されており，減量により副作用発症を減らす可能性は残されている．総合的に TNF 阻害薬を減量することの利益は害を上回ることが期待できると考えられる．

② 患者の価値観・意向

患者アンケート（第4章2）では，bDMARD の減量や中止の質問はなかったが，TNF 阻害薬に限らない bDMARD の評価として，約 90％の患者に効果があったと回答し，効果に対する評価は非常に高いことがうかがえる．その反面，副作用の有無を「強い」と答えた患者は 15.3％（114 人），「弱い」と答えた

患者は47.1％であり，一部の患者で副作用が強いと感じていた結果であった．投与を受けて良かったかとの問いに対しては，「良い点のほうが多い」との回答が74.2％，「悪い点のほうが多い」との回答が3.2％であった．多くの患者から好ましい評価が得られており，総合的には患者の感じる害と利益のバランスは良好であることがうかがわれる結果であった．

③　コスト

現在わが国ではTNF阻害薬としてIFX，ETN，ADA，GOL，CZPの5製剤が先行バイオ医薬品として薬価収載されている．標準使用量での年間薬価は，975,117円（IFX点滴静注：3mg/kg/8週）〜1,628,120円（ADA皮下注ペン40mg/2週）（年間52週，体重50kg時）といずれも高額である．また先行バイオ医薬品と比較して比較的割安なバイオ後続品でも年間薬価は561,977円（IFX BS点滴静注3mg/kg/8週）〜900,328円（ETN BSシリンジ・ペン25mg×2/週）となり，コスト面では減量により大きな効果が期待できる（薬価はいずれも2020年8月現在）．ただし今回の採用論文の試験ではバイオ後続品製剤の減量については検討されていない．

④　パネル会議での意見

本推奨に関して採用した論文の研究対象患者の多くは，登録基準は3か月以上寛解または低疾患活動性を維持し，活動性が安定している患者であったが，パネル会議では低疾患活動性より寛解のほうがより好ましいという意見が出された．疾患活動性が低いほどTNF阻害薬減量に伴う再燃のリスクが低いことも報告されている（参考文献1）．これらの理由から，パネル会議において，TNF阻害薬で寛解を維持しているRA患者に，TNF阻害薬の減量が条件付きで支持された．また，対象患者の多くはMTXを併用しており，TNF阻害薬減量中はMTXの使用を継続するべきであるとの意見も述べられた．寛解を得られたすべてのRA患者に対しTNF阻害薬を減量すべきという推奨ではなく，再燃のリスクも説明したうえで，利益と害のバランス，患者の希望，コスト面等を考慮のうえ，TNF阻害薬の減量を検討するべきである．

5）採用論文リスト

1) Smolen JS, et al：Lancet 2013；381：918-929.
2) Weinblatt ME, et al：Arthritis Rheumatol 2017；69：1937-1948.
3) Ibrahim F, et al：Rheumatology 2017；56：2004-2014.
4) Raffeiner B, et al：Clin Exp Rheumatol 2015；33：63-68.
5) Van Vollenhoven RF, et al：Ann Rheum Dis 2016；75：52-58.
6) Yamanaka H, et al：Mod Rheumatol 2016；26：651-661.
7) Ghiti Moghadam M, et al：Arthritis Rheumatol 2016；68：1810-1817.
8) Pavelka K, et al：Rheumatol Int 2017；37：1469-1479.
9) Smolen JS, et al：Lancet 2014；383：321-332.
10) Chatzidionysiou K, et al：RMD Open 2016；2：e000133.
11) van Herwaarden N, et al：BMJ 2015；350：h1389.
12) Fautrel B, et al：Ann Rheum Dis 2016；75：59-67.

6）推奨作成関連資料一覧（推奨作成関連資料2に掲載）

資料A　RA CQ16　文献検索式
資料B　RA CQ16　文献検索フローチャート
資料C　RA CQ16　エビデンスプロファイル
資料D　RA CQ16　フォレストプロット

■参考文献

1) Smolen JS, et al：Rheumatology 2020；59：153-164.

RA 推奨 17

推奨文

IL-6 阻害薬で寛解または低疾患活動性を維持している RA 患者に，IL-6 阻害薬の減量を推奨する（条件付き）．

推奨の強さ **弱い**　エビデンスの確実性 **非常に低**　パネルメンバーの同意度 **7.29**

RA CQ17

IL-6 阻害薬で寛解または低疾患活動性を維持している RA 患者に，IL-6 阻害薬の減量は可能か？

サマリー	IL-6 阻害薬で寛解または低疾患活動性を維持している RA 患者において，IL-6 阻害薬の投与間隔を延長することでの減量が期待できる．
注　記	IL-6 阻害薬中止後の再燃率は高い可能性があり，まずは投与間隔の延長を考慮する．また今回示されている IL-6 阻害薬のエビデンスはすべて TCZ 点滴静注用製剤によるものである．

1）推奨の背景

　IL-6 は RA の病態にかかわる中心的な炎症性サイトカインの1つであり，IL-6 阻害薬は抗 IL-6 受容体抗体として TCZ，SAR がわが国では RA に対して薬事承認を受けている．しかしこれらの薬剤は高額であり，患者の医療費負担や医療経済，また長期使用による副作用などを考慮すると，寛解または低疾患活動性を達成したのちに，IL-6 阻害薬減量が可能かを明らかにすることは重要である．

2）エビデンスの要約

　2012 年 1 月から 2018 年 12 月の期間に限定し，PubMed，Cochrane Library，医学中央雑誌で報告された RA 患者における IL-6 阻害薬の減量，中止に関する論文について SR を行ったところ，738 件から 4 件の観察研究が同定された．いずれも TCZ 点滴静注用製剤によるものである．

　本 CQ における重大アウトカムとして，TCZ 中止に関しては 1 年後の DAS28-ESR 寛解または低疾患活動性維持率，DAS28-ESR 寛解維持率，重篤な副作用を，TCZ 投与間隔延長に関しては 54 週後の DAS28-ESR 寛解維持率，mTSS の非進行，HAQ-DI の非進行および重篤な副作用を取り上げることとした．

　中止に関しては，TCZ 単剤投与で寛解または低疾患活動性となった 187 症例において，TCZ 中止後に DMARD を使用せず，52 週後に寛解または低疾患活動性を維持できた割合は 13.4%（25/187）であった（採用論文 1）．また TCZ＋MTX 投与により寛解となった症例に対し，TCZ 中止後に MTX を継続した場合の報告は 2 件あり，52 週での寛解維持率はそれぞれ 44%（20/45），24.4%（12/49）であった．TCZ 単剤投与で寛解となっ

た 49 症例において，TCZ 中止後に csDMARD を使用せず，52 週後に寛解を維持できた割合は 14.3%（7/49）であった（採用論文 2，3）．重篤な副作用発現に関する報告は 1 件あり，TCZ＋MTX 投与により寛解となり，TCZ 中止後 MTX を継続した 49 例，TCZ 単剤投与で寛解となり，TCZ 中止後に DMARD を使用しなかった 53 例において，52 週での重篤な副作用発現はそれぞれ 2 例，0 例であった（採用論文 3）．

　投与間隔延長に関する報告は 1 件あり，TCZ 治療で 3 か月以上寛解を維持した症例に対し，TCZ の投与間隔を 4 週間毎から 6 週間毎に延長した場合，観察可能であった 24 例中 21 例（87.5%）が 54 週後の DAS28-ESR 寛解を維持し，22 例中 21 例（95.4%）が ΔmTSS≦0.5 を満たした．また HAQ-DI の進行および重篤な副作用に関しては 22 例全例において認められなかった（採用論文 4）．

3）エビデンスの確実性

　本 CQ においては，いずれも観察研究に基づいており，いずれのアウトカムにおいても，対照群が設定されておらず症例の選択がランダム化されていないため，「バイアスのリスク」に深刻な限界があると判断された．また同様にいずれのアウトカムにおいても，症例の総サンプル数が少ないため，「不精確さ」に深刻な限界があると判断された．「非直接性」に関しては，いずれのアウトカムについても深刻な問題はないと判断された．

　これらのことからエビデンスの確実性はいずれの重大アウトカムにおいても「非常に低」と評価した．また，本推奨文で検討したエビデンスはいずれも比較群がないため，RR の点推定値の方向性がアウトカムごとに同じか異なるかを評価することは不可能であった．エビデンスの確実性はいずれの重大アウト

カムにおいても「非常に低」としたため，アウトカム全般にわたる全体的なエビデンスの確実性も「非常に低」と評価した．

4) 推奨の強さ決定の理由

① 利益と害のバランスの評価

TCZ単剤投与において寛解または低疾患活動性となった症例に対し，TCZを中止することにより多くの場合は再燃し，MTX併用において寛解または低疾患活動性となった症例に対し，TCZを中止しMTXを継続しても，半数以上の症例で再燃することが示唆された．このことからTCZを中止することは，利益の効果は乏しいと考えられる．一方，TCZの投与間隔を延長することにより，再燃する頻度は低く，多くの症例で寛解を維持できること，関節破壊の進行は抑制できること，そして重篤な副作用の出現もないことが示唆された．

総合的にTCZの投与間隔を延長することの利益は害を上回ることが期待できると考えられる．

② 患者の価値観・意向

患者アンケート（第4章2）の結果では，IL6阻害薬に限らないbDMARDの評価として，89.5％の患者が効果があったと回答し，投与を受けて良かったかとの問いに対しては，「良い点のほうが多い」との回答が74.2％，「悪い点のほうが多い」との回答が3.2％であった．多くの患者から好ましい評価が得られており，患者の感じる害と利益のバランスは良好であることがうかがわれる結果であった．

③ コスト

現在わが国ではIL-6阻害薬としてTCZとSARが薬価収載さ

れており，TCZの年間薬価は，844,610円（TCZ皮下注シリンジ：162 mg/2週）～977,574円（TCZ点滴静注，8mg/kg/4週，体重50kg），SARは1,266,928円（SAR皮下注シリンジ：200mg/2週）である（2020年8月現在）．いずれも高価であり，コスト面では減量により大きな効果が期待できる．

④ パネル会議での意見

パネル会議においては，寛解に達した患者に対しIL-6阻害薬の減量を考慮することは重要である反面，中止をすることは再燃のリスクが高く困難であろうとの意見が出された．海外のガイドラインにおいては，現時点でIL-6阻害薬の減量や中止に言及したものは認められず，IL-6阻害薬の減量に関するエビデンスは少ないことから，推奨の強さとしては「弱い」（条件付き）とすることとなった．

5) 採用論文リスト

1) Nishimoto N, et al：Mod Rheumatol 2014；24：17-25.
2) Aguilar-Lozano, et al：J Rheumatol 2013；40：1069-1073.
3) Kaneko Y, et al：Ann Rheum Dis 2018；77：1268-1275.
4) Kikuchi J, et al：Mod Rheumatol 2017；28：444-451.

6) 推奨作成関連資料一覧 （推奨作成関連資料2に掲載）

資料A　RA CQ17　文献検索式
資料B　RA CQ17　文献検索フローチャート
資料C　RA CQ17　エビデンスプロファイル

RA 推奨18

bDMARD 10

推奨文

T 細胞選択的共刺激調節薬で寛解または低疾患活動性を維持している RA 患者に，
T 細胞選択的共刺激調節薬の減量を推奨する（条件付き）．

推奨の強さ **弱い**　エビデンスの確実性 **非常に低**　パネルメンバーの同意度 **7.29**

RA CQ18

T 細胞選択的共刺激調節薬で寛解または低疾患活動性を維持している RA 患者に，T 細胞選択
的共刺激調節薬の減量は可能か？

サマリー	T 細胞選択的共刺激調節薬で寛解または低疾患活動性を維持している RA 患者において，T 細胞選択的共刺激調節薬投与量の減量が期待できる．
注　記	T 細胞選択的共刺激調節薬を中止すると再燃率が高い可能性があり，まずは投与量の減量を考慮することが必要と考える．今回示されている T 細胞選択的共刺激調節薬のエビデンスは ABT 点滴静注用製剤に関するものである．

1）推奨の背景

　抗原提示細胞がナイーブ T 細胞を活性化するには，T 細胞受容体からの抗原刺激とともに，T 細胞上の共刺激分子を介した補助的なシグナルが必要である．T 細胞選択的共刺激調節薬は T 細胞共刺激分子である CD28 に対するリガンドの結合を CTLA-4-Ig で阻害する．その結果，共刺激が抑制され，T 細胞の活性化を阻害することで RA 治療に効果を有する．わが国では ABT が RA に対し薬事承認を受けているが，高額な薬剤であるため患者の医療費負担や医療経済，また長期使用による副作用などを考慮すると，寛解または低疾患活動性を達成したのちに，T 細胞選択的共刺激調節薬の減量が可能かを明らかにすることは重要である．

2）エビデンスの要約

　2012 年 1 月から 2018 年 12 月の期間に限定し，PubMed，Cochrane Library，医学中央雑誌で報告された RA 患者における T 細胞共刺激分子阻害薬の減量，中止に関する論文について SR を行ったところ，738 件から 1 件の RCT と 3 件の観察研究が同定された．これらはいずれも ABT 点滴静注用製剤に関するものである．

　本 CQ における重大なアウトカムとして，ABT 減量後の複合指標としての DAS28-CRP 寛解および重篤な副作用，ABT 中止後の DAS28-CRP 寛解を取り上げた．また推奨の参考となる重要なアウトカムとして，ABT 減量後の再燃率を取り上げた．

　RCT においては，ABT 10mg/kg＋MTX により DAS28-CRP 寛解となった症例に対し，ABT 5mg/kg への減量を行い 12 か月後

の寛解は 5mg/kg 群で 50 例中 18 例（36.0%），10mg/kg 群で 58 例中 27 例（46.6%）であった．12 か月での重篤な副作用発現は 5mg/kg 群で 50 例中 3 例（6.0%），10mg/kg 群で 58 例中 3 例（5.2%）で認めた．また 12 か月での再燃率は 5mg/kg 群で 50 例中 17 例（34.0%），10mg/kg 群で 58 例中 18 例（31.0%）と同等であった（採用論文 1）．

　観察研究においては，標準量の ABT 加療により DAS28-CRP 寛解または低疾患活動性となった症例に対し，ABT 250mg/4 週へ減量を試み，48 週後の寛解維持は 53 例中 41 例（77%）であり，重篤な副作用は 3 例（5.7%）で認めた（採用論文 2）．また ABT＋MTX により DAS28-CRP 寛解となった症例に対し，すべての治療を中止したところ 24 週後の寛解は 73 例中 18 例（24.7%），ABT のみの中止では 34 例中 16 例（47.1%）であった．また ABT 単剤で寛解となった症例で ABT を中止した場合，50 例中 14 例（28%）で 24 週後の寛解が維持された（採用論文 3，4）．RCT における 12 か月後の減量群の DAS28-CRP 寛解割合（36%）が，観察研究の 48 週後の DAS28-CRP 寛解割合（77.3%）を大きく下回っていたが，これは投与量，盲検化，患者背景などの違いによると考えられる．

3）エビデンスの確実性

　本 CQ においては，1 件の RCT，3 件の観察研究に基づいており，RCT ではランダム化が不十分なため，また観察研究においても組み入れはランダム化されてないため，「バイアスのリスク」に深刻な限界があると評価された．そのためいずれのアウトカムにおいても「バイアスのリスク」は深刻な限界があると評価された．RCT における ABT 減量後 12 か月の DAS28-CRP

寛解については，総サンプル数と総イベント数が少ないため「不精確さ」に深刻な限界があると評価され，重篤な副作用，再燃率に関しては RR の 95%CI の下限と上限が，「相当な利益」または「相当な害」とみなされる基準の 0.75 と 1.25 の双方を含んでいるため，「不精確さ」に非常に深刻な限界があると判断された．観察研究における ABT 減量後 48 週の DAS28-CRP 寛解，重篤な副作用，ABT 中止後 24 週の DAS28-CRP 寛解については，いずれも総サンプルと総イベント数が少ないため「不精確さ」に深刻な限界があると評価された．「非直接性」に関してはいずれのアウトカムについても深刻な問題はないと判断された．

これらのことからエビデンスの確実性は，ABT 減量後 12 か月の DAS28-CRP 寛解については「低」，それ以外のアウトカムについては「非常に低」と評価した．本推奨文で検討したエビデンスは比較群がない観察研究が存在し，すべての RR の点推定値の方向性を評価することは不可能であったが，RCT においてすべてのアウトカムが同じ方向を向いていないことから，アウトカム全般にわたる全体的なエビデンスの確実性は，重大なアウトカムの中で最も低いグレードである「非常に低」と評価した．

4) 推奨の強さ決定の理由

① 利益と害のバランスの評価

ABT 治療により寛解となった症例に対し，ABT を中止すると MTX を継続しても半数以上の症例で寛解が維持できず，MTX を継続しない場合にはさらに高い頻度で寛解が維持できないことから，中止することの害は大きいと考えられる．

一方，ABT + MTX 治療により寛解となった症例において，ABT の減量を行うことにより，寛解維持率や再燃する頻度は，ABT を減量しない群と比べて有意差がなく，重篤な副作用の出現についても有意差がなかった．また ABT 治療により寛解または低疾患活動性となった症例に対し，ABT の減量を行っても，77% で寛解が維持された．これらのことから，総合的に ABT を減量することの利益は害を上回ることが期待できると考えられる．

② 患者の価値観・意向

患者アンケート（第 4 章 2）の結果では，T 細胞選択的共刺激調節薬に限らない bDMARD の評価として，89.5% の患者が効果があったと回答し，投与を受けて良かったかとの問いに対しては，「良い点のほうが多い」との回答が 74.2%，「悪い点のほうが多い」との回答が 3.2% であった．多くの患者から好ましい評価が得られており，患者の感じる害と利益のバランスは良好であることがうかがわれる結果であった．

③ コスト

ABT の年間薬価は，1,447,602 円（ABT 点滴静注，500mg/4 週，体重 50kg 時）～1,475,500 円（ABT 皮下注シリンジ：125mg/週）（2020 年 8 月現在）であり，いずれも高価である．コスト面では減量により大きな効果が期待できる．

④ パネル会議での意見

パネル会議においては，bDMARD 全般において，寛解に達した患者に対し減量を考慮することは重要である反面，中止をすることは再燃のリスクが高く困難であるとの意見が出された．海外のガイドラインにおいては，現時点で T 細胞選択的共刺激調節薬の減量や中止に言及したものは認められず，T 細胞選択的共刺激調節薬の減量に関するエビデンスは少ないことから，推奨の強さとしては「弱い」（条件付き）とすることとなった．

5) 採用論文リスト

1) Westhovens R, et al：Arthritis Ann Rheum Dis 2015；74：564-568.
2) Yasuda S, et al：Mod Rheumatol 2017；27：930-937.
3) Emery P, et al：Ann Rheum Dis 2015；74：19-26.
4) Takeuchi T, et al：Rheumatology 2015；54：683-691.

6) 推奨作成関連資料一覧 （推奨作成関連資料 2 に掲載）

資料 A　RA CQ18　文献検索式
資料 B　RA CQ18　文献検索フローチャート
資料 C　RA CQ18　エビデンスプロファイル

RA 推奨19

2024 NEW   RTX 1

推奨文

MTX を含む csDMARD で効果不十分で中等度以上の疾患活動性を有する RA 患者に，RTX 併用を推奨する（条件付き）．ただし，保険適用外使用を考慮する際には，現在臨床試験中であり，国内のエビデンスが不足していること，患者背景などを十分勘案する．

推奨の強さ **弱い**　エビデンスの確実性 **非常に低**　パネルメンバーの同意度 **7.75**

RA CQ19

csDMARD で効果不十分で中等度以上の疾患活動性を有する RA 患者に，RTX の併用は有用か？

サマリー	csDMARD で効果不十分で中等度以上の疾患活動性を有する RA 患者に，csDMARD と RTX 併用は有効性が期待できる．ただし，国内で RA における重篤な感染症を含む安全性が確立されていないことに注意が必要である．他の疾患において RTX による重篤な有害事象が報告されているため，リスクとベネフィットを勘案し慎重に適応を判断すべきである．
注　記	MTX を含む csDMARD が使えないまたは効果不十分で中等度以上の疾患活動性を有する RA 患者に RTX 単剤投与は現時点では保険適用外であるが，海外ではおもに既存の bDMARD で効果不十分な例に使用され，ACR のガイドラインでは LPD の既往のある患者には条件付きで推奨されている．保険適用外使用を考慮する場合には，LPD の既往のある患者や作用機序の異なる複数の DMARD に不耐または効果不十分な患者などに限定して検討することが望ましい．

1）推奨の背景

RA の現在の標準治療は，まず csDMARD（MTX またはその他の csDMARD）で治療を開始し，効果不十分な場合に追加治療を検討する（参考文献 1）．csDMARD で効果不十分な RA 患者に対して，国際的には抗 CD20 モノクローナル抗体製剤 RTX の追加併用は選択肢の 1 つとなる．効果や副作用・コストの観点からその有用性を明らかにすることは重要である．

日本で RTX は RA に対し保険適用外であるが，世界的には RA に対し広く用いられている．ACR のガイドライン（参考文献 2）では，悪性リンパ腫治療後の RA 患者に RTX 治療が条件付きで推奨されている．悪性リンパ腫，LPD の既往を有する RA 患者数はわが国でも増加しており，今後の RA 治療の選択肢を増やすうえでこの問題は重要である．現在，日本でも RA に対する RTX の臨床試験（治験）が行われているが，総合的な有用性はこれまで検討されていない．

2）エビデンスの要約

RA に対する RTX を対象として評価した．1900 年 1 月 1 日から 2022 年 6 月 30 日までの期間を設定し，PubMed, Cochrane Central Register of Controlled Trials, Embase, 医学中央雑誌で報告された RA 患者における RTX に関する論文を系統的にレビューし，重複を除いた 4,408 論文が抽出された．これらのうち 87 論文について詳細な検討を行い，本 CQ に関連する 5 件の RCT から 22 論文が同定された．RTX バイオ後続品投与例ないし bDMARD に不耐または効果不十分の症例を対象とした研究は評価対象外とした．アウトカム評価は 5 件の試験から 22 論文を質的統合に，5 件の試験を量的統合に組み入れて行った．4 件が MTX 併用試験，1 件が LEF 併用試験であった．

本 CQ における重大なアウトカムとして，治療開始 24 週時の DAS28 寛解達成割合，ACR50 達成割合，HAQ の変化量，重篤な有害事象，および治療開始 52 週時の mTSS の変化量を取り上げた．

csDMARD と比較した，RTX と csDMARD 併用の望ましい効果は，24 週時の DAS28 寛解達成の絶対効果が 1,000 人あたり 109 人増加，95%CI［40, 226］，相対効果が RR＝3.04, 95%CI［1.76, 5.24］，ACR50 達成の絶対効果が 1,000 人あたり 180 人増加，95%CI［106, 280］，相対効果が RR＝2.57, 95%CI［1.92, 3.44］，HAQ 変化量の絶対効果は MD＝－0.15, 95%CI［－0.31, 0.01］，52 週時の mTSS 変化の絶対効果は MD＝－1.08, 95%CI［－1.69, －0.47］で，望ましい効果は「中」と判断した．

csDMARD と比較した，RTX と csDMARD 併用の 24 週時の望ましくない効果は，重篤な有害事象が絶対効果として 1,000 人あたり 21 人増加，95%CI［－7, 64］，相対効果として RR＝

1.35，95%CI［0.88, 2.07］で，望ましくない効果は「中」と判断した．

3）エビデンスの確実性

本推奨作成に用いたエビデンスについては，いずれもRCTに基づいている．

DAS28寛解達成割合については，「バイアスのリスク」「非一貫性」「非直接性」「その他の検討」では深刻な問題は認められなかったが，総サンプル数および総イベント数が小さいため「不精確さ」は深刻と判断し，エビデンスの確実性は「中」と評価した．

ACR50達成割合については，「非一貫性」「非直接性」「その他の検討」では深刻な問題は認められなかったが，アウトカム評価者の盲検化が不十分かつ結果に影響する多くの欠測値のため「バイアスのリスク」は深刻と判断，また，総サンプル数および総イベント数が小さいため「不精確さ」は深刻と判断し，エビデンスの確実性は「低」と評価した．

HAQの変化量については，「バイアスのリスク」「非一貫性」「非直接性」「その他の検討」では深刻な問題は認められなかったが，平均差の95%CIにMIDが含まれるため「不精確さ」は深刻と判断し，エビデンスの確実性は「中」と評価した．

mTSSの変化量については，「バイアスのリスク」「非一貫性」「非直接性」「その他の検討」では深刻な問題は認められず，平均差の95%CIにMIDが含まれなかったが，総サンプル数が小さいため「不精確さ」は深刻と判断し，エビデンスの確実性は「中」と評価した．

重篤な有害事象に関しては，「非一貫性」「非直接性」「その他の検討」では深刻な問題は認められなかったが，結果に影響する多数のアウトカムデータ欠損があり「バイアスのリスク」は深刻と判断，また，RRの95%CIが「相当な利益」または「相当な害」とみなされる基準の0.75と1.25の双方を含んでおり，「不精確さ」は非常に深刻と判断し，エビデンスの確実性は「非常に低」と評価した．

重大なアウトカムにおける介入の効果は患者にとって異なる方向となるため，重大なアウトカムの中でエビデンスの確実性の最も低い「非常に低」とした．

4）推奨の強さ決定の理由

① 利益と害のバランスの評価

RTXとMTX/csDMARDの併用開始24週時の疾患活動性改善効果は，DAS28寛解達成のNNTが9.2，ACR50達成のNNTが5.6であった．HAQ変化量に関してはMD＝−0.15，95%CI［−0.31, 0.01］であった．

RTXとMTX/csDMARDの併用開始52週時のmTSS変化量に関してはMD＝−1.08，95%CI［−1.69, −0.47］であった．

一方，有害事象に関しては，RCTにおいては，24週時までのRTXとMTX/csDMARDの併用投与はMTX/csDMARDと比べて，重篤な有害事象のNNHが47.6であった．

RTX使用にあたっては，重篤な有害事象に留意が必要であるが，総合的にRTXとMTX/csDMARDの併用投与による望ましくない効果が望ましい効果を上回ることはないと考えられる．

② 患者の価値観・意向

現在，わが国では臨床試験（治験）中で保険適用外のため，ここに該当する見解は得られていないが，一般的な患者は，関節炎改善と重篤な有害事象の両者に価値をおくと考えられ，本診療ガイドラインでは，リウマチ専門医の投票によって意思決定に重大と判断されたアウトカムを選択しており，アウトカムに対する価値観の重要性に関するばらつきは少ないものと考えられる．RAに対してRTXが使用可能になれば治療の選択肢が増え，特にLPDの既往があるRA患者にとっては，重要な選択肢となりうるため，受け入れられるであろう．

③ コスト

QALYなど費用対効果に対する日本の論文，エビデンスはない．日本でRTXはRAに対し保険適用外である．

参考までに他の適応症に対する薬価は，リツキサン®点滴静注100mgが21,609.00円/瓶，リツキサン®点滴静注500mgが105,563.00円/瓶である（2023年4月現在）．

bDMARDは高額であり，患者の経済的負担と国民医療費の増大を招くため，コストベネフィットを考慮して使用する必要があるが，特にLPDの既往のあるRA患者で十分な治療効果が得られる場合には，薬剤費以外の直接費用の減少や労働生産性の向上も期待される．

④ パネル会議での意見

パネル会議においては，RTXはわが国ではRAに対して臨床試験（治験）中で保険適用外であり，単に「使用を推奨する」との表現は強すぎるのではないか，との意見が出された．以上を総合的に判断して，「保険適用外使用を考慮する際には，現在臨床試験中であり国内のエビデンスが不足していること，患者背景などを十分勘案する」とただし書きを推奨文に加えることとした．また，本ガイドラインの対象とする薬剤の範囲を保険適用にかかわらず検討した旨をガイドライン中に明記することとした．

5）採用論文リスト

1) Behrens F, et al：Rheumatology（Oxford）2021；60：5318-5328.

2) Edwards JCW, et al：N Engl J Med 2004；350：2572-2581.

3) Emery P, et al：Arthritis Rheum 2006；54：1390-1400.

4) Peterfy C, et al：Ann Rheum Dis 2016；75：170-177.

5) Emery P, et al：Ann Rheum Dis 2010；69：1629-1635.

6) 推奨作成関連資料一覧 (推奨作成関連資料 2 に掲載)

資料 A　RA CQ19　文献検索式

資料 B　RA CQ19　文献検索フローチャート

資料 C　RA CQ19　バイアスのリスク

資料 D　RA CQ19　エビデンスプロファイル

資料 E　RA CQ19　フォレストプロット

資料 F　RA CQ19　Evidence to Decision テーブル

■参考文献

1) 日本リウマチ学会編：関節リウマチ診療ガイドライン 2020. 診断と治療社 2021.

2) Fraenkel L, et al：Arthritis Rheumatol 2021；73：1108-1123.

RA 推奨20

推奨文

MTXを含むcsDMARDが使えないまたは効果不十分で中等度以上の疾患活動性を有するRA患者に，RTX単剤投与を推奨する（条件付き）．ただし，保険適用外使用を考慮する際には，現在臨床試験中であり，国内のエビデンスが不足していること，患者背景などを十分に勘案する．

推奨の強さ　**弱い**　エビデンスの確実性　**非常に低**　パネルメンバーの同意度　**7.75**

RA CQ20

MTXを含むcsDMARDが使えないまたは効果不十分で中等度以上の疾患活動性を有するRA患者に，RTXの単剤投与は有用か？

サマリー	MTXを含むcsDMARDが使えないまたは効果不十分で中等度以上の疾患活動性を有するRA患者に，RTX単剤投与は有効性が期待できる．ただし，国内でのRAでの重篤な感染症を含む安全性が確立されていないことに注意が必要である．
注　記	MTXを含むcsDMARDが使えないまたは効果不十分で中等度以上の疾患活動性を有するRA患者に対するRTX単剤投与は，現時点では保険適用外であるが，海外ではおもに既存のbDMARDで効果不十分な例に使用され，ACRのガイドラインではLPDの既往のある患者には条件付きで推奨されている．保険適用外使用を考慮する場合には，LPDの既往のある患者や作用機序の異なる複数のDMARDに不耐または効果不十分な患者などに限定して検討することが望ましい．

1）推奨の背景

RAの現在の標準治療は，まずMTXで治療が可能と判断された例においてはMTXで治療を開始する．効果不十分例ではcsDMARDを追加する選択肢がある．MTXが使用できない場合にはMTX以外のcsDMARDが選択される．いずれも治療目標を達成しない場合には，順次，bDMARDやJAK阻害薬の使用を検討する（参考文献1）．RTXは，わが国ではRAに対して保険適用外であるが，海外では既存のbDMARDで効果不十分な例に対し，選択肢の1つとしてあげられている（参考文献2）．

RAでは，悪性リンパ腫やLPDをきたすリスクが，一般人に比し3〜6倍高いとされる（参考文献3〜7）．悪性リンパ腫やLPD罹患後のRA治療においてMTX使用は推奨されず，bDMARDもいずれの薬剤が有効性と安全性が高いのかは確立されておらず，その治療には難渋する．ACRのガイドライン（参考文献8）では，悪性リンパ腫治療後のRA患者に条件付きでRTXの使用が推奨されている．RTXは，現在わが国では免疫抑制状態下のCD20陽性のB細胞性LPDの保険適用はあるものの，RAに対して保険適用はない．現在わが国で，RAに対しRTXの臨床試験（治験）が行われている．悪性リンパ腫，LPDの既往を有するRA患者数はわが国でも増加しており，RTXは今後，これらの患者のRA治療の選択肢となる可能性がある．

2）エビデンスの要約

MTXを含むcsDMARDが使えないまたは効果不十分で中等度以上の疾患活動性を有するRA患者に，RTX単剤投与はプラセボあるいはcsDMARD投与と比較して有用かを検討した．1900年1月1日から2022年6月30日までの期間を設定し，PubMed，Cochrane Central Register of Controlled Trials，Embase，医学中央雑誌で報告されたRA患者におけるRTXに関する論文を系統的にレビューし，重複を除いた4,390件が抽出された．これらのうち詳細な検討を行い，質的統合に組み入れた研究数/論文数は1件/2論文，量的統合に組み入れた研究数は1件となった．

本CQにおける重大なアウトカムとして，治療開始6か月時のACR50達成割合，HAQの6か月時，12か月時の変化量，重篤な有害事象，重篤な感染症を取り上げた．

プラセボもしくはcsDMARD群と比較した，RTX単剤群における望ましい効果は，6か月時のACR50達成の絶対効果が1,000人あたり200人増加，95%CI［3，701］，相対効果がRR＝2.60，95%CI［1.02，6.61］，HAQ変化量の6か月時の絶対効果がMD＝−0.4，95%CI［−0.65，−0.15］，12か月時の絶対効果がMD＝−0.2，95%CI［−0.49，0.09］であり，「中」と判断した．

プラセボもしくは csDMARD 群と比較した，RTX 単剤群の望ましくない効果は，6 か月時の重篤な有害事象の絶対効果として 1,000 人あたり 25 人減少，95％CI ［−66, 209］，相対効果として RR＝0.67，95％CI ［0.12, 3.78］，12 か月時の重篤な有害事象の絶対効果として 1,000 人あたり 0 人と不変，95％CI［−73, 272 人］，相対効果として RR＝1.00，95％CI ［0.27, 3.72］，6 か月時の重篤な感染症の絶対効果として 1,000 人あたり 25 人増加，95％CI ［−20, 505］，相対効果として RR＝2.00，95％CI ［0.19, 21.18］と，重篤な有害事象は同程度，重篤な感染症は RTX 単剤群でやや多いという結果であったため，望ましくない効果は「小さい」と判断した．

3) エビデンスの確実性

本推奨作成に用いたエビデンスについては，いずれも RCT に基づいている．

6 か月時の ACR50 達成割合，6 か月時，12 か月時の HAQ の変化量については，「バイアスのリスク」はいずれも深刻，「非一貫性」「非直接性」は深刻ではない，「不精確さ」は深刻であり，「その他の検討」は深刻ではないため，エビデンスの確実性は「低」と評価した．

6 か月時，12 か月時の重篤な有害事象に関しては，「バイアスのリスク」は深刻，「非一貫性」「非直接性」は深刻でない，「その他の検討」では深刻な問題は認められなかったが，RR の 95％CI が「相当な利益」または「相当な害」とみなされる基準の 0.75 と 1.25 を含んでおり，「不精確さ」は非常に深刻と判断し，エビデンスの確実性は「非常に低」と評価した．重篤な感染症に関しては，「バイアスのリスク」は深刻，「非一貫性」「非直接性」は深刻ではない，「その他の検討」では深刻な問題は認められなかったが，RR の 95％CI が「相当な利益」または「相当な害」とみなされる基準の 0.75 と 1.25 の双方を含んでおり，「不精確さ」は非常に深刻と判断し，エビデンスの確実性は「非常に低」と評価した．

重大なアウトカムに関する介入の効果は，利益が中程度に増加，害が小さく増加で，異なる方向となるため，全体的なエビデンスの確実性は「非常に低」とした．

4) 推奨の強さ決定の理由

① 利益と害のバランスの評価

RTX 単剤投与 6 か月時の疾患活動性改善効果は，ACR50 達成の NNT が 5.0 であった．

一方，有害事象に関しては，RCT においては RTX の単剤投与はプラセボあるいは csDMARD 投与と比較して，6 か月後の重篤な有害事象の NNH が 40.0，重篤な感染症の NNH が 40.0 であった．

RTX 単剤投与にあたっては，重篤な有害事象および重篤な

感染症に留意が必要であるが，総合的にプラセボあるいは csDMARD 投与と比較して RTX 単剤投与の望ましくない効果が望ましい効果を上回ることはないと考えられる．

② 患者の価値観・意向

現在，わが国では臨床試験（治験）中で保険適用外のため，ここに該当する見解は得られていないが，一般的な患者は，関節炎改善と重篤な有害事象の両者に価値をおくと考えられ，本診療ガイドラインでは，リウマチ専門医の投票によって，意思決定に重大と判断されたアウトカムを選択しており，アウトカムに対する価値観の重要性に関するばらつきは少ないものと考えられる．RA に対して RTX が使用可能になれば治療の選択肢が増え，特に LPD の既往がある RA 患者にとっては，重要な選択肢となりうるため，受け入れられるであろう．

③ コスト

現時点では RA 治療薬として RTX は保険適用外であり，QALY など費用対効果に対する日本の論文，エビデンスはない．しかし，現在，臨床試験（治験）で採用されている投与法（6 か月毎に 1,000mg を 2 回）で，他の適応症における薬価を外挿すると，RTX 500mg 1 瓶 105,563.00 円であるため，6 か月（1 コース）で 422,232.00 円，年間 844,504.00 円であり，他の複数の bDMARD の薬価の範囲内である．bDMARD は高額であり，患者の経済的負担と国民医療費の増大を招くため，コストベネフィットを考慮して使用する必要があるが，特に LPD の既往のある RA 患者で十分な治療効果が得られる場合には，薬剤費以外の直接費用の減少や労働生産性の向上も期待される．

④ パネル会議での意見

パネル会議においては，MTX を含む csDMARD が使えないまたは効果不十分で中等度以上の疾患活動性を有する RA 患者に対する RTX 単剤投与は，プラセボあるいは csDMARD 投与と比較して有効性が認められ，利益は中程度に増加するが，重篤な有害事象および重篤な感染症の害の効果は小さく増加することが確認された．海外では既存の bDMARD で効果不十分な例に使用され，ACR のガイドラインでは LPD の既往のある RA 患者には条件付きで推奨されていることなどから，特にこのような患者やその治療医にとっては治療の選択肢が増えるため，歓迎されるであろう．しかし，現時点ではわが国では保険適用外であるため「実行可能性はない」とするのが妥当と判断した．パネル会議では今後の保険適用を見据えて，その使用の可能性を検討した．

5) 採用論文リスト

1) Edwards JCW, et al：N Engl J Med 2004；350：2572-2581.

2) Strand V, et al：Rheumatology（Oxford）2006；45：1505-1513.

6) 推奨作成関連資料一覧 （推奨作成関連資料 2 に掲載）

■参考文献

1）日本リウマチ学会編：関節リウマチ診療ガイドライン 2020. 診断と治療社 2021.

2）Smolen JS, et al：Ann Rheum Dis 2023；82：3-18.

3）Yamada T, et al：Rheumatol Int 2011；31：1487-1492.

4）Hashimoto A, et al：J Rheumatol 2015；42：564-571.

5）Harigai M：Mod Rheumatol 2018；28：1-8.

6）Honda S, et al：Mod Rheumatol 2022；32：16-23.

7）Simon TA, et al：Arthritis Res Ther 2015；17：212.

8）Fraenkel L, et al：Arthritis Care Res （Hoboken） 2021；73：924-939.

RA 推奨 21

推奨文

MTX を含む csDMARD で効果不十分で中等度以上の疾患活動性を有する RA 患者に，MTX に追加して使用する場合，RTX より TNF 阻害薬の投与を推奨する（条件付き）．RTX の保険適用外使用を考慮する際には，現在臨床試験中であり，国内のエビデンスが不足していること，患者背景などを十分に勘案する．

推奨の強さ　**弱い**　エビデンスの確実性　**非常に低**　パネルメンバーの同意度　**8.42**

RA CQ21

MTX を含む csDMARD で効果不十分で中等度以上の疾患活動性を有する RA 患者に，RTX は TNF 阻害薬と比べ有用か？

サマリー	MTX を含む csDMARD で効果不十分で中等度以上の疾患活動性を有する RA 患者において，TNF 阻害薬と比較して RTX の望ましい効果の程度は「わずか」で，望ましくない効果の程度は「中」であった．RA に対する RTX の国内での使用経験がわずかで，国内のエビデンスが少ないことから，患者背景によっては使用可能な選択肢であるが，当面は TNF 阻害薬が優先される．
注　記	日本で RTX は RA に対し保険適用外であるが，海外ではおもに既存の bDMARD で効果不十分な例に使用され，ACR のガイドラインでは LPD の既往のある患者には条件付きで推奨されている．保険適用外使用を考慮する場合には，LPD の既往のある患者や作用機序の異なる複数の DMARD に不耐または効果不十分な患者などに限定して使用を検討することが望ましい．

1）推奨の背景

RA の現在の標準治療は，まず MTX を含む csDMARD で治療を開始し，効果不十分な場合に追加治療を検討する（参考文献1）．csDMARD で効果不十分な RA 患者にはさまざまな背景要因があり，本診療ガイドラインの薬物治療アルゴリズムにおけるフェーズⅡの代表的な治療薬である TNF 阻害薬と新たな選択肢である RTX の有用性を比較検討することは，治療方針の決定に重要である．RTX は，海外ではおもに既存の bDMARD で効果不十分な例に使用され，また ACR のガイドライン（参考文献2）では，RTX が承認されている悪性リンパ腫治療後の RA 患者に RTX 治療が条件付きで推奨されている．悪性リンパ腫，LPD の既往を有する RA 患者数はわが国でも増加しており，今後の RA 治療の選択肢を増やすうえでこの問題は重要である．

2）エビデンスの要約

1900 年 1 月 1 日から 2022 年 6 月 30 日までの期間を設定し，PubMed，Cochrane Central Register of Controlled Trials，Embase，医学中央雑誌で報告された RA 患者における RTX と TNF 阻害薬（ADA，IFX，ETN，GOL，CZP）に関する論文を系統的にレビューし，重複を除いた 39 件が抽出された．これらについて詳細な検討を行い，本 CQ に関連する 2 件の RCT（採用論文 1，参考文献 3）から 5 論文が同定された．

本 CQ における重大なアウトカムとして，治療開始 12 か月時の ACR50 達成割合，DAS28-ESR 寛解達成割合，HAQ-DI の変化量，重篤な有害事象および重篤な感染症を取り上げた．その結果として最終的に採用された RCT は非劣性試験 1 件であった（採用論文 1）．

TNF 阻害薬群と比較した，RTX 群の 12 か月時の望ましい効果では，DAS28-ESR を用いた臨床的寛解の絶対効果は 1,000 人あたり 19 人増加，95%CI［-65，150］，相対効果は RR＝1.09，95%CI［0.69，1.72］であった．ACR50 達成の絶対効果は 1,000 人あたり 36 人増加，95%CI［-72，180］，相対効果は RR＝1.08，95%CI［0.84，1.40］であった．HAQ-DI の変化量の絶対効果は，MD＝-0.11，95%CI［-0.24，0.02］であった．効果の点推定値はいずれも RTX が優れていたが，95%CI は 0 を含んでいた．文献検索で抽出されたがメタ解析には含まれなかった RCT では，6 か月時の SDAI 寛解の相対効果が RR＝0.82，95%CI［0.49，1.38］であった（採用論文 1）．以上より，望ましい効果は「わずか」と判断した．

TNF 阻害薬群と比較した，RTX 群の 12 か月時の望ましくない効果では，重篤な有害事象は絶対効果として，1,000 人あたり 25 人増加，95%CI［-29，135］，RR＝1.31，95%CI［0.64，2.70］，重篤な感染症は絶対効果として，1,000 人あたり 23 人増

加，95%CI［−15，133］，RR＝1.68，95%CI［0.56，5.01］と RTX のほうが多い傾向を認め，望ましくない効果は「中」と判断した．

3) エビデンスの確実性

本推奨作成に用いたエビデンスについては，いずれも採用された唯一の RCT である非劣性試験に基づいている．

ACR50 達成割合，DAS28-ESR 寛解達成割合，HAQ-DI の変化量については，「バイアスのリスク」において評価者の盲検性が確保されていないことがいずれも深刻な問題とされ，「非一貫性」と「非直接性」はいずれも深刻ではなく，「不精確さ」は ACR50 達成割合では RR の 95%CI が「相当な利益」とみなされる基準の 1.25 を含んでいるため深刻，DAS28-ESR 寛解達成割合では RR の 95%CI が，「相当な害」または「相当な利益」とみなされる基準の 0.75 と 1.25 の双方を含んでおり非常に深刻，HAQ-DI の変化量では 95%CI が MCID とみなされる基準の −0.22 を含んでおり深刻とそれぞれ判断した．「その他の検討」は特に認めなかった．エビデンスの確実性は ACR50 達成割合と HAQ-DI の変化量を「低」，DAS28-ESR 寛解達成割合を「非常に低」とそれぞれ評価した．

重篤な有害事象，重篤な感染症に関しては，「バイアスのリスク」において評価者の盲検性が確保されていないことがいずれも深刻な問題とされ，「非一貫性」と「非直接性」はいずれも深刻ではなく，「不精確さ」はいずれも RR の 95%CI が「相当な利益」または「相当な害」とみなされる基準の 0.75 と 1.25 の双方を含んでおり非常に深刻と判断し，エビデンスの確実性は「非常に低」と評価した．

重大なアウトカムに関する介入の効果は，利益がわずかに増加，害が中程度に増加で，異なる方向となるため，重大なアウトカムの中でエビデンスの確実性の最も低い「非常に低」とした．

4) 推奨の強さ決定の理由

① 利益と害のバランスの評価

望ましい効果の程度は「わずか」で，一方で望ましくない効果の程度は「中」であることから，効果のバランスは RTX よりも比較対照（TNF 阻害薬）がおそらく優れているとした．重大なアウトカムの NNT は，DAS28-ESR 寛解達成が 52.6，ACR50 達成が 27.8 で，NNH は，重篤な有害事象が 40.0，重篤な感染症が 43.5 である．

② 患者の価値観・意向

患者アンケート（第 4 章 2）の結果を参照とした．一般的な患者は関節炎改善と重篤有害事象の両者に価値をおくと考えられ，本診療ガイドラインでは，リウマチ専門医の投票によって意思決定に重大と判断されたアウトカムを選択しており，アウトカムに対する価値観の重要性に関するばらつきは少ないものと考えられる．

③ コスト

採用された論文では，QALY（EQ-5D AUC）は RTX 群で 0.454，TNF 阻害薬群で 0.481（p＝0.25）であり，治療費は RTX 群で €8,391，TNF 阻害薬群で €10,356（p＜0.0001）と RTX 治療が安価であった．日本で RTX は RA に対し保険適用外である．他の適応症に対する薬価は，リツキサン® 点滴静注 100mg が 21,609.00 円/瓶，リツキサン® 点滴静注 500mg が 105,563.00 円/瓶である（2023 年 4 月現在）．なお，参考までにこの薬価をもとに，海外での RA に対する用法用量（1,000mg×2 回/コース，6 か月毎）を適用した場合，RTX 1 コースあたりの薬価総額は 422,252.00 円，3 割負担の患者で個人負担額は 126,675.60 円，年間の薬価総額は 844,504.00 円，3 割負担の患者で自己負担額は 253,351.20 円である．これに注射料と化学療法加算などが加わる可能性があり，さらに加入保険や年齢，収入によって自己負担は異なる．

④ パネル会議での意見

パネル会議においては，csDMARD の効果が不十分な場合に RTX は TNF 阻害薬と同程度の有効性が認められる可能性が示唆されているものの，安全性においては TNF 阻害薬が優れている可能性が示唆されており，現時点では両者を比較したエビデンスが少ないことなどを総合的に判断して，RTX より TNF 阻害薬の投与を推奨する（条件付き）．推奨の強さとしては「弱い」とした．日本で RTX は RA に対し保険適用外（2023 年 8 月現在）であるが，承認された場合，患者の自己負担額は高額であるものの国際的に RA 患者に使用されている RTX がわが国でも治療選択肢に加わることは患者および臨床医にとっておそらく有意義であり，当面は TNF 阻害薬が優先されるものの，特に LPD の既往など特定の背景を有する RA 患者にとっては，重要な選択肢となりうる．

5) 採用論文リスト

1) Porter D, et al：Lancet 2016；388（10041）：239-247.

6) 推奨作成関連資料一覧 （推奨作成関連資料 3 に掲載）

資料 A　RA CQ21　文献検索式

資料 B　RA CQ21　文献検索フローチャート

資料 C　RA CQ21　バイアスのリスク

資料 D　RA CQ21　エビデンスプロファイル

資料 E　RA CQ21　フォレストプロット

資料 F　RA CQ21　Evidence to Decision テーブル

■参考文献

1）日本リウマチ学会編：関節リウマチ診療ガイドライン

2020. 診断と治療社 2021.

2）Fraenkel L, et al：Arthritis Care Res（Hoboken）2021；73：924-939.

3）Studenic P, et al：Rheumatology（Oxford）2022；61：2815-2825.

RA 推奨22

2024 NEW   RTX 4

推奨文

1剤以上の TNF 阻害薬が使えないまたは効果不十分で中等度以上の疾患活動性を有する RA 患者に，MTX と RTX の併用を推奨する（条件付き）．ただし，保険適用外使用を考慮する際には，現在臨床試験中であり，国内のエビデンスが不足していること，患者背景などを十分に勘案する．

推奨の強さ **弱い**　エビデンスの確実性 **低**　パネルメンバーの同意度 **8.00**

RA CQ22

RTX を除く1剤以上の bDMARD が使えないまたは効果不十分で中等度以上の疾患活動性を有する RA 患者に，RTX は有用か？

サマリー	TNF 阻害薬が使えないまたは効果不十分で中等度以上の疾患活動性を有する RA 患者に，MTX と RTX の併用は有効性が期待できる．ただし，国内での RA 患者における重篤な感染症を含む安全性が確立していないことに注意が必要である．
注　記	RA 患者に RTX 投与は現時点では保険適用外であるが，海外ではおもに既存の bDMARD で効果不十分な例に使用され，ACR のガイドラインでは LPD の既往のある患者には条件付きで推奨されている．保険適用外使用を考慮する場合には，LPD の既往のある患者や作用機序の異なる複数の DMARD に不耐または効果不十分な患者などに限定して使用を検討することが望ましい．

1) 推奨の背景

RA の現在の標準治療は，まず MTX 含む csDMARD で治療を開始し，効果不十分な場合に追加治療を検討する（参考文献1）．追加治療の選択肢の1つである bDMARD で効果不十分な RA 患者に対して，国際的には抗 CD20 モノクローナル抗体製剤である RTX の追加併用は他の bDMARD 同様，選択肢の1つとなる．効果や副作用・コストの観点からその有用性を明らかにすることは重要である．

日本で RTX は RA に対し保険適用外であるが，世界的には RA に対し広く用いられている．ACR のガイドライン（参考文献2）では，RTX が承認されている悪性リンパ腫治療後の RA 患者に RTX 治療が条件付きで推奨されている．悪性リンパ腫，LPD の既往を有する RA 患者数はわが国でも増加しており，今後の RA 治療の選択肢を増やすうえでこの問題は重要である．現在，日本でも RA に対する RTX の臨床試験（治験）が行われているが，総合的な有用性はこれまで検討されていない．

2) エビデンスの要約

RA に対する RTX を対象として評価した．1900 年1月1日から 2022 年6月 30 日までの期間を設定し，PubMed，Cochrane Central Register of Controlled Trials，Embase，医学中央雑誌で報告された RA 患者における RTX に関する論文を系統的にレ

ビューし，重複を除いた 4,408 件が抽出された．これらのうち 16 件について詳細な検討を行い，本 CQ に関連する1件の RCT から1論文が同定された．

本 CQ における重大なアウトカムとして，治療開始 24 週後の DAS28 寛解達成割合，ACR50 達成割合，HAQ の変化量，重篤な有害事象および重篤な感染症を取り上げた．また，治療開始 52 週後の mTSS の変化量については報告がなかったが，24 週までの Genant mTSS の変化量についての報告があり，取り上げた．

プラセボ＋MTX と比較した，RTX＋MTX の 24 週時の望ましい効果は，DAS28 寛解達成の絶対効果が 1,000 人あたり 579 人増加，95%CI［20，1,000］，相対効果が RR＝37.16，95%CI［2.28，605.68］，ACR50 達成の絶対効果が 1,000 人あたり 219 人増加，95%CI［93，456］，相対効果が RR＝5.40，95%CI［2.87，10.16］，HAQ 変化量の絶対効果は MD＝−0.3，95%CI［−0.40，−0.20］，Genant mTSS 変化量の絶対効果は MD＝−0.60，95%CI［−1.14，−0.06］で，望ましい効果は「大きい」と判断した．

プラセボ＋MTX と比較した，RTX＋MTX の 24 週時の望ましくない効果は，重篤な有害事象が絶対効果として 1,000 人あたり 56 人減少，95%CI［−108，16］，相対効果として RR＝0.76，95%CI［0.54，1.07］，重篤な感染症が絶対効果として 1,000 人あたり8人増加，95%CI［−8，72］，相対効果として RR＝1.58，95%CI［0.41，6.05］で，望ましくない効果は「わずか」と判断した．

3) エビデンスの確実性

本推奨作成に用いたエビデンスについては，いずれもRCTに基づいている．

DAS28寛解達成割合については，「バイアスのリスク」「非一貫性」「非直接性」「その他の検討」では深刻な問題は認められなかったが，総サンプル数および総イベント数が小さいため「不精確さ」は深刻と判断し，エビデンスの確実性は「中」と評価した．

ACR50達成割合については，「バイアスのリスク」「非一貫性」「非直接性」「その他の検討」では深刻な問題は認められなかったが，総サンプル数および総イベント数が小さいため「不精確さ」は深刻と判断し，エビデンスの確実性は「中」と評価した．

HAQの変化量については，「バイアスのリスク」「非一貫性」「非直接性」「その他の検討」では深刻な問題は認められなかったが，平均差の95%CIがMCIDである−0.22を含んでいるため「不精確さ」は深刻と判断し，エビデンスの確実性は「中」と評価した．

Genant mTSSの変化量については，「バイアスのリスク」「非一貫性」「非直接性」「不精確さ」「その他の検討」では深刻な問題は認められなかったため，エビデンスの確実性は「高」と評価した．

重篤な有害事象に関しては，「バイアスのリスク」「非一貫性」「非直接性」「その他の検討」では深刻な問題は認められなかったが，RRの95%CIが「相当な利益」とみなされる基準の0.75を含んでおり，「不精確さ」は深刻と判断し，エビデンスの確実性は「中」と評価した．

重篤な感染症に関しては，「バイアスのリスク」「非一貫性」「非直接性」「その他の検討」では深刻な問題は認められなかったが，RRの95%CIが「相当な利益」または「相当な害」とみなされる基準の0.75と1.25の双方を含んでおり，「不精確さ」は非常に深刻と判断し，エビデンスの確実性は「低」と評価した．

重大なアウトカムにおける介入の効果は患者にとって異なる方向となるため，アウトカム全般のエビデンスの確実性は，重大なアウトカムの中でエビデンスの確実性の最も低い「低」とした．

4) 推奨の強さ決定の理由

① 利益と害のバランスの評価

RTXとMTXの併用開始24週時の疾患活動性改善効果は，DAS28寛解達成のNNTが1.7，ACR50達成のNNTが4.6であった．HAQ変化量に関してはMD＝−0.3，95%CI［−0.40，−0.20］であり，RAにおけるHAQのMCIDである−0.22（参考文献3）を超えているが，平均差の95%CIをまたぎ，利益の効果の確実性は低い．

一方，有害事象に関しては，RCTにおいては，24週時までのRTX＋MTXはプラセボ＋MTXと比べて，重篤な有害事象は減少，一方，重篤な感染症のNNHが125.0であり，害の効果はわずかに認められた．

RTX使用にあたっては，重篤な有害事象に留意が必要であるが，総合的にRTXとMTXの併用投与による望ましくない効果が望ましい効果を上回ることはないと考え，おそらくプラセボ＋MTXよりも，RTX＋MTXが優れていると考えられた．

② 患者の価値観・意向

患者アンケート（第4章2）の結果では，bDMARD全般（単剤投与も含む）について，「良い効果があった」との回答は89.5%（667/745人）で，「良い効果がなかった」との回答は2.1%（16/745人），「どちらともいえない」との回答が7.2%（54/745人）であった．副作用については「弱い」が47.1%（351/745人），「強い」が15.3%（114/745人），「どちらともいえない」が34.9%（260/745人）であった．投与を受けて「良い点のほうが多い」が74.2%（553/745人），「悪い点のほうが多い」3.2%（24/745人），「どちらともいえない」20.7%（154/745人）と，患者が感じる利益が害を上回る結果であった．一般的な患者は関節炎改善と重篤な有害事象の両者に価値をおくと考えられ，本診療ガイドラインでは，リウマチ専門医の投票によって意思決定に重大と判断されたアウトカムを選択しており，アウトカムに対する価値観の重要性に関するばらつきは少ないものと考えられる．

③ コスト

QALYなど費用対効果に対する日本の論文，エビデンスはない．日本でRTXはRAに対し保険適用外である．

参考までに他の適応症に対する薬価は，リツキサン®点滴静注100mgが21,609.00円/瓶，リツキサン®点滴静注500mgが105,563.00円/瓶である（2023年4月現在）．RTXは1コース（1g×2回）422,252.00円となり，3割負担の患者で計算すると個人負担は6か月毎126,675.60円となる．

④ パネル会議での意見

本推奨作成に採用された1研究1論文において，RTXと併用されたcsDMARDはMTXのみであったため，推奨文ではcsDMARDをMTXと記載した．パネル会議においては，RTXはわが国ではRAに対して臨床試験（治験）中で保険適用外であり，単に「使用を推奨する」との表現は強すぎるのではないか，との意見が出された．以上を総合的に判断して，「保険適用外使用を考慮する際には，現在臨床試験中であり国内のエビデンスが不足していること，患者背景などを十分勘案する」とただし書きを推奨文に加えることとした．また，本診療ガイドラインの対象とする薬剤の範囲を保険適用にかかわらず検討した旨をガイドライン中に明記することとした．

5) 採用論文リスト

1）Cohen SB, et al：Arthritis Rheum 2006；54：2793-2806.

6) 推奨作成関連資料一覧 （推奨作成関連資料 3 に掲載）

資料 A　RA CQ22　文献検索式

資料 B　RA CQ22　文献検索フローチャート

資料 C　RA CQ22　バイアスのリスク

資料 D　RA CQ22　エビデンスプロファイル

資料 E　RA CQ22　フォレストプロット

資料 F　RA CQ22　Evidence to Decision テーブル

■参考文献

1）日本リウマチ学会編：関節リウマチ診療ガイドライン 2020. 診断と治療社 2021.

2）Fraenkel L, et al：Arthritis Rheumatol 2021；73：1108-1123.

3）Wolfe F, et al：J Rheumatol 2005；32：583-589.

RA 推奨23

推奨文

RTX を除く 1 剤以上の bDMARD が使えないまたは効果不十分で中等度以上の疾患活動性を有する RA 患者に，MTX と RTX の併用より，MTX と他の bDMARD の併用を推奨する（条件付き）．RTX の保険適用外使用を考慮する際には，現在臨床試験中であり，国内のエビデンスが不足していること，患者背景などを十分に勘案する．

推奨の強さ **弱い**　エビデンスの確実性 **非常に低**　パネルメンバーの同意度 **8.08**

RA CQ23

RTX を除く 1 剤以上の bDMARD が使えないまたは効果不十分で中等度以上の疾患活動性を有する RA 患者に，RTX は他の bDMARD と比べ有用か？

サマリー	bDMARD が使えないまたは効果不十分な RA 患者に，MTX と RTX の併用は，MTX と他の bDMARD の併用と比較し，望ましい効果と望ましくない効果のバランスは様々である．RTX 使用時には，国内での RA 患者における重篤な感染症を含む安全性が確立していないことに注意が必要である．
注　記	国内での使用実績をふまえて，MTX と RTX の併用よりも，MTX と他の bDMARD の併用を条件付きで推奨する．RA 患者に RTX 投与は現時点では保険適用外であるが，海外ではおもに既存の bDMARD で効果不十分な例に使用され，ACR のガイドラインでは LPD の既往のある患者には条件付きで推奨されている．保険適用外使用を考慮する場合には，LPD の既往のある患者や作用機序の異なる複数の DMARD に不耐または効果不十分な患者などに限定して使用を検討することが望ましい．

1) 推奨の背景

RA の現在の標準治療は，まず MTX またはその他の csDMARD で治療を開始し，効果不十分な場合に追加治療を検討する（参考文献 1）．追加治療の選択肢の 1 つである bDMARD で効果不十分な RA 患者に対して，国際的には抗 CD20 モノクローナル抗体製剤 RTX の追加併用は他の bDMARD と同様に選択肢の 1 つとなる．効果や副作用・コストの観点からその有用性を明らかにすることは重要である．

日本で RTX は RA に対し保険適用外であるが，世界的には RA に対し広く用いられている．ACR のガイドライン（参考文献 2）では，RTX が承認されている悪性リンパ腫治療後の RA 患者に RTX 治療が条件付きで推奨されている．悪性リンパ腫，LPD の既往を有する RA 患者数はわが国でも増加しており，今後の RA 治療の選択肢を増やすうえでこの問題は重要である．現在，日本でも RA に対する RTX の臨床試験（治験）が行われているが，総合的な有用性はこれまで検討されていない．

2) エビデンスの要約

RA に対する RTX を対象として評価した．1900 年 1 月 1 日から 2022 年 6 月 30 日までの期間を設定し，PubMed，Cochrane Central Register of Controlled Trials，Embase，医学中央雑誌で報告された RA 患者における RTX に関する論文を系統的にレビューし，重複を除いた 4,408 件が抽出された．これらのうち 11 件について詳細な検討を行い，本 CQ に関連する 3 件の RCT から 3 論文が同定された．

本 CQ における重大なアウトカムとして，治療開始 24 週時の DAS28 寛解達成割合，ACR50 達成割合，HAQ の変化量，重篤な有害事象および重篤な感染症を取り上げた．また，治療開始 52 週時の mTSS 変化量については報告がなかった．

他の bDMARD と csDMARD の併用と比較した，RTX と csDMARD 併用の 24 週時の望ましい効果は，DAS28 寛解達成の絶対効果が 1,000 人あたり 14 人増加，95%CI ［−53, 141］，相対効果が RR = 1.11，95%CI ［0.58, 2.12］，ACR50 達成の絶対効果が 1,000 人あたり 111 人減少，95%CI ［−163, 59］，相対効果が RR = 0.40，95%CI ［0.12, 1.32］，HAQ 変化量の絶対効果は MD = 0.1，95%CI ［0.06, 0.13］で，望ましい効果は「様々」と判断した．

他の bDMARD と csDMARD の併用と比較した，RTX と csDMARD 併用の 48 週時の望ましくない効果は，重篤な有害事象が絶対効果として 1,000 人あたり 2 人減少，95%CI ［−42, 88］，相対効果は RR = 0.97，95%CI ［0.43, 2.19］，重篤な感染

症が絶対効果として1,000人あたり0人と不変, 95%CI[−22, 243], 相対効果としてRR=1.02, 95%CI[0.10, 10.97]で, 望ましくない効果は「わずか」と判断した.

3) エビデンスの確実性

本推奨作成に用いたエビデンスについては, いずれもRCTに基づいている.

DAS28寛解達成割合（24週時）については,「非一貫性」「非直接性」「その他の検討」では深刻な問題は認められなかったが, アウトカム評価者の盲検化が不十分であるため「バイアスのリスク」は非常に深刻と判断し, また, RRの95%CIの下限と上限が,「相当な害」または「相当な利益」とみなされる基準の0.75と1.25の双方を含んでおり,「不精確さ」は非常に深刻と判断し, エビデンスの確実性は「非常に低」と評価した.

ACR50達成割合については,「非一貫性」「非直接性」「その他の検討」では深刻な問題は認められなかったが, アウトカム評価者の盲検化が不十分であるため「バイアスのリスク」は非常に深刻と判断し, また, RRの95%CIの下限と上限が,「相当な害」または「相当な利益」とみなされる基準の0.75と1.25の双方を含んでおり「不精確さ」は非常に深刻と判断し, エビデンスの確実性は「非常に低」と評価した.

HAQの変化量については「非一貫性」「非直接性」「その他の検討」では深刻な問題は認められなかったが, アウトカム評価者の盲検化が不十分であるため「バイアスのリスク」は非常に深刻と判断し, また, 総サンプル数が小さいため「不精確さ」は深刻と判断し, エビデンスの確実性は「非常に低」と評価した.

重篤な有害事象に関しては「非一貫性」「非直接性」「その他の検討」では深刻な問題は認められなかったが, アウトカム評価者の盲検化が不十分であるため「バイアスのリスク」は非常に深刻と判断し, また, RRの95%CIの下限と上限が,「相当な利益」または「相当な害」とみなされる基準の0.75と1.25の双方を含んでおり,「不精確さ」は非常に深刻と判断し, エビデンスの確実性は「非常に低」と評価した.

重篤な感染症に関しては,「非一貫性」「その他の検討」では深刻な問題は認められなかったが, アウトカム評価者の盲検化が不十分であるため「バイアスのリスク」は非常に深刻と判断し, また, 重症感染症として報告されたものであるため「非直接性」は深刻と判断し, さらに, RRの95%CIの下限と上限が,「相当な利益」または「相当な害」とみなされる基準の0.75と1.25の双方を含んでおり「不精確さ」は非常に深刻と判断し, エビデンスの確実性は「非常に低」と評価した.

重大なアウトカムにおける介入の効果は患者にとって異なる方向であり, それぞれのエビデンスの確実性は「低」または「非常に低」であるため, 重大なアウトカムの中でエビデンスの確

実性の最も低い「非常に低」とした.

4) 推奨の強さ決定の理由

① 利益と害のバランスの評価

RTXとcsDMARDの併用開始24週時の疾患活動性改善効果は, DAS28寛解達成のNNTが71.4, ACR50達成割合は悪化と絶対指標において様々である. HAQ変化量に関してはMD＝0.1, 95%CI[0.06, 0.13]と悪化であった.

一方, RCTにおいては, 48週時までのRTXとcsDMARDの併用投与は他のbDMARDとcsDMARDの併用と比べて, 害の効果がわずかに減少した.

RTX使用にあたっては, 重篤な有害事象, 重篤な感染症に留意が必要であるが, 総合的に, 他のbDMARDとcsDMARDの併用と比べた, RTXとMTX/csDMARDの併用投与の望ましい効果と望ましくない効果のバランスは「わからない」と判断した.

② 患者の価値観・意向

患者アンケート（第4章2）の結果では, bDMARD全般（単剤投与も含む）について,「良い効果があった」との回答は89.5%（667/745人）で,「良い効果がなかった」との回答は2.1%（16/745人）,「どちらともいえない」との回答が7.2%（54/745人）であった. 副作用については「弱い」が47.1%（351/745人）,「強い」が15.3%（114/745人）,「どちらともいえない」が34.9%（260/745人）であった. 投与を受けて「良い点のほうが多い」が74.2%（553/745人）,「悪い点のほうが多い」が3.2%（24/745人）,「どちらともいえない」が20.7%（154/745人）と, 患者が感じる利益が害を上回る結果であった. 一般的な患者は, 関節炎改善と重篤な有害事象の両者に価値をおくと考えられ, 本診療ガイドラインでは, リウマチ専門医の投票によって意思決定に重大と判断されたアウトカムを選択しており, アウトカムに対する価値観の重要性に関するばらつきは少ないものと考えられる.

③ コスト

QALYなど費用対効果に対する日本の論文, エビデンスはない. 日本でRTXはRAに対し保険適用外である.

参考までに他の適応症に対する薬価は, リツキサン®点滴静注100mgが21,609.00円/瓶, リツキサン®点滴静注500mgが105,563.00円/瓶である（2023年4月現在）.

④ パネル会議での意見

採用された研究においてRTXと併用されたcsDMARDは, 3論文中2論文で全例がMTXで, 残り1論文では75～83%の症例がcsDMARDで, そのうちの75～91%がMTXであった. そのため, 推奨文ではcsDMARDをMTXと記載した. パネル会議においては, わが国ではRAに対するRTXの臨床試験（治験）が進行中の段階で保険適用外であり, 単に「使用を推奨す

る」との表現は強すぎるのではないか，との意見が出された．また，今回のエビデンスを考慮しても臨床現場では RTX よりも実績が豊富な RTX 以外の bDMARD が選択される可能性が高い，との意見もふまえて，MTX と RTX の併用よりも，MTX と他の bDMARD の併用を条件付きで推奨し，「保険適用外使用を考慮する際には，現在臨床試験中であり国内のエビデンスが不足していること，患者背景などを十分勘案する」とただし書きを推奨文に加えることとした．本診療ガイドラインの対象とする薬剤の範囲を保険適用にかかわらず検討した旨をガイドライン中に明記することとした．

5）採用論文リスト

1）Humby F, et al：Lancet 2021；397：305-317.

2）Manders SH, et al：Arthritis Res Ther 2015；17：134.

3）Brown S, et al：Health Technol Assess 2018；22：1-280.

6）推奨作成関連資料一覧（推奨作成関連資料 3 に掲載）

資料 A　RA CQ23　文献検索式

資料 B　RA CQ23　文献検索フローチャート

資料 C　RA CQ23　バイアスのリスク

資料 D　RA CQ23　エビデンスプロファイル

資料 E　RA CQ23　フォレストプロット

資料 F　RA CQ23　Evidence to Decision テーブル

■参考文献

1）日本リウマチ学会編：関節リウマチ診療ガイドライン 2020．診断と治療社 2021．

2）Fraenkel L, et al：Arthritis Rheumatol 2021；73：1108-1123.

RA 推奨 24

推奨文

MTX で効果不十分で中等度以上の疾患活動性を有する RA 患者に，短期的治療において，JAK 阻害薬の単剤投与を推奨する（条件付き）．

推奨の強さ　**弱い**　エビデンスの確実性　**高**　パネルメンバーの同意度　**8.15**

RA CQ24

MTX で効果不十分で中等度以上の疾患活動性を有する RA 患者に，短期的治療において，JAK 阻害薬の単剤投与は有用か？

サマリー	MTX で効果不十分で中等度以上の疾患活動性を有する RA 患者に，JAK 阻害薬の単剤投与は 12 週間では望ましい効果が望ましくない効果を上回る．リサーチエビデンスに加え，わが国の全例 PMS の短期治療期間である 24 週時の中間解析結果を参考に総合的に判断して，害が利益を大きく上回ることはないと考えられる．
注　記	JAK 阻害薬の安全性は世界的な議論の途上にあり，わが国の全例 PMS の正式な最終結果が出揃っていないことから，現時点では条件付き推奨とする．使用時には，感染症，悪性腫瘍，心血管イベント，静脈血栓症などに注意する．また，JAK 阻害薬は，可能であれば MTX との併用が望ましい．

1）推奨の背景

RA の現在の標準治療は，まず MTX で治療を開始し，効果不十分な場合に追加治療を検討する（参考文献 1）．MTX で効果不十分な患者に JAK 阻害薬の追加治療が有用かを検討することは，治療方針決定に重要である．JAK は I 型および II 型サイトカイン受容体からの細胞内シグナル伝達を担うチロシンキナーゼであり，JAK 阻害薬は RA 病態に関連する複数のサイトカインを阻害して有効性を発揮する．また，低分子化合物であるため経口投与可能，保管に際し冷蔵が不要，半減期が短く有害事象出現時に速やかに内服を中止可能といった特徴をもつ．日本で RA に承認された JAK 阻害薬は 5 種類で，日本でのみ承認されている JAK 阻害薬もあるが，総合的な有用性はこれまで検討されていない．MTX で効果不十分な RA 患者に対する JAK 阻害薬単剤投与の有効性と安全性について，治療を進めるうえで参考となるエビデンスが求められる．

2）エビデンスの要約

わが国で RA に承認されている 5 種類の JAK 阻害薬，TOF，BARI，PEFI，UPA，FIL を対象として評価した．1900 年 1 月 1 日から 2022 年 6 月 30 日までの期間を設定し，PubMed，Cochrane Central Register of Controlled Trials，Embase，医学中央雑誌で報告された RA 患者における JAK 阻害薬（TOF，BARI，PEFI，UPA，FIL）に関する論文を系統的にレビューし，重複を除いた 4,329 件が抽出された．これらのうち 60 件について詳細な検討を行い，本 CQ に関連する 6 件の RCT から 10 論文が同定された．アウトカム評価は論文の対象薬である JAK 阻害薬 3 剤（TOF，PEFI，FIL）を統合して行った．

本 CQ における重大なアウトカムとして，治療開始 12 週時の ACR50 達成割合，DAS28-CRP 寛解達成割合，HAQ の変化量，重篤な有害事象および重篤な感染症を取り上げた．

プラセボと比較した，JAK 阻害薬単剤の 12 週時の望ましい効果は，ACR50 達成の絶対効果が 1,000 人あたり 240 人増加，95%CI [146, 369]，相対効果が RR = 3.35，95%CI [2.43, 4.61]，HAQ 変化量の絶対効果は MD = − 0.4，95%CI [− 0.56, − 0.23]，DAS28-CRP 寛解達成の絶対効果が 1,000 人あたり 145 人増加，95%CI [76, 256]，相対効果が RR = 3.35，95%CI [2.19, 5.15] で，「中」と判断した．

プラセボと比較した，JAK 阻害薬単剤の 12 週時の望ましくない効果は，重篤な有害事象が絶対効果として 1,000 人あたり 15 人減少，95%CI [− 28, 28]，相対効果は RR = 0.57，95%CI [0.18, 1.81]，重篤な感染症が絶対効果として 1,000 人あたり 0 人と不変，95%CI [− 2, 23]，相対効果として RR = 1.12，95%CI [0.12, 10.59] で，望ましくない効果はわずかだったが，参考となる全例 PMS の結果では重篤な有害事象が 24 週までに 4.29〜4.91%，重篤な感染症が 1.90〜2.88%（4.87〜6.64/人年）であり，総合して「小さい」と判断した．

3）エビデンスの確実性

本推奨作成に用いたエビデンスについては，いずれも RCT に

基づいている.

ACR50 達成割合, DAS28-CRP 寛解達成割合については,「バイアスのリスク」「非一貫性」「非直接性」「その他の検討」では深刻な問題は認められなかったが, 総サンプル数, イベント発生の総数が少ないため「不精確さ」に深刻な問題があると判断し, エビデンスの確実性は「中」と評価した. HAQ の変化量については,「バイアスのリスク」「非一貫性」「非直接性」「不精確さ」「その他の検討」のいずれも深刻な問題は認めず, エビデンスの確実性は「高」と評価した.

重篤な有害事象, 重篤な感染症については,「バイアスのリスク」「非一貫性」「非直接性」「その他の検討」では深刻な問題は認められなかったが, RR の 95%CI が「相当な利益」または「相当な害」とみなされる基準の 0.75 と 1.25 の双方を含んでおり,「不精確さ」は非常に深刻と判断し, エビデンスの確実性は「低」と評価した.

重大なアウトカムに関する介入の効果は, 利益が中程度に増加, 害が減少または不変で, 同じ方向となるため, 重大なアウトカムの中でエビデンスの確実性の最も高い「高」とした.

4）推奨の強さ決定の理由

① 利益と害のバランスの評価

JAK 阻害薬単剤開始 12 週時の疾患活動性改善効果は, ACR50 達成の NNT が 4.2, DAS28-CRP 寛解達成の NNT が 6.9 であった. HAQ 変化量に関しては MD = −0.4, 95%CI［−0.56, −0.23］であり, 最小の効果であっても RA における HAQ の MCID である −0.22（参考文献 2）と同等の効果が期待できる.

一方, 有害事象に関しては, RCT においては, 12 週時までの JAK 阻害薬単剤投与の重篤な有害事象はプラセボと比べて減少, 重篤な感染症は不変であり, 害の効果はないと考えられた. RCT とは別に, わが国では TOF および BARI の全例 PMS の結果が適正使用情報として公表されている. 本 CQ とは対象が異なる MTX/csDMARD 併用治療も含まれているが, 24 週時のデータを参考とした. TOF の全例 PMS では, 24 週時に 6,866 例が安全性解析の対象となった. 平均年齢 63.0 歳, 女性 5,471 例（79.7%）で, 開始後 24 週間の観察では, 重篤な有害事象は 4.91%（337/6,866 例）, 重篤な感染症は 2.88%（198/6,866 例, 発生率 6.64/100 人年）であった（参考文献 3）. BARI の全例 PMS では, 24 週時に 4,731 例が安全性解析の対象となった. 平均年齢 63.9 歳, 女性 3,799 例（80.3%）. 開始後 24 週間の観察で, 重篤な有害事象は 4.29%（203/4,731 例, 発生率 13.42/100 人年）, 重篤な感染症は 1.90%（90/4,731 例, 発生率 4.87/100 人年）であった（参考文献 4）.

JAK 阻害薬使用にあたっては, 重篤な有害事象および重篤な感染症に留意が必要であるが, 総合的に JAK 阻害薬単剤投与による望ましくない効果が望ましい効果を上回ることはないと考えられる.

② 患者の価値観・意向

患者アンケート（第 4 章 2）の結果では, JAK 阻害薬全般（単剤投与も含む）について,「良い効果があった」との回答は 65.7%（44/67 人）で,「良い効果がなかった」との回答は 14.9%（10/67 人）,「どちらともいえない」との回答は 19.4%（13/67 人）であった. 有害事象については「弱い」が 35.8%（24/67 人）,「強い」が 22.4%（15/67 人）,「どちらともいえない」が 40.3%（27/67 人）であった. 投与を受けて「良い点のほうが多い」が 49.3%（27/67 人）,「悪い点のほうが多い」が 10.4%（7/67 人）,「どちらともいえない」が 40.3%（27/67 人）と, 患者が感じる利益が害を上回る結果であった. 一般的な患者は, 関節炎改善と重篤な有害事象の両者に価値をおくと考えられ, 本診療ガイドラインでは, リウマチ専門医の投票によって, 意思決定に重大と判断されたアウトカムを選択しており, アウトカムに対する価値観の重要性に関するばらつきは少ないものと考えられる.

③ コスト

QALY など費用対効果に対する日本の論文, エビデンスはない. しかし, JAK 阻害薬の RA に対する 1 日の常用量を TOF 10mg, BARI 4mg, PEFI 150mg, UPA 15mg, FIL 200mg とすると, 薬価はそれぞれ 5,319.80 円, 5,274.90 円, 4,577.80 円, 5,089.20 円, 4,893.60 円で（2023 年 4 月現在）, 他の DMARD と比較して高価である.

④ パネル会議での意見

パネル会議においては, MTX の効果が不十分な場合に JAK 阻害薬単剤の有効性は認められるが, JAK 阻害薬の安全性が世界的に議論されている段階であることを考慮すべきとの意見が出された. 以上を総合的に判断して, 有効性に関しては確実な効果が期待でき, RA 患者を対象としたアンケートでも患者が感じる利益が害を上回る結果であったが, 重篤な有害事象および重篤な感染症も軽度の増加が認められること, 高コストであること, JAK 阻害薬の安全性は世界的な議論の途上にあること, わが国の全例 PMS の正式な最終結果が出揃っていないことから, 推奨の強さとしては「弱い」（条件付き）とすることとなった. 日本人における JAK 阻害薬の安全性のエビデンスは今後の全例 PMS やコホート研究などのデータを蓄積していく必要がある.

5）採用論文リスト

1) Fleischmann R, et al：Arthritis Rheum 2012；64：617-629.

2) Fleischmann R, et al：N Engl J Med 2012；367：495-507.

3) Takeuchi T, et al：Ann Rheum Dis 2016；75：1057-1064.

4) Tanaka Y, et al：Mod Rheumatol 2015；25：514-521.

5) Kavanaugh, A et al：Ann Rheum Dis 2017；76：1009-1019.

6）Genovese MC, et al：Arthritis Rheumatol 2017；69：932-942.

6) 推奨作成関連資料一覧 （推奨作成関連資料 3 に掲載）

資料 A　RA CQ24　文献検索式

資料 B　RA CQ24　文献検索フローチャート

資料 C　RA CQ24　バイアスのリスク

資料 D　RA CQ24　エビデンスプロファイル

資料 E　RA CQ24　フォレストプロット

資料 F　RA CQ24　Evidence to Decision テーブル

■参考文献

1）日本リウマチ学会編：関節リウマチ診療ガイドライン
2020. 診断と治療社，2021.

2）Wolfe F, et al：J Rheumatol 2005；32：583-589.

3）トファシチニブ適正使用情報Vol.14. ファイザー株式会社，
2020 年 1 月.

4）バリシチニブ適正使用情報Vol.7. 日本イーライリリー株式
会社，2022 年 11 月.

RA 推奨 25

推奨文

MTX で効果不十分で中等度以上の疾患活動性を有する RA 患者に，短期的治療において，MTX と JAK 阻害薬の併用を推奨する(条件付き).

推奨の強さ **弱い**　エビデンスの確実性 **低**　パネルメンバーの同意度 **8.38**

RA CQ25

MTX で効果不十分で中等度以上の疾患活動性を有する RA 患者に，短期的治療において，MTX と JAK 阻害薬の併用は有用か？

サマリー	MTX で効果不十分で中等度以上の疾患活動性を有する RA 患者に，MTX と JAK 阻害薬の併用は 12 週時では望ましい効果が望ましくない効果を上回る．リサーチエビデンスに加え，わが国の全例 PMS の短期治療期間である 24 週時の中間解析結果を参考に総合的に判断して，害が利益を大きく上回ることはないと考えられる．
注　記	JAK 阻害薬の安全性は世界的な議論の途上にあり，わが国の全例 PMS の正式な最終結果が出揃っていないことから，現時点では条件付き推奨とする．使用時には，感染症，悪性腫瘍，心血管イベント，静脈血栓症などに注意する．

1) 推奨の背景

RA の現在の標準治療は，まず MTX で治療を開始し，効果不十分な場合に追加治療を検討する（参考文献 1）．MTX で効果不十分な患者に JAK 阻害薬の追加治療が有用かを検討することは，治療方針決定に重要である．JAK は I 型および II 型サイトカイン受容体からの細胞内シグナル伝達を担うチロシンキナーゼであり，JAK 阻害薬は RA 病態に関連する複数のサイトカインを阻害して有効性を発揮する．また，低分子化合物であるため経口投与可能，保管に際し冷蔵が不要，半減期が短く有害事象出現時に速やかに内服を中止可能といった特徴をもつ．日本で RA に承認された JAK 阻害薬は 5 種類で，日本でのみ承認されている JAK 阻害薬もあるが，総合的な有用性はこれまで検討されていない．MTX で効果不十分な RA 患者に対する JAK 阻害薬併用の有効性と安全性について，治療を進めるうえで参考となるエビデンスが求められる．

2) エビデンスの要約

わが国で RA に承認されている 5 種類の JAK 阻害薬，TOF，BARI，PEFI，UPA，FIL を対象として評価した．1900 年 1 月 1 日から 2022 年 6 月 30 日までの期間を設定し，PubMed，Cochrane Central Register of Controlled Trials，Embase，医学中央雑誌で報告された RA 患者における JAK 阻害薬（TOF，BARI，PEFI，UPA，FIL）に関する論文を系統的にレビューし，重複を除いた 267 件が抽出された．これらのうち 95 件について詳細な検討を行い，本 CQ に関連する 14 件の RCT から 60 論文が同定された．MTX を含む csDMARD を対象とした試験についても，MTX を使用した患者の割合が 7 割を超える研究は評価対象とした．アウトカム評価は JAK 阻害薬 5 剤を統合して行った．

本 CQ における重大なアウトカムとして，治療開始 12 週時の ACR50 達成割合，DAS28-CRP 寛解達成割合，HAQ の変化量，重篤な有害事象および重篤な感染症を取り上げた．

MTX と比較した，JAK 阻害薬と MTX 併用の 12 週時の望ましい効果は，ACR50 達成の絶対効果が 1,000 人あたり 289 人増加，95％CI［217，375］，相対効果が RR＝2.95，95％CI［2.46，3.53］，HAQ 変化量の絶対効果は MD＝−0.31，95％CI［−0.35，−0.28］，DAS28-CRP 寛解達成の絶対効果が 1,000 人あたり 208 人増加，95％CI［152，277］，相対効果が RR＝3.62，95％CI［2.91，4.49］で，「大きい」と判断した．

MTX と比較した，JAK 阻害薬と MTX 併用の 12 週時の望ましくない効果は，重篤な有害事象が絶対効果として 1,000 人あたり 5 人増加，95％CI［−6，27］，相対効果として RR＝1.28，95％CI［0.69，2.39］，重篤な感染症が絶対効果として 1,000 人あたり 2 人増加，95％CI［0，10］，相対効果として RR＝2.83，95％CI［0.80，10.06］で，効果は小さかったが，参考となる全例 PMS 結果では重篤な有害事象が 24 週までに 4.3〜4.91％，重篤な感染症が 1.9〜2.88％（4.87〜6.64/人年）であり，総合として「中」と判断した．

3) エビデンスの確実性

本推奨作成に用いたエビデンスについては，いずれも RCT に基づいている．

ACR50 達成割合，DAS28-CRP 寛解達成割合，HAQ の変化量については，「バイアスのリスク」「非一貫性」「非直接性」「不精確さ」「その他の検討」のいずれも深刻ではなく，エビデンスの確実性は「高」と評価した．

重篤な有害事象に関しては，「バイアスのリスク」「非一貫性」「非直接性」「その他の検討」では深刻な問題は認められなかったが，RR の 95%CI が「相当な利益」または「相当な害」とみなされる基準の 0.75 と 1.25 の双方を含んでおり，「不精確さ」は非常に深刻と判断し，エビデンスの確実性は「低」と評価した．重篤な感染症に関しては，「バイアスのリスク」「非一貫性」「非直接性」「その他の検討」では深刻な問題は認められなかったが，RR の 95%CI が「相当な害」とみなされる基準の 1.25 を含んでおり，「不精確さ」は深刻と判断し，エビデンスの確実性は「中」と評価した．

重大なアウトカムに関する介入の効果は，利益が大きく増加，害が中程度に増加で，異なる方向となるため，重大なアウトカムの中でエビデンスの確実性の最も低い「低」とした．

4) 推奨の強さ決定の理由

① 利益と害のバランスの評価

JAK 阻害薬と MTX/csDMARD の併用開始 12 週時の疾患活動性改善効果は，ACR50 達成の NNT が 3.4，DAS28-CRP 寛解達成の NNT が 4.8 であった．HAQ 変化量に関しては MD＝−0.31，95%CI［−0.31，−0.28］であり，最小の効果であっても RA における HAQ の MCID である−0.22（参考文献 2）と同等の効果が期待できる．

一方，有害事象に関しては，RCT においては，12 週時までの JAK 阻害薬と MTX の併用投与は MTX と比べて，重篤な有害事象の NNH が 166.7，重篤な感染症の NNH が 500.0 であり，確実性は低いが害の効果が認められた．さらに，わが国では TOF および BARI の全例 PMS の結果が適正使用情報として公表されており，本 CQ とは対象が異なる単剤治療も含まれているが，24 週時のデータを参考とした．TOF の全例 PMS では，24 週時に 6,866 例が安全性解析の対象となった．平均年齢 63.0 歳，女性 5,471 例（79.7%）で，開始後 24 週間の観察では，重篤な有害事象は 4.91%（337/6,866 例），重篤な感染症は 2.88%（198/6,866 例，発生率 6.64/100 人年）であった（参考文献 3）．BARI の全例 PMS では，24 週時に 4,731 例が安全性解析の対象となった．平均年齢 63.9 歳，女性 3,799 例（80.3%）．開始後 24 週間の観察で，重篤な有害事象は 4.3%（203/4,731 例，発生率 13.42/100 人年），重篤な感染症は 1.9%（90/4,731 例，発生率

4.87/100 人年）であった（参考文献 4）．

JAK 阻害薬使用にあたっては，重篤な有害事象および重篤な感染症に留意が必要であるが，総合的に JAK 阻害薬と MTX/csDMARD の併用投与による望ましくない効果が望ましい効果を上回ることはないと考えられる．

② 患者の価値観・意向

患者アンケート（第 4 章 2）の結果では，JAK 阻害薬全般（単剤投与も含む）について，「良い効果があった」との回答は 65.7%（44/67 人）で，「良い効果がなかった」との回答は 14.9%（10/67 人），「どちらともいえない」との回答は 19.4%（13/67 人）であった．副作用については「弱い」が 35.8%（24/67 人），「強い」が 22.4%（15/67 人），「どちらともいえない」が 40.3%（27/67 人）であった．投与を受けて「良い点のほうが多い」が 49.3%（27/67 人），「悪い点のほうが多い」10.4%（7/67 人），「どちらともいえない」40.3%（27/67 人）と，患者が感じる利益が害を上回る結果であった．一般的な患者は，関節炎改善と重篤な有害事象の両者に価値をおくと考えられ，本診療ガイドラインでは，リウマチ専門医の投票によって意思決定に重大と判断されたアウトカムを選択しており，アウトカムに対する価値観の重要性に関するばらつきは少ないものと考えられる．

③ コスト

QALY など費用対効果に対する日本の論文，エビデンスはない．しかし，JAK 阻害薬の RA に対する 1 日の常用量を TOF 10mg，BARI 4mg，PEFI 150mg，UPA 15mg，FIL 200mg とすると，薬価はそれぞれ 5,319.80 円，5,274.90 円，4,577.80 円，5,089.20 円，4,893.60 円で（2023 年 4 月現在），他の DMARD と比較して高価である．

④ パネル会議での意見

パネル会議においては，MTX の効果が不十分な場合に JAK 阻害薬と MTX の併用の有効性は認められるが，JAK 阻害薬の安全性が世界的に議論されている段階であることを考慮すべきとの意見が出された．以上を総合的に判断して，有効性に関しては確実な効果が期待でき，RA 患者を対象としたアンケートでも患者が感じる利益が害を上回る結果であったが，重篤な有害事象および重篤な感染症も軽度の増加が認められること，高コストであること，JAK 阻害薬の安全性は世界的な議論の途上にあること，わが国の全例 PMS の正式な最終結果が出揃っていないことから，推奨の強さとしては「弱い」（条件付き）とすることとなった．日本人における JAK 阻害薬と MTX 併用療法の安全性のエビデンスとして，今後の全例 PMS やコホート研究などのデータを蓄積していく必要がある．

5) 採用論文リスト

1) Tanaka Y, et al：Arthritis Care Res 2011；63：1150-1158.

2) Kremer JM, et al：Arthritis Rheum 2012；64：970-981.

3）Vollenhoven RF, et al：N Engl J Med 2012；367：508-519.

4）van der Heijde D, et al：Arthritis Rheum 2013；65：559-570.

5）Keystone EC, et al：Ann Rheum Dis 2015；74：333-340.

6）Genovese MC, et al：N Engl J Med 2016；374：1243-1252.

7）Tanaka Y, et al：J Rheumatol 2016；43：504-511.

8）Kivitz AJ, et al：Arthritis Rheumatol 2017；69：709-719.

9）Taylor PC, et al：N Engl J Med 2017；376：652-662.

10）Westhovens R, et al：Ann Rheum Dis 2017；76：998-1008.

11）Fleischmann R, et al：Arthritis Rheumatol 2019；71：1788-1800.

12）Takeuchi T, et al：Ann Rheum Dis 2019；78：1305-1319.

13）Li Z, et al：Clin Exp Rheumatol 2020；38：732-741.

14）Combe B, et al：Ann Rheum Dis 2021；80：848-858.

6）推奨作成関連資料一覧 <small>（推奨作成関連資料 3 に掲載）</small>

資料 A　RA CQ25　文献検索式

資料 B　RA CQ25　文献検索フローチャート

資料 C　RA CQ25　バイアスのリスク

資料 D　RA CQ25　エビデンスプロファイル

資料 E　RA CQ25　フォレストプロット

資料 F　RA CQ25　Evidence to Decision テーブル

■**参考文献**

1）日本リウマチ学会編：関節リウマチ診療ガイドライン 2020. 診断と治療社 2021.

2）Wolfe F, et al：J Rheumatol 2005；32：583-589.

3）トファシチニブ適正使用情報Vol.14. ファイザー株式会社, 2020 年 1 月.

4）バリシチニブ適正使用情報Vol.7. 日本イーライリリー株式会社, 2022 年 11 月.

RA 推奨 26

推奨文

MTX で効果不十分で中等度以上の疾患活動性を有する RA 患者に，短期的治療において，MTX と JAK 阻害薬の併用と，MTX と TNF 阻害薬の併用を同等に推奨する（条件付き）．

推奨の強さ　**弱い**　　エビデンスの確実性　**低**　　パネルメンバーの同意度　**8.17**

RA CQ26

MTX で効果不十分で中等度以上の疾患活動性を有する RA 患者に，短期的治療において，MTX と JAK 阻害薬の併用は，MTX と TNF 阻害薬の併用に比べ有用か？

サマリー	MTX で効果不十分な RA 患者では，MTX と TNF 阻害薬の併用に比して，MTX と JAK 阻害薬の併用の 24 週時での望ましい効果は「小さい」が，望ましくない効果は 24 週時では様々で，1 年時では軽度増加する傾向があるため，総合的な判断として望ましくない効果は「小さい」とした．リサーチエビデンスに加え，わが国の全例 PMS の 24 週時中間解析結果を参考に総合的に判断して，1 年までの短期治療においては，MTX と JAK 阻害薬の併用と，MTX と TNF 阻害薬の併用の有用性はほぼ同等であり，患者ごとに望ましい効果と望ましくない効果のバランスを考慮して判断する．
注　記	TNF 阻害薬を対照薬とした大規模な比較試験の結果の一部から JAK 阻害薬の安全性は世界的な議論の途上にあり，わが国の全例 PMS の正式な最終結果が出揃っていないことから，現時点では条件付き推奨とする．使用時には，感染症，悪性腫瘍，心血管イベント，静脈血栓症などに注意する．

1）推奨の背景

　JAK は I 型および II 型サイトカイン受容体からの細胞内シグナル伝達を担うチロシンキナーゼであり，JAK 阻害薬は RA 病態に関連する複数のサイトカインを阻害して有効性を発揮する．RA の現在の標準治療は，まず MTX で治療を開始し，効果不十分な場合に追加治療を検討する（参考文献 1）．JAK 阻害薬は，低分子化合物であるため経口投与可能，保管に際し冷蔵が不要，半減期が短く有害事象出現時に速やかに内服を中止可能といった特徴をもつ．MTX で効果不十分な患者に bDMARD か JAK 阻害薬のいずれの追加治療が有用かを検討することは，この治療強化における薬剤選択のために重要である．日本で RA に承認された JAK 阻害薬は 5 種類で，日本でのみ承認されている JAK 阻害薬もあるが，JAK 阻害薬の安全性に対する懸念が世界的に議論されており，この点にも留意し，2020 年版診療ガイドライン作成以降に追加された薬剤，そのエビデンスを含め，再検討することとした．

2）エビデンスの要約

　わが国で RA に承認されている 5 種類の JAK 阻害薬，TOF，BARI，PEFI，UPA，FIL を対象として評価した．1900 年 1 月 1 日から 2022 年 6 月 30 日までの期間を設定し，PubMed, Cochrane Central Register of Controlled Trials, Embase, 医学中央雑誌で報告された RA 患者における JAK 阻害薬（TOF, BARI, PEFI, UPA, FIL）に関する論文を系統的にレビューし，重複を除いた 4,335 件が抽出された．これらのうち 75 件について詳細な検討を行い，本 CQ に関連する 5 件の RCT から 5 論文が同定された．MTX を含む csDMARD を対象とした試験については，MTX を使用した患者の割合が 7 割を超える研究は評価対象としたが，PEFI については，MTX 併用率が 70% 未満であり，今回は採用せず，アウトカム評価は PEFI 以外の JAK 阻害薬 4 剤を統合して行った．

　本 CQ における重大なアウトカムとして，24 週時の ACR50 達成割合，DAS28-CRP 寛解達成割合，HAQ-DI 変化量，mTSS 変化量，そして 24 週時，1 年時の重篤な有害事象，重篤な感染症を取り上げた．

　MTX＋TNF 阻害薬と比較した，MTX＋JAK 阻害薬の 24 週時の望ましい効果は，ACR50 達成の絶対効果として 1,000 人あたり 68 人増加，95%CI［25，114］，相対効果として RR＝1.16，95%CI［1.06，1.27］，DAS28-CRP 寛解達成の絶対効果として 1,000 人あたり 76 人増加，95%CI［21，143］，相対効果として RR＝1.25，95%CI［1.07，1.47］であり，HAQ-DI 変化量の絶対効果は MD＝－0.08，95%CI［－0.12，－0.03］，mTSS 変化量の絶対効果は MD＝0.01，95%CI［－0.13，0.14］であり，「小さ

い」と判断した.

MTX＋TNF阻害薬と比較した,MTX＋JAK阻害薬の24週時の望ましくない効果は,重篤な有害事象の絶対効果として1,000人あたり2人増加,95%CI［-13,23］,相対効果としてRR＝1.04,95%CI［0.68,1.58］,重篤な感染症の絶対効果として1,000人あたり2人減少,95%CI［-9,13］,相対効果としてRR＝0.90,95%CI［0.46,1.76］であった.

MTX＋TNF阻害薬と比較した,MTX＋JAK阻害薬の1年時の望ましくない効果は,重篤な有害事象の絶対効果として1,000人あたり20人増加,95%CI［1,46］,相対効果としてRR＝1.34,95%CI［1.01,1.79］,重篤な感染症の絶対効果として1,000人あたり7人増加,95%CI［-4,22］,相対効果としてRR＝1.25,95%CI［0.87,1.78］であった.

24週時までの望ましくない効果は様々であるが,1年時においてはその差が大きくなる傾向があり,治療継続期間とともに望ましくない効果は増加する可能性がある.主要心血管イベント,VTEについては,MTX＋JAK阻害薬とMTX＋TNF阻害薬のいずれにおいても発生頻度が低く,比較は困難である.参考となる全例PMSの結果では24週までの重篤な有害事象が4.29～4.91%,重篤な感染症が1.90～2.88%（4.87～6.64/100人年）であり,本CQはMTX＋JAK阻害薬とMTX＋TNF阻害薬の比較であることをふまえ,総合的に判断して,24週から1年と限られた治療継続期間における予想される望ましくない効果は「小さい」とした.

3) エビデンスの確実性

本推奨作成に用いたエビデンスについては,いずれもRCTに基づいている.

ACR50達成割合,DAS28-CRP寛解達成割合については,「バイアスのリスク」「非一貫性」「非直接性」「その他の検討」は深刻ではなく,RRの95%CIが「相当な利益」とみなされる基準の1.25を含んでおり,「不精確さ」は深刻と判断し,エビデンスの確実性は「中」と評価した.HAQの変化量,mTSSの変化量については,「バイアスのリスク」「非一貫性」「非直接性」「不精確さ」「その他の検討」いずれも深刻でなく,エビデンスの確実性は「高」と評価した.24週時の重篤な有害事象,重篤な感染症に関しては,「バイアスのリスク」「非一貫性」「非直接性」「その他の検討」では深刻な問題は認められなかったが,RRの95%CIが「相当な利益」または「相当な害」とみなされる基準の0.75と1.25の双方を含んでおり,「不精確さ」は非常に深刻と判断し,エビデンスの確実性は「低」と評価した.1年時の重篤な有害事象,重篤な感染症に関しては,「バイアスのリスク」「非一貫性」「非直接性」「その他の検討」では深刻な問題は認められなかったが,RRの95%CIが「相当な害」とみなされる基準の1.25を含んでおり,「不精確さ」は深刻と判断し,エ

ビデンスの確実性は「中」と評価した.

重大なアウトカムに関する介入の効果は利益が小さく増加,害も小さく増加で,異なる方向となるため,重大なアウトカムの中でエビデンスの確実性の最も低い「低」とした.

4) 推奨の強さ決定の理由

① 利益と害のバランスの評価

重大なアウトカムのNNTは,24週時でACR50達成が14.7,DAS28-CRP寛解達成が13.2,NNHは,24週時で重篤な有害事象が500,重篤な感染症が500である.また,1年時では,重篤な有害事象が50.0,重篤な感染症が142.9である.治療期間が長くなるにしたがって重篤な有害事象および重篤な感染症に対する懸念が増大する可能性がある.さらに,わが国ではTOFおよびBARIの全例PMSの結果が適正使用情報として公表されており,本CQとは対象が異なる単剤治療も含まれているが,24週時のデータを参考とした.TOFの全例PMSでは,24週時に6,866例が安全性解析の対象となった.平均年齢63.0歳,女性5,471例（79.7%）で,開始後24週間の観察では,重篤な有害事象が4.91%（337/6,866例）,重篤な感染症は2.88%（198/6,866例,発生率6.64/100人年）であった（参考文献2）.BARIの全例PMSでは,24週時に4,731例が安全性解析の対象となった.平均年齢63.9歳,女性3,799例（80.3%）,開始後24週間の観察で,重篤な有害事象は4.29%（203/4,731例,発生率13.42/100人年）,重篤な感染症は1.90%（90/4731例,発生率4.87/100人年）であった（参考文献3）.今回のエビデンスと同程度には,望ましくない効果が発現している.総合的に,1年までの短期間において,MTXとJAK阻害薬の併用療法は,MTXとTNF阻害薬の併用療法と比して,望ましい効果と望ましくない効果のバランスは同等で,患者ごとに望ましい効果と望ましくない効果のバランスを考慮して判断することとした.

② 患者の価値観・意向

患者アンケート（第4章2）の結果では,JAK阻害薬全般（単剤投与も含む）について,「良い効果があった」との回答は65.7%（44/67人）で,「良い効果がなかった」との回答は14.9%（10/67人）,「どちらともいえない」との回答が19.4%（13/67人）であった.副作用については「弱い」が35.8%（24/67人）,「強い」が22.4%（15/67人）,「どちらともいえない」が40.3%（27/67人）であった.投与を受けて「良い点のほうが多い」が49.3%（27/67人）,「悪い点のほうが多い」が10.4%（7/67人）,「どちらともいえない」が40.3%（27/67人）と,患者が感じる利益が害を上回る結果であった.bDMARDに関しては「良い効果があった」との回答は89.5%（667/745人）で,「良い効果がなかった」との回答は2.1%（16/745人）,「どちらともいえない」との回答が7.2%（54/745人）であった.副作用については「弱い」が47.1%（351/745人）,「強い」が15.3%（114/745人）,

「どちらともいえない」が 34.9％（260/745 人）であった．投与を受けて「良い点のほうが多い」が 74.2％（553/745 人），「悪い点のほうが多い」が 3.2％（24/745 人），「どちらともいえない」が 20.7％（154/745 人）と，患者が感じる利益が害を上回る結果であった．

以上のようにこのアンケート結果では，bDMARD で JAK 阻害薬より肯定的意見の割合が高い傾向にあったが，全例 PMS（参考文献 2）において JAK 阻害薬使用患者は半数以上で開始前 3 か月以内に他 bDMARD を使用しており，JAK 阻害薬はより治療抵抗性の患者で使用されていることも一因と考えられた．

一般的な患者は，関節炎改善と重篤な有害事象の両者に価値をおくと考えられ，本診療ガイドラインでは，リウマチ専門医の投票によって意思決定に重大と判断されたアウトカムを選択しており，アウトカムに対する価値観の重要性に関するばらつきは少ないものと考えられる．

③　コスト

費用対効果に対する日本の論文，エビデンスはない．1 日常用量を TOF 10mg，BARI 4mg，PEFI 150mg，UPA 15mg，FIL 200mg とすると，薬価はそれぞれ 5,319.80 円，5,274.90 円，4,577.80 円，5,089.20 円，4,893.60 円である（2023 年 4 月現在）．

IFX 100mg，IFX バイオ後続品（BS）100mg の薬価は，それぞれ 60,233.00 円，24,994.00 円である（BS は先行バイオ医薬品〔RP〕の 41.5％）．ETN 25mg シリンジ，ETN 25mg ペン，ETN 50mg シリンジ，ETN 50mg ペン，ETN BS 25mg シリンジ，ETN BS 25mg ペン，ETN BS 50mg シリンジ，ETN BS 50mg ペンの薬価は，それぞれ 10,860.00 円，10,450.00 円，22,140.00 円，20,417.00 円，6,678.00 円，6,422.00 円，12,722.00 円，12,421.00 円である（BS は RP の 57.5～61.5％）．ADA 40mg シリンジ，ADA 40mg ペン，ADA BS 40mg シリンジ，ADA BS 40mg ペンの薬価は，それぞれ 52,931.00 円，51,022.00 円，29,267.00 円，27,884.00 円である（BS は RP の 54.7～55.3％）（2023 年 4 月現在）．TNF 阻害薬のほうが，自己注射指導管理料などを含めても相対的には安価であり，BS ではさらにその差が広がる．安価な薬剤による治療は，患者の自己負担額，さらには社会的な負担の軽減につながる．

④　パネル会議での意見

パネル会議において，JAK 阻害薬と MTX の併用の長期安全性が世界的に議論されている段階であること，短期的（1 年まで）には，MTX の効果が不十分な場合に JAK 阻害薬と MTX の併用が TNF 阻害薬と MTX の併用の有効性を小さいながら上回っていることが確認された．RA 患者からは安全性を懸念する意見が聞かれた．わが国の全例 PMS の正式な最終結果が出揃っていないことから，推奨の強さとしては「弱い」（条件付き）とすることとなった．

5）採用論文リスト

1) van Vollenhoven RF, et al：N Engl J Med 2012；367：508-519.

2) Fleischmann RM, et al：Lancet 2017；390：457-468.

3) Taylor PC, et al：N Engl J Med 2017；376：652-662.

4) Fleischmann RM, et al：Ann Rheum Dis 2019；78：1454-1462.

5) Combe B, et al：Ann Rheum Dis 2021；80：848-858.

6）推奨作成関連資料一覧（推奨作成関連資料 3 に掲載）

資料 A　RA CQ26　文献検索式

資料 B　RA CQ26　文献検索フローチャート

資料 C　RA CQ26　バイアスのリスク

資料 D　RA CQ26　エビデンスプロファイル

資料 E　RA CQ26　フォレストプロット

資料 F　RA CQ26　Evidence to Decision テーブル

■参考文献

1）日本リウマチ学会編：関節リウマチ診療ガイドライン 2020．診断と治療社 2021．

2）トファシチニブ適正使用情報 Vol.14．ファイザー株式会社，2020 年 1 月．

3）バリシチニブ適正使用情報 Vol.7．日本イーライリリー株式会社，2022 年 11 月．

RA 推奨 27

推奨文

MTX で効果不十分で中等度以上の疾患活動性を有する RA 患者に，長期的治療において，MTX と JAK 阻害薬の併用より，MTX と TNF 阻害薬の併用を推奨する（条件付き）．特に高齢，現在または過去の喫煙，悪性腫瘍リスク因子，心血管疾患リスク因子，血栓塞栓症リスク因子を有する患者では，JAK 阻害薬使用中の有害事象に注意が必要である．

推奨の強さ **弱い**　エビデンスの確実性 **低**　パネルメンバーの同意度 **8.50**

RA CQ27

MTX で効果不十分で中等度以上の疾患活動性を有する RA 患者に，長期的治療において，MTX と JAK 阻害薬の併用は，MTX と TNF 阻害薬の併用に比べ有用か？

サマリー	採用論文は，TOF に関する ORAL Surveillance の 1 件のみである．これは，心血管イベントのリスクをもち，MTX で効果不十分な 50 歳以上の RA 患者を対象とした試験で，安全性の検証を主たる目的とした臨床試験である．中央値 4 年の観察期間において，MTX と JAK 阻害薬の併用は，MTX と TNF 阻害薬の併用に比べて，望ましい効果は様々で，望ましくない効果は小さく増加した．リサーチエビデンスを総合的に判断して，長期的には，まず MTX と TNF 阻害薬の併用が，MTX と JAK 阻害薬の併用より優先される．
注記	本試験の結果から JAK 阻害薬の安全性は世界的な議論の途上にあり，注意喚起がなされている．また，わが国の全例 PMS の正式な最終結果が出揃っていない．JAK 阻害薬使用時には，感染症，悪性腫瘍，心血管イベント，静脈血栓症などに注意する．

1）推奨の背景

　JAK は I 型および II 型サイトカイン受容体からの細胞内シグナル伝達を担うチロシンキナーゼであり，JAK 阻害薬は RA 病態に関連する複数のサイトカインを阻害して有効性を発揮する．RA の現在の標準治療は，まず MTX で治療を開始し，効果不十分の場合に追加治療を検討する（参考文献 1）．JAK 阻害薬は，低分子化合物であるため経口投与可能，保管に際し冷蔵が不要，半減期が短く有害事象出現時に速やかに内服を中止可能といった特徴をもつ．RA 治療は長期にわたるため，MTX で効果不十分な患者に bDMARD か JAK 阻害薬のいずれの追加治療が長期的に有用かを検討することは，薬剤選択のために重要である．日本で RA に承認された JAK 阻害薬は 5 種類で，日本でのみ承認されている JAK 阻害薬もあるが，JAK 阻害薬の長期安全性に対する懸念が世界的に議論されており，この点にも留意し，2020 年版診療ガイドライン作成以降に追加された薬剤のエビデンスを含め，再検討することとした．

2）エビデンスの要約

　わが国で RA に承認されている 5 種類の JAK 阻害薬，TOF，BARI，PEFI，UPA，FIL を対象として評価した．1900 年 1 月 1 日から 2022 年 6 月 30 日までの期間を設定し，PubMed, Cochrane Central Register of Controlled Trials, Embase, 医学中央雑誌で報告された RA 患者における JAK 阻害薬（TOF，BARI，PEFI，UPA，FIL）に関する論文を系統的にレビューし，重複を除いた 4,330 件が抽出された．これらのうち 12 件について詳細な検討を行い，本 CQ に関連する 1 件の RCT から TOF についての 1 論文（ORAL Surveillance）のみが同定された．

　本 CQ における重大なアウトカムとして，ACR50 達成割合，HAQ 変化量，重篤な有害事象，重篤な感染症を取り上げた．

　TNF 阻害薬と MTX 併用と比較した，JAK 阻害薬と MTX 併用の中央値 4 年の観察期間における望ましい効果は，ACR50 達成の絶対効果として 1,000 人あたり 21 人減少，95％CI ［−62，31］，相対効果として RR＝0.96，95％CI ［0.88，1.06］，HAQ 変化量の絶対効果は MD＝−0.02，95％CI ［−0.08，0.04］であり，「様々」である．

　TNF 阻害薬と MTX 併用と比較した，JAK 阻害薬と MTX 併用の中央値 4 年の観察期間における望ましくない効果は，重篤な有害事象の絶対効果として 1,000 人あたり 7 人増加，95％CI ［−3，19］，相対効果として RR＝1.12，95％CI ［0.95，1.31］，重篤な感染症の絶対効果として 1,000 人あたり 5 人増加，95％CI ［−1，12］，相対効果として RR＝1.17，95％CI ［0.93，1.48］

であった.

ORAL Surveillance の副次的評価項目においても主要心血管イベント, VTE, 悪性腫瘍, 死亡率については, JAK 阻害薬とMTX 併用は, TNF 阻害薬と MTX 併用と比べ, いずれも増加傾向, 悪性腫瘍については, 絶対効果として 1,000 人あたり 3 人増加, 95%CI[0, 9], 相対効果として RR=1.48, 95%CI[1.00, 2.19]であった. ORAL Surveillance の悪性腫瘍のサブ解析において, 治療開始から 18 か月以降では JAK 阻害薬と MTX 併用は, TNF 阻害薬と MTX 併用と比べ, 悪性腫瘍のリスクが有意に上昇することが示された（参考文献 2）.

RA 推奨 26 でも, 24 週時では望ましくない効果の差はないが, 1 年時においてはその差が大きくなる傾向があり, 治療継続期間とともに望ましくない効果が増加する懸念がある.

参考として, MTX 非併用での治療も含まれているが, 他の観察研究の結果を示す. French National Health Data System（参考文献 3）, US Corrona RA Registry（参考文献 4）からは, JAK 阻害薬と TNF 阻害薬の安全性には差がなかったと報告されている. 一方, スウェーデンの nationwide cohort からは非メラノーマ皮膚がんが JAK 阻害薬投与群で増加したという結果があり（参考文献 5）, 米国の STAR-RA study においては, 心血管イベントリスクのある患者では, 統計的に有意でないものの, 心血管イベントリスクが増加するとの結果が出ている（参考文献 6）. BARI についても, 各種のデータベースのメタ解析により, TNF 阻害薬に比して VTE リスクの増加が認められたという報告がある（参考文献 7）. わが国での全例 PMS の長期的結果も含め, 総合的に判断して, 予想される望ましくない効果は「小さい」とした.

3) エビデンスの確実性

本推奨作成に用いたエビデンスについては, 1 件のみの RCT に基づいている.

観察期間中央値 4 年の ACR50 達成割合については, 「バイアスのリスク」「非一貫性」「その他の検討」は深刻ではなく, 「非直接性」は ORAL Surveillance の対象患者集団が一般の RA 患者集団と異なるため深刻, 「不精確さ」はサンプルサイズが小さく深刻と判断し, エビデンスの確実性は「低」と評価した. HAQ の変化量については, 「バイアスのリスク」「非一貫性」「不精確さ」「その他の検討」いずれも深刻でなく, 「非直接性」は患者集団が異なるため深刻と判断し, エビデンスの確実性は「中」と評価した.

観察期間中央値 4 年の重篤な有害事象, 重篤な感染症に関しては, 「バイアスのリスク」「非一貫性」「非直接性」「その他の検討」では深刻な問題は認められなかったが, RR の 95%CI が「相当な害」とみなされる基準の 1.25 を含んでおり, 「不精確さ」は深刻と判断し, エビデンスの確実性は「中」と評価した.

重大なアウトカムに関する介入の効果は, 利益がほとんど変わらず, 害が小さく増加し, 異なる方向となるため, 重大なアウトカムの中でエビデンスの確実性の最も低い「低」とした.

4) 推奨の強さ決定の理由

① 利益と害のバランスの評価

重大なアウトカムの NNT は, 観察期間中央値 4 年で ACR50 達成が−47.6 である. 参考として, ACR20 達成の NNT は−62.5, ACR70 達成の NNT は 83.3 である. 他の重大なアウトカムとして, HAQ 変化量に関しては MD=−0.02, 95%CI[−0.08, 0.04]と差はなく, 最大の効果であっても RA における HAQ の MCID である−0.22（参考文献 8）には届かなかった. 一方, 重篤な有害事象の NNH は 142.9, 重篤な感染症の NNH は 200 であった. さらには参考とすべき安全性に関する副次評価項目は, すべて JAK 阻害薬と MTX 併用で増加の方向を示しており, また, 本推奨作成のために採用されたエビデンスである ORAL Surveillance のデータでは, JAK 阻害薬と MTX 併用の, TNF 阻害薬と MTX 併用に対する悪性腫瘍と主要心血管イベント発症の HR の 95%CI の上限は, 同試験で設定した非劣性マージンを超えていた.

わが国では, TOF および BARI の全例 PMS の結果が適正使用情報として公表されており, 本 CQ とは対象が異なる JAK 阻害薬単剤治療も含まれているが, 参考とした. TOF の全例 PMS では, 全 3 年間で 7,021 例が安全性解析の対象となった. 平均年齢 63.1 歳, 女性 5,598 例（79.7%）. 調査全期間で, 重篤な有害事象は 13.3%（932/7,021 例）, 重篤な感染症は 7.69%（540/7,021 例, 発生率 3.66/100 人年）, 重篤な帯状疱疹は 2.02%（142/7,021 例, 発生率 0.93/100 人年）で, 非重篤を含めた帯状疱疹は 9.71%（682/7,021 例, 発生率 4.73/100 人年）, 悪性腫瘍（リンパ腫を含む）は 2.45%（172/7021 例, 発生率 1.12/100 人年）, 心血管イベントは 0.68%（48/7,021 例, 発生率 0.31/100 人年）, 深部静脈血栓症は 0.16%（11/7,021 例, 発生率 0.07/100 人年）であった（参考文献 9）.

BARI の全例 PMS では, 3 年観察時で 4,720 例が安全性解析の対象となった. 平均年齢 63.9 歳, 女性 3,792 例（80.3%）. 3 年観察時で, 重篤な有害事象は 12.71%（600/4,720 例, 発生率 10.42 人年）, 重篤な感染症は 5.68%（268/4,720 例, 発生率 3.05/100 人年）, 非重篤を含めた帯状疱疹は 8.45%（399/4,720 例, 発生率 4.68/100 人年）, 悪性腫瘍（リンパ腫を含む）は 2.08%（98/4,720 例, 発生率 1.09/100 人年）, 心血管イベントは 0.68%（32/4,720 例, 発生率 0.35/100 人年）, 深部静脈血栓症は 0.49%（23/4,720 例, 発生率 0.25/100 人年）であった（参考文献 10）.

わが国の実臨床下でも, ORAL Surveillance と同程度には望ましくない効果が発現しており, RA 推奨 26 の中でも, 「24 週までの望ましくない効果は様々であるが, 1 年時においてはそ

の差が大きくなる傾向があり，治療継続期間とともに望ましくない効果は増加する可能性がある」と記載されている．

JAK阻害薬とMTX併用による長期的治療にあたっては，TNF阻害薬とMTX併用に比して，望ましい効果の大きさは様々であり，望ましくない効果の程度は小さいが多くなっている．絶対効果から総合的に判断して，望ましい効果と望ましくない効果のバランスは，MTXとTNF阻害薬がおそらく優れている．

② 患者の価値観・意向

患者アンケート（第4章2）の結果では，JAK阻害薬全般（単剤投与も含む）について，「良い効果があった」との回答は65.7%（44/67人）で，「良い効果がなかった」との回答は14.9%（10/67人），「どちらともいえない」との回答が19.4%（13/67人）であった．有害事象については「弱い」が35.8%（24/67人），「強い」が22.4%（15/67人），「どちらともいえない」が40.3%（27/67人）であった．投与を受けて「良い点のほうが多い」が49.3%（27/67人），「悪い点のほうが多い」10.4%（7/67人），「どちらともいえない」40.3%（27/67人）と，患者が感じる利益が害を上回る結果であった．bDMARDに関しては「良い効果があった」との回答は89.5%（667/745人）で，「良い効果がなかった」との回答は2.1%（16/745人），「どちらともいえない」との回答が7.2%（54/745人）であった．副作用については「弱い」が47.1%（351/745人），「強い」が15.3%（114/745人），「どちらともいえない」が34.9%（260/745人）であった．投与を受けて「良い点のほうが多い」が74.2%（553/745人），「悪い点のほうが多い」3.2%（24/745人），「どちらともいえない」20.7%（154/745人）と，患者が感じる利益が害を上回る結果であった．

以上のように，このアンケート結果では，bDMARDでJAK阻害薬より肯定的意見の割合が高い傾向にあったが，全例PMS（参考文献9，10）においてJAK阻害薬使用患者は半数以上で開始前3か月以内に他のbDMARDを使用しており，JAK阻害薬はより治療抵抗性の患者で使用されていることも一因と考えられた．

一般的な患者は，関節炎改善と重篤な有害事象の両者に価値をおくと考えられ，本診療ガイドラインでは，リウマチ専門医の投票によって意思決定に重大と判断されたアウトカムを選択しており，アウトカムに対する価値観の重要性に関するばらつきは少ないものと考えられる．

③ コスト

QALYなど費用対効果に対する日本の論文，エビデンスはない．しかし，1日常用量をTOF 10mg，BARI 4mg，PEFI 150mg，UPA 15mg，FIL 200mgとすると，薬価はそれぞれ5,319.80円，5,274.90円，4,577.80円，5,089.20円，4,893.60円である（2023年4月現在）．

IFX 100mg，IFXバイオ後続品（BS）100mgの薬価は，それぞれ60,233.00円，24,994.00円である（BSは先行バイオ医薬品〔RP〕の41.5%）．ETN 25mgシリンジ，ETN 25mgペン，ETN 50mgシリンジ，ETN 50mgペン，ETN BS 25mgシリンジ，ETN BS 25mgペン，ETN BS 50mgシリンジ，ETN BS 50mgペンの薬価は，それぞれ10,860.00円，10,450.00円，22,140.00円，20,417.00円，6,678.00円，6,422.00円，12,722.00円，12,421.00円である（BSはRPの57.5〜61.5%）．ADA 40mgシリンジ，ADA 40mgペン，ADA BS 40mgシリンジ，ADA BS 40mgペンの薬価は，それぞれ52,931.00円，51,022.00円，29,267.00円，27,884.00円である（BSはRPの54.7〜55.3%）（2023年4月現在）．TNF阻害薬のほうが，自己注射指導管理料などを含めても相対的には安価であり，BSではさらにその差が広がる．治療期間が長期になるほど，安価な薬剤による治療は，患者の自己負担額，さらには社会的な負担の軽減につながる．

④ パネル会議での意見

パネル会議においては，JAK阻害薬の安全性が世界的に議論されている状況にあるという共通認識が得られた．しかしながら，1つのRCT（ORAL Surveillance）からの推奨であることも同時に確認された．ORAL Surveillanceでは，1つ以上の心血管疾患リスク因子をもつ患者が対象とされており，高齢，喫煙，悪性腫瘍，心血管疾患，血栓の既往歴を有する患者では，JAK阻害薬投与時に特に注意が必要とされた．患者のパネルメンバーからも長期安全性を懸念する意見，適切な情報提供を求める意見が出された．観察研究では，JAK阻害薬とTNF阻害薬投与の長期的安全性に差がないという報告，懸念があるとする報告と様々である．また，わが国の全例PMSの正式な最終結果が出揃っていないことから，推奨の強さとしては「弱い」（条件付き）とすることとなった．日本人におけるJAK阻害薬とMTX併用療法の安全性のエビデンスは，今後の全例PMSやコホート研究などのデータを蓄積していく必要がある．

5) 採用論文リスト

1) Ytterberg SR, et al：N Engl J Med 2022；386：316-326.

6) 推奨作成関連資料一覧 （推奨作成関連資料3に掲載）

資料A　RA CQ27　文献検索式

資料B　RA CQ27　文献検索フローチャート

資料C　RA CQ27　バイアスのリスク

資料D　RA CQ27　エビデンスプロファイル

資料E　RA CQ27　フォレストプロット

資料F　RA CQ27　Evidence to Decisionテーブル

■参考文献

1）日本リウマチ学会編：関節リウマチ診療ガイドライン

2020. 診断と治療社 2021.

2）Curtis JR, et al：Ann Rheum Dis 2023；82：331-343.

3）Hoisnard L, et al：Ann Rheum Dis 2023；82：182-188.

4）Kremer JM, et al：ACR Open Rheumatol 2021；3：173-184.

5）Huss V, et al：Ann Rheum Dis 2023；82：911-919.

6）Khosrow-Khavar F, et al：Ann Rheum Dis 2022；81：798-804.

7）Salinas CA, et al：Rheumatol Ther 2023；10：201-223.

8）Wolfe F, et al：J Rheumatol 2005；32：583-589.

9）トファシチニブ適正使用情報Vol.15. ファイザー株式会社, 2023 年 6 月.

10）バリシチニブ適正使用情報 Vol.8. 日本イーライリリー株式会社, 2023 年 8 月.

RA 推奨 28

推奨文

bDMARD で効果不十分で中等度以上の疾患活動性を有する RA 患者に，MTX と JAK 阻害薬の併用を推奨する（条件付き）．

推奨の強さ **弱い**　エビデンスの確実性 **低**　パネルメンバーの同意度 **8.38**

RA CQ28

bDMARD で効果不十分で中等度以上の疾患活動性を有する RA 患者に，MTX と JAK 阻害薬の併用は有用か？

サマリー	bDMARD で効果不十分で中等度以上の疾患活動性を有する RA 患者に，MTX と JAK 阻害薬の併用投与は有効性が期待できる．わが国での JAK 阻害薬の全例 PMS の結果における重篤な有害事象および重篤な感染症の発生頻度を考慮しても，望ましい効果が望ましくない効果を上回ると考えられる．
注　記	JAK 阻害薬の安全性は世界的な議論の途上にあり，わが国の全例 PMS の正式な最終結果が出揃っていないことから，現時点では条件付き推奨とする．使用時には，感染症，悪性腫瘍，心血管イベント，静脈血栓症などに注意する．

1）推奨の背景

RA の現在の標準治療は，まず MTX で治療を開始し，効果不十分な場合に bDMARD 追加治療を検討する（参考文献 1）．bDMARD 追加治療でも効果不十分な場合には，他の bDMARD または JAK 阻害薬を選択する．JAK 阻害薬は，I 型および II 型サイトカイン受容体からの細胞内シグナル伝達を担うチロシンキナーゼである JAK を阻害する薬剤であり，bDMARD とは異なる作用機序をもつ．わが国で使用できる JAK 阻害薬は 5 剤あるが，bDMARD で効果不十分な患者に対する有用性を明らかにすることは，本診療ガイドラインで示す薬物治療アルゴリズムのフェーズ III における薬剤選択に重要な問題であり，エビデンスが求められる．

2）エビデンスの要約

わが国で RA に承認されている 5 種類の JAK 阻害薬，TOF，BARI，PEFI，UPA，FIL を対象として検索した．1900 年 1 月 1 日から 2022 年 6 月 30 日までの期間を設定し，PubMed，Cochrane Central Register of Controlled Trials，Embase，医学中央雑誌で報告された RA 患者における JAK 阻害薬（TOF，BARI，PEFI，UPA，FIL）に関する論文を系統的にレビューし，重複を除いた 30 件が抽出された．これらのうち 17 件について詳細な検討を行い，本 CQ に関連する 5 件の RCT から 5 論文が同定された（採用論文 1～5）．

本 CQ における重大なアウトカムとして，治療開始 12 週時の ACR50 達成割合，DAS28-CRP 寛解達成割合，HAQ の変化量，重篤な有害事象および重篤な感染症を取り上げた．

MTX 単剤療法と比較した，JAK 阻害薬と MTX 併用の 12 週時の有効性に関しては，ACR50 達成の絶対効果が 1,000 人あたり 221 人増加，95％CI［151，310］，相対効果が RR＝2.97，95％CI［2.35，3.77］，HAQ 変化量の絶対効果は MD＝－0.26，95％CI［－0.32，－0.21］，DAS28-CRP 寛解達成の絶対効果が 1,000 人あたり 147 人増加，95％CI［89，225］，相対効果が RR＝3.08，95％CI［2.26，4.18］であり，望ましい効果は「中」と判断した．

MTX 単剤療法と比較した，JAK 阻害薬と MTX 併用の 12 週時の安全性については，重篤な有害事象が絶対効果として 1,000 人あたり 5 人増加，95％CI［－14，53］，相対効果は RR＝1.19，95％CI［0.49，2.90］，重篤な感染症が絶対効果として 1,000 人あたり 1 人減少，95％CI［－6，15］，相対効果として RR＝0.86，95％CI［0.27，2.68］であった．本研究からは望ましくない効果は「わずか」と判断されるが，参考となる全例 PMS の結果では重篤な有害事象が 24 週までに 4.3～4.91％，重篤な感染症が 1.90～2.88％（4.87～6.64/ 人年）であり，総合的に勘案して望ましくない効果は「小さい」と判断した．

3）エビデンスの確実性

本推奨作成に用いたエビデンスについては，5 件の RCT に基づいている．

ACR50 達成割合，DAS28-CRP 寛解達成割合，HAQ の変化量

については，「バイアスのリスク」「非一貫性」「非直接性」「その他の検討」では深刻な問題は認められなかったが，RR の 95% CI が「相当な利益」とみなされる基準の 1.25 を含んでおり，「不精確さ」は深刻と評価し，エビデンスの確実性は「中」と評価した．

重篤な有害事象，重篤な感染症に関しては，「バイアスのリスク」「非一貫性」「非直接性」「その他の検討」では深刻な問題は認められなかったが，RR の 95%CI が「相当な利益」または「相当な害」とみなされる基準の 0.75 と 1.25 の双方を含んでおり，「不精確さ」は非常に深刻と評価し，エビデンスの確実性は「低」と評価した．

重大なアウトカムに関する介入の効果は，利益が小さく増加，害が小さく増加で，異なる方向となるため，重大なアウトカムの中でエビデンスの確実性の最も低い「低」とした．

4) 推奨の強さ決定の理由

① 利益と害のバランスの評価

利益に関しては，JAK 阻害薬と MTX の併用投与開始後 12 週時点での疾患活動性改善効果は，MTX の単剤投与に比べて，ACR50 達成の NNT が 4.5，DAS28-CRP 寛解達成の NNT が 6.8 であり，有効性が示された．HAQ 変化量に関しては MD＝－0.26，95%CI［－0.32，－0.21］であり，RA における HAQ の MCID である－0.22（参考文献 2）を超えて改善したが，95%CI は－0.22 を含んでいた．

害に関しては，RCT においては，12 週時までの JAK 阻害薬と MTX の併用投与は MTX の単剤投与と比べて，重篤な有害事象の NNH が 200，重篤な感染症の NNH が 1,000 であった．さらに，わが国における TOF および BARI の全例 PMS の結果の 24 週時のデータを参考とした．TOF の全例 PMS では，24 週時に 6,866 例が安全性解析の対象となった．平均年齢 63.0 歳，女性 5,471 例（79.7%）で，開始後 24 週間の観察では，重篤な有害事象は 4.9%（337/6,866 例），重篤な感染症は 2.9%（198/6,866 例，発生率 6.64/100 人年）であった（参考文献 3）．BARI の全例 PMS では，24 週時に 4,731 例が安全性解析の対象となった．平均年齢 63.9 歳，女性 3,799 例（80.3%），開始後 24 週間の観察で，重篤な有害事象は 4.3%（203/4,731 例，発生率 13.42/100 人年），重篤な感染症は 1.9%（90/4,731 例，発生率 4.87/100 人年）であった（参考文献 4）．

重大なアウトカムに関する介入の効果は，利益が中程度増加，害が小さく増加であったが，総合的に判断して，MTX の単剤投与と比較して，JAK 阻害薬と MTX の併用投与の望ましくない効果が望ましい効果を上回ることはないと考えられる．ただし，JAK 阻害薬の安全性は世界的な議論の途上にあり，わが国の全例 PMS の正式な最終結果が出揃っていないことから，患者背景を考慮したうえで使用する．

② 患者の価値観・意向

患者アンケート（第 4 章 2）の結果では，JAK 阻害薬を服用した（単剤投与も含む）67 人の患者において，「良い効果があった」との回答は 65.7%，「良い効果がなかった」との回答は 14.9%，「どちらともいえない」との回答が 19.4% であった．有害事象については「弱い」が 35.8%，「強い」が 22.4%，「どちらともいえない」が 40.3% であった．投与を受けて「良い点のほうが多い」が 49.3%，「悪い点のほうが多い」が 10.4%，「どちらともいえない」が 40.3% と，患者が感じる利益が害を上回る結果であった．

一般的な患者は，関節炎改善と重篤な有害事象の両者に価値をおくと考えられ，本診療ガイドラインでは，リウマチ専門医の投票によって意思決定に重大と判断されたアウトカムを選択しており，アウトカムに対する価値観の重要性に関するばらつきは少ないものと考えられる．bDMARD との比較では，JAK 阻害薬は経口製剤を好む患者では利点となる一方，帯状疱疹の頻度が高い，長期使用経験が少ないなどの懸念もある．

③ コスト

QALY など費用対効果に対する日本の論文，エビデンスはない．しかし，JAK 阻害薬の RA に対する 1 日の常用量を TOF 10mg，BARI 4mg，PEFI 150mg，UPA 15mg，FIL 200mg とすると，薬価はそれぞれ 5,319.80 円，5,274.90 円，4,577.80 円，5,089.20 円，4,893.60 円である（2023 年 4 月現在）．JAK 阻害薬は他の DMARD と比較して高額となる．

④ パネル会議での意見

パネル会議においては，bDMARD で効果不十分な RA 患者に対する JAK 阻害薬と MTX の併用の有効性は明らかであり，すでに 1 剤以上の bDMARD で効果不十分であることから，JAK 阻害薬はフェーズⅢで重要な選択肢であるとの意見が出された．一方で，JAK 阻害薬の安全性が世界的に議論されている段階であることを考慮すべきとの意見が出された．日本人における JAK 阻害薬と bDMARD の有効性と安全性のエビデンスは，全例 PMS やコホート研究を通じて今後明らかにしていく必要がある．

以上，有効性は明らかであるが，JAK 阻害薬の安全性は世界的な議論の途上にあること，わが国の全例 PMS の正式な最終結果が出揃っていないことから，推奨の強さとしては「弱い」（条件付き）とすることとなった．

5) 採用論文リスト

1) Burmester GR, et al：Lancet 2013；381：451-460.

2) Genovese MC, et al：N Engl J Med 2016；374：1243-1252.

3) Kremer JM, et al：Arthritis Rheumatol 2016；68：2867-2877.

4) Genovese MC, et al：Lancet 2018；391：2513-2524.

5) Genovese MC, et al：JAMA 2019；322：315-325.

6) 推奨作成関連資料一覧 （推奨作成関連資料 3 に掲載）

資料 A　RA CQ28　文献検索式

資料 B　RA CQ28　文献検索フローチャート

資料 C　RA CQ28　バイアスのリスク

資料 D　RA CQ28　エビデンスプロファイル

資料 E　RA CQ28　フォレストプロット

資料 F　RA CQ28　Evidence to Decision テーブル

■参考文献

1）日本リウマチ学会編：関節リウマチ診療ガイドライン 2020. 診断と治療社 2021.

2）Wolfe F, et al：J Rheumatol 2005；32：583-589.

3）トファシチニブ適正使用情報 Vol.14. ファイザー株式会社, 2020 年 1 月.

4）バリシチニブ適正使用情報 Vol.7. 日本イーライリリー株式会社, 2022 年 11 月.

RA 推奨29

2024 NEW　JAKi 6

推奨文

bDMARD で効果不十分で中等度以上の疾患活動性を有する RA 患者に，bDMARD と JAK 阻害薬を同等に推奨する（条件付き）．

推奨の強さ **弱い**　エビデンスの確実性 **低**　パネルメンバーの同意度 **8.08**

RA CQ29

bDMARD で効果不十分で中等度以上の疾患活動性を有する RA 患者に，JAK 阻害薬の投与は bDMARD に比べ有用か？

サマリー	bDMARD で効果不十分で中等度以上の疾患活動性を有する RA 患者に b/tsDMARD を投与する場合，JAK 阻害薬と bDMARD のいずれも有効性が期待できる．望ましくない効果は，わが国での全例 PMS の結果も併せて中程度で，総合的に判断して，JAK 阻害薬と MTX の併用投与は bDMARD と MTX の併用投与と比較して，望ましくない効果が望ましい効果を上回ることはないと考えられる．
注 記	bDMARD で効果不十分な RA 患者における bDMARD と JAK 阻害薬の RCT は，ABT と UPA の比較試験の 1 報のみであり，他の bDMARD や JAK 阻害薬に関する比較試験は行われていないことから，現時点では条件付き推奨とする．

1）推奨の背景

RA の現在の標準治療は，まず MTX で治療を開始し，効果不十分な場合に bDMARD 追加治療を検討する（参考文献 1）．bDMARD 追加治療でも効果不十分な場合には，他の bDMARD または JAK 阻害薬を選択する．JAK 阻害薬は，Ⅰ型およびⅡ型サイトカイン受容体からの細胞内シグナル伝達を担うチロシンキナーゼである JAK を阻害する薬剤であり，bDMARD とは異なる作用機序をもつ．わが国で使用できる JAK 阻害薬は 5 剤あるが，bDMARD と同等の有効性が示されており，MTX で効果不十分な患者や bDMARD で効果不十分な患者への使用が推奨されている．bDMARD には，TNF 阻害薬，IL-6 阻害薬，ABT の作用機序の異なる 3 系統の薬剤があり，2020 年版診療ガイドラインでは 1 剤の TNF 阻害薬で効果不十分な場合は非 TNF 阻害薬を使用することが条件付きで推奨されている．しかしながら，bDMARD で効果不十分な患者の次の治療薬として，別系統の bDMARD と JAK 阻害薬のいずれが有用かに関する推奨はなく，エビデンスが求められる．

2）エビデンスの要約

わが国で RA に承認されている 5 種類の JAK 阻害薬，TOF，BARI，PEFI，UPA，FIL を対象として検索した．1900 年 1 月 1 日から 2022 年 6 月 30 日までの期間を設定し，PubMed，Cochrane Central Register of Controlled Trials，Embase，医学中央雑誌で報告された RA 患者における JAK 阻害薬（TOF，BARI，PEFI，

UPA，FIL）に関する論文を系統的にレビューし，重複を除いた 267 件が抽出された．これらのうち 7 件について詳細な検討を行い，本 CQ に関連する 1 件の RCT から 1 論文が同定された（採用論文 1）．

本 CQ における重大なアウトカムとして，治療開始 24 週時の ACR50 達成割合，DAS28-CRP 寛解達成割合，HAQ の変化量，重篤な有害事象および重篤な感染症を取り上げた．

bDMARD（ABT）と MTX の併用と比較した，JAK 阻害薬（UPA）と MTX の併用 24 週時の有効性に関しては，ACR50 達成の絶対効果が 1,000 人あたり 99 人増加，95％CI［20, 193］，相対効果が RR＝1.20，95％CI［1.04, 1.39］，HAQ 変化量の絶対効果は MD＝－0.13，95％CI［－0.24, －0.02］，DAS28-CRP 寛解達成の絶対効果が 1,000 人あたり 144 人増加，95％CI［60, 248］，相対効果が RR＝1.46，95％CI［1.19, 1.79］であり，望ましい効果は「小さい」と判断した．

bDMARD と MTX の併用と比較した，JAK 阻害薬と MTX の併用 24 週時の安全性については，重篤な有害事象が絶対効果として 1,000 人あたり 17 人増加，95％CI［－5, 79］，相対効果は RR＝2.04，95％CI［0.71, 5.90］，重篤な感染症が絶対効果として 1,000 人あたり 7 人増加，95％CI［－2, 91］，相対効果として RR＝3.06，95％CI［0.32, 29.25］であった．本研究からは望ましくない効果は「小さい」と判断されるが，参考となる全例 PMS の結果では重篤な有害事象が 24 週までに 4.3〜4.9％，重篤な感染症が 1.9〜2.9％（4.87〜6.64/人年）であり，総合的に勘案して望ましくない効果は「中」と判断した．

3) エビデンスの確実性

本推奨作成に用いたエビデンスについては，1件のRCTに基づいている．

ACR50達成割合，DAS28-CRP寛解達成割合，HAQの変化量については，「バイアスのリスク」「非一貫性」「非直接性」「その他の検討」では深刻な問題は認められなかったが，ACR50達成割合とDAS28-CRP寛解達成割合に関しては，RRの95%CIが「相当な利益」とみなされる基準の1.25を含んでおり，HAQの変化量の絶対効果は95%CIが決断閾値であるMIDの−0.22を含んでおり，「不精確さ」はいずれも深刻と判断し，エビデンスの確実性は「中」と評価した．

重篤な有害事象，重篤な感染症に関しては，「バイアスのリスク」「非一貫性」「非直接性」「その他の検討」では深刻な問題は認められなかったが，RRの95%CIが「相当な利益」または「相当な害」とみなされる基準の0.75と1.25の双方を含んでおり，「不精確さ」は非常に深刻と判断し，エビデンスの確実性は「低」と評価した．

重大なアウトカムに関する介入の効果は，利益が小さく増加，害が中程度に増加で，異なる方向となるため，重大なアウトカムの中でエビデンスの確実性の最も低い「低」とした．

4) 推奨の強さ決定の理由

① 利益と害のバランスの評価

利益に関しては，JAK阻害薬とMTXの併用投与開始後24週時点での疾患活動性改善効果は，bDMARDとMTXの併用投与に比べて，ACR50達成のNNTが10.1，DAS28-CRP寛解達成のNNTが6.9であり，有効性が示された．HAQ変化量に関してはMD＝−0.13，95%CI［−0.24，−0.02］であり，RAにおけるHAQのMCIDである−0.22（参考文献2）には達しなかった．

害に関しては，RCTにおいては，24週時までのJAK阻害薬とMTXの併用投与はbDMARDとMTXの併用投与と比べて，重篤な有害事象のNNHが58.8，重篤な感染症のNNHが142.9であった．さらに，わが国におけるTOFおよびBARIの全例PMSの結果の24週時のデータを参考とした．TOFの全例PMSでは，24週時に6,866例が安全性解析の対象となった．平均年齢63.0歳，女性5,471例（79.7%）で，開始後24週間の観察では，重篤な有害事象は4.9%（337/6,866例），重篤な感染症は2.9%（198/6,866例，発生率6.64/100人年）であった（参考文献3）．BARIの全例PMSでは，24週時に4,731例が安全性解析の対象となった．平均年齢63.9歳，女性3,799例（80.3%），開始後24週間の観察で，重篤な有害事象は4.3%（203/4,731例，発生率13.42/100人年），重篤な感染症は1.9%（90/4731例，発生率4.87/100人年）であった（参考文献4）．

重大なアウトカムに関する介入の効果は，利益が小さく増加，害が中程度に増加であったが，総合的に判断して，bDMARDとMTXの併用投与と比較して，効果のバランスは様々と考えられる．ただし，JAK阻害薬の安全性は世界的な議論の途上にあり，わが国の全例PMSの正式な最終結果が出揃っていないことから，患者背景を考慮したうえで使用する．

② 患者の価値観・意向

患者アンケート（第4章2）の結果では，JAK阻害薬を服用した（単剤投与も含む）67人の患者において，「良い効果があった」との回答は65.7%，「良い効果がなかった」との回答は14.9%，「どちらともいえない」との回答が19.4%であった．有害事象については「弱い」が35.8%，「強い」が22.4%，「どちらともいえない」が40.3%であった．投与を受けて「良い点のほうが多い」が49.3%，「悪い点のほうが多い」が10.4%，「どちらともいえない」が40.3%と，患者が感じる利益が害を上回る結果であった．

一般的な患者は，関節炎改善と重篤な有害事象の両者に価値をおくと考えられ，本診療ガイドラインでは，リウマチ専門医の投票によって意思決定に重大と判断されたアウトカムを選択しており，アウトカムに対する価値観の重要性に関するばらつきは少ないものと考えられる．bDMARDと比較し，JAK阻害薬は経口製剤を好む患者では利点となる一方，帯状疱疹の頻度が高い，長期使用経験が少ないなどの懸念もある．

③ コスト

QALYなど費用対効果に対する日本の論文，エビデンスはない．JAK阻害薬のRAに対する1日の常用量をTOF 10mg，BARI 4mg，PEFI 150mg，UPA 15mg，FIL 200mgとすると，薬価はそれぞれ5,319.80円，5,274.90円，4,577.80円，5,089.20円，4,893.60円である（2023年4月現在）．本CQのRCTで用いられたABT点滴静注用250mgは54,444.00円/瓶であるが，使用量は体重により異なり，60kg以上ではUPA 15mgよりも高額となり，60kg未満では安価となる．その他のbDMARDの薬価は様々であり，一概にはいえないが，総じてJAK阻害薬はbDMARDよりも高額となる．

④ パネル会議での意見

パネル会議においては，本CQに関するRCTは1件のみであり，同RCTにおけるJAK阻害薬とbDMARDの比較だけでは，JAK阻害薬とbDMARD全般の比較に関するエビデンスとしては不足している，との意見が出された．本CQの該当試験では，有効性ではJAK阻害薬が優れ，安全性では逆の結果であったが，これをJAK阻害薬やbDMARDに一般化することはできず，また有効性と安全性のバランスをどのように考えるかも患者の状況によって異なると考えられる．一方，bDMARDで効果不十分なRA患者に対するJAK阻害薬や別系統のbDMARDの有用性に関しては各製剤の臨床試験で示されており，いずれの薬剤も有用性が期待できる．以上から，JAK阻害薬とbDMARDを

同等に推奨することとした．日本人における JAK 阻害薬と bDMARD の有効性と安全性のエビデンスは，全例 PMS やコホート研究を通じて今後明らかにしていく必要がある．また，JAK 阻害薬の安全性が世界的に議論されている段階であることを考慮すべきとの意見が出された．

　以上を総合的に判断して，JAK 阻害薬の安全性は世界的な議論の途上にあること，わが国の全例PMSの正式な最終結果が出揃っていないことから，推奨の強さとしては「弱い」（条件付き）とすることとなった．

5）採用論文リスト

1）Rubbert-Roth A, et al：N Engl J Med 2020；383：1511-1521.

6）推奨作成関連資料一覧（推奨作成関連資料3に掲載）

資料A　RA CQ29　文献検索式

資料B　RA CQ29　文献検索フローチャート
資料C　RA CQ29　バイアスのリスク
資料D　RA CQ29　エビデンスプロファイル
資料E　RA CQ29　フォレストプロット
資料F　RA CQ29　Evidence to Decision テーブル

■**参考文献**

1）日本リウマチ学会編：関節リウマチ診療ガイドライン 2020. 診断と治療社 2021.
2）Wolfe F, et al：J Rheumatol 2005；32：583-589.
3）トファシチニブ適正使用情報Vol.14. ファイザー株式会社，2020 年 1 月.
4）バリシチニブ適正使用情報Vol.7. 日本イーライリリー株式会社，2022 年 11 月.

RA 推奨30

推奨文

JAK阻害薬で寛解または低疾患活動性を維持しているRA患者に，JAK阻害薬の減量を推奨する（条件付き）．

推奨の強さ **弱い**　エビデンスの確実性 **低**　パネルメンバーの同意度 **7.18**

RA CQ30

JAK阻害薬で寛解または低疾患活動性を維持しているRA患者に，JAK阻害薬の減量は可能か？

サマリー	JAK阻害薬で寛解または低疾患活動性を維持しているRA患者において，再燃のリスクは存在するが，減量が可能である．
注　記	JAK阻害薬を減量することは継続することに比べて再燃のリスクが上昇するため，慎重に経過を観察する必要がある．また現時点でJAK阻害薬を減量することに関する質の高いエビデンスが示されているのはBARIのみである．

1）推奨の背景

　JAK阻害薬は，Ⅰ型およびⅡ型サイトカイン受容体からの細胞内シグナルを伝達するチロシンキナーゼであるJAKを阻害することにより，RAの病態を抑制する．わが国では2013年にTOF，2017年にBARI，2019年にPEFIがRAの適応症に対し承認を受けた．JAK阻害薬は高額な薬剤であり，長期の安全性に関するエビデンスの集積は今後の課題である背景から，寛解または低疾患活動性を達成したのちに，減量の有用性を明らかにすることは重要である．

2）エビデンスの要約

　2012年1月から2019年12月の期間に限定し，PubMed，Cochrane Central Register of Controlled Trials，医学中央雑誌で報告されたRA患者におけるJAK阻害薬の減量に関する論文について SR を行ったところ，749件から1件のRCTと2件の観察研究が同定された．

　本CQにおける重大なアウトカムとして，BARI減量48週後における複合指標のCDAI寛解または低疾患活動性の維持，および重篤な副作用を取り上げることとした．また推奨の参考となる他のアウトカムとして，BARI減量12週後における複合指標のCDAI寛解または低疾患活動性の維持，BARI減量48週後の軽微な副作用，観察研究における TOF 中止後52週の中止継続率，TOF 中止または減量後の再燃率を取り上げた．

　推奨に用いるエビデンスとして採用したRCTでは，BARI 4mg/日でCDAI寛解または低疾患活動性を維持されている症例において，BARI 2mg/日への減量48週後のCDAI寛解または低疾患活動性の維持については，BARI 2mg減量群（$n=245$）が4mg継続群（$n=245$）と比し，寛解または低疾患活動性の維持率が有意に低いことが示された（66.9％ vs. 80.0％：RR＝0.84，95％CI[0.75, 0.93]）（採用論文1）．また，重篤な副作用については，BARI 2mg減量群（$n=278$）と4mg継続群（$n=281$）との間に有意差は示されなかった（5.4％ vs. 6.8％：RR＝0.80，95％CI[0.41, 1.54]）（採用論文1）．推奨の参考となる他のアウトカムとして採用した軽微な副作用に関しては有意差は示されなかったが（24.9％ vs. 30.6％：RR＝0.76，95％CI[0.57, 1.03]），BARI減量により減少する可能性は示唆された（採用論文1）．

　また推奨の参考となる他のアウトカムとした2件の観察研究で，TOF投与によりSDAI寛解または低疾患活動性となった64症例において，TOFを中止（$n=54$）した観察研究では，52週後にTOFの中止を継続できたのは37％（20/54）であった（採用論文2）．別の観察研究では，TOFにより寛解および低疾患活動性となった68症例に対し，TOFを減量または中止したところ，再燃率は中止群で0.73/人年，減量群で0.44/人年，継続群で0.04/人年であった（採用論文3）．これらを総括すると，TOFを中止すると再燃する可能性が高いが，減量においては再燃なく疾患活動性をコントロールできる可能性が示唆された．

3）エビデンスの確実性

　本CQにおける推奨は，1件のRCTおよび2件の観察研究に基づいており，BARI減量48週後のCDAI低疾患活動性または寛解の維持に関しては「バイアスのリスク」「非一貫性」「非直接性」「不精確さ」のいずれも深刻な問題はなく，エビデンスの確実性は「高」と評価した．重篤な副作用に関しては，RRの95％CIの下限と上限が，「相当な利益」または「相当な害」とみなされる基準の0.75と1.25の双方を含んでいるため，「不精

「確さ」に非常に深刻な限界があると判断された.「バイアスのリスク」「非直接性」「不精確さ」の項目では問題は認められず, エビデンスの確実性は「低」と評価した.

推奨の参考となる他のアウトカムとしたBARI減量12週の低疾患活動性または寛解の維持に関しては,「バイアスのリスク」「非一貫性」「非直接性」「不精確さ」のいずれも深刻な問題はなく, エビデンスの確実性は「高」と評価した. また減量48週での軽微な副作用に関しては, RR の95%CIの下限と上限がそれぞれ,「効果なし」と「相当な利益」とみなされる基準RR<0.75 を含んでいるため,「不精確さ」に深刻な限界があると判断された.「バイアスのリスク」「非直接性」「不精確さ」の項目では問題は認められず, エビデンスの確実性は「中」と評価した.

同じく推奨の参考となる他のアウトカムとして, 観察研究（採用論文2）における, TOF中止後52週の中止継続率に関しては, 症例の組み入れにおける継続, 中止の決定はランダムではなく「バイアスのリスク」に非常に深刻な問題があると判断され, 総サンプル数およびイベント数が少ないため,「不精確さ」に深刻な限界があると判断された.「非直接性」には問題は認められず, エビデンスの確実性は「非常に低」と評価した. また別の観察研究（採用論文3）における再燃率に関しては, 症例の組み入れがランダム化されておらず, 観察期間も異なるため「バイアスのリスク」に非常に深刻な問題があると判断された. また再燃率では総サンプル数が少ないため,「不精確さ」に深刻な限界があると判断された.「非直接性」には問題は認められず, エビデンスの確実性は「非常に低」と評価した.

推奨に用いた重大なアウトカムのRRの点推定値は減量48週後のCDAI低疾患活動性または寛解の維持が0.84, 重篤な副作用が0.80であった. RRの点推定値と95%CIから, 寛解の維持割合は低下すると判断し, すべての点推定値が同じ方向を向いていないため, アウトカム全般にわたる全体的なエビデンスの確実性は「低」とした.

4) 推奨の強さ決定の理由

① 利益と害のバランスの評価

BARIを減量することで, 約3分の1の症例で疾患活動性を寛解または低疾患活動性に維持することができず, 減量しなかった群での約20%と比べて, 有意に再燃のリスクが上がることが示されている. ただこれは逆に約3分の2の症例では疾患活動性の維持が可能であったことも示している. また同様にTOFの減量でも継続群に比べると再燃率の上昇は認めるが, 寛解または低疾患活動性を維持できる症例も一定数認められることが示唆されている. 一方, TOFの中止では再燃率が高いことが示唆

され利益よりも害が大きいと考えられた. 重篤な副作用の発生率においてはBARI減量群と継続群の間に有意な差は認められなかったものの, 軽微な副作用はBARI 2mgへの減量で発生頻度の減少が期待される. 総合的にはJAK阻害薬減量による再燃に対する慎重なモニタリングを行うことで, 減量を行う利益は期待できると考える.

② 患者の価値観・意向

患者アンケート（第4章2）の結果では, JAK阻害薬の投与に関して「良い点のほうが多い」との回答は49.3%（33人）,「悪い点のほうが多い」との回答は10.4%（7人）で, 良かったか悪かったかどちらでもないとの回答が40.3%（27人）であった. 約半数の患者からは好ましい評価が得られており, 患者の感じる害と利益のバランスは良好であることがうかがわれる結果であった.

③ コスト

BARIの薬価は4mg錠が5,274.90円/錠, 2mg錠が2,705.90円/錠（2020年8月現在）であり, 4mg/日, 2mg/日を継続するとそれぞれ年間1,920,063円, 984,947円となる. また他のJAK阻害薬も常用量では, 年間1,810,099円（UPA 15mg/日）～1,936,407円（TOF 10 mg/日）であり, いずれも高価である. そのためコスト面では減量により大きな効果が期待できる.

④ パネル会議での意見

パネル会議においては, 寛解を維持できている症例において, 減量を考慮することは重要であるが, エビデンスも少なく再燃の可能性も懸念されるため, 必ずしも減量を行えるわけではないとの意見が出された. 患者の希望や病態に応じて継続を選択することも大事であるとの意見も出された. 海外のガイドラインにおいても, 現時点でJAK阻害薬の減量に言及したものは認められない. これらのことから, 推奨の強さとしては「弱」（条件付き）とすることとなった.

5) 採用論文リスト

1) Takeuchi T, et al：Ann Rheum Dis 2019；78：171-178.
2) Kubo S, et al：Rheumatology 2017；56：1293-1301.
3) Mori S, et al：Clin Rheumatol 2019；38：3391-3400.

6) 推奨作成関連資料一覧 （推奨作成関連資料3に掲載）

資料A　RA CQ30　文献検索式
資料B　RA CQ30　文献検索フローチャート
資料C　RA CQ30　エビデンスプロファイル
資料D　RA CQ30　フォレストプロット

RA 推奨31

denosumab

推奨文

骨びらんを伴い疾患活動性を有する RA 患者に，骨びらんの進行抑制目的に，DMARD への上乗せとして抗 RANKL 抗体の投与を推奨する（条件付き）．

推奨の強さ　**弱い**　エビデンスの確実性　**高**　パネルメンバーの同意度　**6.88**

RA CQ31

疾患活動性を有する RA 患者に抗 RANKL 抗体投与は有用か？

サマリー	抗 RANKL 抗体は，骨びらんを有しかつ MTX を中心とした従来型抗リウマチ薬で治療中の RA 患者に対して，疾患活動性の改善効果はないが，骨びらんの進行を抑制する効果がある．
注　記	長期使用および他の抗リウマチ薬との併用や高疾患活動性 RA 患者での有効性のエビデンスは明らかでないため，患者の背景に応じた適切な使用を考慮する必要がある．

1）推奨の背景

破骨細胞の分化誘導因子である RANKL は，RA の骨破壊機序に深く関与している（参考文献 1）．デノスマブ（denosumab）は，RANKL を標的としたヒト型抗モノクローナル抗体製剤であり，2013 年に骨粗鬆症の適応症でわが国で承認を受け，2017年 7 月には「関節リウマチに伴う骨びらんの進行抑制」の効能・効果が追加された．一方，海外では，抗 RANKL 抗体の RA 治療に係る適応はいまだ承認されていない．

2）エビデンスの要約

2002 年 1 月から 2019 年 6 月の期間に限定し，PubMed，Cochrane Central Register of Controlled Trials，医学中央雑誌で報告された RA 患者におけるデノスマブの効果に関する論文について SR を行ったところ，174 件から 3 件の RCT が同定された．

本 CQ における重大なアウトカムとして，治療開始 12 か月後の関節破壊指標である mTSS，複合指標の DAS28-CRP の変化，ACR50 達成率，および重篤な副作用を取り上げることとした．また推奨の参考となる他のアウトカムとして，修正 Sharp 骨びらんスコアの 12 か月後の変化量を取り上げた．

mTSS については，デノスマブ群（n＝371）がプラセボ群（n＝377）と比し，非進行症例（12 か月の変化 0 以下）が有意に多いことが示された（RR＝1.23，95％CI[1.09，1.39]）．DAS28-CRP の 12 か月後の変化量については，デノスマブ群（n＝348）とプラセボ群（n＝361）との間に有意差は示されなかった（MD＝－0.06，95％CI[－0.07，－0.05]）．ACR50 達成率についても，デノスマブ群（n＝348）とプラセボ群（n＝365）との間に有意差は示されなかった（RR＝1.11，95％CI[0.78，1.57]）．また，

重篤な副作用についても，デノスマブ群（n＝378）とプラセボ群（n＝387）との間に有意差は示されなかった（RR＝0.92，95％CI[0.55，1.53]）．なお，mTSS の 12 か月後の変化量については，デノスマブ群（n＝346）ではプラセボ群（n＝361）と比し有意な減少が示された（MD＝－0.60，95％CI[－0.94，－0.26]）．

今回の解析対象患者は，いずれも MTX や他の csDMARD による十分な治療を受けているにもかかわらず，X 線写真上骨びらんが 1 つ以上認められるか，CRP が 1.0mg/dL 以上かつ抗 CCP 抗体が陽性の症例であった．また，日本からの報告である 2 件において，開始時の疾患活動性は DAS28-CRP がそれぞれ 3.78±1.00（採用論文 2），3.52±1.05（採用論文 3）であり，中疾患活動性以下の症例が多かった．

3）エビデンスの確実性

本 CQ においては，いずれも RCT に基づいており，mTSS，DAS28-CRP については，「バイアスのリスク」「非一貫性」「非直接性」「不精確さ」のいずれも深刻な問題はなく，エビデンスの確実性は「高」と評価した．ACR50 達成率は RR の 95％CI の下限と上限が，「効果なし」と「相当な利益」とみなされる基準 RR＞1.25 を含むため，「不精確さ」に深刻な限界があり，重篤な副作用に関しては，RR の 95％CI の下限と上限が，「相当な利益」または「相当な害」とみなされる基準の 0.75 と 1.25 の双方を含んでいるため，「不精確さ」に非常に深刻な限界があると判断された．「バイアスのリスク」「非一貫性」「非直接性」などの他の項目では問題は認められず，エビデンスの確実性は ACR50 達成率では「中」，重篤な副作用では「低」と評価した．すべてのアウトカムが少なくとも害の方向に向いていないことから，全体的なエビデンスの確実性は，重大なアウトカムの中

で最も高いグレードである「高」と評価した.

4) 推奨の強さ決定の理由

① 利益と害のバランスの評価

デノスマブの投与による 12 か月後の骨びらんの進行抑制効果は明らかであり,利益の効果の確実性は高い.一方,重篤な副作用はデノスマブ投与によりプラセボ群と比べ増加は認められていない.デノスマブの医薬品インタビューフォームでは重大な副作用として低カルシウム血症と顎骨壊死があげられているが,国内第 3 相臨床試験における低カルシウム血症の発現率は 0.8%(7/811 例,骨粗鬆症対象),2.2%(14/651 例,RA 対象)であり,重篤な低カルシウム血症は認めていない.また顎骨壊死の発現率は 0.1%(1/811 例,骨粗鬆症対象),0.2%(1/651 例,RA 対象)と頻度は低く,総合的にデノスマブの投与による望ましい効果は望ましくない効果を上回ると考えられる.

② 患者の価値観・意向

患者アンケート(第 4 章 2)の結果では,デノスマブの効果を「良い点のほうが多い」との回答は 26.0%(27 人)で,一方「悪い点のほうが多い」との回答は 3.8%(4 人)であった.良かったか悪かったかどちらでもないとの回答が 69.2%(72 人)あり,評価のばらつきは小さかった.患者の感じる不利益は少ない反面,効果を自覚しにくいことがうかがわれる結果であった.

③ コスト

デノスマブの薬価は 28,822 円/筒(2020 年 8 月現在)であり,6 か月間隔,3 か月間隔投与でそれぞれ年間 57,644 円,115,288 円となる.先行バイオ医薬品の年間薬価は,844,610 円(TCZ 皮下注製剤シリンジ:162mg/2 週)~1,637,376 円(ADA 皮下注製剤シリンジ:40mg/2 週),JAK 阻害薬は,1,851,631 円(PEFI:150mg/日)~1,936,407 円(TOF:10 mg /日)であり,これらと比較して安価である.またバイオ後続品の年間薬価は,最安値で 873,392 円(ETN BS シリンジ:50mg/週)となり,これと比較しても安価である.

④ パネル会議での意見

パネル会議においては,デノスマブは抗リウマチ薬ではなく骨破壊抑制薬であり,あくまでも MTX 等の csDMARD を十分に投与していることが使用の前提であるとの意見が出された.また,骨粗鬆症を合併している症例や高齢の症例はよい適応であるとの意見も出された.骨びらんの進行抑制効果の有用性は示されているが,海外では現時点で RA に対する抗 RANKL 抗体の使用は承認されておらず,JAK 阻害薬や他の bDMARD との併用や高疾患活動性 RA 患者での有効性のエビデンスは存在しない.また,軟骨破壊の抑制効果はなく,長期使用による身体機能障害の予防効果および副作用については確認されていない.これらのことから,推奨の強さとしては「弱い」(条件付き)とすることとなった.

5) 採用論文リスト

1) Cohen SB, et al:Arthritis Rheum 2008;58:1299-1309.

2) Takeuchi T, et al:Ann Rheum Dis 2016;75:983-990.

3) Takeuchi T, et al:Ann Rheum Dis 2019;78:899-907.

6) 推奨作成関連資料一覧 (推奨作成関連資料 4 に掲載)

資料 A　RA CQ31　文献検索式

資料 B　RA CQ31　文献検索フローチャート

資料 C　RA CQ31　エビデンスプロファイル

資料 D　RA CQ31　フォレストプロット

■参考文献

1) Takayanagi H, et al:Arthritis Rheum 2000;43:259-269.

RA 推奨32

推奨文

既存治療で効果不十分で中等度以上の疾患活動性を有するRA患者に，先行バイオ医薬品とバイオ後続品投与を同等に推奨する（条件付き）．

推奨の強さ **弱い**　エビデンスの確実性 **中**　パネルメンバーの同意度 **8.46**

RA CQ32

既存治療で効果不十分で中等度以上の疾患活動性を有するRA患者に，バイオ後続品は先行バイオ医薬品と比べ，同等に有用か？

サマリー	バイオ後続品は，既存治療で効果不十分で中等度以上の疾患活動性を有するRA患者に対して，先行バイオ医薬品と同等の有効性と安全性を有し，必要資源量が大きく減少するため，使用が推奨される．バイオ後続品投与に伴うnocebo効果が知られているので，バイオ後続品開始前にはバイオ後続品に関する十分な説明と同意が必要である．
注記	長期使用時のエビデンスは明らかでないため，長期的副作用に注意し，患者の背景に応じた適切な使用を考慮する必要がある．RA患者のバイオ後続品使用希望がある場合に，使用を考慮してよいと考えられる．

1）推奨の背景

高騰する医療費に対し，患者の経済的負担軽減や医療保険財政の改善など社会的な要請や期待から，様々なバイオ後続品（BS）が開発され，臨床試験（治験）が進んでいる．わが国では，2014年11月よりIFX BSが，2018年5月よりETN BSが，2021年2月よりADA BSがRAに対し使用可能である．しかしながら，先行バイオ医薬品（RP）からBSへの切り替えは医療コスト面ではメリットはあるものの，効果や安全性の面での問題点を考慮すべきであり，そのエビデンスの創出は課題となっている．

2）エビデンスの要約

1900年1月1日から2022年6月30日までの期間を設定し，PubMed，Cochrane Central Register of Controlled Trials，Embase，医学中央雑誌で報告されたRA患者におけるBSに関する論文を系統的にレビューし，重複を除いた925件が抽出された．これらのうち139件について詳細な検討を行い，質的統合に組み入れた研究数/論文数は40件/129論文，量的統合に組み入れた研究数は34件となった．

アウトカム評価は，現在わが国でRAに対し使用可能なIFX BS（採用論文1〜10），ETN BS（採用論文11〜17），ADA BS（採用論文18〜28）の3剤を統合して行った．RAに対して臨床試験（治験）中であるRTX BS（採用論文29〜34）は，別途，解析を行った．

本CQにおける重大なアウトカムとして，治療開始6か月時のACR50達成割合，重篤な有害事象および重篤な感染症を取り上げた．

RP群と比較した，BS群の望ましい効果は，治療開始6か月時のACR50達成の絶対効果が1,000人あたり9人増加，95%CI［−14，28］，相対効果はRR＝1.02，95%CI［0.97，1.06］であった．また，推奨作成の参考とするアウトカムである治療開始3か月時のACR20達成割合，ACR50達成割合，ACR70達成割合，Boolean寛解達成割合，治療開始6か月時のACR20達成割合，ACR70達成割合，Boolean寛解達成割合，治療開始1年時のACR20達成割合，Boolean寛解達成割合も，両群で同等であった．RP群と比較した，BS群の治療開始1年時のACR50達成の絶対効果は1,000人あたり36人増加，95%CI［9，68］，相対効果はRR＝1.08，95%CI［1.02，1.15］，ACR70達成の絶対効果は1,000人あたり27人増加，95%CI［0，55］，相対効果はRR＝1.10，95%CI［1.00，1.20］であった．総合的に，望ましい効果は「わずか」と判断した．

RP群と比較した，BS群の望ましくない効果は，治療開始6か月時の重篤な有害事象の絶対効果が1,000人あたり4人減少，95%CI［−11，5］，相対効果はRR＝0.92，95%CI［0.75，1.11］，重篤な感染症の絶対効果は1,000人あたり0人と不変，95%CI［−4，6］，相対効果はRR＝1.01，95%CI［0.70，1.46］であった．また，参考とするアウトカムである治療開始3か月時，治療開始1年時の重篤な有害事象，治療開始6か月時の有害事象による薬剤中止割合のいずれも同等であった．総合的に，望ま

しくない効果は「様々」と判断した.

以上より, RA 患者に対する BS 投与には, RP 投与と同等の有効性と安全性を認めた.

参考として, わが国にて RA に対し保険適用外である RTX BS に関しても検討を行った. 対象を, ①csDMARD に治療抵抗性の RA 患者（採用論文 29, 30）, ②bDMARD に治療抵抗性の RA 患者（採用論文 31〜34）として, それぞれ検討を行った. ①および②の患者集団においても, 望ましい効果と望ましくない効果のいずれも BS 群・RP 群の両群で同等であった.

3) エビデンスの確実性

本推奨作成に用いたエビデンスについては, いずれも RCT に基づいている.

治療開始 6 か月時の ACR50 達成割合については,「非直接性」「不精確さ」「その他の検討」では深刻な問題は認められなかったが,「バイアスのリスク」では, 多くの追跡不能例があり結果に影響を与える可能性があること, いくつかの RCT では intention-to-treat 解析が欠如していることから深刻と判断し, $I^2 =$ 28% と「非一貫性」も深刻な問題を認めたため, エビデンスの確実性は「低」と評価した.

治療開始 6 か月時の重篤な有害事象に関しては,「バイアスのリスク」「非一貫性」「非直接性」「その他の検討」では深刻な問題は認められなかったが, RR の 95%CI が「相当な利益」とみなされる基準の 0.75 を含んでおり,「不精確さ」は深刻と判断し, エビデンスの確実性は「中」と評価した.

治療開始 6 か月時の重篤な感染症に関しては,「バイアスのリスク」「非一貫性」「非直接性」「その他の検討」では深刻な問題は認められなかったが, RR の 95%CI が「相当な利益」または「相当な害」とみなされる基準の 0.75 と 1.25 の双方を含んでおり,「不精確さ」は非常に深刻と判断し, エビデンスの確実性は「低」と評価した.

ACR50 に関する介入の効果は利益がわずかに増加, 害はわずかに減少または同等と患者にとって同じ方向であったため, 全体としてのエビデンスの確実性は重大なアウトカムの中で最も高いエビデンスの確実性を採用し,「中」とした.

4) 推奨の強さ決定の理由

① 利益と害のバランスの評価

RP 群と比較した BS 群の 6 か月時の ACR50 達成の NNT が 111.1 であり, 重大なアウトカムの疾患活動性改善効果は対照群と同程度と考えられた.

一方, RP 群と比較した BS 群の 6 か月時の重篤な有害事象, 重篤な感染症の NNH は計算不能であり, 望ましくない効果は対照群と同程度と考えられた.

望ましい効果と望ましくない効果のバランスは, 利益がわず

かに増加, 害はわずかに減少または同等であるため「介入も比較対照もいずれも支持しない」とした.

② 患者の価値観・意向

2014 年版診療ガイドライン作成時の, 日本リウマチ友の会の協力を得て行われた RA 患者へのアンケート調査でも, 医療経済面（治療費）に関する訴えは群を抜いて多かった.「医療費が高い／安くしてほしい」などの意見とともに, 特に高額な bDMARD に対する公的補助の要望が多かった.

2020 年版診療ガイドライン作成時には, BS に関し, 患者アンケートは実施されなかったが, RP と同様の有効性と安全性が期待されるため, RP である bDMARD の患者アンケート（第 4 章 2）の結果で代用できうると考える. bDMARD の投与で「良い効果があった」との回答は 89.5%（667 人）, 一方,「副作用が強かった」との回答は 15.3%（114 人）であり, かなり満足度が高いと思われる. また, bDMARD を受けて良かったかに関し,「良い点のほうが多い」との回答は 74.2%（553 人）で, 一方「悪い点のほうが多い」との回答は 3.2%（24 人）と, 患者が感じる利益が害を上回る結果であった. 一般的な患者は, 関節炎改善と重篤な有害事象の両者に価値をおくと考えられ, 本診療ガイドラインでは, リウマチ専門医の投票によって意思決定に重大と判断されたアウトカムを選択しており, アウトカムに対する価値観の重要性に関するばらつきは少ないものと考えられる. さらに, 医療コストや医療アクセスの観点も併せて考慮すると, BS 投与に対する患者の価値観は高いものであると考えられる.

③ コスト

QALY など費用対効果に対する日本の論文, エビデンスはない.

IFX 100mg, IFX BS 100mg の薬価は, それぞれ 60,233.00 円, 24,994.00 円である（BS は RP の 41.5%）. ETN 25mg シリンジ, ETN 25mg ペン, ETN 50mg シリンジ, ETN 50mg ペン, ETN BS 25mg シリンジ, ETN BS 25mg ペン, ETN BS 50mg シリンジ, ETN BS 50mg ペンの薬価は, それぞれ 10,860.00 円, 10,450.00 円, 22,140.00 円, 20,417.00 円, 6,678.00 円, 6,422.00 円, 12,722.00 円, 12,421.00 円である（BS は RP の 57.5〜61.5%）. ADA 40mg シリンジ, ADA 40mg ペン, ADA BS 40mg シリンジ, ADA BS 40mg ペンの薬価は, それぞれ 52,931.00 円, 51,022.00 円, 29,267.00 円, 27,884.00 円である（BS は RP の 54.7〜55.3%）（2023 年 4 月現在）.

加入保険や年齢, 収入, 高額療養費制度などの制度利用によって自己負担は異なるが, 例として, 体重 50kg で, 3mg/kg, 6mg/kg, 10mg/kg で投与した場合, 3 割負担の患者で計算すると, 個人負担額は, IFX では, それぞれ 1 か月あたり 18,069.90 円, 27,104.85 円, 45,174.75 円, IFX BS では, それぞれ 1 か月あたり 7,498.20 円, 11,247.30 円, 18,745.50 円である. また,

ETN や ETN BS 25mg を週 2 回，50mg を週 1 回で投与した場合，3 割負担の患者で計算すると，個人負担額は，ETN 25mg シリンジ，ETN 25mg ペン，ETN 50mg シリンジ，ETN 50mg ペン，ETN BS 25mg シリンジ，ETN BS 25mg ペン，ETN BS 50mg シリンジ，ETN BS 50mg ペンでは，それぞれ 1 か月あたり 26,064.00 円，25,080.00 円，26,568.00 円，24,500.40 円，16,027.20 円，15,412.80 円，15,266.40 円，14,905.20 円である．さらに，ADA や ADA BS 40mg を 2 週間に 1 回投与した場合，3 割負担の患者で計算すると，個人負担額は，ADA 40mg シリンジ，ADA 40mg ペン，ADA BS 40mg シリンジ，ADA BS 40mg ペンでは，それぞれ 1 か月あたり 31,758.60 円，30,613.20 円，17,560.20 円，16,730.40 円である（2023 年 4 月現在）．BS の追加で必要な医療資源としては，バイオ後続品導入初期加算が，当該 BS の初回の使用日の属する月から起算して 3 か月を限度として，月 1 回に限り 150 点，所定点数に加算される．

BS の薬価は RP より安価であるため（わが国においては 41.5 ～61.5％〔2023 年 4 月現在〕），BS の使用が普及していけば，RA の直接医療費の削減が期待できる．

④ パネル会議での意見

パネル会議においては，BS の投与は，RP と同等の有用性が認められると判断された．

BS 投与に伴う nocebo 効果が知られているので，BS 開始前には医師から患者への BS に関する十分な説明と同意が必要であり，この点をサマリーに記載した．また，パネル会議では，BS の急速な普及に伴う BS の安定供給への懸念も指摘された．

以上より，既存治療で効果不十分の中等度以上の疾患活動性を有する RA 患者に対して，RP と同等の有効性と安全性を有するため，BS の使用が推奨されると判断した．また，BS の長期の安全性は確立されていないことも併せて，推奨の強さは「弱い」（条件付き）とした．一方，本 CQ のエビデンスの量が多いこと，BS は，RP と同等の有効性と安全性を有し，さらに薬価が安いのであれば，推奨の強さは「強い」でもよいのではという意見もあった．

さらに注記として，「長期使用時のエビデンスは明らかでないため，長期的副作用に注意し，患者の背景に応じた適切な使用を考慮する必要がある．RA 患者のバイオ後続品使用希望がある場合に，使用を考慮してよいと考えられる」を記載した．

5）採用論文リスト

1) Choe JY, et al：Ann Rheum Dis 2017；76：58-64.

2) Cohen SB, et al：Arthritis Res Ther 2018；20：155.

3) Matsuno H, et al：Mod Rheumatol 2019；29：919-927.

4) European Medicines Agency：EU Clinical Trials Register：Clinical Trial Results（NCT No.NCT02468791）．https://www.clinicaltrialsregister.eu/ctr-search/trial/2012-003194-25/results

5) Liu Y, et al：Rheumatol Ther 2022；9：175-189.

6) Kay J, et al：Ann Rheum Dis 2022；81（Suppl 1）：Abstract No.339.

7) Yoo DH, et al：Ann Rheum Dis 2013；72：1613-1620.

8) Apsangikar P, et al：J Arthritis Rheumatol Res 2018；1：101.

9) Lila AM, et al：Rheumatol Int 2019；39：1537-1546.

10) Genovese MC, et al：Arthritis Res Ther 2020；22：60.

11) Yamanaka H, et al：Rheumatol Ther 2020；7：149-163.

12) Emery P, et al：Ann Rheum Dis 2017；76：51-57.

13) Matsuno H, et al：Ann Rheum Dis 2018；77：488-494.

14) Bae SC, et al：Ann Rheum Dis 2017；76：65-71.

15) Matucci-Cerinic M, et al：RMD Open 2018；4：e000757.

16) Strusberg I, et al：J Clin Rheumatol 2021；27：S173-S179.

17) Kivitz AJ, et al：Arthritis Rheumatol 2016；68（Suppl 10）：Abstract No.642.

18) Jani RH, et al：Int J Rheum Dis 2016；19：1157-1168.

19) Weinblatt ME, et al：Arthritis Rheumatol 2018；70：40-48.

20) Fleischmann RM, et al：Arthritis Res Ther 2018；20：178.

21) Edwards CJ, et al：Clin Rheumatol 2019；38：3381-3390.

22) Wiland P, et al：BioDrugs 2020；34：809-823.

23) Genovese MC, et al：Arthritis Res Ther 2019；21：281.

24) Kay J, et al：Arthritis Res Ther 2021；23：51.

25) Jamshidi A, et al：Arthritis Res Ther 2017；19：168.

26) Cohen S, et al：Expert Opin Biol Ther 2019；19：1097-1105.

27) Cohen S, et al：Ann Rheum Dis 2017；76：1679-1687.

28) Apsangikar P, et al：Indian J Rheumatol 2018；13：84-89.

29) Haridas VM, et al：BioDrugs 2020；34：183-196.

30) National Library of Medicine：ClinicalTrials.gov：Study Details（NCT No.NCT02990806）．https://clinicaltrials.gov/show/NCT02990806

31) Smolen JS, et al：Rheumatology（Oxford）2021；60：256-262.

32) Park W, et al：MAbs 2018；10：934-943.

33) Yoo DH, et al：BioDrugs 2017；31：357-367.

34) Burmester G, et al：Clin Pharmacol Drug Dev 2020；9：1003-1014.

6）推奨作成関連資料一覧 （推奨作成関連資料 4 に掲載）

資料 A　RA CQ32　文献検索式

資料 B　RA CQ32　文献検索フローチャート

資料 C　RA CQ32　バイアスのリスク

資料 D　RA CQ32　エビデンスプロファイル

資料 E　RA CQ32　フォレストプロット

資料 F　RA CQ32　Evidence to Decision テーブル

RA 推奨33

推奨文

先行バイオ医薬品を使用中の RA 患者に，バイオ後続品への切り替えを推奨する（条件付き）．

推奨の強さ **弱い**　エビデンスの確実性 **低**　パネルメンバーの同意度 **7.77**

RA CQ33

先行バイオ医薬品を使用中の RA 患者に，バイオ後続品への切り替えは，切り替えない場合と同等に有用か？

サマリー	先行バイオ医薬品を使用中の RA 患者に対して，バイオ後続品投与に切り替えることは，先行バイオ医薬品の投与を継続した場合と同等の有効性や安全性が期待でき，必要資源量が大きく減少する．
注　記	先行バイオ医薬品の使用により RA の疾患活動性が寛解または低疾患活動性で安定しており，かつ，RA 患者の切り替え希望があるという条件を満たしたときに，切り替えを考慮してよいと考えられる．バイオ後続品投与に伴う nocebo 効果が知られているので，バイオ後続品への切り替え時にはバイオ後続品に関する十分な説明と同意が必要である．ただし，長期使用のエビデンスは明らかでない．

1）推奨の背景

高騰する医療費に対し，患者の経済的負担軽減や医療保険財政の改善など社会的な要請や期待から，様々なバイオ後続品（BS）が開発され，臨床試験（治験）が進んでいる．わが国では，2014 年 11 月より IFX BS が，2018 年 5 月より ETN BS が，2021 年 2 月より ADA BS が RA に対し使用可能である．しかしながら，先行バイオ医薬品（RP）から BS への切り替えは医療コスト面ではメリットはあるものの，効果や安全性の面での問題点を考慮すべきであり，そのエビデンスの創出は課題となっている．

2）エビデンスの要約

1900 年 1 月 1 日から 2022 年 6 月 30 日までの期間を設定し，PubMed，Cochrane Central Register of Controlled Trials，Embase，医学中央雑誌で報告された RA 患者における BS に関する論文を系統的にレビューし，重複を除いた 925 件が抽出された．これらのうち 70 件について詳細な検討を行い，本 CQ に関連する 13 件の RCT から 26 論文が同定された．RP から BS への切り替え群（RP→BS 群）の対照群として，①RP をそのまま継続する群（RP→RP 群）（採用論文 1〜3，5〜8，10〜13），②BS をそのまま継続する群（BS→BS 群）（採用論文 1〜10，12，13）があり，それぞれ検討を行った．アウトカム評価は，現在わが国にて RA に対し使用可能な IFX BS（採用論文 1〜3），ETN BS（採用論文 4），ADA BS（採用論文 5〜9）の 3 剤に加えて，RA に

対して臨床試験（治験）中である RTX BS（採用論文 10〜13）も含めた 4 剤を統合して行った．

本 CQ における重大なアウトカムとして，切り替え後 6 か月時の ACR50 達成割合，重篤な有害事象および重篤な感染症を取り上げ，①，②の対照群別に検討した．

①RP→RP 群と比較した，切り替え後 6 か月時の RP→BS 群の望ましい効果は，ACR50 達成の絶対効果が 1,000 人あたり 27 人増加，95%CI ［−22，81］，相対効果は RR＝1.05，95%CI ［0.96，1.15］であった．②BS→BS 群と比較した，切り替え後 6 か月時の RP→BS 群の望ましい効果は，ACR50 達成の絶対効果が 1,000 人あたり 22 人増加，95%CI ［−11，56］，相対効果は RR＝1.04，95%CI ［0.98，1.10］であった．また，推奨作成の参考とするアウトカムである切り替え後 6 か月時の ACR20 達成割合，ACR70 達成割合，Boolean 寛解達成割合でも，①および②のいずれにおいても両群間に有意差を認めなかった．総合的に，望ましい効果は「わずか」と判断した．

①RP→RP 群と比較した，切り替え後 6 か月時の RP→BS 群の望ましくない効果は，重篤な有害事象の絶対効果が 1,000 人あたり 7 人減少，95%CI ［−20，14］，相対効果は RR＝0.81，95%CI ［0.48，1.36］，重篤な感染症の絶対効果は 1,000 人あたり 6 人増加，95%CI ［−2，30］，相対効果は RR＝2.11，95%CI ［0.72，6.17］であった．②BS→BS 群と比較した，切り替え後 6 か月時の RP→BS 群の望ましくない効果は，重篤な有害事象の絶対効果が 1,000 人あたり 2 人減少，95%CI ［−14，17］，相対効果は RR＝0.94，95%CI ［0.61，1.47］，重篤な感染症の絶対

効果は 1,000 人あたり 6 人増加，95％CI ［−3, 27］，相対効果は RR = 1.60，95％CI ［0.69, 3.70］であった．また，参考とするアウトカムである切り替え後 6 か月時の有害事象による薬剤中止割合でも，①および②のいずれにおいても両群間に有意差を認めなかった．総合的に，望ましくない効果は「様々」と判断した．

以上より，RP を使用中の RA 患者に対する BS 投与への切り替えは，①RP の投与継続および②BS の投与継続と同等の有効性と安全性を認めた．

北欧においては，国策として RP から BS への切り替えが積極的に行われているが，デンマークの DANBIO レジストリでの切り替えによる有効性，安全性が全体としては示されているものの，一部の症例では，切り替えにより RA が悪化すると報告された（参考文献 1）．DANBIO レジストリに登録された IFX 使用中の RA 患者 403 例において（RP の使用期間中央値 6.8 年），IFX BS への切り替え前後 3 か月間で，疾患活動性はほとんど変わらず，再燃割合も有意差を認めなかったものの，切り替え後の観察期間中央値 413 日で，IFX BS の投与中止を 132 例（16.5％）で認め，そのうち RA に対する効果の消失が 71 例（54％），副作用が 37 例（28％）であった．効果の消失例の一部には nocebo 効果（この薬は効かないと思い込むことで薬の効果がなくなること，またはなくなるよう感じること）のかかわりが示唆されている．また，DANBIO レジストリからは，ETN 使用中の RA 患者に対する ETN BS への切り替えに関しても同様の報告がされている（参考文献 2）．DANBIO レジストリに登録された RA 患者 933 例において（RP の使用期間中央値 6.0 年），BS への切り替え前後 3 か月間で，疾患活動性はほとんど変わらず，再燃割合も有意差を認めなかったものの，切り替え後の観察期間中央値 401 日で，BS の投与中止を 299 例（18.0％）で認め，そのうち RA に対する効果の消失が 137 例（46％），副作用が 77 例（26％）であった．こちらも効果の消失例の一部には nocebo 効果のかかわりが示唆されている．ETN BS 投与を中止した 120 例はその後，RP の ETN を再投与し，良好な有効性を得たと報告された．

3) エビデンスの確実性

本推奨作成に用いたエビデンスについては，いずれも RCT に基づいている．

ACR50 達成割合については，「バイアスのリスク」「非一貫性」「非直接性」「その他の検討」では深刻な問題は認められなかった．①切り替え後 6 か月時の RP→BS 群と RP→RP 群との比較において，総サンプル数が小さいため「不精確さ」は深刻と評価し，エビデンスの確実性は「中」と評価した．②切り替え後 6 か月時の RP→BS 群と BS→BS 群との比較では，「不精確さ」に深刻な問題は認められず，エビデンスの確実性は「高」と評

価した．

重篤な有害事象に関しては，「バイアスのリスク」「非一貫性」「非直接性」「その他の検討」では深刻な問題は認められなかったが，①切り替え後 6 か月時の RP→BS 群と RP→RP 群との比較および②切り替え後 6 か月時の RP→BS 群と BS→BS 群との比較において，RR の 95％CI が「相当な利益」または「相当な害」とみなされる基準の 0.75 と 1.25 の双方を含んでおり，「不精確さ」は非常に深刻と判断し，エビデンスの確実性は「低」と評価した．

重篤な感染症に関しては，「バイアスのリスク」「非一貫性」「非直接性」「その他の検討」では深刻な問題は認められなかったが，①切り替え後 6 か月時の RP→BS 群と RP→RP 群との比較および②切り替え後 6 か月時の RP→BS 群と BS→BS 群との比較において，RR の 95％CI が「相当な利益」または「相当な害」とみなされる基準の 0.75 と 1.25 の双方を含んでおり，「不精確さ」は非常に深刻と判断し，エビデンスの確実性は「低」と評価した．

重大なアウトカムにおける介入の効果は患者にとって異なる方向となるため，重大なアウトカムの中でエビデンスの確実性の最も低い「低」とした．

4) 推奨の強さ決定の理由

① 利益と害のバランスの評価

RP→BS 群の切り替え後 6 か月時の疾患活動性改善効果は，ACR50 達成の NNT が，①RP→RP 群との比較では 37.0，②BS→BS 群との比較では 43.5 であり，利益は対照群と同程度と考えられた．

一方，RP→BS 群の切り替え後 6 か月時の有害事象に関しては，重篤な有害事象の NNH が，①RP→RP 群との比較で 0，②BS→BS 群との比較で 0，重篤な感染症の NNH が，①RP→RP 群との比較では 166.7，②BS→BS 群との比較では 166.7 であり，害は対照群と同程度と考えられた．

望ましい効果と望ましくない効果のバランスは，RP→BS 群と RP→RP 群もしくは BS→BS 群で同程度であるため「介入も比較対照もいずれも支持しない」とした．

② 患者の価値観・意向

2014 年版診療ガイドライン作成時の，日本リウマチ友の会の協力を得て行われた RA 患者へのアンケート調査でも，医療経済面（治療費）に関する訴えは群を抜いて多かった．「医療費が高い／安くしてほしい」などの意見とともに，特に高額な bDMARD に対する公的補助の要望が多かった．

2020 年版診療ガイドライン作成時には，BS に関し，患者アンケートは実施されなかったが，RP と同様の有効性と安全性が期待されるため，RP である bDMARD の患者アンケート（第 4 章 2）の結果で代用できうると考える．bDMARD の投与で「良

い効果があった」との回答は 89.5％（667 人），一方，「副作用が強かった」との回答は 15.3％（114 人）であり，かなり満足度が高いと思われる．また，bDMARD を受けて良かったかに関し，「良い点のほうが多い」との回答は 74.2％（553 人）で，一方「悪い点のほうが多い」との回答は 3.2％（24 人）と，患者が感じる利益が害を上回る結果であった．一般的な患者は，関節炎改善と重篤な有害事象の両者に価値をおくと考えられ，本診療ガイドラインでは，リウマチ専門医の投票によって意思決定に重大と判断されたアウトカムを選択しており，アウトカムに対する価値観の重要性に関するばらつきは少ないものと考えられる．さらに，医療コストや医療アクセスの観点も併せて考慮すると，BS 投与に対する患者の価値観は高いものであると考えられる．

③ コスト

QALY など費用対効果に対する日本の論文，エビデンスはない．

IFX 100mg，IFX BS 100mg の薬価は，それぞれ 60,233.00 円，24,994.00 円である（BS は RP の 41.5％）．ETN 25mg シリンジ，ETN 25mg ペン，ETN 50mg シリンジ，ETN 50mg ペン，ETN BS 25mg シリンジ，ETN BS 25mg ペン，ETN BS 50mg シリンジ，ETN BS 50mg ペンの薬価は，それぞれ 10,860.00 円，10,450.00 円，22,140.00 円，20,417.00 円，6,678.00 円，6,422.00 円，1,2722.00 円，12,421.00 円である（BS は RP の 57.5〜61.5％）．ADA 40mg シリンジ，ADA 40mg ペン，ADA BS 40mg シリンジ，ADA BS 40mg ペンの薬価は，それぞれ 52,931.00 円，51,022.00 円，29,267.00 円，27,884.00 円である（BS は RP の 54.7〜55.3％）（2023 年 4 月現在）．

加入保険や年齢，収入，高額療養費制度などの制度利用によって自己負担は異なるが，例として，体重 50kg で，3mg/kg，6mg/kg，10mg/kg で投与した場合，3 割負担の患者で計算すると，個人負担額は，IFX では，それぞれ 1 か月あたり 18,069.90 円，27,104.85 円，45,174.75 円，IFX BS では，それぞれ 1 か月あたり 7,498.20 円，11,247.30 円，18,745.50 円である．また，ETN や ETN BS 25mg を週 2 回，50mg を週 1 回で投与した場合，3 割負担の患者で計算すると，個人負担額は，ETN 25mg シリンジ，ETN25mg ペン，ETN 50mg シリンジ，ETN 50 mg ペン，ETN BS 25mg シリンジ，ETN BS 25mg ペン，ETN BS 50mg シリンジ，ETN BS 50mg ペンでは，それぞれ 1 か月あたり 26,064.00 円，25,080.00 円，26,568.00 円，24,500.40 円，16,027.20 円，15,412.80 円，15,266.40 円，14,905.20 円である．さらに，ADA や ADA BS 40mg を 2 週間に 1 回投与した場合，3 割負担の患者で計算すると，個人負担額は，ADA 40mg シリンジ，ADA 40mg ペン，ADA BS 40mg シリンジ，ADA BS 40mg ペンでは，それぞれ 1 か月あたり 31,758.60 円，30,613.20 円，17,560.20 円，16,730.40 円である（2023 年 4 月現在）．BS の追加で必要な医療資源としては，バイオ後続品導入初期加算が，当該 BS の初回の使用日の属する月から起算して 3 か月を限度として，月 1 回に限り 150 点，所定点数に加算される．

BS の薬価は RP より安価であるため（わが国においては 41.5〜61.5％〔2023 年 4 月現在〕），BS への切り替えが普及していけば，RA の直接医療費の削減が期待できる．欧州における Budget Impact Analysis において，BS へ切り替えることによる医療費削減のインパクトが推定されている（参考文献 3）が，BS への切り替えについての日本でのエビデンスはない．

④ パネル会議での意見

パネル会議においては，RP を使用中の RA 患者に対する BS 投与への切り替えには，RP の投与継続または BS の投与継続と同等の有用性が認められると判断された．

前述のように，北欧における RP から BS への切り替えの報告では，有効性，安全性が全体としては示されているものの，一部の症例では，切り替えによる RA の悪化があり，その要因として，nocebo 効果のかかわりが示唆されている．

また，患者の立場から，医師から BS に関して説明を受けていないので切り替えられない場合があるとの意見があった．医師から患者への BS に関するきちんとした情報提供が必要であると考えられた．

パネル会議では，BS の急速な普及に伴う BS の安定供給への懸念も指摘された．

以上より，BS への切り替えにより一部の患者では，有効性の減弱・消失，副作用の出現などが報告されていること，また，BS の長期の安全性は確立されていないことも併せて，推奨の強さは「弱い」（条件付き）とし，さらに「先行バイオ医薬品の使用により RA の疾患活動性が寛解または低疾患活動性で安定しており，かつ，RA 患者の切り替え希望があるという条件を満たしたときに，切り替えを考慮してよい」との条件付きとすることが望ましいと考えられた．さらに注記として，「バイオ後続品投与に伴う nocebo 効果が知られているので，バイオ後続品への切り替え時にはバイオ後続品に関する十分な説明と同意が必要である．ただし，長期使用のエビデンスは明らかでない」を記載した．

5）採用論文リスト

1) Alten R, et al：RMD Open 2019；5：e000876.

2) Genovese MC, et al：Arthritis Res Ther 2020；22：60.

3) Smolen JS, et al：Ann Rheum Dis 2018；77：234-240.

4) Jaworski J, et al：Arthritis Res Ther 2019；21：130.

5) Weinblatt ME, et al：Arthritis Rheumatol 2018；70：832-840.

6) Fleischmann RM, et al：RMD Open 2021；7：e001578.

7) Furst DE, et al：Rheumatology（Oxford）2022；61：1385-1395.

8）Matsuno H, et al：Clin Exp Rheumatol 2022；40：1025-1033.

9）Wiland P, et al：BioDrugs 2020；34：809-823.

10）Shim SC, et al：Rheumatology（Oxford）2019；58：2193-2202.

11）Tony HP, et al：Arthritis Care Res（Hoboken）2019；71：88-94.

12）Burmester G, et al：Clin Rheumatol 2020；39：3341-3352.

13）Cohen SB, et al：Arthritis Care Res（Hoboken）2018；70：1598-1606.

6）推奨作成関連資料一覧 （推奨作成関連資料 4 に掲載）

資料 A　RA CQ33　文献検索式

資料 B　RA CQ33　文献検索フローチャート

資料 C　RA CQ33　バイアスのリスク

資料 D　RA CQ33　エビデンスプロファイル

資料 E　RA CQ33　フォレストプロット

資料 F　RA CQ33　Evidence to Decision テーブル

■参考文献

1）Glintborg B, et al：Ann Rheum Dis 2017；76：1426-1431.

2）Glintborg B, et al：Ann Rheum Dis 2019；78：192-200.

3）Jha A, et al：Adv Ther 2015；32：742-756.

RA 推奨34

推奨文

RA と診断された高齢患者で予後不良因子を有する場合，安全性に十分配慮したうえで，MTX の使用を推奨する（条件付き）.

推奨の強さ **弱い**　エビデンスの確実性 **非常に低**　パネルメンバーの同意度 **8.23**

RA CQ34

高齢 RA 患者に MTX は有用か？

サマリー	中・高疾患活動性，RF/ACPA 陽性や早期から骨びらんなどの予後不良因子を有する高齢 RA 患者に対して，副作用リスクを念頭におき安全性に十分配慮したうえで，MTX をアンカードラッグとした治療戦略を考慮する.
注　記	高齢 RA 患者は非高齢 RA 患者と比べて，MTX を投与中の有害事象の頻度が高く，高齢 RA 患者に MTX を使用する場合は，安全性に十分配慮すること. 長期使用の有効性と安全性のエビデンスは明らかでないため，個々の高齢 RA 患者の背景に応じた適切な使用を考慮する必要がある.

1) 推奨の背景

2020 年版診療ガイドライン（参考文献 1）で，RA と診断された予後不良因子を有する高齢者に対して安全性に十分配慮したうえで MTX を使用することが推奨された（推奨の強さ：弱い）. しかし，高齢者を対象とした RCT はなく，エビデンスの確実性が「非常に低」であったことから，引き続き，MTX の投与が高齢者に有用かを検討することは重要である.

2) エビデンスの要約

2020 年版診療ガイドラインでは 2019 年 6 月までの期間に，PubMed，Cochrane Library，医学中央雑誌で報告された高齢 RA 患者における MTX の有効性と安全性に関する論文について SR を行ったが，該当する RCT は認められなかった. 今回は 2019 年 7 月から 2022 年 12 月までの期間に限定し，同じ検索式を使用して，SR を行った. 本 CQ における重大なアウトカムとして，複合指標の DAS28，SDAI，mTSS，HAQ-DI および重篤な有害事象を選択した. 今回も MTX とコントロールを比較する研究は認められなかった. 観察研究として，高齢発症 RA に対して MTX を含む csDMARD を開始した観察研究を 2 件採用した（採用論文 1，2）. 参考にした研究として，2020 年版診療ガイドライン作成時の採用論文 4 件（参考文献 2〜5），および悪性リンパ腫に関する検討 6 件（参考文献 6〜10）を抽出した. また，日本リウマチ学会，ACR，EULAR の学会抄録より，高齢発症 RA に対する前向きコホート研究を同一コホートから 3 件（参考文献 11〜13），高齢発症 RA 患者と若年発症 RA 患者

の治療反応性を比較した前向きレジストリ研究 1 件（参考文献 14）を選択した.

非高齢 RA 患者と比較して，疾患活動性は高齢発症 RA 患者のほうが高い傾向にあり，関節破壊進行の程度は同等もしくは高齢発症 RA 患者のほうが進行しやすい（参考文献 2〜4）. また，高齢発症 RA 患者に対して MTX を中心とした低疾患活動性を目標とした治療を行った場合の 1 年後の関節破壊進行の予測因子は，高疾患活動性，ACPA 陽性，診断時の骨びらんあり，治療開始 3 か月時に EULAR 改善基準にて no response であること，治療開始 6 か月時に中等度以上疾患活動性であった（参考文献 5）.

今回の SR で検討された望ましい効果を以下に示す. 1 つの前向きコホート研究において，高齢発症 RA 患者に対してベースラインで約 80％に MTX が開始され，3 年後も 71％に MTX が使用され（平均 8mg/週），bDMARD は 3 年で延べ 42％で開始された. SDAI 寛解達成割合は non-responder imputation 法で，T2T を 3 年継続した場合は 58％，3 年の期間中に 1 度でも T2T 実施が見送られた場合は 35％であった. HAQ-DI 0.5 以下の達成割合はそれぞれ 70％，44％であった（採用論文 1）. csDMARD 開始後の寛解達成までの期間を検討した観察研究では，高齢発症 RA 患者は若年発症 RA 患者との比較で，調整 HR = 1.10，95％ CI［0.90，1.34］で，両群に差を認めなかった（採用論文 2）. 参考とした研究として，採用論文 1 の 75 歳以上の高齢発症 RA 患者についてのサブ解析では，MTX や TNF 阻害薬の使用頻度に差はないが，75 歳以上のほうが重篤な有害事象が多く，寛解を達成しにくいことが報告された（参考文献 11）. わが国の早

期 RA 患者を対象とする多施設前向きコホート研究において，高齢発症早期 RA 患者に MTX を主とした csDMARD を開始した場合，6 か月時の MTX 平均投与量は 8.8mg/週，bDMARD は 6 か月時までに 11％で開始され，DAS28 はベースラインの平均 4.4 から 6 か月時 2.4 に低下，HAQ-DI はベースラインの平均 0.78 から 6 か月時 0.32 に低下したことが報告された（参考文献 14）．わが国のレジストリデータにおける高齢発症 RA 患者の解析では，ベースラインで 69％に，2 年後には 68％に MTX が使用され（平均 7.4mg/週），bDMARD は 2 年までに 37％で開始され，SDAI 寛解達成割合は 1 年時 38.3％，2 年時 60.0％であった（参考文献 4）．MTX の慎重投与にあたる肺疾患合併の高齢発症 RA 患者に対する T2T の実施に関する報告では，肺疾患合併例の 66％で MTX が開始されたが，初期の治療反応性が肺病変のない高齢発症 RA に比べて悪いこと，bDMARD の導入頻度が肺疾患合併例のほうが高いことが報告された（参考文献 12）．高齢発症 RA 患者に対する 5 年間の T2T の長期成績として，MTX で 24 週までに低疾患活動性を達成した群と，達成せず bDMARD が追加された群で，MTX 継続率，有害事象による MTX の中止に差がないことが報告された（参考文献 13）．

望ましくない効果については，MTX 投与中の悪性リンパ腫の合併に関する検討が 2020 年版診療ガイドライン作成時に実施され，2022 年に「関節リウマチ関連リンパ増殖性疾患の診断と管理の手引き」が発刊された．従来，非 RA 患者においても悪性リンパ腫は高齢者に多いが，RA に合併する LPD の発症リスク因子に加齢と MTX が報告されている（参考文献 6〜8）．LPD 発生例の多くは 4〜5 年以上の MTX 長期使用歴を有する．MTX の長期使用例は疾患活動性不良に伴う慢性炎症の持続と関連して，LPD を発症している可能性もある．日本リウマチ学会の主導で行われた後方視的な検討では，年齢が 10 歳高くなると HR＝1.47，95％CI［1.18, 1.85］，MTX 不使用と比較して MTX 8mg/週以下では HR＝2.35，95％CI［1.25, 4.42］，MTX 8mg/週超では HR＝4.39，95％CI［2.07, 9.32］であった（参考文献 8）．LPD 発症前に末梢血リンパ球が減少しているケースが多いこと，MTX 中止のみで自然消退する LPD は MTX 中止後にリンパ球が増加することが報告されており，高齢 RA 患者に MTX を使用する場合に留意する（参考文献 9, 10）．MTX 関連 LPD はリンパ節以外に病変を認める頻度が高く，咽頭粘膜病変と肺病変が多かったと報告されている（参考文献 7）．高齢 RA 患者に MTX を継続中に LPD が疑われる場合は MTX を一旦中止する必要がある．わが国の多施設共同後ろ向きコホート研究では MTX 中止後に自然軽快したケースは 66.7％とされ，悪性リンパ腫の DLBCL であると自然軽快しにくい（参考文献 9）．また，自然軽快する場合は，約 70％で MTX 中止 2 週間以内に縮小がみられる（参考文献 9）．

その他の有害事象についても，高齢 RA 患者集団には低体重

者や eGFR 30〜60 mL/分/1.73m^2 の腎機能低下例，慢性肺疾患合併例が含まれ，注意が必要である．MTX の経口製剤ならびに皮下注製剤の使用に関する手引きとして，「関節リウマチにおけるメトトレキサート（MTX）使用と診療の手引き 2023 年版」が発刊されており，高齢 RA 患者を含むハイリスク患者の管理を行ううえで参考にすべきである．高齢発症 RA 患者に対する T2T コホートでは，MTX を開始し，MTX を最大用量で 9.9±2.9mg まで増量し，肝障害 30.5％，消化器症状 18％，口内炎 4.8％，血球減少 9.0％を認めたが，MTX の減量で改善し，MTX を継続可能であった．MTX 肺障害は 3 年の観察期間で 0.6％であった（採用論文 1）．国内のレジストリにおいて高齢発症 RA と若年発症 RA の有害事象を比較した研究では，死亡，主要心血管イベント，悪性腫瘍，入院を要する感染症，帯状疱疹，骨折の頻度が高齢発症 RA で有意に多かった（参考文献 15）．以上より，高齢 RA 患者は非高齢 RA 患者より，感染症をはじめとする MTX 関連の副作用のリスクが高いことから安全性に十分配慮する必要がある．

3）エビデンスの確実性

今回の検討では，採用論文 1 と 2 について QUIPS tool によりバイアスのリスクを評価した．採用論文 1 では低疾患活動性を目標とした T2T を継続して実施することにより 3 年後に寛解を達成しやすいことが示されていたが，QUIPS tool の評価項目の中で，participations（単施設のデータであることによる潜在的な選択バイアス），outcome measurement（盲検化されていないため寛解評価のときに detection bias のリスクがあること），confounding（アウトカム達成の交絡因子を評価していないこと）からバイアスのリスクは総じて高いと評価した．また採用論文 2 では attrition（脱落例についてのデータがなく，脱落が予後予測に及ぼす影響を評価していないこと）より，バイアスのリスクは中等度と評価した．今回も MTX とプラセボを比較する研究はなく，観察研究による評価とナラティブレビューに基づいて推奨を作成していることから，アウトカム全般にわたるエビデンスの確実性は，「非常に低」とした．

4）推奨の強さ決定の理由

① 利益と害のバランスの評価

2020 年版診療ガイドラインで述べられている点から変更はなく，高齢早期 RA 患者においても予後不良因子を有する場合，安全性に十分配慮したうえで MTX を使用して疾患活動性をコントロールすることで，利益が害を上回ると考えられる．ただし，長期罹患例では，合併症発現に伴って高齢者の虚弱（フレイル）が進行すると臓器予備能の低下を招き，利益と害のバランスが変化する可能性があることに留意する．

② 患者の価値観・意向

　患者アンケート（第4章2）の結果を参照とした．一般的な患者は関節炎改善と重篤な有害事象の両者に価値をおくと考えられ，本診療ガイドラインでは，リウマチ専門医の投票によって意思決定に重大と判断されたアウトカムを選択しており，アウトカムに対する価値観の重要性に関するばらつきは少ないものと考えられる．

③ コスト

　高齢者を対象としたRA治療の費用対効果を検討するためのエビデンスはない．MTX 2mgの薬価は先発医薬品が149.30円，後発医薬品が97.40円で（2023年7月現在），bDMARDと比較して安価である．

④ パネル会議での意見

　2020年版診療ガイドラインと同様に，高齢RA患者に対するMTXの有用性に関するエビデンスの確実性は「非常に低」と判断したが，今回のパネル会議においても，予後不良因子を有する高齢RA患者に対するMTXの有用性は支持された．しかしながら，高齢RA患者は非高齢RA患者と比べて有害事象の頻度が高く，高齢RA患者に使用する場合は，安全性に十分配慮すること，使用にあたっては長期安全性の確立が不十分であることを考慮する必要があると再認識された．現時点では，海外のガイドラインでは高齢RA患者に対する推奨は行われていない．これらのことから，推奨の強さとしては「弱い」とすることとなった．MTX皮下注製剤の高齢RA患者に対する有用性，認知症，サルコペニア，要介護の患者への対応は今後の検討課題である．

5) 採用論文リスト

1) Sugihara T, et al：Rheumatology（Oxford）2021；60：4252-4261.

2) Li X, et al：Arthritis Res Ther 2022；24：255.

6) 推奨作成関連資料一覧（推奨作成関連資料4に掲載）

資料A　RA CQ34　文献検索式

■参考文献

1) 日本リウマチ学会編：関節リウマチ診療ガイドライン2020. 診断と治療社 2021.
2) van der Heijde DM, et al：J Rheumatol 1991；18：1285-1289.
3) Mueller RB, et al：Rheumatology（Oxford）2014；53：671-677.
4) Murata K, et al：Int J Rheum Dis 2019；22：1084-1093.
5) Sugihara T, et al：Rheumatology（Oxford）2015；54：798-807.
6) Hashimoto A, et al：J Rheumatol 2015；42：564-571.
7) Takada H, et al：Mod Rheumatol 2022；32：32-40.
8) Honda S, et al：Mod Rheumatol 2022；32：16-23.
9) Kuramoto N, et al：Mod Rheumatol 2022；32：24-31.
10) Saito S, et al：Rheumatology（Oxford）2017；56：940-946.
11) Matsumoto T, et al：Rheumatol Adv Pract 2024；8：rkae019.
12) Nomura M, et al：Arthritis Rheumatol 2022；74（Suppl）：3960-3962（Abstract）.
13) Baba H, et al：Ann Rheum Dis 2023；82（Suppl 1）：1293（AB0219）（Abstract）.
14) Asai S, et al：Mod Rheumatol, online ahead of print. doi:10.1093/mr/roae027.
15) Sugitani N, et al：Arthritis Rheumatol 2022；74（Suppl）：460-462（Abstract）.

RA 推奨 35

推奨文

MTX を含む csDMARD で効果不十分で中等度以上の疾患活動性を有する高齢 RA 患者に，安全性に十分配慮したうえで，bDMARD の投与を推奨する（条件付き）．

推奨の強さ **弱い** エビデンスの確実性 **非常に低** パネルメンバーの同意度 **8.08**

RA CQ35

高齢 RA 患者に bDMARD は有用か？

サマリー	MTX を含む csDMARD が効果不十分で中等度以上の疾患活動性を有する高齢 RA 患者に対する bDMARD の使用は，望ましい効果が望ましくない効果をおそらく上回る．しかしながら，高齢 RA 患者に対する安全性のデータは不足しており，また高齢 RA 患者では併存症や加齢に伴う虚弱が加わり，利益と害のバランスは患者によって様々であることを考慮する．
注 記	高齢 RA 患者は非高齢 RA 患者と比べ，bDMARD 投与中の有害事象の頻度が高く，高齢 RA 患者に bDMARD を使用する場合は，安全性に十分配慮し，個々の高齢 RA 患者の背景に応じた適切な使用を考慮する必要がある．

1）推奨の背景

2020 年版診療ガイドライン（参考文献 1）で，本診療ガイドラインの薬物治療アルゴリズムのフェーズⅡにおける高齢 RA 患者に対する bDMARD の使用については，安全性に十分に配慮したうえで使用することが推奨された（推奨の強さ：弱い）．SR では，TNF 阻害薬の RCT のサブ解析の結果，高齢 RA 患者に対する TNF 阻害薬の有効性が確認された（参考文献 2）．しかし，高齢 RA 患者を対象とした RCT はなく，エビデンスの確実性が「非常に低」であったことから，引き続き，bDMARD の投与が高齢 RA 患者に有用かを検討することは重要である．

2）エビデンスの要約

2020 年版診療ガイドラインでは，2019 年 6 月までの期間に限定し，SR を行った．今回は 2019 年 7 月から 2022 年 12 月までの期間に限定し，同じ検索式を使用して，PubMed, Cochrane Library, 医学中央雑誌で報告された，高齢 RA 患者における TNF 阻害薬，IL-6 阻害薬，T 細胞選択的共刺激調節薬の有効性と安全性に関する論文について SR を行った．本 CQ における重大なアウトカムとして，ACR50 達成割合，mTSS 変化量，HAQ-DI 変化量，重篤な有害事象を取り上げた．有効性に関しては，TNF 阻害薬の効果を検証した RCT のサブ解析 1 件（採用論文 1），2020 年版診療ガイドラインの SR で抽出された TNF 阻害薬の RCT のサブ解析 1 件（採用論文 2）を採用し，統合的解析を行った．安全性に関しては，高齢 RA 患者に対する

bDMARD の投与が重篤な感染症のリスク因子となるかを検討した観察研究を 2 件採用した（採用論文 3，4）．また，参考文献として高齢 RA 患者と若年 RA 患者における bDMARD の安全性を比較した RCT サブ解析や観察研究を 4 件抽出し，ナラティブレビューを行った（参考文献 3～6）．

2020 年版診療ガイドライン作成時の SR の結果では，プラセボ＋MTX と比較した望ましい効果については，ETN＋MTX の ACR50 達成（12 か月時）の相対効果は RR＝1.69，95％CI［1.13，2.52］，TNF 阻害薬＋MTX の mTSS 変化量（12 か月時）の絶対効果は MD＝−2.79，95％CI［−3.74，−1.84］であった（参考文献 2）．今回の SR では，GOL の点滴静注製剤の RCT のサブ解析が新たに抽出され，プラセボ＋MTX と比較した，GOL＋MTX の ACR50 達成（24 週時）の相対効果は RR＝7.02，95％CI［1.02，48.41］，HAQ-DI 変化量（24 週時）の絶対効果は MD＝−0.46，95％CI［−0.73，−0.19］であった（採用論文 1）．統合解析では，プラセボ＋MTX と比較した，TNF 阻害薬＋MTX の ACR50 達成の絶対効果は 1,000 人あたり 455 人増加，95％CI［−86，1,000］，相対効果は RR＝2.48，95％CI［0.72，8.60］であり，望ましい効果は「中」と判断した．

2020 年版診療ガイドライン作成時の SR の結果では，プラセボ＋MTX と比較した望ましくない効果については，ETN＋MTX の重篤な有害事象は相対効果として RR＝1.07，95％CI［0.47，2.44］，プラセボ＋ETN の重篤な有害事象は相対効果として RR＝0.86，95％CI［0.54，1.39］で，重篤な有害事象の増加を認めなかった（参考文献 2）．今回行った SR では，GOL の

点滴静注製剤の RCT のサブ解析においてプラセボとの比較データはなかった．高齢者に対する bDMARD の投与が重篤な感染症のリスク因子となるかを検討した観察研究のうち，1 つめの研究（採用論文 3）では bDMARD のみでなく JAK 阻害薬も低頻度に含まれていたが，MTX と比較した，bDMARD あるいは JAK 阻害薬の入院を要する感染症リスクは相対効果として，75 歳以上では調整 OR = 0.73，95%CI ［0.56，0.94］，65〜74 歳では調整 OR = 0.79，95%CI ［0.61，1.03］で，bDMARD は MTX と比較して，75 歳以上，65〜74 歳の高齢者において入院を要する感染症のリスク因子とならなかった．2 つめの研究（採用論文 4）は英国のレジストリのデータで，csDMARD と比較した，TNF 阻害薬の重篤な感染症リスクは相対効果として，75 歳以上で調整 HR = 1.5，95%CI ［0.9，2.6］，65〜74 歳で調整 HR = 0.9，95%CI ［0.7，1.2］，55〜64 歳で調整 HR = 1.4，95%CI ［1.1，1.9］となり，65〜74 歳の高齢者において TNF 阻害薬は重篤な感染症のリスクとならず，75 歳以上の高齢者では統計学的有意差はないが TNF 阻害薬は重篤な感染症のリスクとなる傾向を認めた．したがって，75 歳以上の高齢者では 1 つの研究では csDMARD と比較した bDMARD のリスクが増加する傾向，他方では MTX と比較した bDMARD のリスクが低下を示した．75 歳以上の高齢者では，併存症や加齢に伴う虚弱が加わり，患者によって背景は様々であることから，csDMARD と比較した相対的なリスクは個人差が大きいかもしれない．2020 年版診療ガイドラインの SR で実施した高齢 RA 患者と非高齢 RA 患者の重篤な感染症を評価した観察研究 4 件の統合解析では，非高齢 RA 患者と比較し，高齢 RA 患者の重篤な感染症は相対効果として RR = 1.92，95%CI ［1.31，2.81］で，高齢者のほうが重篤な感染症は多いことが示された（参考文献 2）．今回実施したナラティブレビューにおいて，害のアウトカムは研究によって異なるが，有害事象，重篤な有害事象，あるいは重篤な感染症の頻度は高齢 RA 患者のほうが高い傾向を示していた（参考文献 3〜6）．高齢 RA 患者は非高齢 RA 患者より様々な有害事象が多いことを勘案すると，非高齢 RA 患者より高齢 RA 患者のほうが望ましくない効果は大きいと考えられる．総合して，望ましくない効果は「様々」と判断した．

3）エビデンスの確実性

採用論文 1 と 2 は，RCT における高齢 RA 患者でのサブ解析で，高齢 RA 患者での脱落，データ欠損に関する情報がなかった．また，高齢 RA 患者に層別化したときに背景因子が変わり，背景因子の違いが有効性の潜在的な交絡因子となっている可能性もあるため，「バイアスのリスク」は非常に深刻と判断した．また，統合解析における ACR50 達成の RR の 95%CI は「相当な害」または「相当な利益」とみなされる基準の 0.75 と 1.25 を含んでおり，「不精確さ」は非常に深刻と判断した．採用論文

3，4 は観察研究で，予後研究を評価する QUIPS tool を使用し，「バイアスのリスク」の評価を行った．bDMARD の入院を要する感染症に関する「バイアスのリスク」は中程度（採用論文 3），重篤な感染症に関する「バイアスのリスク」の評価は不可（採用論文 4）と判定した．重大なアウトカムに関する介入の効果は，利益が中程度に増加したが，エビデンスの確実性は「非常に低」と判断した．高齢 RA 患者は併存症や加齢に伴う虚弱が加わり，患者によって背景は異なり，高齢者における害の増加は様々であると考えられた．非高齢 RA 患者よりも高齢 RA 患者のほうが害が大きいことも考慮すると，介入による利益と害は異なる方向となるため，アウトカム全般のエビデンスの確実性は，重大なアウトカムの中でエビデンスの確実性の最も低い「非常に低」とした．

4）推奨の強さ決定の理由

① 利益と害のバランスの評価

高齢 RA 患者は，疾患活動性をコントロールしないと非高齢 RA 患者同様に関節破壊が進行しやすく，2020 年版診療ガイドライン作成時のパネル会議では，MTX を含めた csDMARD が十分量投与されても効果不十分な高齢 RA 患者に対して bDMARD を開始することは利益が害をおそらく上回ると考えられた．今回の評価では bDMARD の望ましい効果は中程度で，重大なアウトカムの NNT は，2020 年版診療ガイドラインの SR との統合解析では 2.2 であった．一方で害については，2020 年版診療ガイドラインでは，呼吸器疾患，副腎皮質ステロイドの併用は重篤な感染症のリスク因子として知られ，呼吸器疾患合併の高齢 RA 患者，副腎皮質ステロイド長期継続中の高齢 RA 患者に bDMARD を使用する場合は安全性に十分配慮する必要があることに言及した．今回の評価では，高齢 RA 患者に対する bDMARD 投与の望ましくない効果については様々であり，特に 75 歳以上の高齢者では，対照群の csDMARD と比較して bDMARD で重篤な感染症が増加する可能性があること，また，非高齢 RA 患者と比較して重篤な有害事象の頻度は高齢 RA 患者で高く，安全性への配慮が重要であることが改めて認識された．したがって，利益はおそらく介入が優れていると考えられるが，高齢 RA 患者では併存症や加齢に伴う虚弱が加わるため，患者によって背景は異なり，利益と害のバランスは患者によって様々であると考えられた．

② 患者の価値観・意向

患者アンケート（第 4 章 2）の結果を参照とした．一般的な患者は関節炎改善と重篤な有害事象の両者に価値をおくと考えられ，本診療ガイドラインでは，リウマチ専門医の投票によって意思決定に重大と判断されたアウトカムを選択しており，アウトカムに対する価値観の重要性に関するばらつきは少ないものと考えられる．

③　コスト

　高齢者を対象に費用対効果を検討するための情報はない．bDMARD の薬価は，IFX 100mg 60,233.00 円，IFX バイオ後続品（BS）100mg 24,994.00 円，ETN 50mg ペン 20,417.00 円，ETN BS 50mg ペン 12,421.00 円，ADA 40mg ペン 51,022.00 円，ADA BS 40mg ペン 27,884.00 円，GOL 50mg ペン 109,382.00 円，CZP 200mg ペン 57,116.00 円，OZR 30mg 112,476.00 円，TCZ 点滴静注製剤 400mg 54,665.00 円，TCZ 162mg ペン 32,485.00 円，SAR 200mg ペン 47,958.00 円，ABT 125mg ペン 28,547.00 円，ABT 点滴静注製剤 250mg 54,444.00 円である（2023 年 7 月現在）．社会保険または国民健康保険負担と自己負担の比率は，加入保険や年齢，収入，高額療養費制度などの制度利用によって変化し，必要資源量は各製剤によって異なる．bDMARD については，在宅自己注射指導のための時間，および，導入初期加算，管理料，点滴のための時間，外来化学療法加算などの費用が生じる．皮下注射のための余分な通院を要する場合もある．1 回あたり，在宅自己注射指導管理料は 650 点（3 割負担で 1,950 円），導入初期加算は当初 3 か月 580 点（3 割負担で 1,740 円），外来化学療法加算は 370 点（3 割負担で 1,110 円）である．各薬剤の 1 か月の費用を計算すると，IFX（体重 50kg，3mg/kg，2 か月毎）45,174.75 円，IFX BS（体重 50kg，3mg/kg，2 か月毎）18,745.50 円，ETN 50mg ペン 81,668.00 円，ETN BS 50mg ペン 49,684.00 円，ADA 40mg ペン 102,044.00 円，ADA BS 40mg ペン 55,768.00 円，GOL 50mg ペン 109,382.00 円，CZP 200mg ペン 114,232.00 円，OZR 30mg 112,476.00 円，TCZ 点滴静注製剤（体重 50kg，8mg/kg，1 か月毎）54,665.00 円，TCZ 162mg ペン 64,970.00 円，SAR 200mg ペン 95,916.00 円，ABT 125mg ペン 114,188.00 円，ABT 点滴静注製剤（体重 50kg）108,888.00 円である（2023 年 7 月現在）．2023 年 10 月時点で，GOL 静脈注射製剤はわが国では未承認である．

④　パネル会議での意見

　患者の自己負担額は高額であるものの，望ましい効果と望ましくない効果のバランスからは，bDMARD は高齢 RA 患者および臨床医にとっておそらく妥当な選択肢と考えた．高齢 RA 患者に対する bDMARD の有用性に関するエビデンスの確実性は「非常に低」と判断したが，パネル会議において，MTX を含めた csDMARD が十分量投与されても効果不十分な高齢 RA に対する bDMARD の有用性は支持された．しかしながら，高齢 RA 患者は非高齢 RA 患者と比べて有害事象の頻度が高く，高齢 RA 患者に使用する場合は，安全性に十分配慮すること，使用にあたっては長期安全性の確立が不十分であることを考慮する必要があると認識された．現時点では，海外のガイドラインでは高齢者に対する推奨は行われていない．これらのことから，推奨の強さとしては「弱い」とすることとなった．

5)　採用論文リスト

1) Tesser J, et al：Arthritis Res Ther 2019；21：190.

2) Bathon JM, et al：J Rheumatol 2006；33：234-243.

3) Sakai R, et al：Arthritis Res Ther 2022；24：135.

4) Galloway JB, et al：Rheumatology（Oxford）2011；50：124-131.

6)　推奨作成関連資料一覧 （推奨作成関連資料 4 に掲載）

資料 A　RA CQ35　文献検索式
資料 B　RA CQ35　文献検索フローチャート
資料 C　RA CQ35　バイアスのリスク
資料 D　RA CQ35　エビデンスプロファイル
資料 E　RA CQ35　フォレストプロット
資料 F　RA CQ35　Evidence to Decision テーブル

■参考文献

1) 日本リウマチ学会編：関節リウマチ診療ガイドライン 2020．診断と治療社 2021.

2) Sugihara T, et al：Mod Rheumatol 2022；32：313-322.

3) Vela P, et al：Arthritis Res Ther 2020；22：143.

4) Edwards CJ, et al：Drugs Aging 2020；37：35-41.

5) Tesser J, et al：Arthritis Res Ther 2019；21：190.

6) Edwards CJ, et al：Drugs Aging 2019；36：853-862.

RA 推奨 36

推奨文

MTX を含む csDMARD で効果不十分で中等度以上の疾患活動性を有する高齢 RA 患者に，安全性に十分配慮したうえで，短期的治療において，JAK 阻害薬の投与を推奨する（条件付き）．使用にあたっては，長期安全性の確立が不十分であることを考慮する．

推奨の強さ　**弱い**　エビデンスの確実性　**非常に低**　パネルメンバーの同意度　**7.38**

RA CQ36

高齢 RA 患者に JAK 阻害薬は有用か？

サマリー	MTX を含む csDMARD が効果不十分で，中等度以上の疾患活動性を有する高齢 RA 患者に対する JAK 阻害薬の使用は，12〜24 週間の短期間では望ましい効果が望ましくない効果をおそらく上回る．しかしながら，高齢 RA 患者に対する安全性のデータは不足しており，また高齢 RA 患者では併存症や加齢に伴う虚弱が加わり，利益と害のバランスは患者によって様々であることを考慮する．
注　記	JAK 阻害薬の安全性は世界的な議論の途上にあり，注意喚起がなされている．高齢 RA 患者に JAK 阻害薬の長期投与を考慮する場合は RA 推奨 27（JAKi 4）を参考にすること．また，わが国の全例 PMS の正式な最終結果が出揃っていない．高齢 RA 患者は非高齢 RA 患者と比べて，重篤な感染症，心血管イベント，悪性腫瘍，静脈血栓症などの有害事象の頻度が高く，JAK 阻害薬使用にあたっては，特にこれらの有害事象に注意する．JAK 阻害薬の長期使用の有効性と安全性のエビデンスは明らかでないため，個々の高齢 RA 患者の背景に応じた適切な使用を考慮する必要がある．

1）推奨の背景

2020 年版診療ガイドラインで，本診療ガイドラインの薬物治療アルゴリズムのフェーズⅡにおける高齢 RA 患者に対する JAK 阻害薬の使用については，安全性に十分に配慮したうえで使用することが推奨された（推奨の強さ：弱い）（参考文献 1）．SR では，TOF，BARI の RCT のサブ解析の結果，JAK 阻害薬の高齢 RA 患者に対する有効性が確認された（参考文献 2）．しかし，高齢 RA 患者を対象とした RCT はなく，エビデンスの確実性が「非常に低」であったことから，引き続き，JAK 阻害薬の投与が高齢者に有用かを検討することは重要である．

2）エビデンスの要約

2020 年版診療ガイドラインでは 2019 年 6 月までの期間に限定し，SR を行った．今回は 2019 年 7 月から 2022 年 12 月までの期間に限定し，同じ検索式を使用して，PubMed，Cochrane Library，医学中央雑誌で報告された高齢 RA 患者における JAK 阻害薬の有効性と安全性に関する論文について SR を行った．本 CQ における重大なアウトカムとして，ACR50 達成割合，DAS28-CRP 寛解達成割合，HAQ-DI 変化量，重篤な有害事象を取り上げた．有効性に関しては，JAK 阻害薬の効果を検証した RCT のサブ解析 1 件（採用論文 1），2020 年版診療ガイドラインの SR で抽出された JAK 阻害薬の RCT のサブ解析 2 件（採用論文 2，3）について，統合的解析を行った．安全性に関しては，今回の SR では該当研究がなく，参考文献として，TOF と ADA を比較した RCT のサブ解析（参考文献 3），高齢者を含む TOF と TNF 阻害薬の安全性を比較した RCT（参考文献 4），TOF の第 3 相試験の長期投与試験（参考文献 5），2020 年版診療ガイドラインで評価した JAK 阻害薬の RCT のサブ解析 2 件の統合解析の結果（参考文献 2）を採用した．

2020 年版診療ガイドライン作成時の SR では，プラセボ＋csDMARD と比較した 12 週時の望ましい効果については，JAK 阻害薬（TOF，BARI）＋csDMARD の ACR50 達成の絶対効果は 1,000 人あたり 230 人増加，95%CI［113，403］，相対効果は RR＝2.83，95%CI［1.90，4.21］であった（参考文献 2）．今回の SR で採用した PEFI の RCT のサブ解析では，プラセボ＋csDMARD と比較した 12 週時の望ましい効果については，PEFI 150mg±csDMARD の ACR50 達成の絶対効果は 1,000 人あたり 378 人増加，95%CI［43，1,000］，相対効果は RR＝6.67，95%CI［1.64，27.14］，DAS28-CRP 寛解達成の絶対効果は 1,000 人あたり 300 人増加，95%CI［12，1,000］，相対効果は RR＝10.00，95%CI［1.35，73.85］であり，プラセボ＋MTX

と比較した．PEFI 150mg＋MTX の ACR50 達成の絶対効果は1,000人あたり282人増加，95％CI［42, 1,000］，相対効果は RR＝5.23，95％CI［1.63, 16.81］，DAS28-CRP 寛解達成の絶対効果は1,000人あたり195人増加，95％CI［7, 680］，相対効果は RR＝2.72，95％CI［1.06, 6.98］であった（採用論文1）．TOF，BARI，PEFI の統合解析では，ACR50 達成の絶対効果は1,000人あたり239人増加，95％CI［132, 392］，相対効果は RR＝3.18，95％CI［2.21, 4.58］であった．総じて望ましい効果は「中」とした（採用論文1～3）．

2020年版診療ガイドライン作成時の SR では，プラセボ＋csDMARD と比較した望ましくない効果については，JAK 阻害薬（TOF，BARI）＋csDMARD の重篤な有害事象は，絶対効果として1,000人あたり28人増加，95％CI［-42, 205］，相対効果として RR＝1.32，95％CI［0.53, 3.31］であり，JAK 阻害薬で重篤な有害事象は小さく増加した（参考文献2）．今回行ったSR では，JAK 阻害薬として，PEFI の RCT のサブ解析を有効性評価に採用したが，介入期間が12週と短く，重篤な有害事象については24週以上の観察期間でのプラセボとの比較データは得られなかった．参考として，TOF と ADA を比較した RCT のサブ解析では，65歳以上の高齢者において，TNF 阻害薬と比較し，JAK 阻害薬の TOF による重篤な有害事象の相対効果は HR＝1.85，95％CI［0.37, 9.15］となり，TOF のほうが ADA よりも重篤な感染症が多い傾向が示された（参考文献3）．また，重篤な有害事象の合併は高齢者のほうが非高齢者より多いことが示された（参考文献3, 6）．高齢者を含む TOF と TNF 阻害薬の安全性を比較した RCT（参考文献4），TOF の第3相試験の長期投与試験（参考文献5）で，高齢は TOF 内服中の心血管イベント，悪性腫瘍のリスク因子となることが示された．高齢者では，併存症や加齢に伴う虚弱が加わり，患者によって背景は様々であることから，csDMARD と比較した JAK 阻害薬の相対的なリスクは個人差が大きいかもしれない．また，高齢 RA 患者は非高齢 RA 患者より様々な有害事象が多いことを勘案すると，望ましくない効果は非高齢 RA 患者より高齢 RA 患者のほうが大きいと考えられる．特に JAK 阻害薬については高齢者での安全性に関するデータが不足しており，安全性に対する評価が変わる可能性がある．総合的に，望ましくない効果は「様々」と判断した．

3) エビデンスの確実性

採用論文1～3は，RCT における高齢 RA 患者でのサブ解析で，高齢 RA 患者での脱落，データ欠損に関する情報がなかった．また，高齢 RA 患者に層別化したときに背景因子が変わり，背景因子の違いが有効性の潜在的な交絡因子となっている可能性もあるため，「バイアスのリスク」は非常に深刻と判断した．また，統合解析を行っても総サンプル数が少なく「不精確さ」

は深刻と判断した．重大なアウトカムに関する介入の効果は利益が中程度に増加したが，エビデンスの確実性は「非常に低」と評価した．望ましくない効果については十分なデータは得られなかったが，高齢 RA 患者は様々な有害事象のリスクが非高齢 RA 患者より高い．高齢 RA 患者は併存症や加齢に伴う虚弱が加わり，患者によって背景は異なり，高齢者における害の増加は様々であると考えられた．非高齢 RA 患者よりも高齢 RA 患者のほうが害が大きいことも考慮すると，介入による利益と害は異なる方向となることから，アウトカム全般のエビデンスの確実性は，重大なアウトカムの中でエビデンスの確実性の最も低い「非常に低」とした．

4) 推奨の強さ決定の理由

① 利益と害のバランスの評価

JAK 阻害薬の望ましい効果は「中」であるが「非常に低」のエビデンスと判定した．ACR50 達成の NNT は，PEFI，TOF，BARI の統合結果では4.2であった．一方で望ましくない効果については様々であり，対照群の csDMARD と比較して JAK 阻害薬で重篤な感染症，心血管イベント，悪性腫瘍などの重篤な有害事象が増加する可能性があり，安全性への配慮が重要であることが明らかとなった．したがって，望ましい効果が望ましくない効果を上回ると考えられるが，高齢者の利益と害のバランスは患者によって様々であると考えられた．望ましい効果，望ましくない効果についての今回の評価は，エビデンスの確実性が「非常に低」のエビデンスと観察研究に基づいて行っており，将来評価内容が変わる可能性がある．

② 患者の価値観・意向

患者アンケート（第4章2）の結果を参照とした．一般的な患者は関節炎改善と重篤な有害事象の両者に価値をおくと考えられ，本診療ガイドラインでは，リウマチ専門医の投票によって意思決定に重大と判断されたアウトカムを選択しており，アウトカムに対する価値観の重要性に関するばらつきは少ないものと考えられる．

③ コスト

高齢者を対象に費用対効果を検討するための情報はない．JAK 阻害薬の薬価は，1日常用量を TOF 10mg，BARI 4mg，PEFI 150mg，UPA 15mg，FIL 200mg とすると，薬価はそれぞれ5,319.80円，5,274.90円，4,577.80円，5,089.20円，4,893.60円である（2023年7月現在）．社会保険または国民健康保険負担と自己負担の比率は，加入保険や年齢，収入，高額療養費制度などの制度利用によって変化し，必要資源量は各製剤によって異なる．各薬剤の1か月の費用を計算すると，TOF 159,594.00円，BARI 158,247.00円，PEFI 137,334.00円，UPA 152,676.00円，FIL 146,808.00円である（2023年7月現在）．JAK 阻害薬については，経口製剤のため，追加で必要な医療資源はない．

④ パネル会議での意見

高齢 RA 患者に対する JAK 阻害薬の有用性に関するエビデンスの確実性は「非常に低」と判断したが，パネル会議において，MTX を含めた csDMARD が十分量投与されても効果不十分な高齢 RA 患者に対する JAK 阻害薬の有用性は，短期的治療において支持された．患者の自己負担額は高額であるものの，望ましい効果と望ましくない効果のバランスからは，JAK 阻害薬は高齢 RA 患者および臨床医にとっておそらく妥当な選択肢と考えられた．しかしながら，高齢 RA 患者は非高齢 RA 患者と比べて有害事象の頻度が高く，高齢 RA 患者に JAK 阻害薬の長期投与を考慮する場合は，RA 推奨 27（JAKi 4）「MTX で効果不十分で中等度以上の疾患活動性を有する RA 患者に，長期的治療において，MTX と JAK 阻害薬の併用より，MTX と TNF 阻害薬の併用を推奨する（条件付き）．特に高齢，現在または過去の喫煙，悪性腫瘍リスク因子，心血管疾患リスク因子，血栓塞栓症リスク因子を有する患者では，JAK 阻害薬使用中の有害事象に注意が必要である．」を参考にするべきである．高齢 RA 患者に使用する場合は，安全性に十分配慮すること，使用にあたっては長期安全性の確立が不十分であることを考慮する必要があると認識された．これらのことから，推奨は条件付きとした．

5）採用論文リスト

1）Tanaka Y, et al：Mod Rheumatol 2022；32：696-707.

2）Curtis JR, et al：Clin Exp Rheumatol 2017；35：390-400.

3）Fleischmann R, et al：RMD Open 2017；3：e000546.

6）推奨作成関連資料一覧（推奨作成関連資料 4 に掲載）

資料 A　RA CQ36　文献検索式

資料 B　RA CQ36　文献検索フローチャート

資料 C　RA CQ36　バイアスのリスク

資料 D　RA CQ36　エビデンスプロファイル

資料 E　RA CQ36　フォレストプロット

資料 F　RA CQ36　Evidence to Decision テーブル

■参考文献

1）日本リウマチ学会編：関節リウマチ診療ガイドライン 2020．診断と治療社 2021.

2）Sugihara T, et al：Mod Rheumatol 2022；32：313-322.

3）Winthrop KL, et al：Ann Rheum Dis 2021；80：134-136.

4）Ytterberg SR, et al：N Engl J Med 2022；386：316-326.

5）Charles-Schoeman C, et al：Arthritis Rheumatol 2019；71：1450-1459.

6）Tanaka Y, et al：Mod Rheumatol 2022；32：696-707.

RA 推奨37

推奨文

疾患活動性を有する高齢早期 RA 患者に，csDMARD と短期間の副腎皮質ステロイドの併用を推奨する(条件付き)．

推奨の強さ **弱い** エビデンスの確実性 **非常に低** パネルメンバーの同意度 **7.69**

RA CQ37

高齢 RA 患者に副腎皮質ステロイドは有用か？

サマリー	疾患活動性を有する高齢早期 RA 患者に対して，MTX を含む csDMARD に低用量の副腎皮質ステロイドを併用すると，疾患活動性の改善効果が期待される．ただし，PSL 換算 5mg/日の副腎皮質ステロイドを DMARD に 2 年間併用した臨床試験において，プラセボ＋DMARD 群と比較して，感染症，骨折，心血管イベント，高血圧，糖尿病，白内障，緑内障などの有害事象が増加することが示された．
注 記	高齢 RA 患者に副腎皮質ステロイドを使用する場合は，安全性に十分配慮し，必要最小量で短期間とする．

1) 推奨の背景

RA の現在の標準治療は，まず MTX で治療を開始し，短期間の低用量の副腎皮質ステロイド（以下，ステロイド）の併用が考慮される．非高齢 RA 患者におけるステロイドの短期併用については，2020 年版診療ガイドラインでは条件付きで推奨されたが（参考文献 1），高齢 RA 患者を対象とした場合のステロイド併用についてのエビデンスは存在しなかった（参考文献 2）．MTX を主とする DMARD を高齢 RA 患者に開始するときに，ステロイドの併用が有用かを検討することは，治療方針決定に重要である．

2) エビデンスの要約

2020 年版診療ガイドラインでは，2019 年 6 月までの期間に限定し，SR を行った．今回は 2019 年 7 月から 2022 年 12 月までの期間に限定し，同じ検索式を使用して，PubMed, Cochrane Library, 医学中央雑誌で報告された高齢 RA 患者におけるステロイドの効果と安全性に関する論文について SR を行った．本 CQ における重大なアウトカムとして，ACR50 達成割合，DAS28-ESR 寛解達成割合，mTSS 変化量，重篤な有害事象，推奨作成の参考とするアウトカムとして adverse event of special interest（薬剤中止の原因となる有害事象，心筋梗塞，脳血管病変，末梢血管病変，新規発症高血圧，糖尿病，感染症，白内障，治療を要する緑内障，症状を有する骨折）を取り上げた．効果と安全性を検証した RCT を 1 件（採用論文 1），安全性に関しては，高齢 RA 患者に対するステロイドの長期使用のリスクを評価した観察研究を，重篤な感染症について 1 件（採用論文

2），重篤な有害事象について 1 件（採用論文 3），骨折について 1 件（採用論文 4）採用した．

プラセボ＋DMARD と比較した望ましい効果については，ステロイド（PSL 換算 5mg/日）＋DMARD の ACR50 達成（12 週時）の絶対効果は 1,000 人あたり 105 人増加，95％CI［17, 266］，相対効果は RR＝2.19，95％CI［1.19, 4.03］，mTSS 変化量（2 年時）の絶対効果は MD＝－1.60，95％CI［－2.45, －0.75］，DAS28-ESR 寛解達成（12 週時）の絶対効果は 1,000 人あたり 230 人増加，95％CI［96, 442］，相対効果は RR＝2.70，95％CI［1.71, 4.27］であった．総合として，望ましい効果は「中」と判断した．追加的考察として，本研究は新規発症例が対象ではなく，各群の平均罹病期間は 10.8 年，10.4 年で，高齢 RA 患者で DAS28-ESR 2.6 以上が対象のため，初期治療におけるステロイドの有用性を示すデータではない．また，ステロイドあるいはプラセボに併用する DMARD が主治医の裁量に任されていた．DMARD はステロイド群の 75％，プラセボ群の 83％で使用され，MTX はステロイド群の 57％，プラセボ群の 68％に使用され，bDMARD はステロイド群の 16％，プラセボ群の 13％で使用されていた．

プラセボ＋DMARD と比較した望ましくない効果については，ステロイド（PSL 換算 5mg/日）＋DMARD の重篤な有害事象（2 年）は絶対効果として 1,000 人あたり 0 人と不変，95％CI［－44, 77］，相対効果は RR＝1.00，95％CI［0.60, 1.69］であった．Adverse event of special interest（2 年）は，絶対効果として 1,000 人あたり 104 人増加，95％CI［10, 217］，相対効果として RR＝1.21，95％CI［1.02, 1.44］であった．追加的考察としてはステロイドの投与期間は 2 年で，MTX を主とする DMARD

開始時のステロイドの短期併用の安全性を示すデータではなかった．米国の保険データベース由来の2つのコホートでは，PSL未使用と比較した，65歳以上の高齢RA患者に対するPSL 5mg/日以下の投与による重篤な感染症のリスクはそれぞれ，調整OR＝1.34，95%CI［1.29，1.40］，調整OR＝1.34，95%CI［1.17，1.54］であった．75歳以上のRA患者においては1つのコホートで検討され，調整OR＝1.31，95%CI［1.25，1.37］となり，低用量のステロイドの長期継続が重篤な感染症のリスクとなることが示された（採用論文2）．また，PSL 6mg/日以上を継続すると，用量依存性にリスクが増加することが示された（採用論文2）．わが国の高齢発症RA患者を対象としたT2Tのコホート研究においても，ステロイド使用は調整OR＝2.35，95%CI［1.31，4.05］で重篤な有害事象のリスク因子となり，疾患活動性で調整後も調整OR＝1.53，95%CI［0.82，2.78］と望ましくない傾向が認められた（採用論文3）．英国の保険データベースで検討された高齢RA患者においては，低用量ステロイド（PSL 7.5mg/日以下）の長期継続は，過去に使用歴がありステロイドを中止している患者と比較して，椎体骨折のリスクが調整HR＝1.59，95%CI［1.11，2.29］と増加し，低用量のステロイドの長期継続が骨折のリスクとなることが示された（採用論文4）．2020年版診療ガイドラインで参考文献として採用した研究では，カナダの65歳以上の高齢RA患者を対象とした保険データベースで，ステロイドの使用期間が長くなるほど心血管イベントのリスクが増加することが示された（参考文献3）．前向きコホート研究においては，ステロイド使用は高齢RA患者で心血管イベントのリスクを上げることが示された（参考文献4）．以上より，ステロイドは高齢RA患者において，重篤な感染症，重篤な有害事象，骨折，心血管イベントのリスク因子となると考えられる．総合として望ましくない効果は「中」と判断した．

3) エビデンスの確実性

本推奨のエビデンスに採用したRCTでは，ステロイドとプラセボの2群への割り付けに関しては「バイアスのリスク」を認めなかったが，ステロイドあるいはプラセボに併用するDMARDが主治医の裁量に任されていたため，「バイアスのリスク」は非常に深刻とした．またRCTでの対象患者が，本推奨で想定する対象患者と異なる点で，「非直接性」を深刻とした．また，「不精確さ」についてもACR50達成のRRの95%CIが「相当な利益」とみなされる基準の1.25を含んでおり深刻とした．観察研究については予後研究を評価するQUIPS toolを使用し，ステロイドの重篤な感染症，重篤な有害事象，骨折について，「バイアスのリスク」の評価は中程度と判定した．重大なアウトカムに関する介入の効果は，利益が中程度に増加したが，害も中程度に増加し，異なる方向となるため，アウトカム全般

のエビデンスの確実性は，重大なアウトカムの中でエビデンスの確実性の最も低い「非常に低」とした．

4) 推奨の強さ決定の理由

① 利益と害のバランスの評価

2020年版診療ガイドラインでは，関節破壊進行の程度は高齢RA患者と非高齢RA患者で同等であること，高疾患活動性，ACPA陽性，診断時の骨びらんは高齢発症RA患者の関節破壊進行と関連し，治療開始早期の疾患活動性制御は関節破壊進行抑制と関連することから，疾患活動性を有する高齢早期RA患者において，早期に疾患活動性を改善させる必要があることが記載されている（参考文献1）．また，MTXにステロイドを短期間併用することに関して非高齢RA患者での有効性が報告されており，「疾患活動性を有する早期RA患者に，csDMARDに短期間の副腎皮質ステロイド投与の併用を推奨する（条件付き）」となっている．ただし，副作用の面からbDMARDやJAK阻害薬とステロイドの併用は推奨となってはいない．今回のSRの結果では，高齢RA患者に対するステロイド併用の12週における望ましい効果は「中」と判断した．重大なアウトカムのNNTはACR50達成が9.5，DAS28-ESR寛解達成が4.3であった．一方で望ましくない効果については，NNHはadverse event of special interestが9.6，観察研究においては長期間の低用量ステロイドの継続が有害事象を増加させることは明らかであった．したがって，短期間のステロイド併用であれば利益と害のバランスはステロイド併用がおそらく優れていると考えられるが，長期間の併用では害が大きいと考えられた．

② 患者の価値観・意向

患者アンケート（第4章2）の結果を参照とした．一般的な患者は関節炎改善と重篤有害事象の両者に価値をおくと考えられ，本診療ガイドラインでは，リウマチ専門医の投票によって意思決定に重大と判断されたアウトカムを選択しており，アウトカムに対する価値観の重要性に関するばらつきは少ないものと考えられる．

③ コスト

高齢RA患者における費用対効果を検討したエビデンスはない．1日常用量をPSL 5mgとすると薬価は9.80円である（2023年7月現在）．一般論として，高齢者の身体機能低下に対してフレイルの概念が提唱され，フレイルの進行は健康寿命の短縮と医療費の増大につながる．短期間の使用であれば早期に身体機能を改善させ，フレイルの進行を防ぐ効果が期待される．一方でその長期使用は合併症との関連が報告され，その予防や治療が必要なほか，フレイルを進行させ，医療費を増大させることが懸念される．

④ パネル会議での意見

高齢早期RA患者に対するステロイドの短期間併用に関する

有効性と安全性についてのエビデンスの確実性は「非常に低」と判断したが，パネル会議においても，疾患活動性を有する高齢 RA 患者に csDMARD と短期間のステロイドの併用は支持された．一方で，高齢 RA 患者に csDMARD とステロイドを開始すると減量や中止が困難となる症例があること，そのためステロイドを長期に使用することとなり有害事象の頻度が高くなることが懸念された．非高齢 RA 患者同様に，ステロイドの使用は短期間とし中止を目指すことが前提であること，ステロイドの減量，中止で治療目標を達成できない場合は治療失敗例と認識することが重要である．引き続き，高齢 RA 患者に対するステロイドの短期併用の有効性，安全性の検討が必要である．これらのことから，推奨の強さとしては「弱い」とすることとなった．

5）採用論文リスト

1）Boers M, et al：Ann Rheum Dis 2022；81：925-936.

2）George MD, et al：Ann Intern Med 2020；173：870-878.

3）Sugihara T, et al：Rheumatology（Oxford）2021；60：4252-4261.

4）Abtahi S, et al：Rheumatology（Oxford）2022；61：1448-1458.

6）推奨作成関連資料一覧（推奨作成関連資料 4 に掲載）

資料 A　RA CQ37　文献検索式

資料 B　RA CQ37　文献検索フローチャート

資料 C　RA CQ37　バイアスのリスク

資料 D　RA CQ37　エビデンスプロファイル

資料 E　RA CQ37　フォレストプロット

資料 F　RA CQ37　Evidence to Decision テーブル

■参考文献

1）日本リウマチ学会編：関節リウマチ診療ガイドライン 2020. 診断と治療社 2021.

2）Sugihara T, et al：Mod Rheumatol 2022；32：313-322.

3）Widdifield J, et al：J Rheumatol 2019；46：467-474.

4）Ajeganova S, et al：J Rheumatol 2013；40：1958-1966.

RA 推奨38

推奨文

間質性肺疾患を合併している RA 患者では，間質性肺疾患の急性増悪に注意したうえで，DMARD の投与を推奨する（条件付き）．

推奨の強さ **弱い** エビデンスの確実性 **非常に低** パネルメンバーの同意度 **8.06**

RA CQ38

呼吸器合併症，特に間質性肺疾患を有する RA 患者に DMARD の投与は安全か？

サマリー	DMARD は ILD 合併 RA 患者に投与可能であるが，安全性は確立していないため注意深く使用する．
注　記	bDMARD の投与による ILD の悪化は多くないので，軽度の ILD 合併であれば使用可能である．ただし，急性増悪の可能性があるため注意深く使用する．高度の呼吸機能障害を有する患者では，MTX 使用は禁忌であり，bDMARD の使用も控えるほうがよい．DMARD の ILD に対する有効性は明らかでない．

1）推奨の背景

呼吸器疾患は RA で頻度が高い死因の 1 つであるが，中でも ILD の合併は RA 患者で高頻度に認められ，肺感染症や ILD 急性増悪などの呼吸器疾患による死亡のリスク因子の 1 つとなっている．したがって ILD を有する RA 患者の治療法の選択を明らかにすることは重要である．

2）エビデンスの要約

2012 年から 2018 年に PubMed，Cochrane Central Register of Controlled Trials，医学中央雑誌で報告された，ILD を有する RA 患者における csDMARD，bDMARD，JAK 阻害薬の投与の安全性を評価した論文に関する SR を行った．7 件の症例集積研究が該当し，安全性を検討した薬剤としては，RTX が 2 件，ABT が 2 件，TCZ が 1 件，TNF 阻害薬が 1 件，TAC が 1 件であった．推奨に使用するアウトカムとして，MMRC の悪化なし，FVC の悪化なし，DLCO の悪化なし，CT 所見の悪化なし，CT スコアが選ばれた．

Fernández-Díaz らの研究では，RTX で加療された RA 患者 25 例において，投与前後で MMRC の改善・不変の割合は 96%，FVC の改善・不変の割合は 95.5%，DLCO の改善・不変の割合は 90%，CT での陰影の改善・不変の割合は 90% であった（採用論文 1）．Yusof らの研究においても，RTX で加療された RA 患者 37 例において，投与前後で FVC の改善・不変の割合は 94.6%，DLCO の改善・不変の割合は 90%，CT での陰影の改善・不変の割合は 97.3% と同様の結果であった（採用論文 2）．Fernández-Díaz らの研究では，ABT で加療された RA 患者 40 例において，投与前後で MMRC の改善・不変の割合は 88.9%，

FVC の改善・不変の割合は 88.5%，DLCO の改善・不変の割合は 91.3%，CT での陰影の改善・不変の割合は 86.4% であった（採用論文 1）．Akiyama らの研究では，TCZ で加療された RA 患者 78 例において，投与前後で CT での陰影の改善・不変の割合は 92.3% であった（採用論文 5）．Nakashita らの研究では，TNF 阻害薬で加療された RA 患者 46 例において，投与前後で CT での陰影の改善・不変の割合は 69.6% であった（採用論文 6）．Hirata らの研究では，TAC で加療された RA 患者 40 例において，投与前後で CT スコアは 1.44±0.77 から 1.42±0.78 と有意に低下した（$p = 0.0039$）（採用論文 7）．

以上より，RA に合併した ILD は bDMARD の投与によっても変わらない例が多いが，一部の例では呼吸機能や CT 所見の悪化がみられる．また，ILD 合併時の csDMARD と JAK 阻害薬投与による感染症発現や急性増悪の頻度などその他の安全性に関する検討は十分ではなかった．

csDMARD による ILD の発症や増悪に関する症例集積研究，市販後調査結果が報告されている．特に日本人では MTX と LEF で ILD 頻度が高く重症化しやすい（参考文献 1, 2）．TAC，IGU，SASP，BUC，注射金製剤などの csDMARD や JAK 阻害薬に関しても ILD の発症が報告されている（参考文献 3, 4, 各薬剤添付文書）．副腎皮質ステロイドは，ILD を増悪させる可能性は少ないが，感染症のリスク因子である．ILD 自体が重症感染症やニューモシスチス肺炎のリスク因子であり，副腎皮質ステロイドの使用がさらに感染症リスクを上昇させる（参考文献5）．

3）エビデンスの確実性

本推奨は，いずれも症例集積研究に基づいている．いずれのアウトカムにおいても，対照群がなく，背景因子の差・不完全

なフォローアップ・不十分な交絡因子の調整の項目が high risk of bias であり，「バイアスのリスク」は非常に深刻と判断した．代理アウトカムの使用のため「非直接性」は深刻であり，総サンプル数が小さく「不精確さ」は深刻と判断した．以上のことから，すべてのアウトカムのエビデンスの確実性は「非常に低」と評価した．

以上から，アウトカム全般にわたる全体的なエビデンスの確実性は「非常に低」とした．

4）推奨の強さ決定の理由

① 利益と害のバランスの評価

ILD 合併 RA に対して DMARD 治療を行うことは，関節病変に対しては有益であると考えられる．また，ILD は RA の関節外症状の 1 つであり，疾患活動性との関連も報告されている．一方で DMARD 治療による ILD 悪化のリスクを考慮すべきである．ILD の急性増悪は重篤な病態を引き起こす可能性があるため，頻度が高くなくても害として重要である．また，ILD 悪化時には呼吸器感染症を伴う場合も多く，肺予備能の低い患者では予後がさらに悪化する可能性が高い．したがって，関節炎の活動性と ILD の程度や肺予備能を考慮して治療を決定することになるが，個人差が大きく一様な指針を作成することはむずかしい．

② 患者の価値観・意向

ILD 合併 RA 患者において，RA の活動性が高く NSAID などの補助的治療でも疼痛コントロールが不十分な場合には，ILD 悪化リスクや呼吸器感染症リスクを考慮しつつ，DMARD 治療を必要とする．DMARD の副作用を十分説明して，協働的意思決定を重視し，使用の可否を決める必要がある．

③ コスト

費用対効果の研究はない．DMARD 使用により ILD が悪化し，医療費が増加する可能性がある一方で，DMARD 治療を差し控えると RA の悪化によって RA 医療の直接・間接医療費が増加する可能性もある．ILD 合併 RA 患者における DMARD のコスト評価は今後の検討課題である．

④ パネル会議での意見

パネル会議では，本推奨に関する質の高いエビデンスが欠如していることが確認された．RA の治療中の ILD の急性増悪には，RA によるもの，薬剤性肺障害，ニューモシスチス肺炎などがあり，鑑別に苦慮することもまれではない．日本リウマチ学会の「生物学的製剤，JAK 阻害薬投与中における発熱，咳，呼吸困難に対するフローチャート」および日本呼吸器学会による「炎症性疾患に対する生物学的製剤と呼吸器疾患診療の手引き 第2版」「膠原病に伴う間質性肺疾患 診断・治療指針 2020」（参考文献 6，7）等を参照する．RA の ILD の急性増悪のリスク因子としては，高齢，UIP パターン，MTX 使用，が報告され

ている（参考文献 6）．RA 患者におけるニューモシスチス肺炎のリスクとしては，高齢，肺合併症，副腎皮質ステロイド投与，糖尿病，末梢血リンパ球減少などが知られており（参考文献 5），ハイリスク患者に bDMARD や JAK 阻害薬を使用する場合には，ST 合剤による発症予防を考慮する．

MTX の使用に関しては，日本リウマチ学会「関節リウマチ治療におけるメトトレキサート（MTX）診療ガイドライン 2016 年改訂版」を参照する（参考文献 8）．ILD が軽度である場合には慎重に経過をみながら投与する．高度な呼吸器障害を有する患者（①低酸素血症の存在〔室内気で $PaO_2 < 70$ Torr〕，②呼吸機能検査で %VC < 80% の拘束性障害，③胸部画像検査で高度の肺線維症の存在）への MTX 投与は禁忌である（参考文献 8）．

英国リウマチ学会のガイドラインでは「bDMARD 投与に際し，ILD は禁忌とはならないが，高度の呼吸機能障害がある時には投与しないほうが望ましい」とされている（参考文献 9）．

以上，利益と害のバランス，患者の価値観・意向，コスト，パネル会議の意見を総合的に勘案し，ILD を合併している RA 患者では，ILD の急性増悪に注意したうえで，DMARD を投与することを推奨した．推奨の強さは「弱い」（条件付き）とした．

ILD 合併 RA 患者に対する RCT，質の高い観察研究はなく，DMARD の安全性の確立は future question である．

5）採用論文リスト

1) Fernández-Díaz C, et al：Arthritis Rheum 2017；69（Suppl10）.
2) Md Yusof MY, et al：Rheumatology（Oxford）2017；56：1348-1357.
3) 川崎貴裕，他：日本リウマチ学会総会・学術集会プログラム・抄録集 2015；59 回：551.
4) Nakashita T, et al：Respir Investig 2016；54：376-379.
5) Akiyama M, et al：Rheumatol Int 2016；36：881-889.
6) Nakashita T, et al：BMJ Open 2014；4：e005615.
7) 平田信太郎，他：九州リウマチ 2017；37：S15.

6）推奨作成関連資料一覧（推奨作成関連資料 4 に掲載）

資料 A　RA CQ38　文献検索式
資料 B　RA CQ38　文献検索フローチャート
資料 C　RA CQ38　バイアスのリスク
資料 D　RA CQ38　エビデンスプロファイル

■参考文献

1) リウマトレックス適正使用情報 Vol.25. ファイザー株式会社，2019 年 5 月.
2) Sawada T, et al：Rheumatology（Oxford）2009；48：1069-1072.
3) Takeuchi T, et al：Mod Rheumatol 2018；28：48-57.

4）Mimori T, et al：Mod Rheumatol 2019；29：314-323.

5）Tanaka M, et al：J Rheumatol 2015；42：1726-1728.

6）日本呼吸器学会 炎症性疾患に対する生物学的製剤と呼吸器疾患診療の手引き第 2 版作成委員会：炎症性疾患に対する生物学的製剤と呼吸器疾患診療の手引き 第 2 版. 2020.

7）日本呼吸器学会・日本リウマチ学会合同 膠原病に伴う間質性肺疾患 診断・治療指針作成委員会：膠原病に伴う間質性肺疾患 診断・治療指針 2020. 2020.

8）日本リウマチ学会 MTX 診療ガイドライン策定小委員会編：関節リウマチ治療におけるメトトレキサート（MTX）診療ガイドライン 2016 年改訂版. 羊土社 2016.

9）Holroyd CR, et al：Rheumatology 2019；58；e3-e42.

RA 推奨39

推奨文

重症心不全を有する RA 患者では，TNF 阻害薬を投与しないことを推奨する（条件付き）．

推奨の強さ **弱い** エビデンスの確実性 **非常に低** パネルメンバーの同意度 **8.12**

RA CQ39

循環器合併症，特に心不全，心血管疾患（冠動脈疾患，脳血管疾患，末梢血管疾患）を有する RA 患者に DMARD の投与は安全か？

サマリー	心血管疾患を有する RA 患者に対して bDMARD は使用可能である．ただし，NYHA 心機能分類Ⅲ度以上の心不全患者では TNF 阻害薬は禁忌である．
注　記	RA 患者の心血管イベントの減少には，心血管疾患危険因子への対応と DMARD 治療による RA 疾患活動性の抑制が重要である．JAK 阻害薬は心血管リスクのある高齢患者では VTE のリスクを否定できない．RA 推奨26・27も参照のこと．

1）推奨の背景

　RA 患者では一般人に比して CVD のリスクが高い．一般的な心血管リスクに加え，RA の活動性や治療薬がリスクとなるため，治療法の選択は重要な課題である．したがって，循環器合併症，特に心不全，心血管疾患（冠動脈疾患，脳血管疾患，末梢血管疾患）を有する RA 患者に対する DMARD の投与の安全性を明らかにすることは重要である．

2）エビデンスの要約

　2012年から2018年に PubMed，Cochrane Central Register of Controlled Trials，医学中央雑誌で報告された，心血管リスクを有する RA 患者における csDMARD，bDMARD，JAK 阻害薬の投与の安全性を評価した論文に関する SR を行った．推奨作成に用いるアウトカムとして，複合心血管イベント，心不全，副作用が選ばれた．

① 心不全を有する RA 患者に対する TNF 阻害薬

　Solomon らは，4件の米国のヘルスケアプログラムを用いたコホート研究で，MTX 使用中の既知の心不全をもつ RA 患者（791人）において，TNF 阻害薬または MTX 以外の csDMARD 投与による心不全入院のイベント発生率を比較し，両群間に差はなかったと報告した（non-biological DMARD 群35/359，TNF 阻害薬群40/432）（採用論文1）．Listing らはドイツの bDMARD レジストリ（RABBIT）によるコホート研究で，心不全を有する RA 患者（98人，NYHA 心機能分類Ⅲ度8人，Ⅳ度0人）において，TNF 阻害薬または csDMARD 投与による心不全の悪化を比較し，両群に差はなかったと報告した（csDMARD 群3/46，

TNF 阻害薬群9/52）（採用論文2）．したがって，心不全またはその既往をもつ患者に対する TNF 阻害薬投与は心不全を悪化させない可能性がある．一方，Chung らは，RCT で，NYHA 心機能分類Ⅲ/Ⅳ度で EF＜35％の患者150人において，プラセボ，IFX 5mg/kg，10mg/kg 投与による心不全に対する影響を検討し，10mg/kg 群ではプラセボに比較して，死亡と心不全入院のリスクが上昇したことを報告した（HR＝2.84，95％CI[1.01，7.97]）（参考文献1）．

　以上2つのコホートと1つの RCT で異なる結果を示している理由として，対象患者の重症度が考えられる．コホート研究では，採用論文1は心不全の重症度について記載がなく，採用論文2では重症心不全（NYHA 心機能分類Ⅲ/Ⅳ度）患者は少数であった．一方 RCT の対象は重症心不全（NYHA 心機能分類Ⅲ/Ⅳ度）患者であったが，RA 患者ではなかった．

② 心血管リスクを有する患者に対する bDMARD

　RA 患者全体を対象として治療薬と複合血管イベント発生率を調べた多くの研究のメタ解析によると，TNF 阻害薬，MTX，ABT，TCZ 使用患者では非使用患者に比較して心血管イベントが少ないことが示されている（参考文献2，3）．

　心血管リスクのある RA 患者に対する bDMARD 投与に関する報告は2件ある．RCT により心血管リスクを有する RA 患者3,080人を対象に TCZ と ETN 投与による，複合血管イベントの発生率を比較した報告では，両群間に有意差を認めなかった（HR＝1.05，95％CI[0.77，1.43]）（採用論文3）．コホート研究において心血管リスクを有する RA 患者6,248人を対象に ABT と TNF 阻害薬の複合血管イベントの発生率を比較した研究では，ABT は TNF 阻害薬に比較して複合血管イベントの発生率

が有意に低かった（HR＝0.79，95％CI[0.64，0.98]）（採用論文4，5）．これらの研究はbDMARD間の比較であり，bDMARD非投与群に比べて主要心血管イベントを抑制するかは明らかでないが，心血管リスクをもつ多くの患者に投与された経験が示されている．

以上より，bDMARDとMTXは心血管イベントを減少させる可能性があり，心血管リスクをもつ患者に多く使用されている経験から，心血管リスクをもつ患者への投与は可能とした．

③　心血管リスクを有する患者に対するJAK阻害薬

JAK阻害薬に関する大規模観察研究はない．2019年に報告された26のRCTのメタ解析では，11,799人のRA患者を対象としてJAK阻害薬による短期的な心血管イベント発生について対照群と比較した．JAK阻害薬投与群と対照群に差はなかったが，BARIは4mg群で2mg群より心血管イベント発生が増加した（OR＝0.09，95％CI[0.04，0.88]）（参考文献4）．近年，50歳以上で1つ以上の心血管リスクを有するRA患者を対象とした海外市販後臨床試験（A3921133試験）の中間解析において，TOF 10mg 1日2回投与群（わが国のRAに対する承認用量用法は5mg 1日2回）でTNF阻害薬投与群に比べて肺塞栓症のリスクが高い（17件/3,123人年 vs. 3件/3,319人年）ことが報告され，欧州医薬品庁から注意喚起がなされている（参考文献5）．以上のことから，心血管リスクを有するRA患者に対するJAK阻害薬は慎重に適応を検討する必要がある（RA推奨26・27も参照のこと）．

3）エビデンスの確実性

本推奨は，RCT，コホート試験に基づいている．

ChungらのRCTの論文は，対象がRA患者でないために「非直接性」が非常に深刻であり，採用論文でなく，参考文献とした（参考文献1）．その他の心不全患者に対する試験では，背景因子の差，ケアの差，不十分な交絡の調整がunclear risk of bias，不適切なアウトカム測定がunclearまたはhigh risk of biasのため，深刻な「バイアスのリスク」を認め，異質性が高く，「非一貫性」は深刻とした．HRの95％CIの上限と下限が，「効果なし」と「相当な害」とみなされる基準HR＜0.75またはHR＞1.25を含み，「不精確さ」は非常に深刻と判断した．以上のことから，エビデンスの確実性は「非常に低」と評価した（採用論文1，2）．心血管因子を有する患者への投与の関する研究では，TCZとETNにおけるRCTで複合心血管イベントが検討され，背景因子の差，ケアの差，不十分な交絡の調整の項目がhigh risk of biasであり，「バイアスのリスク」は深刻と判断した．また，HRの95％CIの上限と下限が，「効果なし」と「相当な害」とみなされるHR＞1.25を含むため，深刻とした．このことから，エビデンスの確実性は「低」と評価した（採用論文3）．ABTとTNF阻害薬を比較したコホート研究で複合血管イベン

トが検討され，背景因子の差，ケアの差，不十分な交絡の調整の項目がhigh risk of biasであり，「バイアスのリスク」は深刻と判断した．また，HRの95％CIの上限と下限が，「効果なし」と「相当な利益」とみなされる基準HR＜0.75を含むため，深刻とした．このことから，エビデンスの確実性は「非常に低」と評価した（採用論文4，5）．

以上より，アウトカム全般にわたる全体的なエビデンスの確実性は「非常に低」とした．

4）推奨の強さ決定の理由

①　利益と害のバランスの評価

DMARD治療は関節炎に対しては有益であり，RAの疾患活動性は心血管イベントリスク因子の1つであるため，CVD合併RA患者に対しても有益と考えられる．また，CVDの既往やリスクのある患者に対しても多数の投与経験がある．したがって，bDMARDの使用は利益が害を上回ると考えられる．ただし，対象がRA患者ではないものの，NYHA心機能分類Ⅲ度以上の心不全患者では心不全が悪化するという報告があり，うっ血性心不全の患者へのTNF阻害薬の使用は添付文書上禁忌であるため，重症心不全患者に対するTNF阻害薬投与は害が利益を上回ると考えられるため推奨文に記載した．高用量のJAK阻害薬投与で心血管イベントやVTEの発生率が増える可能性が報告されているので，CVD既往のある患者ではJAK阻害薬は慎重に使用することで利益と害のバランスをとるべきである．

②　患者の価値観・意向

CVDの既往のあるRA患者において，RAの活動性が高い場合にはcsDMARD，bDMARD，JAK阻害薬投与を必要とする．心血管リスクに関する現在のエビデンスを十分説明して，これらのDMARD治療について医師と患者の協働的意思決定をする必要がある．

③　コスト

CVDの再発により医療費が増加する可能性がある一方で，治療を差し控えると関節炎の進行によるADLの低下や関節破壊によってRA医療の直接・間接医療費が増加する可能性がある．CVDの既往のあるRA患者におけるDMARDのコスト評価は今後の検討課題である．

④　パネル会議での意見

RA患者ではCVDのリスクが一般人口に比して1.48倍であるとされている（参考文献6）．わが国の報告によれば，RA患者の死因のうち脳血管障害が8.0％，心筋梗塞7.6％であり，悪性腫瘍，呼吸器疾患に次いで3，4位を占めるため，これらの疾患のCVDリスク管理は重要な臨床的問題である（参考文献7）．DMARDによりRAの疾患活動性をコントロールすることがCVDリスク管理上重要であり，心血管リスクのある患者でも安全性に注意しながらDMARDを使うことにより，CVDリスク

を減らせる可能性がある. JAK 阻害薬と VTE リスクについては今後も注意を要するが, 現時点ではエビデンスが不十分と判断し, 推奨からは除外し, 注記に記載した (参考文献 8).

EULAR リコメンデーション 2019 では, RA 患者に対する冠動脈疾患危険因子のスクリーニング, 適切な食事, 規則的な運動, 禁煙が奨励され, 高血圧や脂質異常に対しては降圧薬, スタチン製剤の使用が勧められている. 疾患活動性は適切にコントロールされるべきであり, NSAID は注意深く, 副腎皮質ステロイドは最小限に使用されるべきであると記載されている (参考文献 9). 英国リウマチ学会ガイドラインでは, ①NYHA 心機能分類 Ⅲ/Ⅳ度の心不全を有する RA 患者には注意深く bDMARD を使用すること, ②心筋梗塞や CVD の既往のある RA 患者に対しても bDMARD は使用可能であることが記載されている (参考文献 10).

以上を総合的に判断し, 重症心不全を有する RA 患者では, TNF 阻害薬を投与しないことを推奨し, 推奨の強さは「弱い」(条件付き) とした.

5) 採用論文リスト

1) Solomon DH, et al：Ann Rheum Dis 2013；72：1813-1818.

2) Listing J, et al：Arthritis Rheum 2008；58：667-677.

3) Giles JT, et al：Arthritis Rheum 2016；68：4357-4359.

4) Jin Y, et al：J Rheumatol 2018；45：1240-1248.

5) Kang EH, et al：J Am Heart Assoc 2018；7：e007393.

6) 推奨作成関連資料一覧 (推奨作成関連資料 4 に掲載)

資料 A　RA CQ39　文献検索式

資料 B　RA CQ39　文献検索フローチャート

資料 C　RA CQ39　バイアスのリスク

資料 D　RA CQ39　エビデンスプロファイル

■参考文献

1) ChungES, et al：Circulation 2003；107：3133-3140.

2) Roubille C, et al：Ann Rheum Dis 2015；74：480-489.

3) Singh S, et al：Arthritis Care Res (Hoboken) 2020；72：561-576.

4) Xie W, et al：Ann Rheum Dis 2019；78：1048-1054.

5) Xeljanz Article-20 procedure – EMA confirms Xeljanz to be used with caution in patients at high risk of blood clots (PDF/131.71 KB) First published：06/03/2020 EMA/92517/2020.

6) Avina-Zubieta JA, et al：Ann Rheum Dis 2012；71：1524-1529.

7) Nakajima A, et al：Scand J Rheumatol 2010；39：360-367.

8) ゼルヤンツ 適正使用のお願い 海外市販後臨床試験に関連する安全性情報～欧州医薬品庁 (EMA) の対応と国内の状況～. ファイザー株式会社 2020.

9) Agca R, et al：Ann Rheum Dis 2017；76：17-28.

10) Holroyd CR, et al：Rheumatology 2019；58：e3-e42.

RA 推奨40

推奨文

中等度以上の腎機能障害を有する RA 患者では，安全性を慎重に検討し，適切な用量の DMARD を用いることを推奨する．

推奨の強さ **強い**　エビデンスの確実性 **非常に低**　パネルメンバーの同意度 **8.17**

RA CQ40

中等度以上の腎機能障害を有する RA 患者に DMARD の投与は安全か？

サマリー	腎機能障害を有する RA 患者の DMARD 治療に際しては，腎機能に応じて DMARD の適応と投与量を決定したうえで，関節炎を治療する．
注 記	中等度以上の腎機能障害を有する RA 患者に対する DMARD 治療の安全性に関する十分なエビデンスはない．

1) 推奨の背景

RA における腎障害には疾患活動性に伴うものや薬剤に起因するものなどがある．したがって，腎障害に配慮しつつ疾患活動性を制御することは重要であり，特に腎機能低下 RA 患者においては投与量の調節が必要となる．

2) エビデンスの要約

RA 患者は CKD に進行するリスクが 1.52 倍高いと報告されている（参考文献 1）．また，bDMARD による治療は eGFR＞60mL/分/1.73m^2 以上の RA 患者が CKD（eGFR＜60mL/分/1.73m^2）へと進展するリスクを抑えると報告されている（参考文献 2）．では，eGFR が 60mL/分/1.73m^2 未満の中程度の腎機能障害をもつ RA 患者に対する DMARD 投与は有効かつ安全であろうか．

2012 年から 2018 年に PubMed，Cochrane Central Register of Controlled Trials，医学中央雑誌で報告された，腎機能障害を有する RA 患者における csDMARD，bDMARD，JAK 阻害薬の投与の安全性を評価した論文に関する SR を行った．4 件のコホート研究が該当し，bDMARD に関するものが 3 件，NSAID に関するものが 1 件であった．推奨作成に用いるアウトカムとして，副作用，eGFR，死亡が選ばれた．

Kim らはコホート研究により eGFR＜60mL/分/1.73m^2 の RA 患者 70 人を対象に TNF 阻害薬投与による eGFR への影響を検討したところ，TNF 阻害薬投与群は csDMARD 投与群に比較して，eGFR の低下がみられにくいことを報告した（年間 eGFR 変化量 2.0±7.0 vs. −1.9±4.0mL/分/1.73m^2/年，$p=0.006$）．bDMARD 投与では csDMARD 投与に比べ，DAS28 もより低下した（採用論文 1）．Sumida らは，ADA 投与を受けた RA 患者について，腎機能低下群（eGFR＜60mL/分/1.73m^2）39 人と腎機能正常群（eGFR≧60mL/分/1.73m^2）26 人に分けて，ADA の投与による eGFR の変化（中央値 31 週）と ADA 中止に至った副作用の頻度を検討したところ，いずれの群でも eGFR 低下を認めず，投与中止に至った副作用頻度も変わらなかったと報告した（採用論文 2）．Kuroda らは，コホート研究により，アミロイドーシスと確定診断され透析中の RA 患者 28 人を対象に死亡率を検討したが，bDMARD 使用者（$n=10$）は csDMARD 使用者（$n=18$）と比較して死亡率に有意差を認めなかった（HR＝1.03，95％CI[0.43, 2.48]）．死因は，bDMARD 使用者では感染症が多く（6/8），csDMARD 使用者では心不全が多かった（8/16）（採用論文 3）．

上記についてまとめると，中等度腎機能障害を有する RA 患者に対して bDMARD の投与は eGFR を悪化させず，csDMARD に比して疾患活動性も低下させるため，有用であると考えられる．透析 RA 患者に対する bDMARD 投与は感染症に注意が必要であり，アミロイドーシス合併透析 RA 患者では予後を改善しない．実臨床では透析患者に bDMARD を使用することもあるが，United States Renal Data System の 2011 年のデータでは，透析 RA 患者に対する治療として，2,646 患者中 113 人（4.3％）で bDMARD が使用されていたと報告されている（参考文献 3）．

csDMARD と JAK 阻害薬の腎機能低下 RA 患者への投与に関するまとまった報告はなかった．

3) エビデンスの確実性

本推奨はいずれも観察研究に基づいている．bDMARD による eGFR の低下と中止に至った副作用頻度のアウトカムでは，いずれも「バイアスのリスク」は非常に深刻または深刻で，総

サンプル数が小さく「不精確さ」は深刻と判断した．以上のことから，エビデンスの確実性は「非常に低」と評価した．透析中透析患者に対するbDMARD使用での死亡頻度のアウトカムでは，背景因子の差，不完全なフォローアップ，不十分な交絡因子の調整の項目がhigh risk of biasであり，「バイアスのリスク」は非常に深刻と判断した．HRの95%CIの上限と下限が，「効果なし」を含み，かつ「相当な利益」とみなされる基準HR＜0.75と「相当な害」とみなされる基準HR＞1.25の一部または双方を含んでおり，かつ総サンプル数，総イベント数が少ないため，「不精確さ」は非常に深刻とした．以上のことから，エビデンスの確実性は「非常に低」と評価した．

本推奨のエビデンスの効果サイズの点推定値の評価が不可なアウトカムがあるが，すべてのアウトカムのエビデンスの確実性は「非常に低」であることから，アウトカム全般にわたる全体的なエビデンスの確実性は「非常に低」とした．

4) 推奨の強さ決定の理由

① 利益と害のバランスの評価

腎機能障害があってもRAに対するDMARD治療は関節炎に対して益があると同時に疾患活動性を抑えることにより，腎機能低下を抑制できる可能性がある．bDMARDによる腎機能の低下はみられないため腎に対する害は少ないが，特に透析患者では感染症その他の副作用に留意する必要がある．csDMARDとJAK阻害薬は，薬剤によっては腎排泄であるため，投与量の調節が必要である．腎機能低下患者では血中濃度の上昇により副作用が大きく出る可能性があることに留意する．したがって，安全性を慎重に考慮しながら適切な量で使用することにより利益が害を上回ると考えられる．

② 患者の価値観・意向

腎機能低下のあるRA患者においてRAの活動性が高い場合，NSAIDは使用しづらく，他の補助的治療でも疼痛コントロールが不十分で関節破壊の進行によりADLが低下する場合，DMARD治療を必要とする場合が日常臨床においてもみられる．腎機能障害時のDMARDの現在のエビデンスを十分説明して，医師と患者の協働的意思決定を重視して，適切な使用を決める必要がある．

③ コスト

費用対効果の研究はない．関節障害によるRA治療の直接・間接医療費と，腎機能低下に対する補助療法，DMARDの副作用対策などを考慮する必要があるが，RAの疾患活動性，腎機能障害の程度，薬剤の種類により，個々の患者で利益と害のバランスは大きく異なるため，今後の検討が必要である．

④ パネル会議での意見

パネル会議においては，腎機能障害時には薬剤血中濃度の上昇により副作用が現れる可能性もあり，慎重に投与量を決定する必要があるとされた．

DMARDによるT2Tに基づいた治療により，RAによる腎障害やアミロイドーシスの合併頻度は減少した（参考文献4）．アミロイドーシス合併RA患者においても適切な治療により腎機能が改善する可能性も示されている（参考文献5）．一方で，腎障害合併時には安全性には注意する必要があり，特にMTXやJAK阻害薬の適応や投与量を慎重に検討する．MTXはeGFR＜30mL/分/1.73m^{2}では投与禁忌であり，eGFR＜60mL/分/1.73m^{2}では慎重投与である（参考文献6）．JAK阻害薬は薬剤により腎機能に応じた投与量が異なるため，添付文書を参考にする．これらの薬剤では腎機能低下時のエビデンス構築はむずかしい．

諸外国のガイドラインには腎機能低下時のDMARDの選択については取り上げられていない．また，透析RA患者におけるDMARDの安全性の検討はfuture questionである．

以上から，エビデンスの確実性は「非常に低」であったが，中等度以上の腎機能障害を有する場合には不適切な投与や過剰な投与による副作用の増加や腎機能のさらなる悪化を防ぐことが極めて重要であるというパネル会議での意見をふまえ，推奨の強さは「強い」とした．

5) 採用論文リスト

1) Kim HW, et al：Rheumatol Int 2015；35：727-734.
2) Sumida K, et al：Arthritis Care Res（Hoboken）2013；65：471-475.
3) Kuroda T, et al：Intern Med 2016；55：2777-2783.

6) 推奨作成関連資料一覧 （推奨作成関連資料4に掲載）

資料A　RA CQ40　文献検索式
資料B　RA CQ40　文献検索フローチャート
資料C　RA CQ40　バイアスのリスク
資料D　RA CQ40　エビデンスプロファイル

■参考文献

1) Raksasuk S, et al：Int Urol Nephrol 2020；52：147-154.
2) Sumida K, et al：Kidney Int 2018；93：1207-1216.
3) Paudyal S, et al：Semin Arthritis Rheum 2017；46：418-422.
4) Kapoor T, et al：Rheum Dis Clin North Am 2018；44：571-584.
5) Miyagawa I, et al：Mod Rheumatol 2014；24：405-409.
6) 日本リウマチ学会MTX診療ガイドライン策定小委員会編：関節リウマチ治療におけるメトトレキサート（MTX）診療ガイドライン2016年改訂版．羊土社 2016.

RA 推奨41

推奨文

HBs 抗原陽性の RA 患者では，肝臓専門医と連携することを推奨する．
HBs 抗原陰性の RA 患者では，HBV 感染を定期的に観察したうえで，通常の治療戦略に沿い RA を治療することを推奨する．

推奨の強さ **強い**　エビデンスの確実性 **非常に低**　パネルメンバーの同意度 **8.17**

RA CQ41

HBV 感染 RA 患者に DMARD の投与は安全か？

サマリー	HBV 感染 RA 患者には，定期的な観察，肝臓専門医との連携のもとに，DMARD を投与するべきである．
注　記	HBV 再活性化の頻度は必ずしも高くないが，再活性化による肝炎の劇症化の報告もあるため，慎重な観察を行う．

1) 推奨の背景

　DMARD による RA 治療では肝障害をきたすことも多い．特に HBV 感染または感染の既往のある患者では，HBV 再活性化による重篤な肝障害をもたらす可能性があり，注意が必要である．したがって HBV 既感染 RA 患者の治療法選択は重要であり，エビデンスに基づく指針が求められる．

2) エビデンスの要約

　2012 年から 2018 年に PubMed，Cochrane Central Register of Controlled Trials，医学中央雑誌で報告された，肝機能障害を有する RA 患者における csDMARD，bDMARD，JAK 阻害薬の投与の安全性を評価した論文に関する SR を行った．推奨に使用するアウトカムとして，HBV 再活性化が選ばれた．

　HBV 既感染 RA 患者に関する論文は 13 件であった．研究デザインとしては症例集積研究が 13 件であり，総患者数は 2,110 人であった．薬剤別のデータがない研究も多く，薬剤間の比較は行わなかった．これらの研究で，HBV 再活性化の発症割合は，0〜9.09％であった（採用論文 1〜10）．bDMARD による HBV 再活性化の頻度に関しては，Tien ら（採用論文 7）は RTX の投与を受けた 44 人の RA 患者で 9.09％，Nakamura ら（採用論文 6）は種類を問わず bDMARD の投与を受けた 57 人の RA 患者で 5.26％，黒川ら（採用論文 1）は種類を問わず bDMARD の投与を受けた 116 人の RA 患者で 3.45％，その他の研究では 0〜2.17％と報告している．JAK 阻害薬については，Chen らが TOF の投与で 75 人中再活性化は 0％と報告した（採用論文 4）．種類を問わない DMARD 全般の投与では，浦田らは 157 人の HBV 既感染 RA 患者で 8.28％が HBV 再活性化を示し，TAC が

リスクであると報告した（採用論文 13）．したがって，HBV 既感染者では DMARD 投与により，一定の割合で HBV 再活性化が起こる．

　一方，HBs 抗原陽性患者では，HBV 再活性化の率は高い．Chen らは 123 人の HBs 抗原陽性患者をフォローし，30 人（24.4％）が再活性化したと報告した（参考文献 1）．

　2011 年の症例集積研究では，TNF 阻害薬投与下の HBV 再活性化で肝不全をきたし死亡した症例も報告されている（参考文献 2）．

　以上から，DMARD 投与下で HBV の再活性化は薬剤を問わず一定の割合で起こる．

3) エビデンスの確実性

　本推奨は，症例集積研究に基づいている．いずれの研究も DMARD 非投与の対照群がなく，背景因子の差，不十分な交絡の調整が unclear または high risk of bias，ケアの差，不完全なフォローアップが unclear risk of bias のため，深刻な「バイアスのリスク」を認めた．異質性が高いため，「非一貫性」は深刻とした．また，代理アウトカムのため深刻な「非直接性」と判断した．以上のことから，エビデンスの確実性は「非常に低」と評価した．

　以上から，いずれの研究も DMARD 非投与の対照群がないため，効果サイズの検討は行うことはできなかったが，すべてのアウトカムのエビデンスの確実性が「非常に低」であったので，アウトカム全般にわたる全体的なエビデンスの確実性は「非常に低」とした．

4）推奨の強さ決定の理由

① 利益と害のバランスの評価

　肝機能障害の有無により投与量の調整が必要になる薬剤はあるが，薬剤の有効性に関しては大きく変わるものではないと考えられるため，HBV感染RA患者へのDMARD投与は有益である．有害事象に関して，HBs抗原陽性患者では高頻度で再活性化が観察され，またHBV既感染者においても低頻度ながら一定の頻度でHBV再活性化がみられる．HBV再活性化は臨床的に重要な有害事象であるが，HBVに対しては有効な抗ウイルス薬が存在するため，定期的なモニタリングによる早期治療介入で重症化，劇症化を避けることができる．したがって，定期的観察のもとにRA治療を行うことで利益が害を上回る可能性が高い．HBs抗原陽性患者，HBV既感染患者でHBV-リアルタイムPCR陽性の場合は，肝臓専門医との連携が必要と考えられる．

② 患者の価値観・意向

　既感染を含むHBV感染RA患者において，RAの疾患活動性をコントロールするためにDMARD治療を必要とする場合が日常臨床においてもみられる．疼痛を伴うRAの治療を患者が優先する場合があっても，HBV感染は進行すると生命予後に影響する病態となる可能性があるため，これらの患者に対してB型肝炎の治療法，およびDMARD使用がHBV感染に与える影響について十分説明し，必要時には肝臓専門医と連携する．医師と患者の協働的意思決定に基づいて，DMARDを使用することが重要である．本推奨に関する患者アンケート結果はない．

③ コスト

　HBV再活性化の場合，HBVウイルス量を減少させるための核酸アナログ製剤に費用がかかるが，医療費助成制度のより患者負担は抑えられる．慢性B型肝炎から肝硬変や肝細胞癌への進行や，肝炎劇症化によりさらなる医療費が必要になる．一方RA治療が不十分であると，関節障害によるADL低下・関節破壊のため直接・間接医療費が増大する．これらに関する費用対効果の研究はない．HBV-DNA測定の検査料は271点である（2020年4月現在）．

④ パネル会議での意見

　RA治療の開始時にHBV感染状態を把握し，適切なモニタリングや肝臓専門医との連携が重要であることが確認された．

　HBV感染者（キャリアおよび既往感染者）に対しては，日本肝臓学会「B型肝炎治療ガイドライン」を参考に対処する（参考文献3）．

　英国リウマチ学会のガイドラインでは，HBV陽性でも適切な抗ウイルス治療によりbDMARDは安全に投与できる可能性があるので，肝臓専門医と連携してリスクベネフィットを考慮す

ることが記載されている（参考文献4）．APLARのガイドラインではRTX以外のbDMARDが好ましいとされている（参考文献5）．EULARは，HBV感染リスクの高い（医療従事者など）自己免疫疾患患者に対するHBVワクチン接種を推奨している（参考文献6）．

　以上から，エビデンスの確実性は「非常に低」であったが，HBVに対する核酸アナログの有用性は高く，HBV再活性化は生命予後に影響する問題であり，医療費助成金制度が活用できること，およびパネル会議での意見をふまえ，推奨の強さは「強い」とした．

5）採用論文リスト

1）黒川敬文，他：北海道整形災害外科学会雑誌 2018；60：119.

2）日高利彦，他：九州リウマチ 2012；32：S20.

3）Papalopoulos I, et al：Clin Exp Rheumatol 2018；36：102-109.

4）Chen YM, et al：Ann Rheum Dis 2018；77：780-782.

5）Ballanti E, et al：Drug Dev Res 2014；75（Suppl 1）：S42-45.

6）Nakamura J, et al：Int J Rheum Dis 2016；19：470-475.

7）Tien YC, et al：Clin Exp Rheumatol 2017；35：831-836.

8）Chen LF, et al：Int J Rheum Dis 2017；20：859-869.

9）Padovan M, et al：Arthritis Care Res（Hoboken）2016；68：738-743.

10）Toulemonde G, et al：Ann Rheum Dis 2012；71：1423-1424.

11）Tan J, et al：Clin Rheumatol 2012；31：1169-1175.

12）福田　互，他：日本リウマチ学会総会・学術集会プログラム・抄録集 2018；62回：579.

13）浦田幸朋，他：最新医学 2013；68：395-402.

6）推奨作成関連資料一覧 （推奨作成関連資料5に掲載）

資料A　RA CQ41　文献検索式

資料B　RA CQ41　文献検索フローチャート

資料C　RA CQ41　バイアスのリスク

資料D　RA CQ41　エビデンスプロファイル

■参考文献

1）Chen MH, et al：J Infect Dis 2017；215：566-573.

2）Pérez-Alvarez, et al：Medicine 2011；90；359-371.

3）日本肝臓学会肝炎診療ガイドライン作成委員会編：B型肝炎治療ガイドライン第3.2版. 2020.

4）Holroyd CR, et al：Rheumatology 2019；58；e3-e42.

5）Lau CS, et al：Int J Rheum Dis 2019；3；357-375.

6）Furer V, et al：Ann Rheum Dis 2020；79：39-52.

RA 推奨42

推奨文

HCV 感染 RA 患者では，肝臓専門医と連携し，通常の治療戦略に沿い RA を治療することを推奨する．

推奨の強さ **強い**　エビデンスの確実性 **非常に低**　パネルメンバーの同意度 **8.06**

RA CQ42

HCV 感染 RA 患者に DMARD の投与は安全か？

サマリー	DMARD による治療は HCV 感染に大きな影響を与えないため，必要ならば通常の RA 治療を行う．エビデンスレベルは高くないので，経過を慎重に観察する．
注　記	肝臓専門医と連携して HCV 感染に対応する．

1）推奨の背景

　RA 患者では時に HCV 感染を合併していることがある．HCV-RNA 陽性患者では，専門医による治療が必要となることも多い．同時に DMARD による肝障害の悪化の可能性も考慮する必要がある．したがって HCV 感染患者への対応や治療薬選択は重要な問題である．

2）エビデンスの要約

　2012 年から 2018 年に PubMed，Cochrane Central Register of Controlled Trials，医学中央雑誌で報告された，肝機能障害を有する RA 患者における csDMARD，bDMARD，JAK 阻害薬の投与の安全性を評価した論文に関する SR を行った．推奨に使用するアウトカムとして，副作用としての肝機能障害である ALT（採用論文 1，2，3），ウイルス量（採用論文 1，2，3），肝硬変（採用論文 4）が選ばれた．

　C 型肝炎を有する RA 患者に関する論文は 4 件であり，研究デザインとしては RCT 1 件，コホート研究 2 件，症例集積 1 件であった．Iannone らは，RCT において，HCV-RNA 陽性だが肝炎治療を要しない RA 患者 29 人を対象に MTX，ETN，MTX＋ETN の 3 群に分け，血清 ALT 値，ウイルス量の変化について検討したが，3 群ともに 54 週まで ALT 値やウイルス量の増加を認めなかった（採用論文 1）．Chen らは，症例集積研究により HCV-RNA 陽性 RA 患者 26 人を対象とし，TNF 阻害薬および RTX 治療前後における，血清 ALT 値，ウイルス量の変化量について検討した．ALT 値は投与前後で変化がなかった．TNF 阻害薬 20 人では投与前後でウイルス量の有意な変化を認めなかったが，RTX 6 人では増加した（採用論文 2）．Burton らは，コホート研究により HCV-RNA 陽性 RA 患者 748 人の 1,097 治療

例を対象に，bDMARD 投与，csDMARD の投与により，ALT＞100 IU/L またはウイルス量＞1 log/mL となる割合を検討した．37 治療例（3.4％）で ALT 上昇を認めたが，全例次回採血では ALT≦100IU/L に低下し一過性であった．bDMARD 投与群で 4.8％，csDMARD 投与群で 2.3％であった．またウイルス量の増加は 1 例も認められなかった（採用論文 3）．Tang らは，コホート研究により RA 患者 450 人を対象に肝硬変の発生率を検討したが，MTX 使用者 195 人では 11.2/1,000 人年であり，MTX 非使用者 255 人では 35.8/1,000 人年であった（採用論文 4）．

　以上をまとめると，C 型肝炎を有する RA 患者に対して，csDMARD，bDMARD の投与は肝機能悪化やウイルス量増加に大きな影響は与えなかった．HCV 既感染・治癒症例に関する検討はないが，DMARD は HCV-RNA 陽性者でもウイルス量に大きく影響しないため，HCV-RNA 陰性者でも同様に考えることができる．

3）エビデンスの確実性

　本推奨は，RCT（採用論文 1），症例集積研究（採用論文 2），コホート研究（採用論文 3，4），に基づいている．いずれの研究も DMARD 非投与の対照群がなく，背景因子の差，ケアの差，不十分な交絡の調整が high risk of bias であり，深刻な「バイアスのリスク」を認めた．RCT，症例集積研究では ALT，ウイルス量が用いられ，代理アウトカムのため深刻な「非直接性」と判断した．また，いずれの研究も総サンプル数が少ないため，深刻な「不精確さ」を認めていた．以上のことから，エビデンスの確実性は「非常に低」と評価した．

　以上から，いずれの研究も DMARD 非投与の対照群がないため，効果サイズの検討は行うことはできなかったが，すべてのアウトカムのエビデンスの確実性が「非常に低」であったので，

アウトカム全般にわたる全体的なエビデンスの確実性は「非常に低」とした.

4) 推奨の強さ決定の理由

① 利益と害のバランスの評価

C型肝炎は肝硬変や肝細胞癌に進展する可能性がある病態である. 現在C型肝炎の治療は進歩しているので, まず肝臓専門医にコンサルトをしてHCV感染について適切な対応をとることが望ましい. RAの治療薬に関しては, 肝機能障害の程度により投与量の調整が必要になる場合もあるが, DMARD投与は有効と考えられる. 有害事象に関して, HCV感染者に対するDMARD治療は肝逸脱酵素上昇やHCV-RNA量の増加には大きな影響を与えないため, 害は少ないと評価できる. したがって, 肝機能に注意しながら通常のRA治療を行うことで利益と害のバランスがとれる.

② 患者の価値観・意向

C型肝炎合併RA患者において, RAの疾患活動性をコントロールするためにDMARD治療を必要とする場合が日常臨床においてもみられる. C型肝炎は進行すると生命予後に影響する病態であるため, 肝臓専門医と連携し適切に対応する. そのうえで, DMARDがC型肝炎に与える影響使用について十分説明し, 医師と患者の協働的意思決定に基づいて, DMARDを使用することが重要である. 本推奨に関する患者アンケート結果はない.

③ コスト

RA治療を控えると関節障害によるADL低下や関節破壊により直接・間接医療費が増大するため, 通常のRA治療を行うのが望ましい. C型慢性肝炎や肝硬変に対する治療のコストは, グレカプレビル水和物・ピブレンタスビル錠を使用する場合で18,457.50円/日×84日＝1,550,430円となるが（2020年8月現在）, 医療費助成制度が利用できる. これらに関する費用対効果の研究はない.

④ パネル会議での意見

現在, C型肝炎に対する直接型抗ウイルス薬によるインターフェロンフリー抗ウイルス治療の有効性は極めて高く, 非代償性肝硬変を含むすべてのC型肝炎症例が抗ウイルス治療の対象となる（参考文献1）. したがって, RA患者でHCV感染が判明した場合には治療機会を逃さないよう肝臓専門医にコンサルトする.

英国リウマチ学会のガイドラインでは, bDMARDはHCV感染に影響しないようにみえるため慎重な経過観察のもとでの使用が推奨されている（参考文献2）.

以上から, エビデンスの確実性は「非常に低」であったが, 利益と害のバランスには問題が少なく, C型肝炎は生命予後に影響する問題であり, 医療費助成制度が活用できること, およびパネル会議での意見をふまえ, 推奨の強さは「強い」とした.

5) 採用論文リスト

1) Iannone F, et al：J Rheumatol 2014；41：286-292.

2) Chen YM, et al：Ann Rheum Dis 2015；74：626-627.

3) Burton MJ, et al：J Rheumatol 2017；44：565-570.

4) Tang KT, et al：Sci Rep 2016；6：33104.

6) 推奨作成関連資料一覧 （推奨作成関連資料5に掲載）

資料A　RA CQ42　文献検索式

資料B　RA CQ42　文献検索フローチャート

資料C　RA CQ42　バイアスのリスク

資料D　RA CQ42　エビデンスプロファイル

■参考文献

1) 日本肝臓学会肝炎診療ガイドライン作成委員会編：C型肝炎治療ガイドライン第7版. 2019.

2) Holroyd CR, et al：Rheumatology 2019；58；e3-e42.

RA 推奨43

推奨文

HTLV-1 陽性 RA 患者では，経過を注意深く観察しながら DMARD を投与することを推奨する（条件付き）．

推奨の強さ **弱い**　エビデンスの確実性 **非常に低**　パネルメンバーの同意度 **7.59**

RA CQ43

HTLV-1 陽性 RA 患者に DMARD の投与は安全か？

サマリー	HTLV-1 陽性 RA 患者に対する DMARD の安全性は確立していないが，HTLV-1 感染を悪化させるエビデンスもない．注意深く DMARD による RA 治療を行う．
注　記	TNF 阻害薬以外の bDMARD や JAK 阻害薬についてはエビデンスがない．

1）推奨の背景

HTLV-1 感染者は欧米よりもわが国で多い．HTLV-1 陽性 RA 患者に対する対応は海外のガイドラインには記載がなく，非感染者と同様の治療が可能か明確ではないため，エビデンスに基づくガイドラインが求められている．

2）エビデンスの要約

2018 年までに PubMed，Cochrane Central Register of Controlled Trials，医学中央雑誌で報告された，HTLV-1 陽性 RA 患者における csDMARD，bDMARD，JAK 阻害薬の投与の有効性・安全性を評価した論文に関する SR を行い，2 つのコホート研究が該当した．推奨作成に用いるアウトカムとして，EULAR response の good or moderate response，低疾患活動性または寛解，ATL，HAM，HU/HAU の発症が選ばれた．

① 有効性に関して

2 つのコホート研究（採用論文 1，2）において，TNF 阻害薬の投与を受けた RA 患者を対象に，HTLV-1 陽性 RA 患者と HTLV-1 陰性 RA 患者における TNF 阻害薬の治療効果を EULAR response criteria の good or moderate response の割合で比較した．2 研究合わせた計 615 人の RA 患者の good or moderate response の割合は，HTLV-1 陽性 RA 患者では 66.7％（40/60），陰性患者では 81.3％であった．

したがって，TNF 阻害薬は HTLV-1 陽性 RA 患者に対しても有効である．HTLV-1 陰性患者に比較して有効性が低下（統合 OR＝0.20，95％CI[0.06，0.67]）していたが，今後さらなる検討が必要である．その他の DMARD に関して検討した報告はみつからなかった．

② 安全性に関して

Suzuki らは，50 人の HTLV-1 陽性 RA 患者に TNF 阻害薬を投与し，24 週のフォローで ATL，HAM，HU/HAU の発症はなかったと報告している（採用論文 1）．50 人中 42 人で MTX が併用され，31 人で副腎皮質ステロイドが併用されていた．Umekita らは，10 人の HTLV-1 陽性 RA 患者に TNF 阻害薬を投与し，2 年間のフォロー（継続率 50％）で ATL，HAM，HU/HAU の発症はなかったと報告している（採用論文 2）．2019 年の Umekita らの報告では，csDMARD や bDMARD で治療されている 20 人の HTLV-1 陽性 RA 患者を対象に，経時的に HTLV-1 PVL と可溶性 IL-2 受容体を測定しところ，観察期間中（2013〜2017 年）に変化はなかった（参考文献 1）．そのうち 1 人の高齢女性患者が MTX と IFX で治療中に慢性型 ATL を発症したが，薬剤中止により消退した（参考文献 1，2）．その他，TCZ，MTX，ADA で RA 治療中に ATL を発症した HTLV-1 陽性 RA 患者が報告されている（参考文献 3〜5）．HAM，HU/HAU の発症の報告はみられなかった．

以上のように，RA 治療と ATL の発症に関する報告は少ない．HTLV-1 感染者が ATL を発症するリスクは年間 0.1％と低いことを考慮すると，2 つのコホート研究の追跡期間は短く症例数も少ないため安全性は評価できない．一方，RA 治療中に ATL を発症した症例報告が数件あるが，治療薬との因果関係は不明である．現在のところ，RA 治療薬により ATL，HAM，HU/HAU の発症リスクが上昇するというエビデンスはないが，今後も注意深く観察する必要がある（参考文献 6）．

3）エビデンスの確実性

治療薬の有効性に関する本推奨は，いずれもコホート研究に基づいている．背景因子の差，不十分な交絡の調整が unclear ま

たは high risk of bias，ケアの差，不適切なアウトカム測定が unclear risk of bias のため，「バイアスのリスク」は深刻と判断した．EULAR response criteria をアウトカムとした研究の「不精確さ」は総イベント数，総サンプル数が少ないため，深刻であり，低疾患活動性または寛解をアウトカムとした研究の「不精確さ」は RR の 95%CI の上限と下限が，「相当な害」とみなされる基準 RR<0.75 と「相当な利益」とみなされる基準 RR>1.25 の双方を含んでいるため，非常に深刻とした．このため，エビデンスの確実性は EULAR response criteria および低疾患活動性または寛解ともに「非常に低」と評価した．

安全性に関するアウトカムとしては，ATL，HAM，HU/HAU の発症が使用されていた．対照群がなく，背景因子の差，ケアの差，不十分な交絡の調整が high risk of bias，不適切なアウトカム測定が unclear risk of bias のため，「バイアスのリスク」は非常に深刻とした．また，総イベント数，総サンプル数が少ないため，「不精確さ」は深刻とした．このため，エビデンスの確実性は「非常に低」と評価した．

以上から，すべての推奨に使用したアウトカムのエビデンスの確実性が「非常に低」であったため，アウトカム全般にわたる全体的なエビデンスの確実性は「非常に低」とした．

また，TNF 阻害薬以外の DMARD のエビデンスは集積研究症例報告であり，コホート研究とあわせて本推奨のエビデンスの確実性は「非常に低」とした．

4) 推奨の強さ決定の理由

① 利益と害のバランスの評価

DMARD 治療は HLTV-1 陽性 RA 患者においても疾患活動性を低下させるので有益であると考えられる．一方，治療による ATL 発症は臨床的に重要な害であるが，現時点では DMARD 治療が ATL 発症のリスクになるというエビデンスはない．DMARD 治療の有益性が治療しない害を上回る可能性が高いと考えられる．ただし，DMARD 治療が ATL 発症のリスクではないというエビデンスもないため，慎重な観察が必要である．bDMARD に関しては TNF 阻害薬の使用報告がある．非 TNF 阻害薬や JAK 阻害薬については報告がないため利益と害のバランスを個々の症例で検討する必要がある．

② 患者の価値観・意向

HTLV-1 陽性 RA 患者において，RA の疾患活動性をコントロールするために DMARD 治療を必要とする場合が日常臨床においてもみられる．一般に HTLV-1 陽性であっても HTLV-1 関連疾患に進行する確率は低く，生涯で 5% である．また，現時点では DMARD 治療が HTLV-1 陽性者の自然経過を変えるという報告はない．DMARD 使用が HTLV-1 に与える影響について十分説明し，医師と患者の協働的意思決定に基づいて，DMARD を使用することが重要である．この推奨に関する患者

アンケート結果はない．

③ コスト

RA 治療を控えると関節障害による ADL 低下や関節破壊により直接・間接医療費が増大するため，RA 治療を行うのが望ましい．一方 HTLV-1 関連疾患が発症すると医療費は高くなるが，そのリスクは不明である．これらに関する費用対効果の研究はない．

④ パネル会議での意見

DMARD 治療が ATL 等発症のリスクになるとの報告はないが，十分な安全性も確立していないため，注意深い使用が望まれる．TNF 阻害薬以外の bDMARD や JAK 阻害薬の有効性，安全性については今後の検討課題である．

HTLV-1 陽性 RA については，厚労省研究班「HTLV-1 陽性関節リウマチ患者診療の手引（Q&A）第 2 版」（日本リウマチ学会 HP に掲載）に下記のように記載されている．

HTLV-1 陽性が判明している RA 患者に対しては，まず ATL，HAM，HU/HAU を疑う所見がないか検討し，HTLV-1 の説明を十分に行う．RA に対する薬物治療が ATL，HAM，HU/HAU の発症リスクを上昇させる報告は今のところないが，新薬等については今後の注意が必要である．HTLV-1 陽性 RA で，現在のところ使用できない DMARD はなく，病勢評価，薬剤の副作用，感染症対策など RA 診療に必須の項目については注意しながら通常の RA 治療を行う（参考文献 6）．

以上を総合的に勘案し，HTLV-1 陽性 RA 患者では，経過を注意深く観察しながら DMARD を投与することを推奨した．推奨の強さは「弱い」（条件付き）とした．

5) 採用論文リスト

1）Suzuki T, et al：Arthritis Rheumatol 2018；70：1014-1021.
2）Umekita K, et al：Arthritis Care Res（Hoboken）2014；66：788-792.

6) 推奨作成関連資料一覧 （推奨作成関連資料 5 に掲載）

資料 A　RA CQ43　文献検索式
資料 B　RA CQ43　文献検索フローチャート
資料 C　RA CQ43　バイアスのリスク
資料 D　RA CQ43　エビデンスプロファイル

■参考文献

1）Umekita K, et al：Mod Rheumatol 2019；29：795-801.
2）Hashiba Y, et al：Mod Rheumatol Case Rep 2018；2：9-13.
3）Nakamura H, et al：Intern Med 2013；52：1983-1986.
4）Takajo I, et al：Intern Med 2018；57：2071-2075.
5）Bittencourt AL, et al：J Clin Virol 2013；58：494-496.
6）平成 30 年度 厚生労働科学研究費補助金 難治性疾患政策研

究事業「HAM ならびに HTLV-1 陽性難治性疾患に関する
国際的な総意形成を踏まえた 診療ガイドラインの作成」研

究班：HTLV-1 陽性関節リウマチ患者診療の手引（Q&A）
第 2 版．2019.

RA 推奨44

推奨文

悪性腫瘍の合併または既往のある RA 患者では，悪性腫瘍を治療する主治医と連携し，十分な説明による患者の同意のうえ，bDMARD を使用することを推奨する（条件付き）.

推奨の強さ **弱い**　エビデンスの確実性 **非常に低**　パネルメンバーの同意度 **7.50**

RA CQ44

悪性腫瘍の合併または既往のある RA 患者に DMARD の投与は安全か？

サマリー	RA 治療による悪性腫瘍の再発に関するエビデンスは十分ではないため，悪性腫瘍を治療する主治医と連携し，患者に十分に説明することが重要である.
注 記	TNF 阻害薬投与によって固形癌の再発率は上昇しないという報告が多いが，IL-6 阻害薬，T 細胞選択的共刺激調節薬，JAK 阻害薬についての報告は少ない. 薬剤別および癌種別の再発率や，固形癌治療後の bDMARD 再投与時期については今後の研究課題である.

1) 推奨の背景

わが国では生涯で男性の63％，女性の48％が悪性腫瘍に罹患し，罹患率は 50 歳代から 80 歳代まで増加する. 癌種にもよるがその 5 年相対生存率は男女計で64％である（参考文献1）. NinJa データベース 2015 によると RA 患者の平均発症年齢は51.3 歳，平均年齢は 63.9 歳と高齢化の傾向にあり（参考文献2），悪性腫瘍を経験する RA 患者は増加している. これらの背景から，悪性腫瘍と RA 治療薬の関係や，悪性腫瘍治療後の RA 治療の安全性エビデンスを明らかにすることは重要である.

2) エビデンスの要約

2012 年から 2018 年に PubMed，Cochrane Central Register of Controlled Trials，医学中央雑誌で報告された，悪性腫瘍の併存または既往のある RA 患者における csDMARD，bDMARD，JAK 阻害薬の投与の安全性を評価した論文に関する SR を行ったところ，8 件のコホート研究が該当した. 推奨作成に用いるアウトカムとして，悪性腫瘍の再発，再発を含むすべての癌の発生，死亡が選ばれた.

TNF 阻害薬に関しては，6 件の研究が該当した. 乳癌の既往を有する RA 患者を対象にした 2 件のコホート研究（採用論文1, 2）では，TNF 阻害薬投与の有無による乳癌の再発を検討した. 2 研究計 1,695 人の RA 患者において，TNF 阻害薬の投与により乳癌の再発率の有意な増加は認めなかった（統合 HR ＝ 1.12，95％CI[0.55，1.82]）. 非メラノーマ性皮膚癌に関して，Scott ら（採用論文3）は，非メラノーマ性皮膚癌の既往を有す

る RA 患者を対象に，TNF 阻害薬の投与による非メラノーマ性皮膚癌の再発率を調べ，有意な増加を認めたと報告している（HR ＝ 1.49，95％CI[1.03，2.16]）. 癌種を限定しない研究では，2 件のコホート研究（採用論文5, 6）では，TNF 阻害薬の投与で，癌の再発率や再発を含むすべての癌の発生率の有意な上昇を認めなかった. RTX に関して検討した研究が 2 件ある. Scott ら（採用論文3）は，非メラノーマ性皮膚癌の既往を有する RA 患者を対象に，RTX の投与による非メラノーマ性皮膚癌の再発率を検討したが，有意な増加は認めなかったと報告している（HR ＝ 1.44，95％CI[0.26，8.08]）. Silva- Fernández ら（採用論文6）は，癌の既往のある RA 患者を対象に RTX の投与による再発を含むすべての癌の発生率を検討し，有意な増加は認めなかったと報告した（HR ＝ 0.44，95％CI[0.11，1.82]）. ABT に関して検討した研究は 1 件であった. Scott ら（採用論文3）は，非メラノーマ性皮膚癌の既往を有する RA 患者を対象に ABT の投与による非メラノーマ性皮膚癌の再発率を検討し，有意な増加は認めなかったと報告した（HR ＝ 1.40，95％CI[0.48，4.03]）. Dreyer ら（採用論文7）は癌の既往のある RA 患者を対象に，bDMARD 投与患者と非投与患者における死亡率と再発を含むすべての癌の発生率を検討し，死亡率（HR ＝ 1.25，95％CI[0.99，1.57]）と癌の発生率（HR ＝ 1.11，95％CI[0.74，1.67]）に差がないことを示した.

2020 年に，悪性腫瘍の既往のある RA 患者に対する bDMARD 治療に関する SR が Xie らにより報告されている（採用論文9）. 上記の研究も含む 12 件の研究（13,598 患者，32,473 人年，TNF 阻害薬 10 件，RTX 3 件，アナキンラ 1 件）のメタ解析の結果，

bDMARD 投与は csDMARD 投与に比して癌の再発リスクを上昇させなかった（TNF 阻害薬：RR＝0.95, 95％CI[0.83, 1.09], RTX：RR＝0.89, 95％CI[0.52, 1.53]）. 癌種, 診断から bDMARD 投与開始までの期間, TNF 阻害薬の使用期間等で層別化しても同様の結果であった. ただし, bDMARD 投与開始までの期間は明記されていない研究が多く, 5 年以内と明記されているものは 2 件のみであり, 結果は 1 件の結果に大きく依存していた.

MTX に関して検討した研究は 2 件であった. Mamtani ら（採用論文 2）は, 乳癌の既往を有する RA 患者 1,784 例を対象に MTX の投与による乳癌再発率を検討し, 有意な増加は認めなかったと報告している（HR＝1.07, 95％CI[0.67, 1.69]）. 一方で, Scott ら（採用論文 3）は, 非メラノーマ性皮膚癌の既往を有する RA 患者を対象に MTX の投与により非メラノーマ性皮膚癌再発の発生率の有意な増加を認めたと報告している（HR＝1.60, 95％CI[1.08, 2.37]）.

以上から, 固形癌治療後十分な時間が経過し, 癌が治癒したと考えられる例では, bDMARD 投与は可能であるが, IL-6 阻害薬, T 細胞選択的共刺激調節薬についてはデータが少なく, 安全性が確立しているわけではない.

3）エビデンスの確実性

本推奨は, いずれもコホート研究に基づいている. すべての研究の検討したアウトカムにおいてケアの差, 不十分な交絡の調整が unclear risk of bias であり, TNF 阻害薬における乳癌の再発の研究を除くすべての研究で背景因子の差が unclear risk of bias のため, 「バイアスのリスク」は深刻と判断した. TNF 阻害薬における非メラノーマ皮膚癌の再発の研究を除くすべての研究の検討したアウトカムで, HR の 95％CI の上限と下限が, 「効果なし」を含み, かつ「相当な利益」とみなされる基準 HR＜0.75 と「相当な害」とみなされる基準 HR＞1.25 の一部または双方を含んでいるか, 総サンプル数, 総イベント数が少ないため, 「不精確さ」は非常に深刻または深刻とした.

以上から, MTX, TNF 阻害薬, RTX, ABT と発癌, bDMARD と再発を含むすべての癌, についてすべての推奨作成に用いるアウトカムのエビデンスの確実性が「非常に低」と評価した. よって, アウトカム全般にわたる全体的なエビデンスの確実性は「非常に低」とした.

4）推奨の強さ決定の理由

① 利益と害のバランスの評価

DMARD の関節炎に対する有効性に関しては, 悪性腫瘍の既往の有無により大きく変わるものではないと考えられるので, DMARD 使用は患者にとって有益である. 一方で, 悪性腫瘍の既往のある RA 患者においては, 悪性腫瘍の再発や二次発癌は生命予後にもかかわる問題であり害は大きい. 現在まで, DMARD 使用で明らかに悪性腫瘍の再発が増えるという報告はないが, エビデンスの確実性は低く, 利益と害を正確に評価することはむずかしい. 患者の ADL, 癌種やその進行度と RA の活動性によっても利益と害のバランスが異なると考える.

② 患者の価値観・意向

悪性腫瘍の既往のある RA 患者において, RA の疾患活動性が高く NSAID などの補助的治療でも疼痛コントロールが不十分で関節破壊の進行により ADL が低下する場合, 患者が DMARD 治療を希望する可能性がある. その場合には, 悪性腫瘍の再発に関する現在のエビデンスを十分説明して, 癌治療担当医と相談のうえ, DMARD 使用について医師と患者の協働的意思決定を重視して使用の可否を決める必要がある. 本推奨に関する患者アンケート調査結果はない.

③ コスト

費用対効果の研究はない. 悪性腫瘍の再発により治療コストが増加する可能性がある一方で, DMARD 治療を差し控えると RA の悪化によって RA 医療の直接・間接コストが増加する可能性もある. 悪性腫瘍の既往のある RA 患者における DMARD のコスト評価は今後の検討課題である.

④ パネル会議での意見

悪性腫瘍の既往を有する患者に対する RA 治療は重要な問題であるが, ランダム化比較試験はなくコホートの結果もそれほど多くはないこと, 薬剤によってはデータがないこと, 患者や医師にも様々な意見や考え方があることが指摘された.

RA では一般人口に比して悪性腫瘍の発生率は高いが, 癌種による違いがあり, 悪性リンパ腫と肺癌のリスクが高く, 大腸癌, 乳癌で低いとされている（参考文献 3）.

DMARD 使用と悪性腫瘍の発生については多くの観察研究がある. MTX は悪性腫瘍頻度を上昇させない（参考文献 3）が, わが国の報告では MTX の高用量使用は LPD と関連すると報告されている（参考文献 4）. bDMARD 使用と悪性腫瘍に関する観察研究では, TNF 阻害薬と非 TNF 阻害薬の使用は csDMARD の使用に比べて悪性腫瘍の発生率を変えないと報告されている（参考文献 5, 6）. JAK 阻害薬に関する観察研究はない. 以上のように csDMARD や bDMARD が悪性腫瘍の発生を増加させないことは数多く示されているが, 悪性腫瘍の再発を増やさないというエビデンスは少ない. 近年の観察研究データでは, TNF 阻害薬は固形癌再発を増やさない可能性が示されているが, 非 TNF 阻害薬や JAK 阻害薬による再発リスク, 癌種による再発リスクの違いなどは不明である.

英国リウマチ学会のガイドラインでは, 悪性腫瘍の疑いで検査中または悪性腫瘍に対して治療中の患者においては bDMARD や JAK 阻害薬を開始しないこと, またすでに使用中の患者で悪性腫瘍が確定した場合は中止することが推奨されて

いる．また，bDMARDの再開と悪性腫瘍再発の関連については結論が出ていないため患者への説明が重要であるとされている（参考文献7）．ACRとAPLARのガイドラインでは，治療後の固形癌の既往をもつ患者では，通常のRA治療が勧められている（参考文献8, 9）．

悪性リンパ腫に関しては，上記と異なる対応が必要である．わが国のMTX使用ガイドラインでは，悪性リンパ腫の既往がある場合は，5年間はMTXの使用は禁忌，その後も慎重投与と記載されている（参考文献10）．悪性リンパ腫治療後のRA治療についてのエビデンスは少ない．ACRのガイドラインではRTXの使用が条件付きで推奨されている（参考文献8）．

このように海外のガイドラインでも，十分なエビデンスによる指針の記載はなく，その内容に差異がある．悪性腫瘍の合併や既往のあるRA患者でのDMARDの再開の適切な時期については今後の研究課題である．

以上を総合的に判断し，エビデンスの確実性は低く，患者の価値観・意向はおそらく様々で，コストについてはデータがなく，海外ガイドライン等の状況にも幅があることから，推奨の強さは「弱い」（条件付き）とした．

5）採用論文リスト

1）Raaschou P, et al：Ann Rheum Dis 2015；74：2137-2143.

2）Mamtani R, et al：Arthritis Rheumatol 2016；68：2403-2411.

3）Scott FI, et al：JAMA Dermatol 2016；152：164-172.

4）Wadstrom H, et al：Ann Rheum Dis 2016；75：1272-1278.

5）Raaschou P, et al：Ann Intern Med 2018；169：291-299.

6）Silva- Fernández L, et al：Rheumatology（Oxford）2016；55：2033-2039.

7）Dreyer L, et al：Ann Rheum Dis 2018；77：510-514.

8）Conti F, et al：Rheumatology（Oxford）2018；57（Suppl 7）：vii11-vii22.

9）Xie W, et al：Rheumatology（Oxford）2020；59：930-939.

6）推奨作成関連資料一覧（推奨作成関連資料5に掲載）

資料A　RA CQ44　文献検索式
資料B　RA CQ44　文献検索フローチャート
資料C　RA CQ44　バイアスのリスク
資料D　RA CQ44　エビデンスプロファイル

■参考文献

1）国立がん研究センターがん情報サービス最新がん統計. https://ganjoho.jp/reg_stat/statistics/stat/summary.html

2）厚生科学審議会疾病対策部会リウマチ等対策委員会：厚生科学審議会疾病対策部会リウマチ等対策委員会報告書. 2018.

3）De Cock D, et al：Best Pract Res Clin Rheumatol 2018；32：869-886.

4）Kameda T, et al：Arthritis Care Res（Hoboken）2014；66：1302-1309.

5）Sepriano A, et al：Ann Rheum Dis 2020；79：760-770.

6）Ramiro S, et al：Ann Rheum Dis 2017；76：1101-1136.

7）Holroyd CR, et al：Rheumatology 2019；58：e3-e42

8）Singh JA, et al：Arthritis Rheumatol 2016；68：1-26.

9）Lau CS, et al：Int J Rheum Dis 2019；22：357-375.

10）日本リウマチ学会MTX診療ガイドライン策定小委員会編：関節リウマチ治療におけるメトトレキサート（MTX）診療ガイドライン2016年改訂版. 羊土社2016.

RA 推奨45

推奨文

副腎皮質ステロイド，DMARD 投与中の RA 患者にインフルエンザワクチンおよび肺炎球菌ワクチンの接種を推奨し，生ワクチンは接種しないことを推奨する（条件付き）．

推奨の強さ **弱い**　エビデンスの確実性 **非常に低**　パネルメンバーの同意度 **8.12**

RA CQ45

副腎皮質ステロイド，DMARD 投与中の RA 患者にワクチン接種は有効かつ安全か？

サマリー	インフルエンザワクチン，肺炎球菌ワクチンの不活化ワクチンについては血清学的な有効性のエビデンスがあり，副作用も限定的であることから接種を推奨する．
注　記	インフルエンザワクチン，肺炎球菌ワクチンの不活化ワクチンの有効性は，DMARD 投与により減弱するとの報告もあることに留意する．免疫抑制下での生ワクチン接種はしないことを推奨する．

1）推奨の背景

高齢者や基礎疾患のある RA 患者ではインフルエンザ罹患時に重症化しやすいと考えられている．肺炎はわが国の死因の上位に入っており，その起炎菌として肺炎球菌が多いことから，65 歳以上の成人では肺炎球菌ワクチンの接種が推奨されている．したがって，RA 患者におけるインフルエンザワクチン，肺炎球菌ワクチンの有用性を明らかにすることは重要である．

2）エビデンスの要約

2012 年から 2018 年に PubMed，Cochrane Central Register of Controlled Trials，医学中央雑誌で報告された，RA 患者に対するワクチン接種における csDMARD，bDMARD，JAK 阻害薬の影響を評価した論文に関する SR を行った．26 研究が該当し，RCT が 6 件で，コホート研究が 20 件であった．推奨作成に用いるアウトカムとして，seroprotection（抗体保有率），seroresponse（抗体応答率），インフルエンザ罹患，インフルエンザに関する合併症，肺炎での入院，死亡，感染症，重篤な感染症，重篤な副作用が選ばれた．

季節性インフルエンザワクチン（不活化ワクチン）に対する反応性は，MTX，TNF 阻害薬，TCZ，TOF で検討されていた（採用論文 1，2，5，13，14，16，20，26，27）．Seroresponse，seroprotection とも，投与，非投与でおおむね有意差は認めなかったが，TNF 阻害薬＋MTX 投与中の A/H1N1 に対する seropotection（RR＝0.58，95％CI[0.44，0.78]）（採用論文 5），TNF 阻害薬投与中の A/H1N1 に対する seropotection（RR＝0.65，95％CI[0.51，0.83]）（採用論文 5），TCZ＋MTX 投与中の B/B1 に対する seroresponse（RR＝0.50，95％CI[0.35，0.77]）（採用論文 1），TCZ 投与中の B/B1 に対する seroresponse（RR＝0.52，95％CI[0.35，0.77]）（採用論文 1），MTX 投与中の B/B1 に対する seroresponse（RR＝0.50，95％CI[0.33，0.73]）（採用論文 1），TOF 投与中のインフルエンザウイルス全体に対する seroprotection（RR＝0.83，95％CI[0.74，0.94]）（採用論文 16）で有意に低下していた．インフルエンザ罹患割合（採用論文 4），罹患に伴う合併症の割合（採用論文 25），死亡（採用論文 12）に関してコホート研究で検討されており，いずれもワクチン接種により有意に低下するという結果であった．また，インフルエンザ肺炎での入院割合に関しては，ワクチン接種の有無で有意差は認めなかった（採用論文 12）．

不活化ワクチンである PCV13 と PPSV23 に対する反応性は，MTX，TNF 阻害薬，TCZ，ABT，TOF で検討されており，いずれの研究でも薬剤投与により seroresponse，seroprotection を有意に低下させなかった（採用論文 6，9，14，15，16，17，18，19）．一方，1 件のコホート研究では，PCV13 の投与による感染症，重篤な感染症の有意な低下は認めず（採用論文 9），別の 1 つの RCT でも，PPSV23 投与による肺炎，肺炎球菌性肺炎の発症の有意な低下は認めなかった（採用論文 22）．

帯状疱疹生ワクチンに対する反応性は，海外での 1 件の RCT で検討されており，ワクチン投与後 2～3 週間後の TOF 投与は，seroresponse に影響を与えなかった．ただし，わが国では副腎皮質ステロイドや免疫抑制剤と生ワクチンの併用は添付文書上禁忌である．

以上の結果は，RA 患者においても季節性インフルエンザワクチン，肺炎球菌ワクチンは有用であることを示している．た

だし，DMARD 投与下においてはワクチンの効果が減弱する可能性がある．感染症の発症抑制や重症化抑制などの臨床効果についてのエビデンスは少ない．

3) エビデンスの確実性

インフルエンザワクチンに関しては，コホート研究，RCT に基づいている．コホート研究では，背景因子の差，ケアの差が unclear risk of bias，不十分な交絡の調整が unclear または high risk of bias のため，「バイアスのリスク」は深刻であった．コホート研究，RCT で検討された seroresponse，seroprotection は代理アウトカムであるため，「非直接性」は深刻とした．コホート研究，RCT のすべての研究において総サンプル数，総イベント数が少ない，RR の 95％CI の上限と下限が RR＞1.25 や RR＜0.75 を含む，もしくは効果なしと上限と下限が RR＞1.25 や RR＜0.75 を含むため，「不精確さ」は深刻もしくは非常に深刻とした．これらのことからエビデンスの確実性は「低」または「非常に低」であった．

肺炎球菌ワクチンに関しては，コホート研究，RCT に基づいている．アウトカムとして，seroresponse，seroprotection，肺炎，肺炎球菌性肺炎，感染症，重篤な感染症に関して検討した．コホート研究では，背景因子の差，ケアの差が unclear risk of bias，不十分な交絡の調整が high risk of bias のため，「バイアスのリスク」は深刻であった．コホート研究，RCT で検討された seroresponse，seroprotection は代理アウトカムであるため，「非直接性」は深刻とした．コホート研究，RCT のすべての研究において総サンプル数，総イベント数が少ない，RR の 95％CI の上限と下限が RR＞1.25 や RR＜0.75 を含む，もしくは効果なしと上限と下限が RR＞1.25 や RR＜0.75 を含むため，「不精確さ」は深刻もしくは非常に深刻とした．これらのことからエビデンスの確実性は「低」または「非常に低」であった．

帯状疱疹ワクチンに関しては，1 つの RCT に基づいている．アウトカムとしては seroresponse，重篤な副作用に関して検討した．Seroresponse は代理アウトカムであるため，「非直接性」は深刻とした．Seroresponse に関しては RR の 95％CI の上限と下限が RR＞1.25 や RR＜0.75 を含み，「不精確さ」は非常に深刻，重篤な副作用に関しては総サンプル数，総イベント数が少ないため深刻とした．これらのことからエビデンスの確実性は seroresponse に関しては「非常に低」，重篤な副作用に関しては「中」であった．

インフルエンザワクチン，肺炎球菌ワクチンで，アウトカムの RR の点推定値は異なる方向を向いていたことから，アウトカム全般にわたるエビデンスの確実性は「非常に低」とした．

4) 推奨の強さ決定の理由

① 利益と害のバランスの評価

RA 患者は易感染性状態にあることを考慮すると，ワクチン接種による感染症予防は利益が大きいと考えられる．有害事象については健常者でみられるものと大きく変わりはなく，害は小さい．ワクチン接種の有効性が低下する可能性を考慮しても，利益が害を上回ると考えられる．ただし，帯状疱疹ワクチン等の生ワクチン接種は RA 患者に感染を誘発する可能性を否定できないため，害が大きく利益を上回ると考えられる．

② 患者の価値観・意向

RA 治療中の患者において，感染症の予防は臨床的に重要な問題である．一般に使用されているワクチンの接種を希望されることは非常に多い．RA 患者における有効性と害について情報を共有したうえで，患者の利益のために接種する．ワクチン接種に関する患者アンケート結果はない．

③ コスト

PPSV23 接種費用は大人 1 回接種の料金は 7,000 円前後（薬価 4,706 円）である．ワクチン接種での感染抑制による医療費削減効果が認められているため，65 歳以上の高齢者を対象にした定期接種化が実現し，2020 年の時点では自治体からの補助がある（参考文献 1）．PCV13 は 10,000 円前後（薬価 7,200 円）であり，65 歳以上で任意接種である．インフルエンザ予防接種費用は大人 1 回接種の料金は 3,000〜5,000 円である（2020 年 4 月現在）．

④ パネル会議での意見

わが国では PPSV23 定期接種化が実現しており，RA 患者もこれを利用するのがよいと思われる．PCV13 は任意接種可能で免疫誘導能があり，PPSV23 との組み合わせ接種でさらなる肺炎予防効果が期待できる．

EULAR のリウマチ性疾患患者全般を対象にした推奨では，ワクチン接種は疾患の安定期や免疫抑制剤使用前に施行することが望ましいとされている．副腎皮質ステロイドや DMARD 使用中でも生ワクチンでなければ接種は可能であること，生ワクチン接種は慎重に考慮することが記載されている．インフルエンザワクチンと肺炎球菌ワクチンは強く推奨されており，免疫抑制状態にある患者の家族も各国のガイドラインに沿ったワクチン接種が推奨されている．妊娠後半に bDMARD を受けた母親からの出生児は 6 か月以内の生ワクチンを避けるべきとされている（参考文献 2）．

英国リウマチ学会ガイドラインでは，帯状疱疹が重症化しやすいことを鑑み，一定の条件下（PSL 20mg/日未満，MTX 25mg/週未満，AZA 3.0mg/kg/日未満など）で帯状疱疹生ワクチン接種を許容している．ただし，bDMARD 投与中は避けるべきとされ，可能なら MTX や bDMARD 投与前に接種することを勧めている（参考文献 3）．しかしながら，わが国では，副腎皮質ステ

ロイドや免疫抑制剤と帯状疱疹生ワクチンの併用は禁忌である．

近年，帯状疱疹に対する乾燥組み換えワクチンが発売された．生ワクチンではないためRA患者においても接種可能と考えられるが，RA患者における有効性は報告されていない．安全性については，239人のRA患者に乾燥組み換えワクチンを投与し，19人（5%）で軽度のRAの再燃が観察されたと報告されている（参考文献4）．

以上，一定の有効性が見込まれること，ワクチン接種を希望する患者は多いこと，コスト，海外ガイドラインでの状況を総合的に勘案し，推奨の強さは「弱い」（条件付き）とした．

5）採用論文リスト

1) Mori S, et al：Ann Rheum Dis 2012；71：2006-2010.

2) Franca IL, et al：Rheumatology（Oxford）2012；51：2091-2098.

3) Crnkic Kapetanovic M, et al：Arthritis Res Ther 2013；15：R1.

4) Kobashigawa T, et al：Scand J Rheumatol 2013；42：445-450.

5) Crnkic Kapetanovic M, et al：Arthritis Res Ther 2013；15：R171.

6) Hua C, et al：Arthritis Care Res（Hoboken）2014；66：1016-1026.

7) Askling HH, et al：Travel Med Infect Dis 2014；12：134-142.

8) Oliveira AC, et al：Arthritis Rheumatol 2015；67：582-583.

9) Nagel J, et al：Scand J Rheumatol 2015；44：271-279.

10) Hertzell KB, et al：Vaccine 2016；34：650-655.

11) Subesinghe S, et al：J Rheumatol 2018；45：733-744.

12) Chen CM, et al：Int J Rheum Dis 2018；21：1246-1253.

13) Ribeiro AC, et al：Arthritis Care Res（Hoboken）2013；65：476-480.

14) Kivitz AJ, et al：J Rheumatol 2014；41：648-657.

15) Bingham CO, et al：Ann Rheum Dis 2015；74：818-822.

16) Winthrop KL, et al：Ann Rheum Dis 2016；7：687-695.

17) Migita K, et al：Medicine 2015；94：e2184.

18) Migita K, et al：Arthritis Res Ther 2015；17：357.

19) Migita K, et al：Arthritis Res Ther 2015；17：149.

20) Park JK, et al：Ann Rheum Dis 2017；76：1559-1565.

21) Winthrop KL, et al：Arthritis Rheumatol 2017；69：1969-1977.

22) Izumi Y, et al：Arthritis Res Ther 2017；19：15.

23) Nguyen MTT, et al：J Rheumatol 2017；44：1794-1803.

24) Rosdahl A, et al：Travel Med Infect Dis 2017；21：43-50.

25) Burmester GR, et al：Ann Rheum Dis 2017；76：414-417.

26) Park JK, et al：Ann Rheum Dis 2017；77：898-904.

27) 窪田哲朗，他：リウマチ科 2015；54：133-136.

6）推奨作成関連資料一覧（推奨作成関連資料5に掲載）

資料A　RA CQ45　文献検索式

資料B　RA CQ45　文献検索フローチャート

資料C　RA CQ45　バイアスのリスク

資料D　RA CQ45　エビデンスプロファイル

■参考文献

1) 赤沢　学：日本内科学会雑誌 2015；104：2343-2350.

2) Furer V, et al：Ann Rheum Dis 2020；79：39-52.

3) Holroyd CR, et al：Rheumatology 2019；58：e3-e42.

4) Stevens E, et al：ACR Open Rheumatology 2020；2：357-361.

RA 推奨46

推奨文

整形外科手術の周術期にはMTXを休薬しないことを推奨する（条件付き）.

推奨の強さ **弱い**　エビデンスの確実性 **非常に低**　パネルメンバーの同意度 **7.11**

RA CQ46

整形外科手術の周術期にMTXの休薬は必要か？

サマリー	整形外科手術の周術期におけるMTX（12.5mg/週以下）の継続はRAの再燃のリスクを抑制し，術後感染症，創傷治癒遅延に影響しないため，周術期におけるMTXの休薬は原則的に不要である．
注　記	MTXの継続，休薬，再開は，個々の患者で患者の状態や手術による侵襲の大きさ，合併症などを考慮して総合的に判断するべきである．出血量が比較的多い手術（股・膝の人工関節置換術など）では，一時的に急激な体液量の変動をきたして通常よりMTXの血中濃度が高くなる可能性があり，手術前後（手術当週）は休薬を考慮する．その他，MTXの使用上の注意に該当する合併症を有する患者では特に注意が必要である．整形外科の予定手術以外の手術，および12.5mg/週を超える使用量でのエビデンスはほとんどない．

1）推奨の背景

　MTXはRA治療のアンカードラッグであり，RA治療において使用頻度が高いことから，周術期の管理は，臨床医が一般的に直面する重要な問題であり，治療を進めるうえで参考となるエビデンスが求められる．

2）エビデンスの要約

　前回のガイドラインで検討した論文に加え，2012年以降の報告やレビューを加えて，エビデンスを要約した．PubMed，Cochrane Library，医学中央雑誌より文献検索を行った結果，RCTは2件抽出された．Grennanらの報告（採用論文1）は大規模な前向きRCTであり，術後1年間に生じた感染／術後合併症をアウトカムとした．感染と創傷治癒遅延など創部の問題との区別が明らかでなかった．対象は388例のRA患者で，MTX投与中の患者をgroup A，B，Cにランダム割り付け（group A：MTX休薬なし，88例，MTX平均投与量10〔2.5〜25〕mg/週；group B：術前後2週間のMTX休薬，72例，MTX平均投与量7.5〔2.5〜20〕mg/週；group C：MTXを投与されていない228例）し，3つのグループ間の感染／術後合併症の割合を比較した．その結果，感染／術後合併症はgroup Aで88例中2例（2%），group Bで72手術中11例（15%），group Cで228例中24例（10.5%）に認められ，group Aはgroup B（$p<0.003$）およびgroup C（$p=0.026$）より感染，術後合併症が少なかった．術後6週でRAの再燃はgroup Aでなし，group Bで6例（8%），group Cで6例（2.6%）であった．ロジスティック回帰分析ではMTX使用により感染，術後合併症の頻度が上がることはな

く，休薬はすべきでないと結論した．しかし，MTX投与量が中央値で週7.5〜10mgであったことに注意するべきである．また，Sanyらの89例のMTXの継続と休薬を比較した無作為非盲検RCT（採用論文2）では，MTXを休薬した患者（MTX平均投与量10〔5〜12.5〕mg/週）およびMTXを継続した患者（MTX平均投与量10〔5〜15〕mg/週）のいずれのグループにも術後感染は認めなかった．創傷治癒遅延についてもMTXを休薬した患者では6/50（12%），MTXを継続した患者では4/39（10%）と差はなかった．上記のRCT2報については，アウトカムを「術後合併症」として解析した．

　4件の非RCT（採用論文3〜6）では，周術期にMTXを継続または休薬した患者の間で，周術期感染，創傷合併症，RAの再燃などが検討された．Perhalaら（採用論文3）の後ろ向き報告では，MTXを投与していない61例と比較して，術後4週間以内にMTXを投与（平均投与量8.2〔5〜12.5〕mg/週，範囲は5〜12.5mg）された60例の患者で，人工関節全置換術後に感染症や創傷治癒遅延などの合併症に差はなかった．さらに手術の4週間以内にMTXを投与されていたグループは，周術期を通じてMTXを継続したグループとMTXを休薬したグループに分けて解析されたが，術後合併症に差はなかった．Murataら（採用論文4）は，低用量のMTX（2〜8mg/週）を使用していた201件の手術を受けた122例の患者を後ろ向きに検討したところ，周術期のMTXを継続したgroup A 48例（MTX平均投与量4.3〔2〜8〕mg/週），77件の手術で合併症は3件（3.9%），MTXを休薬したgroup B 12例（MTX平均投与量4.9〔2〜8〕mg/週），21件の手術で合併症は1件（4.8%）であり，2群間で差は認められなかった．MTXを使用していなかったgroup C 56例を含め

た比較では，創傷治癒遅延は A 群で 1.3％（1/77），B 群で 9.5％（2/21），C 群で 7.8％（8/103）であり，術後 4 週時点において A 群で 3.9％（3/77），B 群で 14.3％（3/21），C 群で 6.8％（7/103）の再燃が認められた．以上より，低用量の MTX の周術期使用は術後合併症の発生率に影響を与えず，むしろ RA の再燃を抑制するとしている．これら 2 報は周術期の MTX 休薬は不要としている．

一方，Bridges ら（採用論文 5）は，整形外科手術を受けた RA 患者 38 例を後ろ向きに調査した．手術の 4 週間前まで MTX を継続した 19 件の手術では，人工関節感染症または創離開・感染症の合併症が 4 例あったのに対し，手術の 4 週間前に MTX を中止した患者または手術前 3 か月間以上寛解導入剤を服用していなかった患者を対象とした 34 件の手術では合併症は認められなかった．また，Carpenter ら（採用論文 6）は，32 例の患者を対象とした小規模な前向きコホート研究では，患者は無作為化なしに MTX の継続群 13 例（平均 MTX 用量 13.1〔5〜20〕mg/週）または 2 週間の休薬群 19 例（平均 MTX 用量 12.5〔7.5〜20〕mg/週）に割り当てられた．MTX を休薬した 26 件では感染が発生しなかったのに対し，MTX を継続した 16 件では 4 件の感染が発生した．両群とも，RA の再燃を生じた患者はいなかった．これら 2 報は周術期の MTX 休薬を推奨している．

SR 3 件は参考文献とした（参考文献 1，2，3）．Loza ら（参考文献 1）は，RCT として Grennan（採用論文 1），Sany（採用論文 2）の 2 件，非 RCT から Carpenter（採用論文 6），Murata（採用論文 4）の 4 件を取り上げ，併存疾患および／または感染症の危険因子をもたない患者で，疾患活動性を維持しながら，整形外科手術を行ううえで，周術期に低用量の MTX を継続することは安全であると結論した．Pieringer ら（参考文献 2）は上記の 4 研究に加えて，Bridges（採用論文 5），Perhala（採用論文 3），Kasdan（参考文献 8，MTX 使用群と MTX 非使用群を比較している），Jain（参考文献 9，薬剤はすべて継続しており，休薬群がない）を加えた 8 件を解析し，MTX は周術期の安全性が高く，継続は RA 再燃のリスクの低減にも関連していると述べている．最近，WHO は対象疾患を RA に限定していないが同様の SR およびメタ解析を行い（参考文献 3），Bridges，Carpenter，Murata，Colombel（Crohn 病に関する報告）の 4 件の観察研究の解析では継続・休薬群間に差はなし，Grennan，Sany の 2 件の RCT の解析の結果は MTX の周術期継続を支持する結果を報告している．3 件の SR 間では抽出した論文が異なっており，また重複もあるため，今回の推奨に用いたエビデンスからは除外した．

3）エビデンスの確実性

すべての論文が術後合併症をイベントとして扱っており，イベントの内訳は感染症，創部の問題（創離開や治癒遅延など）

であった．本 CQ でも MTX の周術期の継続あるいは休薬が術後合併症の発生率に影響を与えるかを検討した．詳細が明らかな非 RCT 4 報では，アウトカムは感染と術後創傷トラブルに分けて検討した．術後 RA の再燃に与える影響は RCT 1 件，非 RCT 2 件で報告されていた．

術後合併症アウトカムは，2 つの RCT が盲検化されておらず，「バイアスのリスク」は深刻，また RR，95％CI から判断し「不精確さ」は非常に深刻とし，観察期間が異なるため「非直接性」は深刻で，これらよりグレードダウンし，エビデンスの確実性は非常に低とした．感染症と術後創部トラブルのアウトカムは，非 RCT を解析しており，患者選択バイアスにより「バイアスのリスク」は深刻，観察期間は異なるあるいは報告されていない論文があり，「非直接性」は深刻とした．よって，エビデンスの確実性は「非常に低」とした．術後 RA の再燃のアウトカムは，前述の RCT からの 1 件と非 RCT 2 件よりエビデンスを評価し，エビデンスの確実性は「非常に低」とした．結果として，いずれもエビデンスの確実性は非常に低で，結果は異なる方向性を示しており，アウトカム全般にわたる全体的なエビデンスの確実性は「非常に低」とした．

SR 3 件は最終的に抽出した論文に違いがあること，CQ に合致しない論文を複数含む研究があること，RA 以外の疾患を含むメタ解析が 1 件あったことなどから，解析の対象から除外して参考文献とした．

4）推奨の強さ決定の理由

① 利益と害のバランスの評価

MTX を使用していない患者を対象とした研究も含めて多くの研究で MTX の周術期の継続は，感染や創傷治癒遅延などの術後合併症に影響しないことがコンセンサスとなっている．症例数が少なく，ランダム化されていないが，周術期に MTX を継続投与した場合に術後合併症が多いとする一部の報告があるが，MTX の休薬によって感染などの術後合併症が減少するというエビデンスは得られていない．また，MTX の継続により，術後の RA の再燃は防止が可能であり，休薬には RA の活動性の再燃のリスクがある．

MTX の使用量は年齢や合併症，疾患活動性，効果などによって異なる．また，16 歳以上の日本人女性の平均体重は 52kg 前後であり，体重あたりの MTX 使用上限を仮に 0.25mg/週とした場合，投与量は 13mg/週となる．今回採用した論文は Murata らの報告以外は使用量上限を 25mg/週とする欧米人に対するエビデンスであった．また，ほとんどの論文で MTX 使用量が平均値や中央値で使用量が示されており，12.5mg/週を超える使用量の患者における MTX の継続・休薬のエビデンスは得られなかった．しかし，日本人の忍容性と体格，および 10〜12mg/週以下の MTX に対する効果不十分例で bDMARD や JAK 阻害薬

が使用されている現状を考えると，今回得られたエビデンスの有用性は高いと考えられる．以上より，エビデンスの質と量を総合的に判断すると，整形外科予定手術の周術期において，MTX を継続投与する利益が害を上回っていると考えられる．

② 患者の価値観・意向

使用中の薬剤の周術期の継続・休薬の是非については，アウトカムが感染，創傷治癒遅延，RA の再燃など患者の重大な不利益にかかわることであるため，慎重な決定が必要である．休薬の是非に対する同意度は患者の価値観によって異なり，MTX の副作用への懸念から周術期の継続に対して怖れを感じる患者もいれば，せっかく得られた疾患活動性のコントロールを休薬で失いたくないと考える患者もいる．エビデンスに基づく医療側の決定の優先度は高いと考えられるが，12.5mg/週を超える MTX の使用を行っている患者，整形外科の予定手術以外の手術のエビデンスはない．また，患者の年齢，合併症，身体状況，施行予定の手術の侵襲などを勘案して，周術期の MTX 継続・休薬を決定すること，施行にあたっては十分なインフォームドコンセントの実施を行うなどの注意が必要である．

③ コスト

今回得られたエビデンスからコスト評価は困難である．条件付きではあるが「周術期に MTX の休薬をしない」という介入の外的妥当性は高く，術後合併症や RA の再燃がなく良好に経過すれば，手術の効果を最大限に発揮することができる．

④ パネル会議での意見

主として Grennan らの前向き RCT により（採用論文1, 2），MTX の周術期継続は術後感染症や創傷治癒遅延のリスクを上げないことが示されており，WHO（2018）による周術期の休薬と継続を比較した研究の SR とメタ解析の結果でも同様の報告がなされている（参考文献3）．このことは 2009 年の 3E initiative の国際パネルや，以後の総説や ACR のガイドラインでもコンセンサスとして繰り返し述べられている（参考文献4〜7）．

一方で，取り上げられたエビデンスの解釈において，多くの研究で周術期における MTX の安全性が示されているが，データの多くは後ろ向きコホート研究から得られたことに注意が必要である．また，安全性に関して，併存疾患，年齢，または MTX の高用量との関連についてふれている論文は少ない点に注意が必要である．パネル会議において，周術期の MTX の継続について 7.11 の同意度が得られた．同意度が低かった委員の理由は併存症や MTX の使用量に関するものであり，推奨を「条件付き」として，それらの点を注記に記載した．アウトカム全般にわたるエビデンスの確実性は「非常に低」であるが，MTX を継続投与する益が害を上回っていると考えられ，パネル会議での意見をふまえて，12.5mg/週以下の MTX の継続使用は条件付きで推奨すべきであると考える（推奨の強さ「弱い」〔条件付き〕）．

特に MTX は腎排泄型の薬剤であり，一般に腎機能低下例には慎重投与ないし禁忌であることから，慎重な対応が必要である．また，整形外科予定手術以外の手術の場合は低用量でも個々の症例に応じて投与の継続・中断・再開を慎重に判断する．日本リウマチ学会「関節リウマチ治療におけるメトトレキサート（MTX）診療ガイドライン 2016 年改訂版」でも，「整形外科予定手術において，MTX は継続投与できる．整形外科予定手術以外の手術や MTX 12mg/週超の高用量投与例における手術の際には，個々の症例のリスク・ベネフィットを考慮して判断する」としている．12.5mg/週を超える用量の MTX を使用中の患者においては個々の合併症を慎重に考慮し，投与の継続・一時中断・再開を判断する．日本人は MTX に対する忍容性が比較的低い可能性があり，体格も欧米人より小さい．海外の使用上限に比して 16mg/週の上限も低く設定されている．今後，わが国においても，高用量 MTX の周術期継続に関するエビデンスの構築が必要である．

5）採用論文リスト

1）Grennan DM, et al：Ann Rheum Dis 2001；60：214-217.
2）Sany J, et al：J Rheumatol 1993；20：1129-1132.
3）Perhala RS, et al：Arthritis Rheum 1991；34：146-152.
4）Murata K, et al：Mod Rheumatol 2006；16：14-19.
5）Bridges SL, et al：J Rheumatol 1991；18：984-988．
6）Carpenter MT, et al：Orthopedics 1996；19：207-210.

6）推奨作成関連資料一覧 （推奨作成関連資料5に掲載）

資料 A　RA CQ46　文献検索式
資料 B　RA CQ46　文献検索フローチャート
資料 C　RA CQ46　エビデンスプロファイル
資料 D　RA CQ46　フォレストプロット

■参考文献

1）Loza E, et al：Clin Exp Rheumatol 2009；27：856-862.
2）Pieringer H, et al：Clin Rheumatol 2008；27：1217-1220.
3）World Health Organization：2018．ISBN：978-92-4-155047-5.
4）Visser K, et al：Ann Rheum Dis 2009；68：1086-1093.
5）Sreekumar R, et al：Acta Orthop Belg 2011；77：823-826.
6）Goodman SM, et al：Arthritis Rheumatol 2017；69：1538-1551.
7）Fleury G, et al：Swiss Med Wkly 2017；147：w14563.
8）Kasdan ML, et al：Orthopedics 1993；16：1233-1235.
9）Jain A, et al：J Hand Surg Am 2002；27：449-455.

RA 推奨47

推奨文

整形外科手術の周術期には bDMARD の休薬を推奨する（条件付き）.

推奨の強さ **弱い**　エビデンスの確実性 **非常に低**　パネルメンバーの同意度 **8.35**

RA CQ47

整形外科手術の周術期に bDMARD の休薬は必要か？

サマリー	整形外科手術の周術期における bDMARD の継続は手術部位感染，創傷治癒遅延のリスクを高める可能性があることから，術前後は休薬することを推奨する．休薬をする場合は RA の再燃に注意が必要である．
注　記	周術期の休薬の是非について TNF 阻害薬以外の bDMARD に関するエビデンスはほとんど得られていない．また，長期の休薬は RA の再燃を引き起こす可能性があるが，周術期の休薬期間に関しては意見の一致をみていない．

1）推奨の背景

　bDMARD，特に TNF 阻害薬を使用と非使用中で関節手術を受けた患者の手術部位感染（SSI）や創傷治癒遅延などの術後合併症の発生率を比較した報告は多いが，術後合併症については増加させるという報告と増加させないという報告があり，意見の一致をみていない．一方で，本 CQ に合致する「bDMARD を周術期に継続群と，休薬群を比較」した報告は少なく，治療を進めるうえで参考となるエビデンスが求められる．

2）エビデンスの要約

　前回のガイドラインで検討した論文に加え，2012 年以降の報告やレビューを加えて，エビデンスを要約した．PubMed，Cochrane Library，医学中央雑誌より 1995 年から 2019 年までの検索を行った．SR およびメタ解析は 2 件が抽出された．Mabille ら（採用論文 1）は TNF 阻害薬継続で SSI が 2 倍になったが TNF 阻害薬の休薬は SSI のリスクを変えないと結論しており，SSI のアウトカムに関するメタ解析の結果はそのまま採用した．Clay ら（採用論文 2）の論文では，TNF 阻害薬の周術期休薬は SSI のリスクを下げるとしたが，Berthold の論文（採用論文 5）の解析において，症例数の記載に不正確な部分がある．引用した Tawalkar の合併症 3 件の内訳が股関節脱臼，RSD，骨折（おそらく術中）であり（採用論文 8），これらを TNF 阻害薬の休薬・継続による感染・創治癒などの合併症としてカウントしている点，Patterson らの学会 Abstract を解析に入れている点など問題も多い．再燃に関しては 2 報（採用論文 8，9）のデータをメタ解析したデータをそのまま採用した．

　非 RCT は 7 件を採用した．den Broeder ら（採用論文 3）は 1,219 件の手術のうち TNF 阻害薬を使用していた 202 件の手術を TNF 阻害薬休薬群 104 件（2A 群），TNF 阻害薬継続群 92 件（2B 群）に分けて後ろ向きに比較検討した．SSI の発生は 2A 群で 6 件（5.8%），2B 群で 8 件（8.7%）に生じ，合併症発生率は 2A 群で 8 件（7.7%），2B 群で 17 件（18.5%）であった．ロジスティック回帰分析の結果，周術期の TNF 阻害薬の使用は SSI の危険性を高めないと結論した．

　Berthold ら（採用論文 5）は，TNF 阻害薬を休薬していた期間に行われた 872 件中 270 件（Group A）と，休薬を中止し，継続した期間に行われた 681 件中 243 件の手術（Group B）の SSI 発生率を比較した．その他の bDMARD については不明であった．Group A では 11 件（4.1%），Group B では 9 件（3.8%）の SSI が発生した．多変量解析の結果，年齢のみが SSI の予測因子であり，TNF 阻害薬の使用は SSI のリスク因子ではないと結論した．

　Bongartz ら（採用論文 6）は 462 例の RA 患者に行った膝あるいは股関節の人工関節置換術について，人工関節感染のリスク因子を後ろ向きに検討した．この中で，TNF 阻害薬を使用していた患者に言及し，術前に休薬した 12 例で SSI は生じなかったのに対して，休薬しなかった 38 例では 3 件の SSI を認めたことを報告した．このサブグループの詳細な背景は不明であった．

　Talwalker ら（採用論文 8）は 11 例（RA 10 例，乾癬性関節炎 1 例）に行った 16 件の手術を後ろ向きに検討した．4 件で TNF 阻害薬を継続，12 件で休薬して手術を行ったところ，全身および局所の感染はいずれの群にも認められなかった．休薬した群の ETN 使用患者 1 例に RA の再燃を認めた．

　Wendling ら（採用論文 9）は RA 患者 30 例に行った 50 手術を後ろ向きに解析した（内訳は IFX が 26 件，ETN は 13 件，ADA が 11 件）．18 件で TNF 阻害薬を術前に中止し，残る 32 件では中止せずに投与間隔の間に手術を行った．平均経過観察期

間 14（1〜42）か月の間に SSI は生じなかった．6件の RA の再燃が生じており，このうち 5 件が休薬群に生じていた．

Ruyssen-Witrand ら（採用論文 4）は RA 患者を 77％含む TNF 阻害薬使用中の 127 手術を検討した．85％が整形外科手術であった．半減期の 5 倍以内の休薬では 65 件中 12 件の合併症（内訳不明），半減期の 5 倍を超える休薬では 36 件中 7 件の合併症（内訳不明）が認められた．合併症発生率は休薬期間が半減期の 2 倍より短い場合には 30％，半減期の 2 倍以上休薬した場合 17.6％であり，前者で合併症が多い傾向であった．一方，Scherrer ら（採用論文 7）は TNF 阻害薬使用患者 177 手術の解析で，投与間隔の 3 倍を超える期間術前休薬した 47 手術では SSI は 1 件，一方で投与間隔の 3 倍以下の期間のうちに手術した 122 手術中 7 件で SSI が認められたこと，122 手術のうち，1 投与間隔以内に手術した場合は 1 投与間隔を超える期間の休薬後に手術した場合の 10 倍 SSI のリスクが高かったことを報告した．いずれにしても術前休薬・継続の定義次第で SSI の発生率は変わってくるので結果の解釈には注意が必要である．

3）エビデンスの確実性

bDMARD の術前後における休薬と継続を比較した研究は TNF 阻害薬に関する研究のみであった．また，非 RCT の中でも，休薬の定義は様々で，休薬の定義が明らかでないものが多かった．明らかなものでは，Ruyssen-Witrand ら（採用論文 4）は半減期の 5 倍以内の休薬を継続とし，Scherrer ら（採用論文 7）は投与間隔の 3 倍以内の期間を休薬としていた．

術後合併症で採用した 2 件の非 RCT は患者選択バイアスにより，「バイアスのリスク」は深刻，観察期間はいずれも 1 年であり，「非直接性」は深刻でないとした．メタ解析の結果，RR の 95％CI の下限と上限がそれぞれ，「相当な利益」とみなされる基準 RR＞1.25 と「相当な害」とみなされる基準 RR＜0.75 の双方を含んでいるため，「不精確さ」は非常に深刻とした．

SSI に関しては，Mabille らの SR を採用したが，盲検化が明らかでなく，個々の報告は観察期間が異なる，または報告されていないものもあり，また RR の 95％CI の上限と下限が，「効果なし」と「相当な利益」とみなされる基準 RR＜0.75 を含んでいることから，「バイアスのリスク」「非直接性」「不精確さ」はいずれも深刻とした．6 件の非 RCT では，上記の理由に加え，結果のばらつきがあることから，「非一貫性」は深刻とした．また，RR の 95％CI の上限と下限が，「相当な利益」とみなされる基準 RR＜0.75 と「相当な害」とみなされる基準 RR＞1.25 の双方を含んでいるため，「不精確さ」は非常に深刻とした．

RA の再燃については，Clay らの SR を採用したが，上記の理由に加えて，RR の 95％CI の上限が，「相当な害」とみなされる基準 RR＞1.25 を含んでいるため，「不精確さ」は深刻とした．

いずれのアウトカムに対しても，bDMARD の休薬を支持する結果であったが，エビデンスの確実性はいずれも「非常に低」であり，アウトカム全般にわたる全体的なエビデンスの確実性は「非常に低」とした．

4）推奨の強さ決定の理由

① 利益と害のバランスの評価

周術期に bDMARD の休薬をしない場合には RA の疾患活動性再燃のリスクは小さく，逆に SSI・創傷治癒遅延のリスクは一般に高くなる．両者のバランスを考慮して休薬期間を検討することが現在のコンセンサスになっている．休薬期間については個々の bDMARD で異なると考えられ，コンセンサスが得られていない．

今回追加検索で得られた文献およびメタ解析でも，多くは TNF 阻害薬の休薬は SSI のリスクを下げる，あるいは変えないと結論しており，休薬を推奨している．世界各国のガイドラインでは投与間隔および半減期を考慮した休薬を推奨しているが，前向き試験がないこと，もともと SSI そのものの頻度が 1〜2％と少ないことから，術前休薬期間のコンセンサスは得られていない．また，TNF 阻害薬以外の bDMARD に周術期の休薬の要否に関する明確なエビデンスはない．さらに，今回の検索によっても，術後合併症としては SSI に焦点が当てられており，SSI 以外の合併症について詳述した研究は 2 件で（採用論文 3，4），再燃に関しても 2 件（採用論文 8，9）のみであった．

② 患者の価値観・意向

使用中の薬剤の周術期の継続・休薬の是非については，アウトカムが SSI，創傷治癒遅延といった患者の重大な不利益にかかわることであるため，慎重な協同的意思決定が必要である．特に bDMARD は平素から感染症に注意するよう患者教育がなされていることもあり，SSI 予防のための周術期の休薬については，患者の理解が得られやすい．エビデンスに基づく医療側の決定の優先度は高いと考えられ，休薬期間が長くなることに伴う RA の再燃の可能性とその対応方法についても術前から説明しておくことで，患者の理解がさらに深まると考えられる．bDMARD の半減期，投与間隔に加えて，患者の年齢，合併症，身体状況，施行予定の手術の侵襲，術者の経験なども同時に勘案して，周術期の休薬期間を決定すること，施行にあたっては十分なインフォームドコンセントの実施を行うなどの注意が必要である．

③ コスト

今回得られたエビデンスからコスト評価は困難である．条件付きではあるが「周術期の bDMARD の休薬を行う」という介入の外的妥当性は高く，術後合併症や RA の再燃がなく良好に経過すれば，手術の効果を最大限に発揮することができる．

④ パネル会議での意見

本ガイドラインでは整形外科手術の周術期に bDMARD を休

薬した群と継続した群を比較した試験に絞り込んだが，いずれも後方視的あるいは対照が historical control であり，アウトカム全般にわたる全体的なエビデンスの確実性は「非常に低」であった．

パネル会議において，周術期の bDMARD の休薬について 8.35 の同意度が得られた．委員の同意度は 8 あるいは 9 であり，高い同意度であったが，患者 1 人は 7 としていた．bDMARD の休薬を支持する結果であったが，休薬期間のコンセンサスはない．得られたデータはすべて TNF 阻害薬に関するものであり，IL-6 阻害薬，T 細胞選択的共刺激調節薬の休薬・継続に関するデータはない．さらに取り上げられた論文のデータは後ろ向きコホート研究から得られたことに注意が必要である．また，再燃についても，各薬剤での再燃の頻度の検討はなされていない．以上の理由から，推奨を「弱い」（条件付き）とした．今後は TNF 阻害薬以外の bDMARD および JAK 阻害薬に関するエビデンスの構築が待たれる．また，個々の薬剤で手術までどの程度の休薬期間を設定するかは，半減期を参考にする場合と投与間隔を参考にする場合があり，意見の一致をみていない．疾患活動性の再燃は感染症のリスクを上げる恐れがあり，また，短期間でも代替薬としての副腎皮質ステロイドの使用は感染のリスクを上げる．個々の薬剤ごとの適切な休薬期間の設定が望まれる．術後は創傷治癒が確認されれば再開が可能である点は異論のないところであろう．

WHO ガイドライン（参考文献 1）では，TNF 阻害薬について周術期の休薬と継続を比較した 2 件の観察研究のうち，Berthold らは TNF 阻害薬を休薬した場合に SSI のリスクが有意に減少したと述べ，den Broeder らは休薬による影響はなかったとした．メタ解析の結果，周術期の休薬は継続する場合と比較して SSI のリスクを減少させると結論した（エビデンスの質は「非常に低」）．Goodman らの SR とメタ解析（参考文献 2）の結果は今回の CQ と合致していないため削除した．また，Goh（参考文献 3），Gregory（参考文献 4）のレビューも bDMARD と整形外科手術についての論文を詳述しているので参考にされたい．

5）採用論文リスト

1）Mabille C, et al：Joint Bone Spine 2017；84：441-445.

2）Clay M, et al：Joint Bone Spine 2016；83：701-705.

3）den Broeder AA, et al：J Rheumatol 2007；4：689-695.

4）Ruyssen-Witrand A, et al：Clin Exp Rheumatol 2007；25：430-436.

5）Berthold E, et al：Acta Orthop 2013；84：495-501.

6）Bongartz T, et al：Arthritis Rheum 2008；59：1713-1720.

7）Scherrer CB, et al：Arthritis Care Res（Hoboken）2013；65：2032-2040.

8）Talwalkar SC, et al：Ann Rheum Dis 2005；64：650-651.

9）Wendling D, et al：Ann Rheum Dis 2005；64：1378-1379.

6）推奨作成関連資料一覧 （推奨作成関連資料 5 に掲載）

資料 A　RA CQ47　文献検索式

資料 B　RA CQ47　文献検索フローチャート

資料 C　RA CQ47　エビデンスプロファイル

資料 D　RA CQ47　フォレストプロット

■参考文献

1）World Health Organization：2018．ISBN：978-92-4-155047-5.

2）Goodman SM, et al：Rheumatology（Oxford）2016；55：573-582.

3）Goh L J, et al：Rheumatol Int 2012；32：5-13.

4）Gregory F, et al：Swiss Med Wkly 2017；147：w14563.

RA 推奨48

推奨文

RA患者の肘関節破壊を伴う機能障害に対して人工肘関節全置換術を推奨する（条件付き）.

推奨の強さ **弱い**　エビデンスの確実性 **非常に低**　パネルメンバーの同意度 **7.71**

RA CQ48

RA治療において人工肘関節全置換術は有用か？

サマリー	RA患者に対する人工肘関節全置換術は，除痛効果に優れ，上肢のリーチ機能改善によるADL向上が見込まれる．一方で，膝・股関節の人工関節と比較すると人工関節生存率は低く，合併症・再置換率は高い．
注記	RA患者に対する人工肘関節全置換術は，十分な薬物治療で疾患活動性がコントロールされている状態では，よりよい長期成績が得られることが見込まれる．ただし，使用機種を含め，慎重な手術適応のもと，手術手技，後療法に習熟した施設および術者によって行われることが望ましい．

1）推奨の背景

肘関節障害は，RA患者の20～65％に認められるとされ，食事・整容など基本的ADLに大きな影響を与える．保存的治療で十分な効果が得られない場合には装具療法や外科的治療が考慮されるが，外科的再建術である人工肘関節全置換術（TEA）は膝や股関節の人工関節と比較して報告数が少ない．またTEAの耐用年数は比較的短く，合併症も多いとされており，適応・実施には慎重を要する．

2）エビデンスの要約

前回のガイドラインから検索範囲を広げて1995年から2019年のデータベース検索の結果，PubMed 182件，医学中央雑誌260件，Cochrane review 3報が抽出され，別に2論文を加えて検討，2nd screeningで102件が残った．さらに，おもに対象をRAとし，平均5年以上の経過観察があるもので人工関節生存率の解析がある報告にしぼったところ，最終的に英文は症例集積研究22件，非RCT 3件，レジストリ研究2件，和文は症例シリーズ研究4件の合計31件が抽出され，これらを採用した．検索対象期間中に3件のSRが抽出されたが，1件は80％以上をRA肘が占めたが個々の合併症の詳細な報告であり（参考文献1），他2件はRA肘の割合は30％，70％であり，参考文献とした（参考文献2，3）.

症例集積研究は26件抽出された．今回の症例シリーズ研究のエビデンスの結果の要約では，臨床スコア（MEPI）は術後平均86点に改善し，平均10年での人工関節生存率は71～99％であった．一方，合併症発生率は11～61％（平均27％）と高かった（採用論文1, 2, 4, 7～10, 13, 15～17, 20～26）.

TEAは一般に連結型（linked）および非連結型（unlinked）に分類され，連結型タイプではCoonrad-Morrey，GSB IIIが，また非連結型タイプではSouter-Strathclyde TEA，Capitellocondylar TEA，Kudo型人工関節の報告が比較的多い．

linked TEAであるCoonrad-Morreyでは，Sanchez-Soteloら（採用論文18）が，435肘を平均10年追跡し，術後MEPIは90点，人工関節生存率は10年で92％であったが15年で83％，20年で68％と低下した．Bigsbyら（採用論文17）は同じくlinked TEAのGSB IIIでTEAを行った40例52肘のうち29肘（うちRAは24肘）を平均13.1年追跡した．合併症は7/52肘（13.5％）に生じ，10年人工関節生存率は95.9％であった．

unlinked型で欧州を中心に多く使用されたのがSouter-Strathclyde elbowである．van der Lugtら（採用論文9）による204肘を平均6.4（2～19）年追跡した報告では，合併症発生率は29.9％，人工関節生存率は10年で77.4％，18年で65.2％であった．同じくunlinked型のKudo elbowはわが国で最も早く開発と臨床応用が始まり，1982年には上腕骨ステムが付与され，type-4で材質が一時チタン合金製になったが，type-5で上腕骨側はCoCr合金に変更になった．尺骨コンポーネントにはall-polyethylene製と，メタルバック（MB）型がある．Kudo type-5で，all-polyの尺骨コンポーネントの成績を報告したKodamaらの報告（採用論文19）でも人工関節生存率は10年で70％に低下することが報告された．Qureshiら（採用論文14）はMB型のKudo type-5の22肘を平均11.9年追跡した．MEPIは82点に改善したものの，人工関節生存率は12年で74％と報告した．

unlinked型のアルミナ・セラミックとポリエチレンを摺動面にもつ機種が2件報告された．Nishidaら（採用論文21）はJACE型TEAの87肘，追跡率96％，5年以上フォローの成績を報告

した．MEPI は 40 点から 95 点に改善し，合併症発生率は 11%，再置換を end point とした人工関節生存率は 14 年で 99% であった．また，Kondo ら（採用論文 22）により modular NSK の長期成績が報告された．RA 75 肘，平均 5.2 年の成績で，追跡率は 97% であった．JOA スコアは 42 点から 87 点に改善し，合併症発生率は 12%，10 年人工関節生存率は 93% であった．

比較的新しい機種である Discovery は，Mukka ら（採用論文 16）により，25 肘，経過観察期間平均 4.5 年の報告がなされた．5 肘（20%）に合併症を認めて再手術を必要としており，さらに 5 肘の X 線学的検討で無菌性のゆるみを上腕骨側に認めていた．人工関節生存率は 8 年で 90% であった．和文論文は 4 件（採用論文 23～26）で，Kudo，Coonrad-Morrey の報告であり，やや症例数は少ないが，人工関節生存率は 10 年で 80～91% と良好であった．

非 RCT のうち，Little ら（採用論文 27）は Larsen grade V の RA 肘に対して，Coonrad-Morrey，Souter-Strathclyde，Kudo の 3 機種の臨床成績を比較し，人工関節生存率に機種間に大きな差は認められなかったが，観察期間は 5 年と短い．その他 2 件の非 RCT を取り上げたが（採用論文 28，29），いずれも機種ごとに経過観察期間が異なっていた．

レジストリ研究は 2 件を採用した．Plaschke ら（採用論文 30）はデンマークのレジストリ研究において 1980 年から 2008 年に行われた TEA を調査した．324 肘の初回 TEA（うち，RA 症例は 237 肘〔73%〕），平均経過観察期間は 8.7（0～27）年を検討した．TEA 全体では 5 年人工関節生存率は 90%（95%CI[88, 94]），10 年人工関節生存率は 81%（95%CI[76, 86]）であり，unlinked TEA は linked TEA に比べて再置換術のリスクが 1.9 倍（95%CI[1.1, 3.2]）高かった．一方，インプラント別の 10 年人工関節生存率は Coonrad-Morrey 88%（95%CI[81, 95]）（RA 45/91 肘），GSBⅢ 89%（95%CI[80, 97]）（RA 51/60 肘）Capitellocondylar 88%（95%CI[78, 97]）（RA 45/54 肘），Souter-Strathclyde 72%（95%CI[62, 82]）（RA 75/90 肘）であった．

別の報告では，Skyttä ら（採用論文 31）がフィンランドのレジストリ研究において 1982 年から 2006 年に RA を対象に行われた TEA を調査した．1,457 肘の初回 TEA のうち，専門施設で行われた TEA が 776 肘，その他の 19 施設が 681 肘であった．その他の施設での TEA は専門施設での TEA に比べて再置換術のリスクが 1.5 倍（95%CI[1.1, 2.1]）高かった．平均経過観察期間はインプラントによって異なり，平均 3.5～8.8 年における 10 年人工関節生存率は 83%（95%CI[81, 86]）で，機種別では IBP/Kudo 83%（95%CI[76, 90]），Souter-Strathclyde 82%（95%CI[80, 85]）であった．また，Coonrad-Morrey の 7 年人工関節生存率は 89%（95%CI[83, 96]）であった．

総じて RA に対する TEA の報告では症例数が比較的少ないものが多い．また，開発者の施設における良好な成績を報告したものが多く，機種ごとに熟練した手術手技が要求される．総説では適応や手術技術による人工関節生存率の違いを指摘するものもある．

3) エビデンスの確実性

臨床スコアである MEPI，人工関節生存率，術後合併症を重大なアウトカムとして評価した．MEPI（100 点満点）は術後 73～95 点程度と人工関節の機種間で治療効果には大きな差がなかった．また，人工関節生存率や合併症発生率にも大きな差はなく，「非一貫性」は深刻でないとした．手術治療の効果を RCT で評価することは倫理的にむずかしく，対照群の組入れがないこと，機種の適応基準が明らかでないことなどから，「バイアスのリスク」は深刻とした．また 2 編の非 RCT を取り上げたが（採用論文 28，29），いずれも機種ごとに経過観察期間が異なっており，エビデンスのグレードはダウンした．

対象集団は RA であり，アウトカム指標も大きな差はないが，インプラントや施設による違いがあるため，レジストリ研究以外は「非直接性」に関しては非常に深刻あるいは深刻であった．TEA は報告数，個々の報告における症例数が少なく，「不精確さ」についてもレジストリ研究以外は非常に深刻あるいは深刻とした．いずれのアウトカムのエビデンスの確実性も「非常に低」であり，アウトカム全般にわたる全体的なエビデンスの確実性は「非常に低」とした．

4) 推奨の強さ決定の理由

① 利益と害のバランスの評価

RA 患者に対する TEA は優れた除痛効果を示し，疼痛，機能，可動域，安定性などを評価する臨床スコアのベースラインからの改善は著しい．一方で，脱臼，ゆるみ，感染，尺骨神経障害，術中・術後骨折などの合併症が報告されており，膝・股関節の人工関節と比較して合併症の頻度はやや高く，人工関節生存率は低い報告が多い．しかし，薬物治療で改善が見込めない肘関節に対して TEA で得られる除痛や可動域の拡大などの改善効果を考慮すると，望ましい効果は望ましくない効果より大きく，TEA による利益が害を上回ると考える．

② 患者の価値観・意向

日本リウマチ友の会会員 1,156 人を対象としたアンケート（第 4 章 2）において，TEA は 78 件の回答を得て，73.1% から期待した効果が得られ，65.4% から満足しているとの回答が得られた．「不都合が多かった」との回答は 19.2% と人工肘関節全置換術と同等であったが，「期待した効果が得られなかった」が 9.0%，「後悔している」が 5.1% と比較的多く，施行にあたっては注意が必要である．

③　コスト

　TEA の実施に要する費用（2020 年 4 月現在）のうち，手術手技料は 282,100 円（再置換術は 341,900 円），インプラント費用は 581,300 円である．入院・手術に必要な総医療費は麻酔，入院期間，術後のリハビリ，患者の状態によって変化する．術後良好に経過すれば，除痛効果，可動域拡大効果が個人の ADL 拡大に大きく寄与する．

　RA では高度かつ様々な形態の変形・関節破壊に対して術式や機種選択など臨機応変な対応が求められる．また，実際には膝・股関節の人工関節と比して施行頻度の低い術式であることから，執刀医や後療法担当理学療法士・作業療法士には十分な経験の蓄積が求められ，手術が適切に行える施設は限られる．

④　パネル会議での意見

　TEA は膝・股関節の人工関節全置換術と比較して，実施件数そのものが少なく，術者のラーニングカーブが得られにくい．また，脱臼やゆるみなどの合併症が生じた場合に，TEA の再置換術は容易ではない．パネル会議においては，TEA の推奨についての同意度は 7.71 であった．これは膝・股関節の人工関節より低く，肩，足関節の人工関節と同等であった．利益が害を上回るものの，アウトカムの全般にわたる全体的なエビデンスの確実性は，「非常に低」であり，患者の価値観・意向，実施可能な施設数，および術後良好に経過した場合の効果については信頼できても，合併症を考慮した場合に推奨度が下がると考えられることから，推奨の強さは「弱い」（条件付き）とした．

　また，長期成績は最近では 10 年人工関節生存率が 90% を超える良好な報告が散見されるが，薬物治療による良好な疾患活動性のもとでの長期成績についてはさらに良好な結果が期待される．また，種々の改良が施された新機種の長期成績は不明である．骨質の改善により，ゆるみや術後インプラント周囲骨折が減少するのか，身体活動性の向上により，かえってゆるみなどの合併症が増加していくのかは，今後の報告を待たねばならない．また，今回の SR でも疼痛を除けば，いわゆる患者主観的評価を用いた報告はなく，本手術法の推奨度を検討するうえで今後のエビデンスを待ちたい．

5）採用論文リスト

1) Risung F：J Bone Joint Surg Br 1997；79：394-402.

2) Gill DR, et al：J Bone Joint Surg Am 1998；80：1327-1335.

3) Trail IA, et al：J Bone Joint Surg Br 1999；81：80-84.

4) Tanaka N, et al：J Bone Joint Surg Am 2001；83：1506-1513.

5) Ikavalko M, et al：J Bone Joint Surg Br 2002；84：77-82.

6) Samijo SK, et al：Acta Orthop Belg 2003；69：501-506.

7) Potter D, et al：J Bone Joint Surg Br 2003；85：354-357.

8) Kelly EW, et al：J Shoulder Elbow Surg 2004；13：434-440.

9) van der Lugt JC, et al：J Bone Joint Surg Am 2004；86：465-473.

10) Malone AA, et al：J Shoulder Elbow Surg 2004；13：548-554.

11) Khatri M, et al：J Bone Joint Surg Br 2005；87：950-954.

12) Landor I, et al：J Bone Joint Surg Br 2006；88：1460-1463.

13) Brinkman JM, et al：Acta Orthop 2007；78：263-270.

14) Qureshi F, et al：J Bone Joint Surg Br 2020；92：1416-1421.

15) Nishida K, et al：J Orthop Sci 2014；19：55-63.

16) Mukka S, et al：Arch Orthop Trauma Surg 2015；135：595-600.

17) Bigsby E, et al：J Shoulder Elbow Surg 2016；25：362-368.

18) Sanchez-Sotelo J, et al：J Bone Joint Surg Am 2016；98：1741-1748.

19) Kodama A, et al：Bone Joint J 2017；99-B：818-23.

20) Pham TT, et al：J Shoulder Elbow Surg 2018；27：398-403.

21) Nishida K, et al：Bone Joint J 2018；100-B：1066-1073.

22) Kondo N, et al：J Shoulder Elbow Surg 2019；28：915-924.

23) 岩川紘子，他：日本肘関節学会雑誌 2015；22：343-346.

24) 本宮　真，他：日本肘関節学会雑誌 2011；18：207-210.

25) 有島善也，他：日本関節病学会誌 2011；30：51-54.

26) 砂原伸彦，他：九州リウマチ 2005；25：21-24.

27) Little CP, et al：J Bone Joint Surg Am 2005；87：2439-2448.

28) Skytta ET, et al：Arch Orthop Trauma Surg 2008；128：1201-1208.

29) Prasad N, et al：J Shoulder Elbow Surg 2010；19：376-383.

30) Plaschke HC, et al：J Shoulder Elbow Surg 2014；23：829-836.

31) Skyttä ET, et al：Acta Orthop 2009；80：472-477.

6）推奨作成関連資料一覧 （推奨作成関連資料 5 に掲載）

資料 A　RA CQ48　文献検索式

資料 B　RA CQ48　文献検索フローチャート

資料 C　RA CQ48　エビデンスプロファイル

■参考文献

1) van der Lugt JC, et al：Clin Rheumatol 2004；23：291-298.

2) Little CP, et al：J Bone Joint Surg Br 2005；87：437-444.

3) Welsink CL, et al：JBJS Rev 2017；5：e4.

RA 推奨49

推奨文

RA 患者の手関節障害に対する橈骨手根骨間部分関節固定術および Sauvé-Kapandji 手術を推奨する(条件付き).

推奨の強さ **弱い**　エビデンスの確実性 **非常に低**　パネルメンバーの同意度 **7.67**

RA CQ49

RA 治療において手関節形成術(人工関節以外)は有用か？

サマリー	RA 患者に対する手関節形成術は，除痛効果に優れ，握力の増加とともに安定性獲得による ADL 向上が見込まれる．患者満足度は高かった．
注記	RA 患者に対する手関節形成術は，関節の可動性を残しながら手関節を構成する一部の関節を固定する関節温存手術であり，十分な薬物治療で疾患活動性がコントロールされている状態では，よりよい長期成績が得られることが見込まれる．ただし，慎重な手術適応のもと，手術手技，後療法に習熟した施設および術者によって行われることが望ましい．

1) 推奨の背景

手関節は RA の好発部位であり，発症後2年で60%までの患者に，発症後10年で90%，12年で95%に手関節炎が生じるとされる．痛みや可動域制限による ADL 障害は比較的高い．薬物治療や装具療法にもかかわらず関節破壊が進行する場合は，多くの患者で遠位橈尺関節の障害に起因する伸筋腱皮下断裂が生じうる．また，中・長期的には強い骨吸収や脱臼による変形，骨性強直に至る可能性がある．手関節形成術は，手関節固定術や，人工手関節全置換術を適応せざるをえない状態になる以前に，主として除痛と安定性獲得を目的に行われる手術であり，伸筋腱皮下断裂に対する腱再建術と併用して行われることも多い．

2) エビデンスの要約

RA で手術的治療を要する手関節の部位は橈骨手根骨間，手根骨間，遠位橈尺関節に分けられる．今回は手関節形成術のうち，RA に主として適応される橈骨手根骨間部分関節固定術および Sauvé-Kapandji 手術について SR を実施した．本 CQ に対しては術後の疼痛，握力，患者満足度を検討した．

一次スクリーニングで抽出された1,003件から橈骨手根骨間部分関節固定術は術後5年以上の観察期間を報告した13件の研究を採用した．固定部位としては橈骨・月状骨間部分固定術の報告が12件と最も多く，橈骨舟状骨月状骨が5件，橈骨月状骨三角骨が1件であった(重複あり)．固定方法にはスクリュー，ステープル，K-wire など種々のインプラントが使用されていた．また，併用して行われる遠位橈尺関節の処置については，尺骨末端切除術をはじめ，種々の方法が行われていた．

疼痛に関しては橈骨手根骨間部分関節固定術では，VAS(100点満点)で術前後の比較をした研究が2件あり，平均63/100から19/100に改善していた(採用論文9, 13)．また，術後の VAS(10点満点)評価は2〜3/10が3件(採用論文2, 3, 10)，<1/10が2件(採用論文4, 6)であった．痛みなしの患者割合は3件で記載があり，50〜79%であった(採用論文5, 7, 8)．また，全例 Excellent あるいは Good とする報告が3件あった(採用論文7, 11, 12)．評価方法は異なるが，いずれも，術後の除痛効果は良好であった．部分固定術であるため術後手関節の掌背屈可動域は減少した．術後握力はデータのあるものでは増加する傾向にあるが，有意な増加は見込めていない．握力の改善率は5件で報告があり，0%，18%，36%，48%，110%と報告されていた(採用論文2, 4, 6, 7, 13)．

一方，遠位橈尺関節に対する手術である Sauvé-Kapandji 手術も良好な除痛効果を認めた．最終的に採用した11研究のうち，6研究は日本からの報告である．使用するインプラント，尺骨頭の固定方法，尺骨断端の安定化処置には種々の方法が混在している．前腕の回内外可動域は有意に改善した．疼痛は3件(採用論文15, 17, 24)において VAS 評価で術前平均7.6/10が術後平均1.4/10に改善しており，痛みなしは3件で67%，78%，84%と報告されていた(採用論文16, 19, 23)．その他評価方法に差があるが，すべての論文で改善がみられた．握力は3件で7.6%，34%，49%の増加，2件で6%，15%の低下と報告されていた(採用論文15, 16, 19, 20, 21)．合併症は6件で報告されたが，重篤なものはなかった(採用論文14, 15, 17, 20, 23, 24)．

いずれの術式も RA 手関節の除痛目的では有用であり，重大な合併症は少ないが，いずれの形成術を適応するかは手関節障害の部位や程度によって異なる．また，症例数は少なく，後方視的であった．

3）エビデンスの確実性

手術治療の効果をランダム化比較試験で評価することは倫理的にむずかしく，対照群の組入れがないことから，「バイアスのリスク」は非常に深刻とした．いずれの術式も除痛効果と回内外可動域の改善については一致している．また，再手術の記載はほとんどなく，合併症は軽度なものしか報告されていないことから，「非一貫性」は深刻でないとした．対象集団は RA であり，アウトカム指標も大きな差はないが，疼痛の評価方法，握力の測定方法に違いがあるため，「非直接性」に関しては深刻と評価した．個々の報告における症例数は少なく，「不精確さ」は深刻とした．本推奨文で検討したエビデンスはいずれも比較群がないため，アウトカムごとの方向性が同じか異なるかを正確に評価することは不可能であった．いずれのアウトカムのエビデンスの確実性も「非常に低」であり，アウトカムの全般にわたる全体的なエビデンスの確実性は「非常に低」と判断した．

4）推奨の強さ決定の理由

① 利益と害のバランスの評価

RA 患者に対する手関節形成術は優れた除痛効果を示し，手関節の安定性に寄与する．報告された術後合併症は尺骨断端の不安定性，感染，血腫などであったが，いずれも少数で軽度なものであった．薬物治療で改善が見込めない手関節に対して関節形成術で得られる除痛や ADL 拡大などの改善効果を考慮すると，望ましい効果は望ましくない効果より大きく，手関節形成術による利益が害を上回ると考える．

② 患者の価値観・意向

手関節手術に対して，今回アンケート調査は行われていない．重大なアウトカムの 1 つとして手術後の患者主観的評価では患者満足度を検討した（採用論文 1～3，6，8～11，20，21）．術後満足度は橈骨手根骨間部分関節固定術において Excellent と Good をあわせて 82～96%，「high」とするものが 4 件あった（採用論文 2，3，4，10）．また，Sauvé-Kapandji 手術においても Excellent と Good をあわせて 86%，88%（報告は 2 件のみ，採用論文 20，21）と高かった．一方，橈骨月状骨間固定術においては Excellent のみが 23～65%と幅があり，Poor も 4～18%に報告されていた．部分固定による可動域の低下，尺骨末端切除による陥凹，後療法などが影響を与える可能性があり，施行にあたっては十分なインフォームドコンセントの実施を行うなどの注意が必要である．

③ コスト

手関節形成術の実施に要する費用（2020 年 4 月現在）のうち，手術手技料は 282,100 円，固定用のスクリューなどインプラント費用は 17,500～30,900 円である．入院・手術に必要な総医療費は麻酔，入院期間，術後のリハビリ，患者の状態によって変化する．今回得られたエビデンスからコスト評価は困難であるが，術後良好に経過すれば，除痛効果，可動域拡大効果が個人の ADL 拡大に大きく寄与する．介入の外的妥当性は高い．

RA では高度かつ様々な形態の変形・関節破壊に対して術式や機種選択など臨機応変な対応が求められる．執刀医や後療法担当理学療法士・作業療法士には十分な経験の蓄積が求められ，手術が適切に行える施設は限られる．

④ パネル会議での意見

橈骨手根骨間部分関節固定術および Sauvé-Kapandji 手術は比較的安定した術後成績が得られることから，パネル会議においては，手関節形成術の推奨についての同意度は 7.67 であった．利益が害を上回る，に合致するという研究結果もあるが，アウトカムの全般にわたる全体的なエビデンスの確実性は「非常に低」であることから，推奨の強さは「弱い」（条件付き）とした．

両手術ともに，伸筋腱断裂をきたした場合には，腱再建，滑膜切除術と同時に併用されるべき手術である．いずれの術式も滑膜切除を併用し，橈骨 - 手根骨間の安定性が得られるが，橈骨手根骨間部分関節固定術は橈骨と手根骨間の，Sauvé-Kapandji 手術は遠位橈尺関節の固定を行う手術であり，対象とする部位が異なることから，2 者を比較した報告はなかった．遠位橈尺関節に対しては橈骨手根骨間部分関節固定術でも操作を加えることから除痛効果や回内外可動域の改善も大きく，RA 手関節に対する両術式の適応・使い分けについてはさらに議論の余地がある．

術後合併症において，尺骨断端の不安定性や痛みといった症状が散見された．いずれの術式においても，問題となる症状であり，尺骨断端による術後伸筋腱断裂を生じることもある．尺骨断端の処置については，いまだ専門医の間でも意見の分かれるところであり，今後の検討が必要である．また，今回の SR でも疼痛，患者満足度以外の ADL に対する患者主観的評価を用いた報告はほとんどなく（参考文献 1），本手術法の推奨度を検討するうえで今後のエビデンスを待ちたい．

5）採用論文リスト

1) Della Santa D, et al：J Hand Surg Br 1995；20：146-154.

2) Doets HC, et al：J Bone Joint Surg Br 1999；81：1013-1016.

3) Borisch N, et al：J Hand Surg Br 2002；27：61-72.

4) Ishikawa H, et al：J Hand Surg Am 2005；30：658-666.

5) Uchida K, et al：Mod Rheumatol 2004；14：31-36.

6）Honkanen PB, et al：J Hand Surg Eur 2007；32：368-376.

7）Masuko T, et al：Hand Surg 2009；14：15-21.

8）Gaulke R, et al：J Hand Surg Eur 2010；35：289-295.

9）Bain GI, et al：Hand Surg 2009；14：73-82.

10）Raven EE, et al：J Hand Surg Am 2012；37：55-62.

11）Trieb K, et al：Arch Orthop Trauma Surg 2013；133：729-726.

12）Motomiya M, et al：J Hand Surg Am 2013；38：1484-1491.

13）Saito T, et al：Mod Rheumatol 2016；26：57-61.

14）Taleisnik J：Clin Orthop Relat Res 1992；275：110-123.

15）Fujita S, et al：J Bone Joint Surg Am 2005；87：134-139.

16）Kawabata A, et al：Mod Rheumatol 2014；24：426-429.

17）Papp M, et al：Acta Orthop Belg 2013；79：655-659.

18）Sakuma Y, et al：Mod Rheumatol 2016；26：702-707.

19）Minami A, et al：J Orthop Sci 2018；23：516-520.

20）Tanaka N, et al：Mod Rheumatol 2004；14：222-226.

21）Nakagawa N, et al：Mod Rheumatol 2003；13：239-242.

22）Chantelot C, et al：J Hand Surg Br 1999；24：405-409.

23）Rothwell AG, et al：J Hand Surg Am 1996；21：771-777.

24）Vincent KA, et al：J Hand Surg Am 1993；18：978-983.

6）推奨作成関連資料一覧 （推奨作成関連資料 5 に掲載）

資料 A　RA CQ49　文献検索式

資料 B　RA CQ49　文献検索フローチャート

資料 C　RA CQ49　エビデンスプロファイル

■参考文献

1）Riches PL, et al：Arch Orthop Trauma Surg 2016；136：563-570.

RA 推奨50

推奨文

RA 患者の MCP 関節障害に対してシリコンインプラントによる人工指関節置換術を推奨する(条件付き).

推奨の強さ **弱い**　エビデンスの確実性 **非常に低**　パネルメンバーの同意度 **7.53**

RA CQ50

RA 治療において人工指関節置換術は有用か?

サマリー	術後のインプラント破損に注意が必要であるが,シリコンインプラントを用いた人工指関節置換術により,不可逆的な手指関節変形を生じた例において除痛,可動域の改善,変形の矯正,手指機能の回復が期待できる.
注　記	RA の MCP 関節に対するシリコンインプラントを用いた人工指関節置換術について検討した.使用機種を含め,慎重な手術適応のもと,手術手技,後療法に習熟した施設および術者によって行われることが望ましい.

1) 推奨の背景

RA では手指の罹患頻度が高いが,RA の疾患活動性が抑制されたあとも不可逆的な変形が残存・進行することもあり,そのような例では人工指関節置換術の適応となる.人工指関節置換術は MCP,PIP に対して行われることが大半であるが,特に RA では MCP 関節の掌側脱臼や尺側偏位の矯正を目的として行われることが多く,シリコンインプラントがおもに用いられる点が特徴である.わが国では手指の手術が増加しており,本手術が行われる機会も増えていると考えられるが,その有用性については不明な点が多く,破損や再置換を含めた人工関節生存率についても検討が必要である.

2) エビデンスの要約

PIP 関節の人工指関節置換術については RA 例に関する報告が少なく,表面置換型人工関節についてはわが国で使用不可能な機種に関する報告が多いため,本推奨では対象外とした.以下は MCP 関節に対するシリコンインプラントを用いた手術について記述する.

1992 年以降の報告について行った文献検索の結果,Cochran review では 1 報のみが該当したが,後療法について比較検討した内容であり評価対象外とした.

手術治療については倫理的に非手術群を対象とした RCT は行うことがむずかしいため,検索された文献から 5 年以上の経過観察期間を有し,術後合併症(インプラント破損),人工関節生存率に関する記載がある症例集積研究,コホート研究を対象とし,可動域・変形の改善・疼痛や機能などで改善する指標が

あるかどうか,また,破損あるいは再置換の発生率について評価を行った.

症例集積研究 10 件,2 機種を比較した非 RCT 1 件,前向きコホート研究 1 件についてエビデンスプロファイルを作成した.MCP 関節に対するシリコンインプラントによる人工指関節置換術により,除痛(7 件),伸展可動域の改善(10 件),尺側偏位の改善(8 件),手指機能の改善(7 件)が期待できるとの報告が認められた.一方で屈曲可動域の低下や尺側偏位の再発について示唆する結果もあり注意を要する.特にインプラント破損は平均 5～9.6 年の調査により 2.9～62.5% に発生していた(採用論文 1～9,12).インプラント破損をエンドポイントとした Kaplan-Meier 法による非破損生存率は術後 15 年で 35% とする報告(採用論文 12)と,17 年で 34% とする報告(採用論文 8)があった.インプラント再置換は平均 5～14 年の調査により 0.6～7.2% に発生しており(採用論文 1,2,4～9,12),インプラント再置換をエンドポイントとした Kaplan-Meier 法による人工関節生存率は術後 10 年で 95%,90.3% とする 2 報(採用論文 8,12)と,15 年で 63% とする報告(採用論文 4)があり,術後は慎重な経過観察が必要と考えられる.

また,Chung ら(採用論文 11)は 2017 年に手術群と非手術群の経過を比較する多施設前向きコホート研究を行い,その中で観察開始時の患者背景を調整したうえで,可動域および尺側偏位,Michigan Hand Questionnaire Score の機能・美容・満足・全体評価において,非手術群と比較して手術群のほうが有意な改善を示したと報告しており,手術そのものの有用性を直接評価した貴重なエビデンスといえる.これ以外の研究は後方視的な前後比較研究のみの評価が大半であり,アウトカム指標も報

告により異なる.

3) エビデンスの確実性

　重大なアウトカムとして，手術後の患者主観的評価（疼痛，手指機能），関節破壊の指標（尺側偏位），術後合併症（インプラント破損），人工関節生存率を，重要なアウトカムとして可動域を評価した．後ろ向きのデータ収集が行われた症例集積研究が大半であり，これらの「バイアスリスクのリスク」は非常に深刻とした．重大なアウトカムとして疼痛，インプラント破損および再置換率を評価したが，その他のアウトカムと同様に報告間で結果にばらつきがみられ，使用されているインプラント，アウトカム指標なども異なることから，症例集積研究の「非一貫性」「非直接性」および「不精確さ」は深刻とした．1件の前向きコホート試験があり，手術群と非手術群のあいだで背景因子は統計学的な調整が行われているが，欠損例が多く，症例数は少なく，「バイアスのリスク」は深刻とした．アウトカムごとにはいずれも益の方向性を示していたがそれぞれのエビデンスの確実性は「非常に低」であり，以上よりアウトカムの全般にわたる全体的なエビデンスの確実性は「非常に低」と判断した.

4) 推奨の強さ決定の理由

① 利益と害のバランスの評価

　得られたエビデンスは症例集積研究によるものが大半であるが，手術によって得られる疼痛・可動域・変形・手指機能の改善による利益は非常に大きい．一方でシリコンインプラントの破損率は他の部位の人工関節と比して高く，その傾向は長期・多数の症例集積研究において顕著であることから，インプラントの破損に伴う再手術の発生が最も留意すべき害と考えられる．しかし，薬物治療や装具療法で改善が見込めない不可逆的な変形を生じた例においては得られる変形・手指機能の改善効果を考慮すると，利益が害を上回ると考える.

② 患者の価値観・意向

　今回のガイドライン作成にあたってのアンケートでは手指人工関節置換術に関する項目は調査されていない．Chung ら（参考文献1）は重度の手指変形を有するRA例において，自らの手指に期待する疼痛・機能を調査し，3年以上経過後に再度調査したところ，シリコンインプラントを用いた人工指関節置換術施行例の83.3％の例において満足との回答を得ており，手指の状態（activity, work, pain, appearance）について改善したと回答した患者の割合は非手術例よりも高かったと報告している.

　今回エビデンスとして採用した研究では，満足度などについて十分に評価されたものは少なく，定量的な評価は困難であった.

③ コスト

　人工指関節（一体型）の材料価格基準は1本につき95,900円

（2019年8月現在）である．手術手技料は初回手術の場合1指につき159,700円となり指ごとに算定される．これに入院・リハビリテーション等の費用が伴う．費用対効果に関する定量的な研究は行われていないが，手指人工指関節置換術による除痛・機能改善効果は非常に大きく，現状では患者ごとに個別に検討する必要がある.

　RAでは高度かつ様々な形態の変形・関節破壊に対して臨機応変な対応が求められる．また，実際には膝・股関節の人工関節と比して施行頻度の低い術式であることから，執刀医や後療法担当理学療法士・作業療法士は十分な経験の蓄積が求められ，手術が適切に行える施設は限られる.

④ パネル会議での意見

　わが国を含めて，これまでRAに対する人工指関節置換術について記載したガイドラインはない．しかし，シリコンインプラントを用いた人工指関節置換術は1990年代からすでに現在と同世代のインプラントを用いた手術が行われており，パネルメンバーにとって既知の術式と思われ，パネル会議では本推奨に対して平均7.53の同意度が得られた．利益が害を上回り，患者の価値観・意向に合致するという研究結果もあるが，アウトカムの全般にわたる全体的なエビデンスの確実性は「非常に低」で，手術手技，後療法に習熟した施設および術者によって行われるべき手術であること，また耐久性についての問題もあることから，推奨の強さは「弱い」（条件付き）とした.

　今回のSRでは，ほとんどが海外の施設から報告されたデータを用いた検討となっている．人工指関節置換術の長期成績には手術手技とともに患者の生活強度や様式も大きく影響する．また，今後，疾患活動性の改善による病態の変化に伴い，人工指関節置換術の成績も向上することが期待されるため，わが国における十分な症例数・観察期間を有する研究報告が求められている．さらに今回はシリコンインプラントの機種は限定せずに調査したが，近年新たな機種も使用可能となっており，機種間の違いについては今後の検討が必要である.

5) 採用論文リスト

1) Kirschenbaum D, et al：J Bone Joint Surg Am 1993；75：3-12.

2) Wilson YG, et al：J Hand Surg Br 1993；18：81-91.

3) Olsen I, et al：Acta Ortho Scand 1994；65：430-431.

4) Hansraj KK, et al：Clin Orthop Relat Res 1997；342：11-15.

5) Swanson AB, et al：Clin Orthop Relat Res 1997；342：22-33.

6) Ishikawa H, et al：J Hand Surg Br 2002；27：180-183.

7) Goldfarb CA, et al：J Bone Joint Surg Am 2003；85-A：1869-1878.

8) Trail IA, et al：J Bone Joint Surg Br 2004；86：1002-1006.

9) Parkkila T, et al：Scand J Plast Reconstr Surg Hand Surg 2006；40：297-301.

10）Tagil M, et al：J Hand Surg Eur 2009；34：743-747.

11）Chung KC, et al：Arthritis Care Res（Hoboken）2017；69：973-981.

12）Boe C, et al：J Hand Surg Eur 2018；3：1076-1082.

6）推奨作成関連資料一覧（推奨作成関連資料 5 に掲載）

資料 A　RA CQ50　文献検索式

資料 B　RA CQ50　文献検索フローチャート

資料 C　RA CQ50　エビデンスプロファイル

■**参考文献**

1）Chung KC, et al：Clin Rheumatol 2015；34：641-651.

RA 推奨51

推奨文

RA 患者の肩関節破壊を伴う機能障害に対して人工肩関節全置換術を推奨する(条件付き).

推奨の強さ **弱い**　エビデンスの確実性 **非常に低**　パネルメンバーの同意度 **7.56**

RA CQ51

RA 治療において人工肩関節全置換術は有用か？

サマリー	RA 患者に対する人工肩関節全置換術は，除痛効果に優れるが，腱板損傷合併例では可動域を含む機能改善は十分といえない．近年登場したリバース型人工肩関節全置換術では可動域の改善が期待できるが，現時点では長期の耐久性は明らかではない．
注　記	RA 患者に対する人工肩関節全置換術は，十分な薬物治療で疾患活動性がコントロールされている状態で行われることが望まれる．使用機種を含め，慎重な手術適応のもと，手術手技，後療法に習熟した施設および術者によって行われることが望ましい．

1) 推奨の背景

肩関節障害は，RA 患者の ADL に対し比較的大きな障害の1つである．それに対する手術として解剖学的人工肩関節全置換術（TSA）は，RA に対する外科的治療の中で重要なものの1つである．また近年腱板機能が損なわれている肩関節障害に対してリバース型 TSA がわが国でも使用可能となったが，現時点では長期の耐久性は明らかではないなどの課題があるため，リバース型 TSA も含めたエビデンスが求められる．

2) エビデンスの要約

2014 年版診療ガイドラインでは，1995 年から 2012 年までの RA の肩関節障害に対する TSA の論文を対象患者の80％以上が RA の基準で渉猟した9件の研究を用いて推奨文を作成した．今回 2013 年から 2018 年までの論文を検索しさらに25件の研究を追加し合計34件の研究を渉猟したが，今回はその中から対象患者のすべてが RA であるか，あるいは RA のみを他疾患から分離して臨床成績を解析している16件の研究（2つの和文を含む）を最終的に採用した．CQ に該当する Cochrane review は1つ報告されている．

TSA の再置換術をエンドポイントとした10年前後の人工関節生存率はおおむね90％以上である（採用論文1, 7, 10, 11）．一方，リバース型 TSA は，Woodruff ら（採用論文9）が平均7年の経過で 15.4％にゆるみを認め，Rittmeister ら（採用論文8）は平均 4.5 年の経過で肩甲骨関節窩コンポーネントのゆるみが25％出現し 12.5％の関節はゆるみによる再置換術を施行していると報告している．

臨床成績に関して，症例集積研究（採用論文5, 6, 12, 13, 15, 16）では，TSA に比してリバース型 TSA の術後可動域が大きい傾向にあるが，これは腱板損傷を合併する肩関節に対して TSA の可動域改善が乏しいことによる．SR（採用論文2, 3, 4），症例集積研究（採用論文12, 13, 15, 16）においても，リバース型 TSA の術後可動域が大きく改善することが示されている．除痛効果に加え可動域改善が大きいことからリバース型 TSA の臨床成績はおおむね良好である．

合併症について，Christie ら（採用論文1）によると，TSA の感染症率は 1.3％であったが，リバース型 TSA のそれは 12.5％，その他の合併症発生率は，TSA が 4.6〜7.4％で，リバース型 TSA は 24.0％であると報告されている．SR（採用論文2, 3, 4），レジストリ研究（採用論文14），症例集積研究（採用論文12, 13, 16）においても，リバース型 TSA の合併症発生率は TSA に比して同等もしくはやや高い傾向にあった．

除痛を含めた機能改善が得られるという意味で，TSA，リバース型 TSA のコストベネフィットは高いといえる．ただし，X 線学的に肩甲骨関節窩コンポーネントのゆるみの発生頻度は少なくなく，特にリバース型 TSA では問題といえる．またリバース型 TSA については，現時点で長期成績は十分確認されていない．

3) エビデンスの確実性

重大なアウトカムとして，再置換をエンドポイントとした人工関節生存率，術後の臨床スコア，合併症を評価した．また推奨の参考となる他のアウトカムとして，コンポーネントのゆるみの発生率，可動域を評価した．

人工関節生存率については，SR と症例集積研究のエビデンスで，グレードダウン項目として SR では「バイアスのリスク」が深刻，症例集積研究では「バイアスのリスク」「不精確さ」が深刻であり，人工関節生存率全般のエビデンスの確実性は「非常に低」と評価した．

JOA スコアは症例集積研究のエビデンスであり，グレードダウンの項目として，「バイアスのリスク」「不精確さ」が深刻となり，エビデンスの確実性は「非常に低」と評価した．Constant スコア，American Shoulder and Elbow Surgeon's evaluation は SR と症例集積研究のエビデンスである．グレードダウン項目として，SR では「バイアスのリスク」が深刻，症例集積研究では「バイアスのリスク」および「不精確さ」が深刻であり，全体のエビデンスの確実性は「非常に低」と評価した．

合併症については，SR，レジストリ研究のグレードダウン項目として「バイアスのリスク」が深刻であり，症例集積研究のグレードダウン項目として「バイアスのリスク」と「不精確さ」が深刻であったため，いずれもエビデンスの確実性は「非常に低」であり，合併症全般のエビデンスの確実性は「非常に低」と評価した．

推奨の参考になるアウトカムとして，コンポーネントのゆるみの頻度を抽出した．すべて症例集積研究のエビデンスであり，グレードダウンの項目として「バイアスのリスク」と「不精確さ」が深刻であり，全体のエビデンスの確実性も「非常に低」とした．また可動域については，SR のグレードダウンの項目として「バイアスのリスク」が，症例集積研究のグレードダウンの項目として「バイアスのリスク」と「不精確さ」が深刻であった．よって，全体のエビデンスの確実性も「非常に低」とした．

本推奨文で検討したエビデンスはいずれも比較群がないため，RR の点推定値の方向性がアウトカムごとに同じか異なるかを評価することは不可能であった．したがって上記の各アウトカムのエビデンスの質を総合し，TSA のアウトカムの全般にわたる全体的なエビデンスの確実性は「非常に低」とした．

4）推奨の強さ決定の理由

① 利益と害のバランスの評価

RA 患者に対し TSA で得られる除痛効果は大きく，腱板損傷合併例に対してもリバース型 TSA を選択すれば機能や可動域改善も期待できる．一方，RA 患者では TSA において術後感染症，周囲骨折などの周術期合併症が確認され，また報告によってはコンポーネントのゆるみも比較的多く認められる．総合的に判断して，薬物治療で改善が見込めない肩関節障害に対する TSA やリバース型 TSA では，望ましい効果は望ましくない効果より大きく，TSA およびリバース型 TSA による利益が害を上回ると考える．リバース型 TSA については，現時点で長期成績は十分確認されていないため，慎重に手術適応を決めるべきである．

② 患者の価値観・意向

日本リウマチ友の会会員1,156人を対象としたアンケート（第4章2）において，TSA に対しては17件の回答があり，58.8%から期待した効果が得られ，52.9%から満足しているとの回答が得られた．一方不都合が多かったとの回答は5.9%と比較的少なく，TSA は，患者の期待に応え，満足度がある程度担保された治療法であるといえる．

③ コスト

TSA は経験ある医師が限られた施設で実施している．特にリバース型 TSA は日本整形外科学会が定めた基準（執刀経験数など）を満たす医師のみが腱板機能が損なわれている症例に対して施行することが許可されている手術である．TSA の実施に要する費用（2020 年 4 月現在）のうち，手術手技料は376,900 円，インプラント費用は TSA が659,000 円，リバース型 TSA が766,200 円である．入院・手術に必要な総医療費は麻酔，入院期間，術後のリハビリテーション治療，患者の状態によって変化する．術後良好に経過すれば，除痛効果，可動域改善，ADL 拡大，生産性向上に大きく寄与するが，将来的な治療コストに与える影響は不明である．

④ パネル会議での意見

パネル会議においては，TSA の推奨について比較的高い同意度が得られた．利益が害を上回るものの，アウトカムの全般にわたる全体的なエビデンスの確実性は，「非常に低」で，患者の満足度は中等度であること，手術手技，後療法に習熟した施設および術者によって行われるべきであり，また長期耐久性について十分なエビデンスがないことから，推奨の強さは「弱い」（条件付き）とした．

周術期合併症はある程度認められるため，十分早期から効果的な薬物治療を行ったうえで，なおかつ肩関節破壊が進行し日常生活に支障をきたした場合に手術を行うことが必要と考えられる．

5）採用論文リスト

1) Christie A, et al：Cochrane Database Syst Rev 2010；1：CD006188.
2) Gee EC, et al：Open Orthop J 2015；9：237-245.
3) Postacchini R, et al：Int Orthop 2016；40：965-973.
4) Cho CH, et al：Clin Orthop Surg 2017；9：325-331.
5) Sneppen O, et al：J Shoulder Elbow Surg 1996；5：47-52.
6) Stewart MP, et al：J Bone Joint Surg Br 1997；79：68-72.
7) Torchia ME, et al：J Shoulder Elbow Surg 1997；6：495-505.
8) Rittmeister M, et al：J Shoulder Elbow Surg 2001；10：17-22.
9) Woodruff MJ, et al：Int Orthop 2003；27：7-10.

10）Deshmukh AV, et al：J Shoulder Elbow Surg 2005；14：471-479.

11）Rosenberg N, et al：BMC Musculoskelet Disord 2007；8：76.

12）Young AA, et al：J Bone Joint Surg Am 2011；93：1915-1923.

13）Tiusanen H, et al：Eur J Orthop Surg Traumatol 2016；26：447-452.

14）Jauregui JJ, et al：Clin Rheumatol 2018；37：339-343.

15）松田雅彦, 他：整形外科 2005；56：1413-1416.

16）神戸克明, 他：肩関節 2017；41：787-791.

6）推奨作成関連資料一覧（推奨作成関連資料6に掲載）

資料A　RA CQ51　文献検索式

資料B　RA CQ51　文献検索フローチャート

資料C　RA CQ51　エビデンスプロファイル

RA 推奨52

推奨文

RA 患者の肩関節障害に対して人工肩関節全置換術，上腕骨人工骨頭置換術をともに推奨する（条件付き）．

推奨の強さ **弱い** エビデンスの確実性 **非常に低** パネルメンバーの同意度 **7.40**

RA CQ52

RA 患者の肩関節障害に対して人工肩関節全置換術は，上腕骨人工骨頭置換術よりも有用か？

サマリー	RA患者に対する人工肩関節全置換術および上腕骨人工骨頭置換術はともに，臨床改善効果が期待できるが，関節可動域の改善は十分といえない．またコンポーネントのゆるみおよび人工骨頭の上方・中心性移動の問題などがある．
注 記	RA 患者に対する人工肩関節全置換術および上腕骨人工骨頭置換術は，十分な薬物治療で疾患活動性がコントロールされている状態で行われることが望まれる．使用機種を含め，慎重な手術適応のもと，手術手技，後療法に習熟した施設および術者によって行われることが望ましい．

1）推奨の背景

肩関節障害は，RA 患者の ADL に対し比較的大きな障害の1つである．それに対する手術として，人工肩関節全置換術（TSA），上腕骨人工骨頭置換術（HHR）があげられるが，その比較検討は重要なものの1つであるほか，関節可動域の改善やコンポーネントのゆるみおよび人工骨頭の上方・中心性移動などの課題もあるため，治療を進めるうえで参考となるエビデンスが求められる．

2）エビデンスの要約

ここではリバース型 TSA の論文は除き通常の解剖学的 TSA と HHR の論文を採用した．2014 年版診療ガイドラインでは，1995 年から 2012 年までの RA の肩関節障害に対する TSA および HHR の論文を対象患者の 80％以上が RA の基準で渉猟した12 件の研究を用いて推奨文を作成した．今回 2013 年から 2018 年までの論文を検索し，さらに 12 件の研究を追加し全体として 24 件の研究を渉猟したが，今回は対象患者のすべてが RA であるか，あるいは RA のみを他疾患から分離して臨床成績を解析している 15 件の研究（和文 4 つを含む）を最終的に採用した．CQ に関連する Cochrane review は 1 つ含まれる．

Christie ら（採用論文 1）のレビューによると，TSA のゆるみによる再置換率は 3.9〜6.6％，HHR のそれは 6.3％であった．Sperling ら（採用論文 2）は再置換をエンドポイントとした TSA の 10 年，20 年の人工関節生存率はそれぞれ，94％，87％，HHR の 10 年，20 年の人工関節生存率はそれぞれ，90％，89％であり，腱板が損傷されていない肩関節では TSA のほうが HHR よりも人工関節生存率が高いと報告している．症例対照研究（採用論文 2，9，11）を用いた解析では，HHR に対する TSA の再置換（すべての理由による）は RR=0.83，95％CI［0.50，1.39］であり，両者に統計学的差は認めなかった．また Barlow ら（採用論文 9）は腱板が損傷されていない場合の TSA の人工関節生存率は有意に高いと報告している．臨床スコアは症例集積研究の結果であるが，TSA，HHR ともある程度の改善を認めている．Trail ら（採用論文 7）は RA に対して TSA と HHR を行い，術後は両群とも疼痛，可動域，Constant スコア，American Shoulder and Elbow Surgeon's evaluation は有意に改善したと報告している．症例対照研究（採用論文 2，9，11）において，可動域改善は TSA のほうが HHR より大きい傾向にあるが，腱板が損傷されている関節では両者に大きな差はなかった．合併症について，Christie ら（採用論文 1）によると，TSA の合併症発生率は 11％，HHR のそれは 9.9％であった．

再置換率や臨床成績は，TSA が HHR より明確に優れているエビデンスはないが，腱板が温存されている関節では TSA の臨床成績と耐久性は HHR に比してやや優れていた．

3）エビデンスの確実性

重大なアウトカムとして，再置換をエンドポイントとした人工関節生存率，手術後の JOA スコアおよびそれと同等と認められるスコア，合併症を評価した．また推奨の参考となる他のアウトカムとして，コンポーネントのゆるみ，人工骨頭の上方・中心性移動の発生率，可動域を評価した．RA の肩関節障害に対する TSA と HHR を比較したエビデンスは限られており，また症例対照研究も無作為割り付け，盲検下での検討ではなかった

めエビデンスレベルは低い.

人工関節生存率のエビデンスは SR，症例対照研究および症例集積研究である．SR のグレードダウン項目として「バイアスのリスク」が深刻であり，エビデンスの確実性は「非常に低」とした．また，症例対照研究と症例集積研究については，グレードダウン項目として「バイアスのリスク」「不精確さ」が深刻であり，エビデンスの確実性はともに「非常に低」とし，人工関節生存率全般のエビデンスの確実性は「非常に低」と評価した.

JOA スコア，Constant スコア，American Shoulder and Elbow Surgeon's evaluation はともに症例集積研究のエビデンスのみであり，グレードダウン項目として，「バイアスのリスク」および「不精確さ」が深刻であり，全体のエビデンスの確実性は「非常に低」と評価した.

合併症については，SR のグレードダウン項目として「バイアスのリスク」が深刻であり，症例集積研究のグレードダウン項目として「バイアスのリスク」と「不精確さ」が深刻であったため，いずれも「非常に低」と評価し，合併症全般のエビデンスの確実性は，「非常に低」とした.

推奨の参考になるアウトカムとして，コンポーネントのゆるみの頻度と HHR における骨頭の上方・中心性移動および可動域を採用した．コンポーネントのゆるみ発生率はすべて症例集積研究のエビデンスであり，グレードダウンの項目として「バイアスのリスク」と「不精確さ」が深刻でエビデンスの確実性を「非常に低」と評価した．また，骨頭の上方・中心性移動のエビデンスはすべて症例集積研究であり，グレードダウンの項目として「バイアスのリスク」と「不精確さ」が深刻であり，エビデンスの確実性を「非常に低」とした．可動域については症例対照研究，症例集積研究のエビデンスであり，グレードダウン項目としてはいずれの研究においても「バイアスのリスク」と「不精確さ」が深刻であり，エビデンスの確実性は「非常に低」と評価した.

本推奨文で検討したエビデンスは比較対照研究が少ないため，RR の点推定値の方向性がアウトカムごとに同じか異なるかを評価することは困難であった．したがって上記の各アウトカムのエビデンスの質を総合し，HHR に対する TSA のアウトカム全般にわたる全体的なエビデンスの確実性は，「非常に低」とした.

4) 推奨の強さ決定の理由

① 利益と害のバランスの評価

RA 患者に対し TSA および HHR で得られる臨床効果は比較的大きく，特に腱板温存例で TSA を選択すれば機能や可動域改善も期待できる．一方，RA 患者では TSA および HHR において術後感染症，周囲骨折，神経障害などの周術期合併症がある

程度確認され，TSA の場合のコンポーネントのゆるみ，HHR の場合の骨頭の上方・中心性移動も報告によっては比較的多く確認される．総合的に判断して，薬物治療で改善が見込めない肩関節障害に対する TSA もしくは HHR では，望ましい効果は望ましくない効果より大きく，利益が害を上回ると考える.

② 患者の価値観・意向

日本リウマチ友の会会員 1,156 人を対象としたアンケート（第4章 2）において，TSA は 17 件の回答があり，58.8％から期待した効果が得られ，52.9％から満足しているとの回答が得られた．一方不都合が多かったとの回答は 5.9％と比較的少なく，TSA は，患者の期待に応え，満足度がある程度高い治療法であるといえる．今回，HHR についてはアンケートが実施されていないため，HHR について期待した効果が得られたか否か，また満足度については不明である.

③ コスト

TSA，HHR は経験ある医師が限られた施設で実施している手術である．TSA および HHR の実施に要する費用（2020 年 4 月現在）のうち，手術手技料はそれぞれ 376,900 円，195,000 円，インプラント費用は TSA が 659,000 円，HHR が 628,700 円である．入院・手術に必要な総医療費は麻酔，入院期間，術後のリハビリテーション治療，患者の状態によって変化する．術後良好に経過すれば，除痛効果，機能改善が得られ ADL 拡大，生産性向上に寄与するが，将来的な治療コストに与える影響は不明である.

④ パネル会議での意見

パネル会議においては，TSA と HHR の成績はほぼ同等でともに推奨することついて比較的高い同意度が得られた．利益が害を上回るものの，アウトカムの全般にわたる全体的なエビデンスの確実性は「非常に低」で，患者の満足度は中等度であること，手術手技，後療法に習熟した施設および術者によって行われるべき手術であり，また関節可動の改善やコンポーネントのゆるみおよび人工骨頭の上方・中心性移動などの課題もあるため，推奨の強さは「弱い」（条件付き）とし，RA 肩関節障害に対する TSA と HHR はともに推奨される治療法とした.

TSA と HHR ともに周術期合併症はある程度認められるため，十分早期から効果的な薬物治療を行ったうえで，なおかつ肩関節破壊が進行し日常生活に支障をきたした場合に手術を行うことが必要と考えられる.

5) 採用論文リスト

1) Christie A, et al：Cochrane Database Syst Rev 2010；1：CD006188.

2) Sperling JW, et al：J Shoulder Elbow Surg 2007；16：683-690.

3) Sneppen O, et al：J Shoulder Elbow Surg 1996；5：47-52.

4) Stewart MP, et al：J Bone Joint Surg Br 1997；79：68-72.

5）Torchia ME, et al：J Shoulder Elbow Surg 1997；6：495-505.

6）Wakitani S, et al：J Rheumatol 1999；26：41-46.

7）Trail IA, et al：J Bone Joint Surg Br 2002；84：1121-1125.

8）Gadea F, et al：Orthop Traumatol Surg Res 2012；98：659-665.

9）Barlow JD, et al：J Shoulder Elbow Surg 2014；23：791-799.

10）Geervliet PC, et al：Orthopedics 2015；38：e38-42.

11）Voorde PC, et al：Acta Orthop 2015；86：293-297.

12）宮本隆司，他：臨床整形外科 2003；38：1137-1142.

13）近藤直樹，他：肩関節 2017；40：1063-1066.

14）山内直人：肩関節 2017；40：1063-1066.

15）松田雅彦，他：整形外科 2005；56：1413-1416.

6）推奨作成関連資料一覧（推奨作成関連資料 6 に掲載）

資料 A　RA CQ52　文献検索式

資料 B　RA CQ52　文献検索フローチャート

資料 C　RA CQ52　エビデンスプロファイル

資料 D　RA CQ52　フォレストプロット

RA 推奨53

推奨文

RA 患者の股関節破壊を伴う機能障害に対して人工股関節全置換術を推奨する.

推奨の強さ **強い**　エビデンスの確実性 **非常に低**　パネルメンバーの同意度 **8.44**

RA CQ53

RA 治療において人工股関節全置換術は有用か？

サマリー	RA 患者に対する人工股関節全置換術は，除痛効果に優れ股関節機能は安定して維持される．また長期の耐久性も期待できるため強く勧めることができる治療法である.
注　記	RA 患者に対する人工股関節全置換術は，関節破壊と機能障害を伴う股関節障害に対して，ほぼすべての状況において疼痛と機能障害を改善できると考えられる．一方，十分な薬物治療で疾患活動性がコントロールされている状態では，よりよい結果が得られることが見込まれる.

1) 推奨の背景

　股関節障害は，RA 患者の ADL に対する影響が強い障害の1つである．それに対する手術として人工股関節全置換術（THA）は，RA に対する外科的治療の中で最も重要なものの1つであるため，治療を進めるうえで参考となるエビデンスが求められる.

2) エビデンスの要約

　CQ に該当する Cochrane review は報告されていない．2014年版診療ガイドラインでは，1998年から2012年までの RA の股関節障害に対する THA の論文を，対象患者の80％以上が RA の基準で渉猟した11件の研究を用いて推奨文を作成した．今回2013年から2018年までの論文を検索しさらに30件の研究を追加して41件の研究を渉猟したが，今回はその中から対象患者のすべてが RA であるか，あるいは RA のみを他疾患から分離して臨床成績を解析している23件の研究（和文2つを含む）を最終的に採用した.

　RA 股関節障害に対する THA は除痛効果に優れ，その臨床成績である JOA スコア（採用論文18，20，22），Harris Hip スコア（採用論文1，2，4，6，8，9，19，21），Merle d' Aubigne' and Postel スコア（採用論文3，7）ともに良好である．一方合併症に関しては高い大腿骨骨折発生率が報告されている研究（採用論文15）がある．また感染率は3.7％以下と報告されている（採用論文16）．長期の固定性については，対象年齢，セメント使用の有無，使用機種により多少差を認めるが，多くの報告（採用論文11，14，19，20）で再置換もしくは無菌性ゆるみをエンドポイントとした10年以上の人工関節生存率はおおむね90％以上と報告されていた．特に RA に対しステムの成績は良好で

あり，10年以上の長期で無菌性ゆるみが確認されなかったとの報告もある．一方 Tang ら（採用論文6），Jana ら（採用論文7）が報告したセメントカップの成績や，Carl ら（採用論文13）や Matsushita ら（採用論文18）が報告したセメントレスカップ，および Eskelinen ら（採用論文10）の報告した一部のセメントレスカップの成績では10年の人工関節生存率は90％を下回っていた．全身的な疾患活動性，QOL 指標に対する THA の長期的効果のエビデンスは十分でない.

3) エビデンスの確実性

　重大なアウトカムとして，再置換をエンドポイントとした人工関節生存率，手術後の JOA スコアおよびそれと同等と認められる臨床スコア（痛みの改善率，機能の改善率），合併症を評価した．また参考となるアウトカムとして，コンポーネント（カップ，ステム）のゆるみの発生率，WOMAC を評価した.

　人工関節生存率のエビデンスは SR，レジストリ研究および症例集積研究である．SR とレジストリ研究のグレードダウン項目として「バイアスのリスク」が深刻であり，症例集積研究でのグレードダウン項目として「バイアスのリスク」と「不精確さ」が深刻であったため，確実性はいずれも「非常に低」であり，人工関節生存率全般のエビデンスの確実性は「非常に低」と評価した.

　JOA スコア，Harris Hip スコア，Merle d' Aubigne' and Postel スコアは症例集積研究のエビデンスであり，「バイアスのリスク」が深刻，また症例数が少ない報告が含まれているため「不精確さ」が深刻となり，これらの全体のエビデンスの確実性はすべて「非常に低」と評価した.

　合併症については，SR のグレードダウン項目として「バイアスのリスク」が深刻であり，症例集積研究のグレードダウン項

目として「バイアスのリスク」と「不精確さ」が深刻であったため，確実性はいずれも「非常に低」とし，合併症全般のエビデンスの確実性は，「非常に低」と評価した．また参考までに提示したゆるみの発生率については，SR のグレードダウン項目として「バイアスのリスク」が深刻であり，エビデンスの確実性は「非常に低」とした．また WOMAC は症例集積研究のエビデンスであり，「バイアスのリスク」が深刻で，エビデンスの確実性は「非常に低」と評価した．

本推奨文で検討したエビデンスはいずれも比較群がないため，RR の点推定値の方向性がアウトカムごとに同じか異なるかを評価することは不可能であった．したがって上記の各アウトカムのエビデンスの質を総合し，THA のアウトカムの全般にわたる全体的なエビデンスの確実性は，「非常に低」とした．

4) 推奨の強さ決定の理由

① 利益と害のバランスの評価

RA 患者では THA において術後脱臼，深部感染症などの周術期合併症が報告されているが，RA 患者に対し THA で得られる除痛効果は大きく，機能，可動域を含めた臨床スコアのベースラインからの改善は著しい．また長期の耐久性も期待できる．エビデンスの質は「非常に低」ではあるが，RA 股関節障害に対する THA における効果は多くの臨床の場において確認されており，その有用性を否定するものではない．

以上から，薬物治療で改善が見込めない股関節障害に対する THA では，望ましい効果は望ましくない効果より大きく，THA による利益が害を上回ると考える．

② 患者の価値観・意向

日本リウマチ友の会会員 1,156 人を対象としたアンケート（第4 章 2）において，THA については 106 件の回答があり，93.4% から期待した効果が得られ，89.6% から満足しているとの回答が得られた．一方，不都合が多かったとの回答は 18.9% であり，THA は，患者の期待に応え，満足度の高い治療法であるといえる．

③ コスト

THA は日本全国の多くの病院で実施が可能な手術である．実施に要する費用（2020 年 4 月現在）のうち，手術手技料は 376,900 円（再置換術は 548,100 円），インプラント費用はセメントレス THA の場合 735,600 円（スクリュー 1 本を含む）である．入院・手術に必要な総医療費は麻酔，入院期間，術後のリハビリテーション治療，患者の状態によって変化する．術後良好に経過すれば，除痛効果，ADL 拡大，生産性向上に大きく寄与するが，将来的な治療コストに与える影響は不明である．

④ パネル会議での意見

パネル会議においては，THA の推奨について高い同意度が得られた．エビデンスの質は「非常に低」ではあるが，THA による利益が害を上回ると考えられ，実施可能な医療機関は全国に多数存在し，患者の価値観・意向にも合致することから，推奨の強さは「強い」とした．

周術期合併症はある程度認められるため，十分早期から効果的な薬物治療を行ったうえで，なおかつ股関節破壊が進行し日常生活に支障をきたした場合に手術を行うことが必要と考えられる．

5) 採用論文リスト

1) Lachiewicz P：J Arthroplasty 1994；91：9-15.

2) Learmonth I, et al：J Orthop Rheumatol 1996；9：33-36.

3) Araujo J, et al：J Arthroplasty 1998；13：660.

4) Loehr J, et al：Clin Orthop 1999；366：31-38.

5) Keisu K, et al：J Arthroplast 2001；16：415-421.

6) Tang W, et al：Int Orthop 2001；25：13-16.

7) Jana A, et al：J Bone Jt Surg Br 2001；83：686-690.

8) Thomason H, et al：J Arthroplasty 2001；16：628-634.

9) Katsimihas M, et al：J Arthroplasty 2003；18：16-22.

10) Eskelinen A, et al：Acta Orthop 2006；77：853-865.

11) Zwartele R, et al：Int Orthop 2008；32：581-587.

12) Rud-Sorensen C, et al：Acta Orthop 2010；81：60-65.

13) Carl HD, et al：Rheumatol Int 2011；31：353-359.

14) Mäkelä KT, et al：J Bone Jt Surg Am 2011；93：178-186.

15) Zwartelé RE, et al：Arch Orthop Trauma Surg 2012；132：535-546.

16) Zwartelé R, et al：Hip Int 2013；23：111-122.

17) Goodman SM, et al：J Rheumatol 2014；41：1774-1780.

18) Matsushita I, et al：Mod Rheumatol 2014；24：281-284.

19) Yuasa T：Eur J Orthop Surg Traumatol 2016；26：599-603.

20) Haraguchi A, et al：Mod Rheumatol 2017；27：598-604.

21) Zhen P, et al：Arch Orthop Trauma Surg 2018；13：92.

22) 松下　功，他：日本人工関節学会誌 2015；45：833-834.

23) 岡畠章憲，他：Hip Joint 2017；43：1042-1045.

6) 推奨作成関連資料一覧 （推奨作成関連資料 6 に掲載）

資料 A　RA CQ53　文献検索式

資料 B　RA CQ53　文献検索フローチャート

資料 C　RA CQ53　エビデンスプロファイル

RA 推奨 54

推奨文

RA 患者の股関節障害に対してセメントおよびセメントレス人工股関節全置換術をともに推奨する(条件付き).

推奨の強さ **弱い**　エビデンスの確実性 **非常に低**　パネルメンバーの同意度 **7.93**

RA CQ54

RA 患者の股関節障害に対してセメントレス人工股関節全置換術は,セメント人工股関節全置換術と同等に有用か?

サマリー	RA 患者に対して人工股関節全置換術は,セメント非使用(セメントレス),セメント使用ともに除痛効果に優れ,股関節機能は安定して維持される.また長期の耐久性も期待できるため,どちらの人工股関節全置換術も勧めることができる治療法である.
注　記	RA 患者に対する人工股関節全置換術は,関節破壊と機能障害を伴う股関節障害に対して,ほぼすべての状況において疼痛と機能障害を改善できると考えられる.一方,十分な薬物治療で疾患活動性がコントロールされている状態では,よりよい結果が得られることが見込まれる.

1) 推奨の背景

　股関節障害は,RA 患者の ADL に対する影響が強い障害の 1 つである.それに対する手術として人工股関節全置換術(THA)は,RA に対する外科的治療の中で最も重要なものの 1 つである.一方,セメントを使わないセメントレス THA が,骨強度が脆弱である RA に対しても行われるようになってきているため,治療を進めるうえで参考となるエビデンスが求められる.

2) エビデンスの要約

　CQ に該当する Cochrane review は報告されていない.2014 年版診療ガイドラインでは,1998 年から 2012 年までの RA の股関節障害に対する THA の論文を対象患者の 80%以上が RA の基準で渉猟した 11 件の研究を用いて推奨文を作成した.今回 2013 年から 2018 年までの論文を検索しさらに 22 件の研究を追加し全体として 33 件の研究を渉猟したが,今回はその中から対象患者のすべてが RA であるか,あるいは RA のみを他疾患から分離して臨床成績を解析している 21 件の研究(和文 1 つを含む)を最終的に採用した.

　症例対照研究(採用論文 1, 2, 3)の解析結果より,セメントに対するセメントレスカップの無菌性ゆるみによる再置換は RR=0.17,95%CI[0.04,0.64]であり,セメントレスカップがセメントカップより優れていた.ステムを比較した症例対象研究(採用論文 1, 3, 4)の解析結果では,セメントに対するセメントレスステムの無菌性ゆるみによる再置換は RR=0.77,95%CI[0.06, 9.12]で,同等の成績であった.レジストリ研究(採用論

文 5)における 10 年の人工関節生存率は,セメントレスカップが 92%,セメントカップが 91%,セメントレスステムが 97%,セメントステムが 90%であり,セメントレス THA の成績は劣ってはいない.またレジストリ研究(採用論文 5),症例集積研究(採用論文 13, 15, 16, 18, 20, 21)におけるセメントレスステムの成績はおおむね良好であった.一方,Carl ら(採用論文 16)や Matsushita ら(採用論文 18)が報告したセメントレスカップの成績では 10 年の人工関節生存率は 90%を下回っていた.Zwartelé らの SR(採用論文 7)では,セメントに対するセメントレスのゆるみの発生比率は,カップは 0.6,ステムは 0.71 であった.一方,RA に対するセメントレス THA ではやや高い大腿骨骨折の発生率が報告されており(採用論文 7),骨強度が低下した症例では注意を要する.

　RA の股関節障害に対するセメントレス THA とセメント THA を比較したエビデンスは限られており,無作為割り付け,盲検下での検討はないためエビデンスレベルは低い.しかし人工関節生存率,合併症,ゆるみの発生率においてセメントレス THA がセメント THA より劣っているとするエビデンスはない.

3) エビデンスの確実性

　重大なアウトカムとして,再置換をエンドポイントとした人工関節生存率,合併症を評価した.推奨の参考となる他のアウトカムとしてコンポーネントゆるみの発生率を評価した.

　人工関節生存率におけるエビデンスは症例対照研究とレジストリ研究,症例集積研究である.症例対照研究と症例集積研究のグレードダウン項目として「バイアスのリスク」と「不精確

さ」が深刻であったため，エビデンスの確実性はともに「非常に低」とした．またレジストリ研究のグレードダウン項目として「バイアスのリスク」が深刻であったためエビデンスの確実性は「非常に低」であり，人工関節生存率全般のエビデンスの確実性は「非常に低」と評価した．

合併症のエビデンスは SR と症例対照研究であり，SR のグレードダウンの項目として「バイアスのリスク」が深刻，症例対照研究のグレードダウン項目として，「バイアスのリスク」と「不精確さ」が深刻でエビデンスの確実性はともに「非常に低」であり，合併症全般のエビデンスの確実性は「非常に低」と評価した．

コンポーネントのゆるみの頻度については，SR は「バイアスのリスク」が深刻であり，エビデンスの確実性は「非常に低」と評価した．また症例集積研究のグレードダウン項目として，「バイアスのリスク」と「不精確さ」が深刻であり，エビデンスの確実性は「非常に低」とした．

本推奨文で検討したエビデンスは比較対照研究が少ないため，RR の点推定値の方向性がアウトカムごとに同じか異なるかを評価することは困難であった．したがって上記の各アウトカムのエビデンスの質を総合し，セメント THA に対するセメントレス THA のアウトカム全般にわたる全体的なエビデンスの確実性は，「非常に低」とした．

4) 推奨の強さ決定の理由

① 利益と害のバランスの評価

セメント THA に比してセメントレス THA の人工関節生存率は同等か高い傾向にある．一方，RA 患者に対するセメントレス THA において，報告によってはやや高い大腿骨骨折の発生率が確認されているが，深部感染の発生率はセメント THA と同等か低い結果である．以上より，セメントレス THA の利益と害のバランスは，セメント THA のそれに比して同等と考える．

② 患者の価値観・意向

日本リウマチ友の会会員 1,156 人を対象としたアンケート（第4章 2）において，THA については 106 件の回答があり，93.4%から期待した効果が得られ，89.6%から満足しているとの回答が得られた．一方，不都合が多かったとの回答は 18.9%であり，THA は，患者の期待に応え，満足度の高い治療法であるといえる．今回，セメント THA とセメントレス THA を区別してアンケートが実施されていないため，両者の満足度の比較については不明である．

③ コスト

THA は日本全国で実施が可能な手術であるが，セメント THA のみを行っている施設がある．THA の実施に要する費用（2020 年 4 月現在）のうち，手術手技料は 376,900 円（再置換術

は 548,100 円），インプラント費用はセメントレスコンポーネント（スクリュー 1 本含む）が 735,600 円，セメントコンポーネント（骨セメント，セメントガン，セメントミキシングボールを含む）が 503,410 円である．入院・手術に必要な総医療費は麻酔，入院期間，術後のリハビリテーション治療，患者の状態によって変化する．セメントレスおよびセメント THA はともに術後良好に経過すれば，除痛効果，ADL 拡大，生産性向上に大きく寄与するが，将来的な治療コストに与える影響は不明である．

④ パネル会議での意見

パネル会議においては，セメントレスおよびセメント THA の推奨について高い同意度が得られた．セメントレス THA の利益と害のバランスは，セメント THA のそれに比して同等と考えられ，実施可能な医療機関は全国に多数存在し，患者の価値観・意向にも合致するが，アウトカム全般のエビデンスの確実性が「非常に低」であり，また施設によってはセメント THA のみを行っていることから，推奨の強さは「弱い」（条件付き）とした．

周術期合併症はある程度認められるため，十分早期から効果的な薬物治療を行ったうえで，なおかつ股関節破壊が進行し日常生活に支障をきたした場合に，セメントレスもしくはセメント THA の手術を行うことが必要と考えられる．

5) 採用論文リスト

1) Tang W, et al：Int Orthop 2001；25：13-16.
2) Jana A, et al：J Bone Jt Surg Br 2001；83：686-690.
3) Kirk P, et al：Can J Surg 1993；36：229-232.
4) Thomason H, et al：J Arthroplasty 2001；16：628-634.
5) Eskelinen A, et al：Acta Orthop 2006；77：853-865.
6) Mäkelä KT, et al：J Bone Jt Surg Am 2011；93：178-186.
7) Zwartelé RE, et al：Arch Orthop Trauma Surg 2012；132：535-546.
8) Zwartelé R, et al：Int Orthop 2008；32：581-587.
9) Lachiewicz P：J Arthroplasty 1994；91：9-15.
10) Garcia Araujo C, et al：J Arthroplasty 1998；13：660-667.
11) Dominkus M, et al：Acta Orthop Scand 1998；69：455-462.
12) Loehr J, et al：Clin Orthop 1999；366：31-38.
13) Keisu K, et al：J Arthroplast 2001；16：415-421.
14) Learmonth I, et al：J Orthop Rheumatol 1996；9：33-36.
15) Katsimihas M, et al：J Arthroplasty 2003；18：16-22.
16) Carl HD, et al：Rheumatol Int 2011；31：353-359.
17) Rud-Sørensen C, et al：Acta Orthop 2010；81：60-65.
18) Matsushita I, et al：Mod Rheumatol 2014；24：281-284.
19) Yuasa T：Eur J Orthop Surg Traumatol 2016；26：599-603.
20) Haraguchi A, et al：Mod Rheumatol 2017；27：598-604.

21）上田祐輔，他：日本関節病学会誌 2011；30：495-501.

6）推奨作成関連資料一覧（推奨作成関連資料6に掲載）

資料A　RA CQ54　文献検索式

資料B　RA CQ54　文献検索フローチャート

資料C　RA CQ54　エビデンスプロファイル

資料D　RA CQ54　フォレストプロット

RA 推奨55

推奨文

RA患者の膝関節破壊を伴う機能障害に対して人工膝関節全置換術を推奨する.

推奨の強さ **強い**　エビデンスの確実性 **非常に低**　パネルメンバーの同意度 **8.50**

RA CQ55

RA治療において人工膝関節全置換術は有用か?

サマリー	RA患者に対する人工膝関節全置換術は,長期成績が極めて安定していて,かつ当該関節機能だけでなく,全身健康状態も改善し,疾患活動性,治療コストも下げることが報告されているため強く勧めることができる治療法である.
注 記	RA患者に対する人工膝関節全置換術は,関節破壊と機能障害を伴う膝関節障害に対して,ほぼすべての状況において疼痛と機能障害を改善できると考えられる.一方,十分な薬物治療で疾患活動性がコントロールされている状態では,よりよい結果が得られることが見込まれる.

1) 推奨の背景

膝関節障害は,RAの関節障害の中で最も頻度の高くかつ最もADLに対する影響が強い障害の1つである.それに対する手術として代表的なものである人工膝関節全置換術(TKA)は,RAに対する外科的治療の中で最も重要なものの1つであるため,エビデンスを要約し,推奨を決定した.

2) エビデンスの要約

CQに該当するCochrane reviewは報告されていない.2014年版診療ガイドラインでは,1998年から2012年までのRAの膝関節障害に対するTKAの論文を渉猟し(147論文),さらに重要と思われる3論文を追加した結果により推奨文を作成した.今回2014年から2018年までの論文を追加検索し,①多施設コホート研究ないしレジストリ研究からの論文,②100例以上のRAを含むTKAの論文で,かつ再置換術をエンドポイントとする10年以上の関節生存率が述べられた論文,③変形性膝関節症に対する手術結果との比較があるもの,を選択した.疾患活動性,HAQ,全身健康状態に対する評価を行っているものは他CQ(RA推奨64:手術・リハビリテーション19)に譲った.前回構造化抄録を作成した21論文に加え,12論文の構造化抄録を作成した.医学中央雑誌検索では252論文を渉猟した.最終的に24論文を採用した.

その結果,①TKAのレジストリでは,RAに対するTKAの10年関節生存率は95〜96%である(採用論文1,11),②RAに対するTKAの単一施設コホート研究において,10〜15年の関節生存率は81.6〜100%である(採用論文2〜10,13〜16,21),③疼痛および機能の改善に対しては変形性膝関節症に対

するTKAと比べて,おおよそ遜色ない効果が得られる(採用論文17〜20,22〜24),との結果を得た.

RAに対するTKAは,その長期成績は極めて安定していて,かつ当該関節機能だけでなく,全身健康状態も改善し,疾患活動性,治療コストも下げることが報告されているため(RA推奨64:手術・リハビリテーション19参照),多面的な改善効果があって,薬物治療効果との相乗効果も期待できる.また多関節疾患であるRAにおいても,変形性膝関節症と比較して遜色ない疼痛および機能の改善が得られる.

3) エビデンスの確実性

関節生存率については,単一施設コホート研究,レジストリ研究ともに,対照群の設定がなくアウトカムのタイミングやフォローアップ率の相違があることから,エビデンスの確実性は「非常に低」とした.手術後の患者主観的評価およびJOAスコアと同等と認められる疼痛および関節機能の改善率比較については,単一施設コホート研究で「バイアスのリスク」が深刻であることに加えて,評価の方法に相違があることから「非直接性」が深刻であると考えられ,エビデンスの確実性はいずれも「非常に低」とした.治療コストについては,「非直接性」「不精確さ」の確実性が深刻と判断し,エビデンスの確実性は「非常に低」とした.

本推奨文で検討したエビデンスはいずれも比較群がないため,RRの点推定値の方向性がアウトカムごとに同じが異なるかを評価することは不可能であった.したがってアウトカム全般にわたる全体的なエビデンスの確実性は「非常に低」とした.

4) 推奨の強さ決定の理由

① 利益と害のバランスの評価

アウトカム全般にわたる全体的なエビデンスの確実性は「非常に低」であるが，TKA の適応がある RA 患者にはほかに有効な治療法はなく，ランダム化比較研究は倫理的に許容しがたいと思われ，手術の評価としては十分なエビデンス量があると判断した．エビデンスの要約に記載したように，解析結果はすべて TKA の有用性を支持しており，手術をしない場合に比較し正味の利益が十分大きい．RA 患者では TKA に限っても直近のエビデンスでも周術期合併症が多いとする報告が多いが（「第3章 3-2. 整形外科手術のリスク因子」参照），その頻度は変形性関節症と大きな差はなく，TKA で得られる多面的な改善効果や長期成績を考えると，利益は害よりも十分大きいと考えられる．

② 患者の価値観・意向

日本リウマチ友の会会員1,156人を対象としたアンケート（第4章 2）において，TKA は 244 件の回答を得て，90.6％から「期待した効果が得られた」，また87.3％から「満足している」との回答が得られた．一方「不都合が多かった」との回答は12.3％と比較的少なく，TKA は，患者の期待に応え，満足度の高い治療法であるといえる．

③ コスト

TKA の実施に要する費用（2020年4月現在）のうち，手術手技料は 376,900 円，インプラント費用は，大腿骨コンポーネントのセメント用が 242,000 円，セメントレス用が 241,000 円，脛骨コンポーネントのセメント用が 145,000 円，セメントレス用が 147,000 円，インサーとのポリエチレンが 52,600 円，ビタミン E 入りなどが 71,500 円，膝蓋骨コンポーネントのポリエチレンが 34,100 円，ビタミン E 入りなどが 47,600 円である．入院・手術に必要な総直接医療費は麻酔，入院期間，術後のリハビリ，患者の状態によって変化する．術後良好に経過すれば，除痛効果ならびに歩行能力の向上により，個人の ADL 拡大，労働生産性向上に大きく寄与する．

TKA により，治療コストが減少するという報告もみられ，治療介入の妥当性が示唆されるが（採用論文 12），海外からの報告であり，わが国で同様の結果が得られるかどうかについては留保を要する．医療経済に与える影響は今後の検討課題である．

④ パネル会議での意見

パネル会議においては，TKA の推奨について高い同意度が得られた．本手術法の利益は害よりも十分に大きく，患者満足度も高く，保険適用があり，ADL 拡大，労働生産性向上に寄与することから，推奨の強さは「強い」とした．

一方，現在および将来的に対照となるのは変形性関節症に対する TKA と考えられ，おおよそ遜色ない効果が得られるとする最近の論文はあるものの，特に機能回復の点でまだ劣っている点があることは否めない．術後の機能回復をさらに改善するためには，RA 発症早期から効果的な薬物治療を行い，疾患活動性を十分制御したうえで手術を行うことが必要と考えられるが，この点に関するエビデンスはまだほとんどみられない．

また2014年版診療ガイドラインでもふれたように，膝関節障害が強くても関節破壊が軽度である患者において，薬物治療の強化，関節注射などの手術以外の非薬物治療法，滑膜切除術，TKA のいずれがよいのかについてエビデンスはなく，将来的な課題である．また内外側限局型変形性膝関節症や大腿骨内顆骨壊死で適応のある骨軟骨移植術，高位脛骨骨切り術，大腿骨遠位骨切り術，単顆置換術などは，一般的には適応がないと考えられる．しかし疾患活動性が極めて安定している場合には，患者との十分な協働的意思決定をもってこれらの手術を施行可能な場合もあり，適応については今後のエビデンスを待ちたい．細胞移植を含む将来的な再生医療の応用についても期待される．

5) 採用論文リスト

1) Robertsson O, et al：Acta Orthop Scand 1997；68：545-553.
2) Shiga H, et al：Arch Orthop Trauma Surg 1998；117：15-17.
3) Schai PA, et al：Clin Orthop Relat Res 1999；367：96-106.
4) Archibeck MJ, et al：J Bone Joint Surg Am 2001；83：1231-1236.
5) Gill GS, et al：J Bone Joint Surg Br 2001；83：355-358.
6) Rodriguez JA, et al：Clin Orthop Relat Res 2001；388：10-17.
7) van Loon CJ, et al：Arch Orthop Trauma Surg 2001；121：26-30.
8) Ito J, et al：J Arthroplasty 2003；18：984-992.
9) Meding JB, et al：Clin Orthop Relat Res 2004；428：146-152.
10) Crowder AR, et al：J Arthroplasty 2005；20(7 Suppl 3)：12-16.
11) Himanen AK, et al：Acta Orthop 2005；76：85-88.
12) March LM, et al：Clin Rheumatol 2008；27：1235-1242.
13) Trieb K, et al：Joint Bone Spine 2008；75：163-166.
14) Miller MD, et al：J Bone Joint Surg Am 2011；93：e130.
15) Woo YK, et al：Can J Surg 2011；54：179-184.
16) Abram SG, et al：Bone Joint J 2013；95-B：1497-1499.
17) Hawker GA, et al：Arthritis Rheum 2013；65：1243-1252.
18) Matsuda S, et al：Clin Orthop Relat Res 2013；471：127-133.
19) Singh JA, et al：Arthritis Care Res (Hoboken) 2013；65：1936-1941.
20) Dusad A, et al：Arthritis Rheumatol 2015；67：2503-2511.
21) Lee JK, et al：Can J Surg 2015；58：193-197.
22) Goodman SM, et al：J Rheumatol 2016；43：46-53.
23) Kobayashi S, et al：J Arthroplasty 2019；34：478-482.
24) Minator Sajjadi M, et al：Arch Bone Jt Surg 2019；7：61-66.

6) 推奨作成関連資料一覧 （推奨作成関連資料 6 に掲載）

資料 A　RA CQ55　文献検索式

資料 B　RA CQ55　文献検索フローチャート

資料 C　RA CQ55　エビデンスプロファイル

RA 推奨56

推奨文

RA 患者の足関節破壊を伴う機能障害に対して人工足関節全置換術，足関節固定術をともに推奨する（条件付き）.

推奨の強さ **弱い** エビデンスの確実性 **非常に低** パネルメンバーの同意度 **7.67**

RA CQ56

RA 治療において人工足関節全置換術は足関節固定術より有用か？

サマリー	RA 患者に対する人工足関節全置換術および足関節固定術は，ほぼ同等の除痛効果，関節機能改善が認められる治療法である．しかしいずれも一定の割合で合併症が認められるため，施行にあたり注意が必要である．
注 記	隣接関節の状態に応じた手術適応など，様々な因子を鑑みて手術適応および術式を決定し，インプラント選択をすべきである．

1）推奨の背景

足関節機能障害は，RA の関節障害の中ではやや軽視されがちであるが，その罹患頻度は比較的高く，歩行能力などに対する影響も強い．それに対する手術が必要になった場合に，どのような手術を施行し，どのような結果が得られるか，エビデンスを提示することは重要である．

2）エビデンスの要約

RA の足関節障害に対する人工足関節全置換術（TAA）の報告は，膝関節，股関節と比較するとはるかに少ない．しかしすでに10年以上の長期成績の報告がいくつかあり，また北欧各国のレジストリ研究および SR が報告されている．これらの報告の検討から，TAA は足関節障害に対しては十分有効で，かつ10年で61～95.4％の関節生存率が報告されており（採用論文1，4～8，12），推奨できる手術といえる．しかし長期成績は報告によって大きな開きがあり，また再置換術の最大の原因がインプラントのゆるみであり，手術早期のゆるみが多くみられることから，この手術の技術的な困難さを示唆する．手術適応には十分な注意が必要で，かつ術者は十分な経験と注意をもって取り組むべき手術といえる．

一方，足関節固定術が長期的に安定した成績が得られよく行われていることから，この2つの手術は優劣があるのか，あるいは適応はどうかという点について，十分わかっていない．このような現状から，この CQ に対し SR 3件，レジストリ研究4件，多施設コホート研究2件，データベース研究3件を抽出した．その結果，RA に対する両手術を比較した SR では，両手術による機能改善，および再手術率は同等であるとの結論であっ

た（採用論文9）．RA に対する TAA の結果では，関節生存率は人工膝関節全置換術（TKA），人工股関節全置換術（THA）と比較して低い結果であった（採用論文1，4～8，12）．本 CQ の対象患者とは異なるが，OA に対する手術法の比較に関しては，①術後機能改善は同等であるか TAA のほうがよい，②手術関連の合併症は同等であるか，major complication は固定術のほうが多い，との結果が得られ，RA に対する結論と同様であった（採用論文2，3，9，11，13）．さらに RA と OA に対する TAA を比較した論文では，インプラントの破綻は OA のほうがやや多く，疼痛改善は RA のほうがやや良好であるとの結果であった（採用論文10）．

一方，RA は多関節障害が特徴であり，隣接関節である距骨下関節，距舟関節，足趾関節の変形が重度である傾向があり，また経年的悪化の可能性も高い．足関節固定術の方法についても，変形性足関節症では通常距腿関節のみの固定であるが，RA では距骨下関節などを含めることもしばしばあり，比較には相当の注意を要する．どのようなときにどちらの術式を選択すべきかについては不明であり，今後の手術法やインプラントの進歩も待ちながら，エビデンスを積み重ねていく必要がある．

3）エビデンスの確実性

TAA の関節生存率については，「バイアスのリスク」は非常に深刻であることからエビデンスの確実性は「非常に低」とした．TAA による関節機能の改善率については，「バイアスのリスク」が非常に深刻，「非直接性」が深刻であることからエビデンスの確実性は「非常に低」とした．TAA による疼痛の改善率については，「バイアスのリスク」が非常に深刻，「非直接性」「不精確さ」が深刻であることからエビデンスの確実性は「非常

173

に低」とした．TAA と固定術の関節生存率および手術合併症の比較については，「バイアスのリスク」「非一貫性」が深刻，「非直接性」で深刻なものと非常に深刻なものがあり，エビデンスレベルは「非常に低」となった．関節機能改善の比較では，「バイアスのリスク」「非直接性」が深刻で，エビデンスレベルは「非常に低」とした．手術件数がそれほど多くない手術法としては相対的にみて十分なエビデンス量があると判断した．

本推奨文で検討したエビデンスは，RR の点推定値の方向性がアウトカムごとに同じものも異なるものもあり，現時点では2 つの治療群で差があるとする結論には至らなかったと同時に，十分に交絡因子を検討したうえでの非劣性を証明したエビデンスもなかった．したがってアウトカム全般にわたる全体的なエビデンスの確実性は「非常に低」とした．

4) 推奨の強さ決定の理由

① 利益と害のバランスの評価

膝関節や股関節に対する人工関節と比較して TAA は合併症がやや多いと報告されており，適応は慎重にすべきである．しかし最近の報告では，これまで一般に行われてきた固定術と比較してほぼ同等の合併症率であり，またその関節機能改善効果が固定術と遜色なく高いことを考えると，固定術と並んで TAA は考慮すべき術式であるといえる．

② 患者の価値観・意向

日本リウマチ友の会会員 1,156 人を対象としたアンケート（第4 章 2）において，TAA は 63 件の回答を得て，61.9％から「期待した効果が得られた」，60.3％から「満足している」との回答が得られた．一方，「不都合が多かった」との回答は 27.0％と比較的多かった．足関節固定術の満足度を直接調べた報告はみられなかったが，2015 年発行の「リウマチ白書」において（参考文献 1），関節固定術によって「よくなった」と答えた割合が71.9％に上り，その過半数が足部の関節固定術であると想定されることから，患者からみても足関節固定術の満足度は比較的高いものと思われる．

③ コスト

TAA および足関節固定術の実施に要する費用（2020 年 4 月現在）のうち，手術手技料はそれぞれ 282,100 円および 223,000 円であるが，足関節固定術では自家骨移植術を併用することが多く，その手術手技料は 168,300 円である．TAA のインプラント費用は，脛骨コンポーネントが 362,000 円，距骨コンポーネントが 287,000 円であるが，足関節固定術のインプラント費用は手術術式によって大きく異なると考えられ，例として中空スクリュー S サイズが 1 本あたり 17,500 円，髄内釘標準型が 1 本138,000 円である．入院・手術に必要な総直接医療費は麻酔，入院期間，術後のリハビリ，患者の状態によって変化する．術後良好に経過すれば，除痛効果ならびに歩行能力の向上により，

個人の ADL 拡大，労働生産性向上に大きく寄与する．

TAA ないし足関節固定術により，RA の治療コストがどのように変化するかに関する研究は渉猟しえた範囲では皆無であり，また研究をデザインすること自体に多大な困難を要すると予想される．まして医療経済に与える影響を明らかにすることは非常に困難であり，今後の課題である．

いずれの手術も，限られた医療資源の観点から，限られた施設と術者が行うべきであると考えられる．

④ パネル会議での意見

パネル会議においては，TAA ならびに足関節固定術の推奨について比較的高い同意度が得られた．両手術法の効果については，渉猟文献および患者アンケートの結果を鑑みてもいずれも効果が高いと考えられるが，合併症が膝関節などと比較してやや高いことや，アウトカム全般にわたる全体的なエビデンスの確実性が「非常に低」であることを考慮して推奨の強さは「弱い」（条件付き）とした．

TAA は TKA や THA と比較して，長期成績が劣ることは周知の事実である．しかし最近の文献では，比較的良好な長期成績が報告されるようになっている．その結果，今回の CQ でみられたように，安定した長期成績が報告される足関節固定術と同等の結果が得られるようになったと考えられる．しかし TAA が技術的な難易度の高い手術であることはよく知られており，またインプラントによって手術の方法などが大きく異なり，今後の成績改善への期待とともに少なからず危惧も含んでいる．また RA は多関節障害が特徴であって，足関節以外の隣接関節である距骨下関節，距舟関節，足趾関節の変形によって，長期成績のみならず，手術方法も大きく左右される．今回渉猟した文献でも，結果に大きく影響すると考えられる隣接関節の情報は乏しく，比較検討には十分な注意が必要である．どのような場合に，どのような手術法がよい成績が得られるのかという点を含めて，今後さらなるエビデンスの蓄積に期待したい．

5) 採用論文リスト

1) Fevang BT, et al：Acta Orthop 2007；78：575-583.

2) Haddad SL, et al：J Bone Joint Surg Am 2007；89：1899-1905.

3) SooHoo NF, et al：J Bone Joint Surg Am 2007；89：2143-2149.

4) Gougoulias N, et al：Clin Orthop Relat Res 2010；468：199-208.

5) Skyttä ET, et al：Acta Orthop 2010；81：114-118.

6) Zhao H, et al：Int Orthop 2011；35：1751-1758.

7) Henricson A, et al：Acta Orthop 2011；82：655-659.

8) Labek G, et al：Int Orthop 2013；37：1677-1682.

9) van Heiningen J, et al：BMC Musculoskelet Disord 2013；14：306.

10) Pedersen E, et al：J Bone Joint Surg Am 2014；96：1768-1775.

11）Stavrakis AI, et al：J Bone Joint Surg Am 2016；98：1453-1458.

12）Lefrancois T, et al：J Bone Joint Surg Am 2017；99：342-348.

13）Odum SM, et al：J Bone Joint Surg Am 2017；99：1469-1475.

6) 推奨作成関連資料一覧 （推奨作成関連資料6に掲載）

資料A　RA CQ56　文献検索式

資料B　RA CQ56　文献検索フローチャート

資料C　RA CQ56　エビデンスプロファイル

■参考文献

1）日本リウマチ友の会：2015年リウマチ白書〜総合編〜.
2015.

RA 推奨57

推奨文

併存症を有する RA 患者に対して整形外科手術を行った場合，手術部位感染，創傷治癒遅延，死亡の発生が増える可能性があり，特に注意し観察・治療を行うことを推奨する.

推奨の強さ **強い**　エビデンスの確実性 **低**　パネルメンバーの同意度 **8.39**

RA CQ57

併存症を有する RA 患者に対して整形外科手術を行った場合，手術部位感染，創傷治癒遅延，死亡の発生が増えるか？

サマリー	RA 患者は様々な併存症を有すると整形外科手術後合併症が増える可能性がある. 個々のリスク因子に応じた適切な観察・治療を行うことが必要である.
注記	整形外科手術合併症のリスク因子を渉猟しエビデンスを提示した. エビデンスレベルはいずれも高くないが，合併症に対する対策が必要であることは明らかである. それぞれのリスク因子に対しての対策は本ガイドラインの別項ないし関連ガイドラインなどを参照されたい.

1）推奨の背景

RA は整形外科手術合併症の強いリスク因子とされるが，近年薬物治療の進歩によってリスクが少なくなっているとの報告も散見される. 手術合併症のリスク因子，特に併存症に関するエビデンスを知ることは対策を立てるうえで極めて重要である.

2）エビデンスの要約

CQ に該当する Cochrane review は報告されていない. WHO（参考文献1），CDC（参考文献2），ACR（参考文献3），AAOS（参考文献4），MSIS（参考文献5）などによる手術部位感染（SSI）予防のガイドラインが公表されており，SSI のリスク因子についても述べられているが，それぞれ相違がみられ，また術後死亡や創傷治癒遅延については，まとまった報告はない. 2014 年版診療ガイドラインでは bDMARD の SSI および創傷治癒遅延に対する影響について推奨を決定したが（「第3章 3-2. 整形外科手術のリスク因子」参照），今回は併存症の影響について 2013 年から 2019 年の文献を渉猟し，最終的に 4 論文を採用した. その結果，肥満，アルコール中毒，糖尿病，COPD，虚血性心疾患，尿路感染症の併存，併存症スコアがあげられた（採用論文1〜4）.

RA そのものが整形外科手術合併症のリスク因子であることに加えて（「第3章 3-2. 整形外科手術のリスク因子」参照），一般的な整形外科手術の術後合併症に対するリスク因子が，より明確にリスクとして報告されていると考えられる. 1つ1つのリスク因子については，エビデンスレベルが低いもの，報告数が少ないものも多くある. 術後合併症研究は，発生頻度が低いことや背景因子を揃えることがむずかしいことから RCT や大規模研究を組むことが非常にむずかしい分野であり，エビデンスレベルが高くなくとも，今後も臨床データを丹念に解析して論文化する努力が必要と考えられる.

3）エビデンスの確実性

すべてのエビデンスは観察研究である. 肥満，アルコール中毒では「非直接性」が非常に深刻で「バイアスのリスク」も深刻なものがあることなどから，エビデンスレベルは「非常に低」と判断した（採用論文1〜3）. 糖尿病は，SSI については「バイアスのリスク」「非直接性」「不精確さ」などが深刻な論文はあるものの，深刻な要素がない論文もあり，総合してエビエンスレベルは「低」とした（採用論文2〜4）. 糖尿病の術後死亡，COPD の SSI と術後死亡，虚血性心疾患の術後死亡は，エビデンスの確実性において深刻なものはなく，エビデンスレベルは「低」とした（採用論文4）. 虚血性心疾患の SSI に対するエビデンスは，「不精確さ」が深刻であることから，エビデンスレベルは「非常に低」とした（採用論文4）. 尿路感染症，併存症スコアは「バイアスのリスク」「不精確さ」が深刻で，「非直接性」が非常に深刻であることから，エビデンスレベルは「非常に低」とした（採用論文2）.

それぞれのリスク因子についてのエビデンスの確実性は「低」ないし「非常に低」であるが，解析したすべての項目でリスクの増加が示されていることから，エビデンス総体の確実性は「低」とした.

4) 推奨の強さ決定の理由

① 利益と害のバランスの評価

リスク因子があったときに手術を行うかどうかは，状況によると考えられる．しかし膝関節，股関節，肘関節など，機能障害が生活に多大な影響を与える関節においては，手術による利益が手術の合併症の害を十分上回ると考えられる．またリスク因子があるときに合併症予防策をとることで害を生じることもあり，抗血栓薬の継続投与を行ったときの出血量増加などが1例である．すでに手術合併症予防のガイドラインがある場合はそれを参考に行うが，抗リウマチ薬の周術期投与については本ガイドラインの別項を参照されたい．

② 患者の価値観・意向

リウマチ友の会会員1,156人を対象としたアンケート（第4章2）において，いずれかの人工関節置換術を受けたとの回答は339人から得られた．そのうち，それぞれの関節において「不都合があった」と答えた患者は延べ83件に上り，回答総数508件の16.3％であった．術後比較的多くの患者が不都合を経験しており，手術適応を考えるときに患者と十分情報を共有すべきであり，インフォームドコンセントを得るべきである．

③ コスト

手術そのもののコストは比較的大きいものであるが，手術をしなかったときのADL障害の持続ないし悪化がもたらすコスト損失は十分大きいと考えられる（それぞれの手術に対するCQ参照）．またリスク因子をもつ患者に対して手術をするときに，どのような内容の合併症予防策をとるかによってそのコストが変化するが，手術合併症が起こったときのコストは，人工関節術後感染症治療時にみられるように非常に大きく，予防策をとるためのコストの妥当性が十分支持される．

④ パネル会議での意見

パネル会議においては，推奨に対するエビデンス総体の確実性についてエビデンスレベルは「低」であるものの，併存症をもつ患者が術後合併症を起こすリスクが高いとの認識が行き渡っていることから，高い同意度が得られた．利益と害のバランス，コストの面からも併存症をもつ患者に対して十分な観察と治療を行うべきことに疑いはないと考えられ，推奨の強さは「強い」とした．

一方，具体的にどの程度のリスクのある方に対して，どの程度のリスクの手術なら許容されるかという点は，まさに利益と害のバランス，患者の意向，コストなどを総合的に判断して下されるべきで，単純な結論や指標を提示することは極めて困難である．しかし手術の専門家ではないリウマチ専門医に対してよりどころとなる指標を提示することができれば，そのインパクトは大きい．今後スコア化などの方法でわが国から報告があることを期待したい．

さらに，リスクのある患者に予防策をとる場合，どの程度の予防策をとるべきかについてはリスク因子それぞれの分野で一定の指針がある．手術が必要と判断し，患者も同意をした場合に，リスク因子に応じて周術期の合併症予防策を行うことは，リウマチ専門医にとって必須である．そのために個々の患者に応じたリスク評価を確実に行い，それぞれの手術合併症の指針を参照して適切に予防策をとることを啓発する必要がある．そのためにも診療ガイドライン策定は必要であり，今後も最新の情報を取り入れながら改訂をしていく必要があると考えられる．

本推奨はエビデンスが得難い項目であることも勘案すると，比較的多くのエビデンスが得られているが，リスク因子それぞれについてはエビデンスが不十分であるものもみられ，今後も少しでも多くのエビデンスが報告されることを期待する．

5) 採用論文リスト

1) Pugely AJ, et al：J Arthroplasty 2015；30（9 Suppl）：47-50.
2) Kong L, et al：Int Wound J 2017；14：529-536.
3) Salt E, et al：Semin Arthritis Rheum 2017；46：423-429.
4) Cordtz RL, et al：Ann Rheum Dis 2018；77：281-288.

6) 推奨作成関連資料一覧（推奨作成関連資料6に掲載）

資料A　RA CQ57　文献検索式
資料B　RA CQ57　文献検索フローチャート
資料C　RA CQ57　エビデンスプロファイル

■参考文献

1) World Health Organization：2016.　ISBN：978-92-4-154988-2.
2) Berríos-Torres SI, et al：JAMA Surg 2017；152：784-791.
3) Goodman SM, et al：Arthritis Rheumatol 2017；69：1538-1551.
4) Tubb CC, et al：J Am Acad Orthop Surg 2020；28：e340-e348.
5) Parvizi J, et al：J Arthroplasty 2018；33：1309-1314.

RA 推奨58

推奨文

RA 患者の足趾変形による機能障害に対して切除関節形成術，関節温存手術をともに推奨する（条件付き）．

推奨の強さ　**弱い**　エビデンスの確実性　**非常に低**　パネルメンバーの同意度　**8.00**

RA CQ58

RA 治療において足趾形成術における関節温存手術は切除関節形成術よりも有用か？

サマリー	RA 患者の足趾変形による機能障害に対する足趾形成術は，関節温存手術も切除関節形成術も同様に機能改善に優れ，勧められる治療法である．
注　記	足趾形成術として関節温存手術，切除関節形成術，関節固定術の間に明らかな優劣は認めなかったが，最近のエビデンスは関節温存手術を推すものが増えつつある．しかし長期成績は不明である．画一的な術式を施行するのではなく，状況に応じて適切な術式を選択することを考慮すべきである．

1）推奨の背景

　RA 患者において足趾変形は最もよくみられる関節変形の1つで，歩行障害など機能に与える影響も強い．足趾変形に対する手術は長い歴史があるが，近年，新たな手術法として関節温存手術が多く報告されている．これまでの代表的な手術方法である切除関節形成術と比較して，関節温存手術のほうが機能改善に優れるかどうか不明確であるため，治療を進めるうえで参考となるエビデンスが求められる．

2）エビデンスの要約

　CQ に該当する Cochrane review は報告されていない．手術法の比較論文は 1982 年から 2019 年までの検索結果でも 11 件しかなく，サンプルサイズも必ずしも多くない．そのため，今回の文献検索では，関節温存術と切除関節形成術の比較だけでなく，固定術と切除関節形成術の比較論文も渉猟した．また手術結果の評価法が論文ごとに異なるため，メタ解析は困難であり，ナラティブなレビューとした．

　切除関節形成術と関節温存手術の比較は 4 件あるが，関節機能の改善比較および術後足底圧の比較で，関節温存術のほうがよいとするものと両者に差がないとするものが混在する（採用論文 6〜9）．関節温存手術のほうがよいとするものも，有意差のある項目は評価項目のうち一部に限られる．しかし総合的にみて関節温存手術が機能改善にやや優れる可能性がある．また切除関節形成術と関節固定術（第一 MTP 関節）の比較論文は 4 件あり，3 件で関節固定術が関節機能の改善で優れているとしている（採用論文 1〜4）．しかし 1 件を除いて 2008 年以前の論文であるため，現在の治療体系で同様であるかの判断は注意を要する．また関節固定術と関節温存手術との比較論文はない．

　総合的にみて，報告数は手術ごとの優劣を判定するには少なく，その比較は不確実といわざるをえない．そのためいずれかの手術法がよりよいかという結論を出すことはできなかった．また短期的には結果が良好な切除関節形成術においても，長期的には変形の再発率が比較的高いとする論文があり，この点で特に関節温存手術の長期経過観察の報告はほとんどないため，長期的にみた比較研究が必要である．

3）エビデンスの確実性

　関節温存手術と切除関節形成術の関節機能の改善率の比較において，「バイアスのリスク」は深刻，「非直接性」で深刻なものがあり，「不精確さ」は深刻であることから，エビデンスの確実性は「非常に低」となった．足底圧については，「バイアスのリスク」は非常に深刻，「非直接性」「不精確さ」がいずれも深刻で，エビデンスの確実性は「非常に低」となった．関節固定術と切除関節形成術の関節機能の改善率比較において，「バイアスのリスク」は非常に深刻，「非一貫性」が深刻，「非直接性」は非常に深刻，「不精確さ」は深刻なものがあり，エビデンスの確実性は「非常に低」となった．数本の非盲検 RCT や単一施設コホート研究などがあるが，エビデンス量は十分とはいえない．

　本推奨文で検討したエビデンスは，RR の点推定値の方向性が論文ごとに同じものも異なるものもあり，現時点では 2 つの治療群で差があるとする結論には至らなかった．したがって全体的なエビデンスの確実性は「非常に低」とした．

4) 推奨の強さ決定の理由

① 利益と害のバランスの評価

手術に伴う合併症が一定の割合で報告されており，特に足部手術は合併症がやや多いとされる（「第 3 章 3-2. 整形外科手術のリスク因子」参照）．しかし機能改善は著明であるため，足趾変形に伴う疼痛や機能障害が強い場合は，利益が害を十分上回ると考えられる．

② 患者の価値観・意向

RA の足趾形成術にしぼって患者の満足度などを調べた調査は渉猟しえた範囲ではなかった．2015 年の「リウマチ白書」における手術の結果についての回答をみると（参考文献 1），関節形成術を 556 人が受けている．これの多くが足趾形成術と考えると，そのうち「良くなった」と答えた方が 66.2％であり，「悪くなった」と答えた 3.6％を大きく上回っているため，足趾形成術の満足度は高いと推定される．しかし「手術の部位によって異なる」と答えた方が 17.6％と比較的多く，結果の判断については十分慎重であるべきと考えられる．

③ コスト

足趾形成術の実施に要する費用（2020 年 4 月現在）のうち手術手技料は，関節形成術が 140,500 円，第一足指外反症矯正手術が 107,900 円，骨切り術が 1 本あたり 81,500 円（ただし「第 1 指から第 5 指までのそれぞれを同一手術野とする手術は，関節リウマチの患者に対し，関節温存を前提として中足骨短縮骨切り術を行った場合に限る」との注釈あり），関節固定術が 86,400 円，自家骨移植 168,300 円である．インプラント費用は手術法によるが，例として中空スクリュー S が 1 本あたり 17,500 円である．入院・手術に必要な総医療費は麻酔，入院期間，術後のリハビリ，患者の状態によって変化する．術後良好に経過すれば，除痛効果ならびに歩行能力の向上により，個人の ADL 拡大，労働生産性向上に大きく寄与する．

足趾形成術により，RA の治療コストがどのように変化するかに関する研究は渉猟しえた範囲では皆無であり，また研究をデザインすること自体に多大な困難を要すると予想される．まして医療経済に与える影響を明らかにすることは非常に困難であり，今後の課題である．また RA に対する足趾形成術，特に関節温存手術は，限られた医療資源の観点から，限られた施設と術者が行うのが望ましい手術であると考えられる．

④ パネル会議での意見

パネル会議においては，足趾形成術の推奨について比較的高い同意度が得られた．本手術法の効果について，足部手術で比較的多いとされる合併症の可能性を考慮しても，施行の有益性は高い治療法といえる．一方，手術術式の選択については未解決な問題が多く，エビデンスレベルも非常に低く，実施可能な施設も限られていることから，推奨の強さは「弱い」（条件付き）とした．

歴史的に数多く施行されてきた足趾形成術であるが，近年，特にわが国から比較的多くの関節温存手術の結果が報告されている．その有用性はリウマチ整形外科医の認めるところとなりつつあるが，切除関節形成術や第一 MTP 関節の固定術などの別術式をおもに施行する施設もあり，また主として関節温存手術を行う施設においても，時に別術式を選択することがある．どの術式がよいのか，今回渉猟したエビデンスでは明確にすることができなかった．しかしわが国で関節温存手術が主流になりつつある現状に呼応するように，どちらかといえば関節温存手術のほうがよいとするエビデンスが増えつつあることは確かであろう．一方，術式の選択については，年齢，罹病期間や足趾変形の程度，患者の活動性など様々な要素によって選択，決定すべきと考えられる．すべての機能再建術についていえるように，画一的な術式を選択するのではなく，今後，なんらかの有用性評価のスコアや基準を用いて，どのようなときにどの術式を選択すべきかについての指標が，エビデンスをもって明らかになることを期待したい．

5) 採用論文リスト

1）Mulcahy D, et al：J Rheumatol 2003；30：1440-1150.

2）Grondal L, et al：J Bone Joint Surg Br 2006；88：914-919.

3）Torikai E, et al：Mod Rheumatol 2008；18：486-491.

4）Tada M, et al：Mod Rheumatol 2015；25：362-366.

5）Fukushi J, et al：Foot Ankle Int 2016；37：262-268.

6）Ebina K, et al：Mod Rheumatol 2017；27：795-800.

7）Ebina K, et al：PLoS One 2017；12：e0183805.

8）Horita M, et al：Foot Ankle Int 2018；39：292-299.

9）Schrier JC, et al：Foot Ankle Surg 2019；25：37-46.

6) 推奨作成関連資料一覧 （推奨作成関連資料 6 に掲載）

資料 A　RA CQ58　文献検索式

資料 B　RA CQ58　文献検索フローチャート

資料 C　RA CQ58　エビデンスプロファイル

■参考文献

1）日本リウマチの友の会：2015 年リウマチ白書～総合編～. 2015.

RA 推奨59

推奨文

RA 患者の頚髄症に対して，神経症状が重症になる前に，また環軸椎不安定性が整復可能である間に頚椎手術を行うことを推奨する（条件付き）．

推奨の強さ **弱い** エビデンスの確実性 **非常に低** パネルメンバーの同意度 **8.06**

RA CQ59

RA 患者の頚髄症に対し頚椎手術は有用か？

サマリー	RA 患者が頚髄症をきたした場合，適切な頚椎手術をすると一定の神経症状の回復を見込むことができる．しかし神経症状が重症化すると回復率が低下するため，重症化する前に積極的な頚椎手術を検討すべきである．
注　記	どのような場合に神経症状が悪化し，重症化するのかについて，明確なエビデンスはない．また長期的には，変形の再悪化の可能性も考慮すべきである．頚髄症をきたしていない神経根症のみの場合や疼痛のみの場合についてのエビデンスは明らかでない．

1）推奨の背景

RA における頚椎病変は神経学的障害を引き起こし，時には生命予後にも影響することが知られている．しかし，手術により神経症状が改善する可能性はあるものの，必ず改善するとはいえず，術前の改善予測因子はあまり知られていない．術前の予後予測因子を把握することは，適切な手術時期の決定に重要な検討要素となるため，治療を進めるうえで参考となるエビデンスが求められる．

2）エビデンスの要約

CQ に該当する Cochrane review は報告されていない．2008年以降で，CQ に該当する7本の論文の構造化抄録を作成し，このうち4件の後ろ向き観察研究，1件の SR を採用した．

その結果，反射亢進やしびれを伴う自覚的な筋力低下のある修正 Ranawat 分類（脊髄症）II 以下では，保存的治療で神経症状悪化例が70％以上であるのに対し，手術例では10％未満である（採用論文5）．また術前に座ったり歩いたりできない III 以下の患者は手術しても改善しにくい可能性がある（採用論文4, 5）．整復可能な環軸関節亜脱臼は他の垂直脱臼などに比して，術後2，10年時点での頚椎 JOA スコアが高く維持されやすく（採用論文1），修正 Ranawat 分類（脊髄症）III 以上の患者では，MRI で髄内の高輝度病変の存在は術後神経症状が回復しないリスクにはならない可能性がある（採用論文3）．また 7.5mg/日以上のステロイド使用例と bDMARD 不使用例では術後の改善がよかったとの報告もあるが（採用論文2），症例数が少なく交絡因子が調整されていないため，エビデンスとして不確実である．神経症状をきたして頚椎手術に至る RA 患者は少なく，患者の背景因子や頚椎病変の破壊様式，神経症状の程度や期間の影響を加味した質の高い研究は困難といわざるをえない．今回検索された論文ではいずれも背景因子，手術方法などの交絡因子が十分調整されておらず，得られた結果に対する信頼性は高いとはいえない．しかし，神経症状悪化例には，保存的治療よりも手術のほうがよい結果が得られるとの SR の報告がある（採用論文5）．

3）エビデンスの確実性

頚椎病変の種類が術後 JOA スコアに与える影響については，「バイアスのリスク」が非常に深刻，「非直接性」および「不精確さ」が深刻のためエビデンスの確実性は「非常に低」とした．使用薬剤が Nurick scale の改善に与える影響については，「バイアスのリスク」が非常に深刻，「非直接性」および「不精確さ」が深刻のためエビデンスの確実性は「非常に低」とした．術前 MRI の所見が修正 Ranawat 分類（脊髄症）の術後改善率に与える影響については，「バイアスのリスク」が非常に深刻，「不精確さ」が深刻で，エビデンスの確実性は「非常に低い」とした．術前神経学的症状が術後修正 Ranawat 分類（脊髄症）に与える影響については，「バイアスのリスク」が深刻または非常に深刻，「非直接性」が非常に深刻，「不精確さ」が深刻のものがあり，エビデンスの確実性は「非常に低い」とした．いずれも背景因子の調整が不十分であるなどの不確実性因子が共通している．

本推奨文で検討したエビデンスはそれぞれ違った要素を判定しているため，RR の点推定値の方向性がアウトカムごとに同

じか異なるかを評価することは不可能であった．したがってアウトカム全般にわたる全体的なエビデンスの確実性は「非常に低」とした．神経症状をきたしても手術により一定程度の回復が見込まれる可能性は，エビデンス総体として高いといえる．エビデンスを総合的に判断すれば，神経症状をきたした場合は，神経症状が重症化する前に，積極的に手術を考慮すべきである．

神経障害をきたすRA頚椎病変の発生率は経時的に著明に減少しており，今後もエビデンスレベルの高い報告を期待することはできない．しかし今回渉猟したエビデンスにおいて，手術治療が神経症状改善に寄与することは一致している．もしRAの頚椎病変による神経障害の悪化をきたした場合は，手術治療を迅速に検討して施行しなければならず，今後も数少ないエビデンスを丹念に積み重ねていく必要性は非常に高いと考えられる．

4）推奨の強さ決定の理由

① 利益と害のバランスの評価

一般的に，頚髄症が進行している場合，その後進行した麻痺による機能障害を考えた場合，手術によって得られる利益は，手術合併症の害を十分上回るものと考えられる．一方悪化することが比較的確実である場合に特に手術を考えるべきであり，確実ではない場合は，患者と医療者が利益と害のバランスを考えて治療方針を決定すべきである．

② 患者の価値観・意向

これまで発行された「リウマチ白書」などにおいて，頚椎手術についての質問項目はなかったものと思われる．1996年に発表された英国の論文では，RA患者で頚椎手術を受けた患者へのインタビューで，69%が神経症状の改善を，67%が痛みの改善を報告し，さらに79%が同じ状態なら再度同じ手術を受け，73%が知人にも手術を勧めると回答したと報告している（参考文献1）．頚椎手術はリスクの高い代表的な手術として患者から敬遠される傾向があるが，患者側からみても手術による改善は明らかで満足度も比較的高い．また懸念される手術合併症についても，近年の技術的な進歩により，重大な手術合併症をきたす可能性は確実に減少している．神経症状をきたし悪化したときの患者の日常生活への影響は甚大であるため，手術をしたときのリスクばかりでなく，手術をしなかったときのリスクも十分説明し，患者との協働的意思決定をすべきものと考えられる．

③ コスト

頚椎手術の実施に要する費用（2020年4月現在）のうち，手術手技料は前方椎体固定が372,400円，後方または後側方固定が328,900円，後方椎体固定が411,600円，前方後方同時固定が665,900円，椎弓切除が133,100円，椎弓形成が242,600円である（ただし，「椎間または椎弓が併せて2以上の場合は，1椎間または1椎弓を追加するごとに，追加した当該椎間または当該椎弓に実施した手術のうち，主たる手術の所定点数の100分の50に相当する点数を加算する．ただし加算は椎間または椎弓を合わせて4を超えないものとする」との注記あり）．また固定術の場合は自家骨移植を併用することが多く，手術手技料は168,300円である．インプラント費用は手術内容や椎間の数などにより様々である．また入院・手術に必要な総直接医療費は麻酔，入院期間，術後のリハビリテーション，患者の状態によって変化する．術後良好に経過すれば，麻痺の改善により個人のADL拡大，労働生産性向上に大きく寄与する．

インプラントや手術手技の改良により，以前より多くの脊椎手術が行われ，固定椎間も増加する傾向があり，それに伴って手術手技料とともにインプラントのコストも増加している．これらが労働生産性の向上などを通じて，医療経済にどのように影響を与えるのかは情報がなく，今後の検討課題である．

またRAに対する頚椎手術は，限られた医療資源の観点から，限られた施設と術者が行うべきであると考えられる．

④ パネル会議での意見

パネル会議においては，エビデンスの乏しさにもかかわらず，頚髄症をきたした場合の頚椎手術の推奨について比較的高い同意度が得られた．頚髄症をきたした場合，患者のADL低下，QOL低下のみならず，生命予後の悪化まできたしうるため，手術治療を積極的に検討すべきであると考えられる．しかしエビデンスが乏しい事実は確かであり，実施可能な施設も限られており，またどのような場合に重症化する可能性が高いかが不確実である．したがって，重症化する前の状態では，いたずらに手術治療のみを検討することなく，神経症状の現状と悪化の可能性を慎重に判断すべきと考えられ，推奨の強さは「弱い」（条件付き）とした．

頚椎手術の近年の技術的な進歩は目覚ましいものがある．しばらく前では考えられなかったような重度の変形の矯正が，短時間で，かつ高いリスクを伴うことなく可能になった．わが国は世界的にみてもRAの頚椎手術を積極的に行ってその成績を報告してきた歴史があるが，以前にもまして重度の変形に対し頚椎手術，特に固定術が行われるようになっている．一方，頚椎手術の原則は除圧，固定，ないしその合併手術しかなく，固定術を行った場合，残された椎間に対する負荷が増すことは自明である．強固な固定が得られるようになった負の側面として，隣接椎間の障害がより顕著に起こり，長期的にみれば再手術を余儀なくされることがあることも十分認識すべきである．

また薬物治療の進歩によって，RAの頚椎病変自体が減少傾向にあり手術件数が減少していることは，多くの報告が指摘しているとおりである（参考文献2〜5）．それに伴って，より軽症の頚椎病変が手術治療の対象になる可能性がある．頚髄症に対する手術治療の必要性は，神経症状の重症度から疑いの余地

がないが，神経根症のみの場合や，神経症状がなく，疼痛のみの場合の手術適応は不明である．しかし日常診療で，これらの症状のために，著しい苦痛や ADL 低下が長期間継続している患者もめずらしくない．技術的な進歩により手術侵襲が減少し，手術リスクも低下している現状において，どのような場合にどの程度の手術を行うべきか，保存的治療との比較検討を含めて，今後のエビデンスの蓄積を待ちたい．

5) 採用論文リスト

1) Miyamoto H, et al：Spine J 2013；13：1477-1484.

2) Dahdaleh N, et al：J Craniovertebr Junction Spine 2015；6：60-64.

3) Iizuka H, et al：Spine J 2014；14：938-943.

4) Hirano K, et al：J Spinal Disord Tech 2010；23：121-126.

5) Wolfs JF, et al：Arthritis Rheum 2009；61：1743-1752.

6) 推奨作成関連資料一覧 (推奨作成関連資料 6 に掲載)

資料 A　RA CQ59　文献検索式

資料 B　RA CQ59　文献検索フローチャート

資料 C　RA CQ59　エビデンスプロファイル

■参考文献

1) McRorie ER, et al：Ann Rheum Dis 1996；55：99-104.

2) Stein BE, et al：Spine 2014；39：1178-1182.

3) Morita O, et al：Mod Rheumatol 2020；30：495-501.

4) Kaito T, et al：Spine 2012；37：1742-1746.

5) Yurube T, et al：Spine 2012；37：2136-2144.

RA 推奨60

推奨文

将来の整形外科手術が必要になるリスクを低減するために，RA 患者に対する，早期ないし有効性の高い薬物治療を行うことを推奨する（条件付き）．

推奨の強さ **弱い**　エビデンスの確実性 **非常に低**　パネルメンバーの同意度 **8.00**

RA CQ60

将来の整形外科手術のリスク因子をもつ RA 患者に対して，薬物治療は整形外科手術の発生率を減少させるか？

サマリー	RA 患者に対する早期の薬物治療介入は，将来的な整形外科手術の発生を減少させることができる．また高い疾患活動性や低い治療反応性，高い患者 VAS，高い HAQ，関節 X 線所見の進行などは，将来的な整形外科手術のリスク因子である．
注記	RA 患者が手術に至るまでには数年単位の経過を要するため，研究登録時の背景因子だけでなく，長期間の患者の状態や治療環境の総体としての結果であることに留意すべきである．また手術を避けようとするあまりにいたずらに薬物治療の強化を行い，手術の適切な時期を逃すことは避けるべきである．

1）推奨の背景

　RA に対する関節手術は，一般にその関節が不可逆な関節障害をきたしたことを意味する．また手術は関節破壊だけでなく，症状の強さなどを総合的に勘案して行われる．整形外科手術に至るリスクを知ることは，薬物治療および非薬物治療の治療戦略を立てるうえで重要であるため，参考となるエビデンスが求められる．

2）エビデンスの要約

　推奨作成に用いるアウトカムとして，「整形外科手術」（人工関節置換術，手関節手術を含む）が選ばれた．

　CQ に該当する Cochrane review は報告されていない．1996 年以降で PubMed，医学中央雑誌を検索し，さらに 2019 年発表の論文とハンドサーチを行って追加した．CQ に直接的な回答を与える薬物治療の効果を示した論文だけでなく，整形外科手術のリスク因子を含めて広く論文を渉猟し，最終的に 15 件の研究を採用した．臨床的に重要ではあるが有意な差を示していない項目は本文に参考文献をつけて記載した．整形外科手術としては，すべての手術，ないし人工関節置換術の実施を目的変数として解析した研究を中心として文献を渉猟したが，腱手術などの "intermediate surgery" や手関節手術を扱った論文も対象とした．

　診断 1 年以内の MTX や他の csDMARD の使用（採用論文 7，13），また bDMARD に MTX を併用すること（採用論文 9，14）は将来的な手術の可能性を下げるとの報告がある．bDMARD の使用そのものは有意差のある結果が報告されていなかった（参考文献 1 および採用論文 7，13 参照）．経口ステロイドの使用は，人工関節が必要となる HR を増やすとするものと減らすとするものがあった（採用論文 7，13，14）．

　整形外科手術に至るリスク因子としては，高い疾患活動性と低い治療反応性（採用論文 4，6，15），高い患者 VAS（採用論文 10～12），高い HAQ（採用論文 2，3，10，11），関節 X 線所見の進行（採用論文 3，5，9，12），人工関節手術歴（採用論文 7，13）および変形性関節症の合併（採用論文 5，7，13）が，いずれも複数の報告で示されていた．また，古い発症時期（採用論文 5），長い関節症状持続期間（採用論文 1），抗 CCP 抗体陽性（採用論文 2），局所症状があること（採用論文 12）は，単一の報告で整形外科手術に至るリスクであることが示されていた．さらに渉猟しえたほとんどの報告で，高齢が整形外科手術に至るリスク因子であったが（採用論文 2，3，6，7，9～11，13，14），女性（採用論文 3，5，7，8，13），高い BMI（採用論文 3），長期罹病期間（採用論文 6，10），リウマトイド因子陽性（採用論文 3，11），ESR 値高値（採用論文 3，6）は，リスクであるとする報告とそうでないとする報告が混在していた．

3）エビデンスの確実性

　MTX，MTX 以外の csDMARD の使用は「バイアスのリスク」が非常に深刻でエビエンスの確実性は「非常に低」とした．bDMARD＋MTX は「バイアスのリスク」が非常に深刻，「非直接性」や「不精確さ」が深刻でエビデンスの確実性は「非常に低」とした．経口ステロイドは「バイアスのリスク」が非常に

深刻，「非一貫性」が深刻，「非直接性」が深刻のものがあり，エビデンスの確実性は「非常に低」とした．年齢，罹病期間については，いずれの評価項目も非常に深刻ないし深刻を含み，エビデンスの確実性は「非常に低」とした．性別，リウマトイド因子は「バイアスのリスク」が非常に深刻ないし深刻，「非一貫性」が深刻であることからエビデンスの確実性は「非常に低」とした．BMI，発症時期，抗 CCP 抗体，人工関節手術歴，変形性関節症合併は「バイアスのリスク」が深刻ないし非常に深刻であることからエビデンスの確実性は「非常に低」とした．症状持続期間，疾患活動性および治療反応性は「バイアスのリスク」が非常に深刻または深刻，「不精確さ」が深刻を含むことからエビデンスの確実性は「非常に低」とした．ESR は「バイアスのリスク」が非常に深刻ないし深刻，「非一貫性」が深刻，「不精確さ」が深刻を含み，エビデンスの確実性は「非常に低」とした．患者 VAS，X 線学的変化は，「バイアスのリスク」が非常に深刻ないし深刻であるものを含むものの，1 つの研究で確実性評価がいずれも深刻でないため，エビデンスの確実性は「低」とした．HAQ は「バイアスのリスク」が非常に深刻ないし深刻，「非直接性」が深刻のものを含み，エビデンスの確実性は「非常に低」とした．局所症状は確実性評価がいずれも深刻でないため，エビデンスの確実性は「低」とした．

本推奨文で検討したエビデンスでは，HR ないし RR の点推定値の方向性がアウトカムごとに同じものと異なるものが存在した．そのためアウトカム全般にわたる全体的なエビデンスの確実性は「非常に低」とした．個々のエビデンスごとにその確実性を知り，治療検討時に活かすべきである．

RA 患者が手術に至るまでには数年単位の経過を要するため，登録時の背景因子だけでなく，長期間の疾患活動性の変化や治療経過が影響する．また患者の意向や選択，合併症の有無，RA 手術に精通した整形外科専門医の存在なども影響する．さらに関節ごと，手術の内容ごとに局所症状や X 線学的変化が手術適応に強く影響するが，これらをすべて含めて調査し，また手術実施の有無を確実に捕捉することも困難である．さらにランダム化比較試験は治療の性質上，また倫理的にも許容しがたく，質の高い研究の実施はほとんど不可能であるといわざるをえない．整形外科手術実施を目的変数とした解析を行う研究の場合，どのような研究が最も質の高い研究でありうるか，薬物治療とは異なった判断基準が必要である．

4）推奨の強さ決定の理由

① 利益と害のバランスの評価

整形外科手術は望まざる薬物治療結果と考えられ，そのためにリスク因子を知って，早期の薬物治療介入を行うことは，薬物治療の副作用の可能性を十分上まわると考えられる．しかし整形外科治療を避けようとするあまりに手術の適切な時期を逸

することはかえって害が大きくなりうるため，特に注意すべきである．

② 患者の価値観・意向

日本リウマチ友の会会員 1,156 人を対象としたアンケート調査（第 4 章 2）において，手術を受けたとの回答が 508 件得られ（複数回答可），そのうち 406 件（79.9%）が「満足している」と答え，8 件（1.6%）が「後悔している」との回答であった．現在わが国において行われている RA における外科的治療は比較的満足度の高いものと思われる．一方，85 件（16.7%）は「どちらともいえない」と答えていることにも注意が必要である．また一般に，手術を受けざるを得なくなることは，望まざる薬物治療結果と考えられるため，手術を受ける結果にならないような早期に有効性の高い薬物治療を考えるべきである．

③ コスト

手術に要する費用は，手術の内容，加入している保険や地域の医療状況によって様々であるため，一概にいうことは困難であるが，通常の人工関節置換術の場合，入院に必要な総額は 50 ～ 70 万円程度（2020 年 4 月現在，自己負担額 3 割，約 3 週間入院の場合）と概算される．一方，手術が通常必要となるほど症状の強い関節に対して手術をもし行わなかった場合，薬物治療の継続や症状の悪化に対する追加の治療が必要となるが，その費用を概算することは極めて困難である．これに関して，RA に対する人工膝関節全置換術により，治療コストが減少するという報告もみられ，治療介入の妥当性が示唆されるが（参考文献 2），他国からの報告であり，わが国で同様の結果が得られるかどうかについては注意を要する．一方通常，術後良好に経過すれば，除痛効果ならびに日常生活能力の向上により，個人の ADL 拡大，労働生産性向上に大きく寄与すると考えられる．医療経済に与える影響は今後の検討課題である．

④ パネル会議での意見

パネル会議においては，将来の整形外科手術リスクのある RA 患者に対して早期ないし有効性の高い薬物治療を行うことに高い同意度が得られた．整形外科手術に至る薬物治療結果は，患者にとって望ましくないものと考えられ，そのために早期に有効な薬物治療介入を行うことが必要である．しかし整形外科手術に至るリスク因子については，薬物治療を含めてエビデンスが十分でないこと，整形外科手術の内容は多岐にわたることから，推奨の強さは「弱い」（条件付き）とした．

本 CQ では，疾患活動性の低下，機能障害の低下や X 線学的所見の進行抑制といったこれまでの薬物治療の目標とは別に，将来的な整形外科手術の減少を目的因子としたエビデンスの収集と解析を行った．これまであまり行われてこなかった解析であるが，過去には一定数の報告がみられ，一定のエビデンスを得ることができたと考えられる．一方，エビデンスの確実性に記載したように，整形外科手術に至るまでには長期間の経過に

伴って多くの要素がかかわるため，リスク因子の同定や薬物治療の効果を判定することには多大な困難がみられる．また整形外科手術は通常，ある1つの関節あるいは関節領域に対して行われるものであるため，どのように全身の疾患活動性がコントロールされていたとしても，ただ1つの関節の破壊が進行すれば手術が必要となりうる．そのため，整形外科手術を予防しようとすれば，個々の関節の疾患活動性評価や抑制という，これまでにない高い目標をもって治療にあたることが必要となる．様々な治療薬の開発と進歩によって疾患活動性の抑制が十分可能になったと考えられているが，整形外科手術の減少という目標を達成するためには，さらに高いレベルでの疾患活動性評価と治療が必要であると考えられる．しかし整形外科手術によって著明な機能改善効果が得られると予想される時期，関節，患者において，手術を避けようとするがために薬物治療の変更や強化のみを行って，その時期を逸しないようにすべきことを特に強調したい．

5) 採用論文リスト

1) Contreras-Yanez I, et al：BMC Musculoskelet Disord 2018；9：378.
2) Gwinnutt JM, et al：Rheumatology（Oxford）2017；56：1510-1517.
3) Nikiphorou E, et al：Curr Rheumatol Rep 2017；19：12.
4) Nikiphorou E, et al：Ann Rheum Dis 2016；75：2080-2086.
5) Nystad TW, et al：Scand J Rheumatol 2018；47：282-290.
6) Pantos PG, et al：Clin Exp Rheumatol 2013；31：195-200.
7) Widdifield J, et al：J Rheumatol 2016；43：861-868.
8) Shourt CA, et al：J Rheumatol 2012；39：481-485.
9) Asai S, et al：J Rheumatol 2015；42：2255-2260.
10) Momohara S, et al：Clin Rheumatol 2008；27：1387-1391.
11) Momohara S, et al：Mod Rheumatol 2007；17：476-480.
12) Yasui T, et al：Mod Rheumatol 2016；26：36-39.
13) Moura CS, et al：Arthritis Res Ther 2015；17：197.
14) Asai S, et al：Arthritis Care Res（Hoboken）2015；67：1363-1370.
15) Poole CD, et al：BMC Musculoskelet Disord 2008；9：146.

6) 推奨作成関連資料一覧 （推奨作成関連資料6に掲載）

資料A　RA CQ60　文献検索式
資料B　RA CQ60　文献検索フローチャート
資料C　RA CQ60　エビデンスプロファイル

■参考文献

1) Aaltonen KJ, et al：Semin Arthritis Rheum 2013；43：55-62.
2) March LM, et al：Clin Rheumatol 2008；27：1235-1242.

RA 推奨61

推奨文

RA 患者に対する運動療法は，患者主観的評価を改善させるため，推奨する．

推奨の強さ **強い**　エビデンスの確実性 **中**　パネルメンバーの同意度 **8.50**

RA CQ61

RA 患者に対する運動療法は，患者主観的評価を改善させる有用な治療か？

サマリー	運動療法は，RA 患者の身体機能および生活の質に関する患者主観的評価を疼痛の悪化なく改善していた．
注　記	RA 患者の運動療法は，十分な薬物療法による疾患活動性のコントロールの下に，継続して行う必要がある．具体的にどのような介入方法がより効果的か，またいかに継続して行うかは重要な検討課題である．

1）推奨の背景

　薬物治療の進歩により，RA 患者の疾患活動性は良好にコントロールされることが多くなってきた．しかしながら，加齢や長期罹病などにより，RA 患者が関節機能障害を有するリスクは，いまだ高い．日常診療上，十分な薬物治療の上に，運動療法を積み上げ，身体機能向上を図ることの重要性が増している．現在，薬物療法において，患者自身によるいわゆる患者主観的評価による治療評価が重要視されている．運動療法についても，筋力，心肺機能などの客観的評価だけでなく，患者主観的評価による効果評価に関するエビデンスが求められる．

2）エビデンスの要約

　2014 年版診療ガイドラインにおいては，2009 年出版のCochrane review（参考文献 1）に基づいて運動療法に関するエビデンスをまとめたが，今回は，本ガイドラインで重要なアウトカムとされた患者主観的評価をアウトカム指標として用いた研究について，2009 年から 2018 年までの期間で追加検索を実施した．全身的な運動療法 6 件と，上肢機能改善を目的とした運動療法 3 件が選出され，いずれも RCT であった．

　具体的な重大なアウトカム指標として，全身的な運動療法については患者主観的評価である身体機能（HAQ-DI），生活の質（SF-36），疼痛，および疾患活動性（DAS28），上肢に関しては，患者主観的評価である手指機能 MHQ と上肢機能 DASH を取り上げた．

　全身的運動療法の具体的な介入方法は様々であり，介入期間も異なっていた．

　運動療法による HAQ-DI の改善は，平均差 −0.35，95%CI［−0.60，−0.10］で，2010 年以降に発表された研究でより鮮明な効果がみられた．同じく SF-36 においては 8 カテゴリー中 6

カテゴリーで有意な改善を認めた．また，疼痛においても，運動療法により有意な改善が認められ標準化平均差 −2.04，95%CI［−3.77，−0.32］，疾患活動性の悪化などはなかった．

　上肢における運動療法は，手に対する個別指導による運動療法に関する研究（採用論文 8，9），上肢機能改善（監督下 1 時間の訓練と家庭での訓練による）を目指す研究（採用論文 7）が含まれ，介入期間は異なるが，患者主観的評価（手指機能 MHQ，上肢機能 DASH）に関して有意な改善を認めた．

3）エビデンスの確実性

　本推奨は RCT に基づいているが，運動療法においては盲検化が困難であるため，「バイアスのリスク」は深刻である．また具体的な介入方法は様々であり，介入期間も異なっているため，「非一貫性」も深刻である．全身的な運動療法における HAQ-DI，疼痛，DAS28，SF-36 についてもサンプル数が不十分のため，「不精確さ」は深刻とした．上肢に関する運動療法については，「バイアスのリスク」以外は特に深刻な問題はないと考えた．

　重大なアウトカムの効果はすべて同じ方向を向いており，アウトカム全般にわたる全体的なエビデンスの確実性は，最も高いグレードである「中」とした．

4）推奨の強さ決定の理由

① 利益と害のバランスの評価

　運動療法により介入群において明らかな HAQ-DI を含む複数の患者主観評価の改善が認められ，一方，疼痛，疾患活動性の増悪は確認されていないことから，運動療法による利益は，害を上回ると判断される．

② 患者の価値観・意向

　2014 年版診療ガイドライン作成のための自記式アンケート

の調査結果では，リハビリに対する強い患者ニーズが明らかとなっている．今回のガイドライン作成のために新たに実施した自記式アンケート（第4章2）の調査結果からも，「関節機能や筋力・体力の維持のために調子のよいときに心がけていることがありますか」に対する回答として最も多かった回答は「食事に気を付ける（550人，47.6%）」であったが，「ストレッチ運動をする（501人，43.3%）」，「ウォーキングをする（357人，30.9%）」，「筋力トレーニングをする215人（18.6%）」，「水泳をする56人（4.8%）」という回答が得られており，RA患者の身体機能維持に対する意識・関心の高さがうかがわれ，運動療法に対する患者ニーズは強いと考えられる．

③ コスト

2020年4月現在の保険診療上，急性期リハビリテーションに重点がおかれている．入院による運動器リハビリテーションとして，骨折，手術等を起算日として150日までということになっている．術後を除くRAに対する運動療法等リハビリテーション療法，特に維持療法を，外来において保険診療で行うのは困難な状況がある．介護保険を利用できる場合は，通所，訪問によるリハビリテーションは可能である．要介護状態に至ることを予防するため，患者個人として，どのように費用を使い，実臨床下でいかに運動療法を指導，継続していくかは非常に大きな課題である．

④ パネル会議での意見

パネル会議においては，運動療法の推奨について高い同意度が得られ，アウトカム全般にわたる全体的なエビデンスの確実性は「中」であること，利益と害のバランス，患者の価値観・意向，コストを総合的に評価し，推奨の強さは「強い」とした．より効果的な介入方法，個別化に向けての評価法，指導にかかわる人的費用，時間的効率などを考慮する必要がある．

前回のガイドライン作成時に参考にした2009年のCochrane reviewでは，運動療法のRA患者における効果について身体機能評価に対する有効性は示されていなかった．2009年時点のレビューは2000年までの論文が大多数であり，現在のいわゆるT2Tに基づく薬物治療以前のものである．今回の検討において身体機能の改善，疼痛の改善効果が2010年以降より鮮明にみられたのは，近年のRA薬物治療の進歩が背景にあると考えられる．

具体的にどのような介入方法がより効果的か，またいかに継続して行うかについては十分なエビデンスが得られておらず，効果的な介入方法について検証が必要である．

十分な監視下で実施されるRCTにおいては疼痛の増悪はみられていないが，実際に運動療法を実施するうえでは，関節症状の増悪をきたさないよう，適切な指導が重要である．

5) 採用論文リスト

1) Baillet A, et al：Rheumatology（Oxford）2009；48：410-415.
2) Durcan L, et al：J Rheumatol 2014；41：1966-1973.
3) Lourenzi FM, et al：Clin Rehabil 2017；31：1482-1491.
4) da Silva KN, et al：Rheumatol Int 2013；33：2269-2275.
5) Siqueira US, et al：Am J Phys Med Rehabil 2017；96：167-175.
6) Jahanbin I, et al：Int J Community Based Nurs Midwifery 2014；2：169-176.
7) Manning VL, et al：Arthritis Care Res（Hoboken）2014；66：217-227.
8) Lamb SE, et al：Lancet 2015；385：421-429.
9) Williamson E, et al：BMJ Open 2017；7：e013121.

6) 推奨作成関連資料一覧 （推奨作成関連資料7に掲載）

資料A　RA CQ61　文献検索式
資料B　RA CQ61　文献検索フローチャート
資料C　RA CQ61　エビデンスプロファイル
資料D　RA CQ61　フォレストプロット

■参考文献

1) Hurkmans E, et al：Cochrane Database Syst Rev 2009；2009：CD006853.

RA 推奨62

推奨文

RA患者に対する作業療法は，患者主観的評価を改善させるため，推奨する.

推奨の強さ **強い** エビデンスの確実性 **非常に低** パネルメンバーの同意度 **8.50**

RA CQ62

RA患者に対する作業療法は，患者主観的評価を改善させる有用な治療か？

サマリー	作業療法は，RA患者の身体機能に関する患者主観的評価を改善する.
注記	RA患者の作業療法は，十分な薬物療法による疾患活動性のコントロールの下に，継続して行う必要がある.具体的にどのような介入方法がより効果的か，またいかに継続して行うかは重要な検討課題である.

1) 推奨の背景

薬物治療の進歩により，RA患者の疾患活動性は良好にコントロールされることが多くなってきた.しかしながら，加齢や長期罹病などにより，RA患者が関節障害を有するリスクは，いまだ高い.日常診療上，十分な薬物治療の上に，作業療法を積み上げ，身体機能向上を図ることの重要性が増している.

2) エビデンスの要約

2014年版診療ガイドラインにおいては，2008年出版のCochrane review（参考文献1）に基づいて作業療法に関するエビデンスをまとめた.

今回は，本ガイドラインで重大なアウトカムとされた患者主観的評価をアウトカム指標として用いた研究を，2003年から2018年までの期間について追加検索した.3件が選出され，いずれもRCTであった.

具体的な重大なアウトカム指標として，身体機能（HAQ-DI）を取り上げた.作業療法の具体的な介入方法は様々であり，介入期間も異なっていた.作業療法によるHAQ-DIの改善は採用した3件の研究すべてで有意に改善していた，平均差は−0.35，95%CI[−0.63, −0.08]であった.疼痛（Pain VAS）については1件の論文で評価があり平均差は−28.18, 95%CI[−46.08, −10.28]の改善であった.

また，疾患活動性について，1件の論文において介入により，改善の方向を向いていた（DAS28平均差 −1.00, 95%CI [−2.00, −0.00]）.

3) エビデンスの確実性

本推奨はRCTに基づいているが，作業療法においては盲検化が困難であるため，「バイアスのリスク」は深刻である.また具体的な介入方法は様々であり，介入期間も異なっているため，「非一貫性」も深刻である.HAQ-DI改善の平均差−0.35，95%CIは−0.63, −0.08と有意であるが，サンプルサイズは小さいため，深刻な「不精確さ」ありとした.

Pain VASとDAS28も，盲検化が困難であると理由で「バイアスのリスク」は深刻，「不精確さ」が非常に深刻で，両アウトカムのエビデンスの確実性は「非常に低」となった.

重大なアウトカムの効果はすべて「非常に低」であり，アウトカム全般にわたる全体的なエビデンスの確実性は，「非常に低」とした.

4) 推奨の強さ決定の理由

① 利益と害のバランスの評価

作業療法により介入群において明らかなHAQ-DIの改善が認められた.疼痛，疾患活動性の増悪について，エビデンスの確実性は高いとはいえないが，悪化の方向に向いていないため，利益は害を上回ると判断される.

② 患者の価値観・意向

2014年版診療ガイドライン作成のための自記式アンケートの調査結果では，リハビリに対する強い患者ニーズが明らかとなっている.今回のガイドライン作成のために新たに実施した自記式アンケート（第4章2）の調査結果からも，「関節機能や筋力・体力の維持のために調子のよいときに心がけていることがありますか」に対する回答として最も多かった回答は「食事に気を付ける（550人，47.6%）」であったが，「ストレッチ運動をする（501人，43.3%）」，「ウォーキングをする（357人，30.9%）」，「筋力トレーニングをする215人（18.6%）」，「水泳をする56人（4.8%）」という回答が得られており，RA患者の身体機能維持に対する意識・関心の高さがうかがわれ，作業療法に対する患者ニーズは強いと考えられる.

③　コスト

2020 年 4 月現在の保険診療上，急性期リハビリテーションに重点がおかれている．入院による運動器リハビリテーションとして，骨折，手術等を起算日として 150 日までとなっている．RA に対する作業療法等リハビリテーション療法，特に維持療法を，外来において保険診療で行うのは困難な状況がある．介護保険を利用できる場合は，通所，訪問によるリハビリテーションは可能である．要介護状態に至ることを予防するため，患者個人として，どのように費用を使い，実臨床下でいかに運動療法を指導，継続していくかは非常に大きな課題である．

④　パネル会議での意見

利益が害を上回ると判断されること，患者の強い意向があること，パネル会議において作業療法の推奨について高い同意度が得られたことから，推奨の強さは「強い」とした．より効果的な介入方法，個別化に向けての評価法，指導にかかわる人的費用，時間的効率も考慮する必要がある．

前回のガイドライン作成時に参考にした 2008 年の Cochrane review では，作業療法の RA 患者における効果について，身体機能評価に対する有効性は示されていなかった．2008 年時点のレビューは 2000 年までの論文が大多数であり，現在のいわゆる T2T に基づく薬物治療以前のものである．今回の検討において明らかな身体機能の改善が認められたのは，今回の採用された論文が 2009 年以降のもので，近年の RA 治療の進歩が背景にあ

ると考えられる．

具体的にどのような介入方法がより効果的か，またいかに継続して行うかについては十分なエビデンスが得られておらず，これらの課題に関する検証が必要である．

十分な監視下で実施される RCT においては有害事象の発生はみられていないが，実際に作業療法を実施するうえでは，関節症状を増悪させないよう，適切な指導が重要である．

5）採用論文リスト

1）Macedo AM, et al：Arthritis Rheum 2009；61：1522-1530.

2）Mathieux R, et al：Ann Rheum Dis 2009；68：400-403.

3）Tonga E, et al：Arch Rheumatol 2016；31：43629.

6）推奨作成関連資料一覧（推奨作成関連資料 7 に掲載）

資料 A　RA CQ62　文献検索式

資料 B　RA CQ62　文献検索フローチャート

資料 C　RA CQ62　エビデンスプロファイル

資料 D　RA CQ62　フォレストプロット

■参考文献

1）Steultjens EM, et al：Cochrane Database Syst Rev 2008, first published 2004；1：CD003114.

RA 推奨63

推奨文

RA患者に対するステロイド関節内注射は，患者主観的評価を改善させるため，推奨する（条件付き）．十分な薬物治療を継続することを前提とし，短期使用に限定する．

推奨の強さ **弱い**　エビデンスの確実性 **非常に低**　パネルメンバーの同意度 **7.94**

RA CQ63

RA患者に対するステロイド関節内注射は，患者主観的評価を改善させる有用な治療か？

サマリー	単回のステロイド関節内注射は，RA患者の身体機能および疼痛に関する患者主観的評価を改善する．
注記	RA患者のステロイド関節内注射は，十分な薬物療法の下に，短期的に，補助的な局所療法として使うべきである．

1）推奨の背景

　薬物治療の進歩により，RA患者の疾患活動性は良好にコントロールされることが多くなってきた．しかしながら，寛解，もしくは低疾患活動性にコントロールされたとしても少数の関節炎はしばしば残存する．この残存する関節に対してステロイド関節内注射の効果について明確にする意義は高い．

2）エビデンスの要約

　2014年版診療ガイドラインにおいては，2006年出版のCochrane review（参考文献1）に基づいてエビデンスをまとめた．このレビューにおいては，1966年から2004年12月までに報告された若年性特発性関節炎，RA患者におけるステロイド関節内注射（膝），装具療法の効果に関するRCTのエビデンスを評価しているが，RA患者におけるステロイド関節内注射の効果はごく短期的な疼痛軽減に限られていた．

　このレビューの検索式をもとに2003年から2018年まで追加検索を行った．今回のガイドライン作成のために，対象患者は，RA患者とし，重要なアウトカムとして定めた患者主観的評価を少なくとも1つ含むもの，患者背景として薬物治療の記載があるものを選択した．今回，2009年以降に発表された，注入されるステロイドの種類別の効果比較のための研究が抽出された．したがって，非介入群を対象にしたものではない．3〜24週後に評価され，どのステロイド注入群でも疼痛に関してほぼ同様の効果が示されていた．3件の論文のそれぞれの介入前後比較から効果についてメタ解析を行った．膝関節，手関節ともに，有意な疼痛の改善が認められた（膝：標準化平均差−1.79，95%CI[−2.17，−1.4]，手関節：平均差−4.41，95%CI[−5.12，−3.70]）．さらに膝関節においてはHAQ-DIも平均差−0.75，

95%CI[−0.89，−0.61]，手関節においては平均差−0.20，95%CI[−0.41，−0.00]と明らかな改善が得られていた．これら，ステロイド関節内注射のRCTは，単回投与の結果であり，頻回，長期の成績を示すものではない．

　人工膝関節全置換術での疼痛についてのMCIDはVAS 30mmと報告されている（参考文献2）．今回評価した試験がいずれもプラセボ対象試験でないため，疼痛改善についてこのMICDをもとに評価を考えると，ステロイド関節内注射は，膝，手関節ともに，95%CIにおいても，VAS 30mmを有意に超える疼痛の改善が得られていた．HAQ-DIのMCIDは0.22とされており（参考文献3），膝関節に対する，ステロイド関節内注射による改善はMDが0.75で，臨床的に意味のある改善といえる．

3）エビデンスの確実性

　本推奨についてのメタ解析はプラセボ対象ではなく，関節内注射の効果に対する，交絡要因も明確でないため，「バイアスのリスク」は深刻である．ばらつきは小さいため，「非一貫性」は深刻でない．サンプル数が不十分のため，「不精確さ」は深刻とした．よって，それぞれのアウトカムごとのエビデンスは「非常に低」となった．

　重大なアウトカムの効果はすべて同じ方向を向いているため，全体的なエビデンスの確実性は，「非常に低」とした．

4）推奨の強さ決定の理由

① 利益と害のバランスの評価

　ステロイド関節内注射のRCTは，単回投与の結果であり，試験中，感染などの有害事象の報告はなかった．プラセボと比較試験ではないが，ステロイド関節内注射の臨床的な有効性は広く認められている．しかし，頻回，長期にわたる関節内投与は，

感染，関節破壊への悪影響があると考えられる．また，人工関節全置換術を考慮している際には，手術時の感染リスクも考慮する必要がある．単回投与であれば，利益は害を上回ると考える．

② 患者の価値観・意向

2014年版診療ガイドライン作成時のフォーカスグループにおける患者意識調査の中でステロイドの効果の認識が確認されている．今回，2020年版診療ガイドライン作成のための自記式アンケート（第4章2）調査結果から，「現在のリウマチの症状は約1年前と比べてどうですか？」に対して，悪くなったと答えた方が212人（18.3%）であった．関節症状の悪化時，疼痛軽減の得られるステロイド関節内注射は，患者の希望を満たすと考えられる．

③ コスト

関節腔内注射手技料は800円（2020年8月現在），投与薬剤としてベタメタゾン酢酸エステル・ベタメタゾンリン酸エステルナトリウム配合水性懸濁注射液2.5mg/0.5mL 211円，トリアムシノロンアセトニド水性懸濁注射液40mg/1mL 815円となっている．

④ パネル会議での意見

パネル会議においては，ステロイド関節内注射の推奨について高い同意度が得られた．推奨の強さは「弱い」（条件付き）とした．

前回のガイドライン作成時に参考にした2008年のCochrane reviewでは，ステロイド関節内注射のRA患者における疼痛に対して，注射後1日目のみプラセボに対して有意な改善がみられたが，1〜12週間では有意な改善はみられなかった．今回は最長24週での評価が行われており，ある程度の期間，効果の持続が期待できる．2009年時点のレビューは2000年までの論文が大多数であり，現在のいわゆるT2Tに基づく薬物治療提唱以前のものである．今回の2009年以降の論文の検討において身体機能の改善，疼痛の改善が鮮明にみられたのは，近年のRA薬物治療の進歩が背景にあると考えられる．

近年，強力な薬物療法とステロイド関節内注射とのcombinationの効果を早期RA患者で検証するCIMESTRA study（参考文献4），OPERA study（参考文献5），などT2Tの中にステロイド関節内注射を取り入れた質の高いRCTがあり，参考文献4では，半年以上の関節内注射の効果持続性についても記載されている．

薬物療法の効果を前提として，短期的かつ，補助的なステロイド関節内注射は，臨床上有用な治療法の1つである．長期間，頻回の関節内注射は，感染，関節内組織の脆弱性の惹起などから勧められない．

5) 採用論文リスト

1) Konai MS, et al：Clin Exp Rheum 2009；27：214-221.

2) Kumar A, et al：Clin Ther 2017；39：150-158.

3) Pereira DF, et al：Am J Phys Med Rehabil 2015；94：131-138.

6) 推奨作成関連資料一覧 （推奨作成関連資料7に掲載）

資料A　RA CQ63　文献検索式

資料B　RA CQ63　文献検索フローチャート

資料C　RA CQ63　エビデンスプロファイル

資料D　RA CQ63　フォレストプロット

■参考文献

1) Wallen MM, et al：Cochrane Database Syst Rev 2006；1：CD002824.

2) Escobar A, et al：Osteoarthritis Cartilage 2013；21：2006-2012.

3) Strand V, et al：J Rheumatol 2011；38：1720-1727.

4) Hetland ML, et al：Ann Rheum Dis 2012；71：851-856.

5) Horslev-Petersen K, et al：Ann Rheum Dis 2014；73：654-661.

RA 推奨 64

推奨文

RA 患者に対する関節手術は，患者主観的評価を改善させるため，推奨する（条件付き）．慎重な身体機能評価により，適正なタイミングで行うことが望ましい．

推奨の強さ **弱い**　エビデンスの確実性 **非常に低**　パネルメンバーの同意度 **8.17**

RA CQ64

RA 患者に対する関節手術は，患者主観的評価を改善する有用な治療か？

サマリー	関節手術は，RA 患者の身体機能および生活の質に関する患者主観的評価を疼痛の悪化なく改善する．
注 記	RA 患者の関節手術は，十分な薬物療法による疾患活動性のコントロールのもとに行うことが望ましい．よりよい身体機能改善には，適切な手術タイミングを考慮する必要がある．

1）推奨の背景

薬物治療の進歩により，RA 患者の疾患活動性は良好にコントロールされることが多くなってきた．しかしながら，加齢や長期罹病などにより，RA 患者に関節障害を生じるリスクは，いまだ高い．RA 患者における手術療法は，不可逆的破壊が進行した関節に対して有用性がある．日常診療上，十分な薬物治療の上に，手術療法による効果を積み上げ，身体機能向上を図ることが可能である．現在，薬物療法において，患者自身によるいわゆる患者主観的評価による治療評価が重要視されている．関節手術についても，医師による臨床的評価のみでなく，患者主観的評価による治療効果に関するエビデンスが求められている．

2）エビデンスの要約

2012 年より 2018 年においてエビデンスの検索を行った．その結果，RA に対する手術療法に関する研究で，RCT，観察研究を含めて，患者主観的評価，疾患活動性評価をアウトカムとして記述しているもの，RA 薬物治療の記載があるものを選択した．上肢手術においては 3 件が抽出され，下肢手術においては 4 件が抽出された．

様々な手術法があるが，上肢手術と下肢手術に分けて，手術前後の比較におけるメタ解析を行った．

上肢手術については，手関節形成術・固定術，人工肘関節置換術が主たる手術であった．統計的有意な身体機能（HAQ-DI），患者全般評価（PGA），生活の質（EQ-5D）の改善が得られていた（HAQ-DI の平均差 0.20，95％CI[0.06，0.34]，PGA の平均差 13.1，95％CI[8.9，17.3]，EQ-5D の平均差 0.05，95％CI[0.02，0.08]）．疾患活動性については DAS28 の平均差 1.00，95％CI[0.79，1.20]と有意な改善が得られていた．

下肢手術については，人工股，膝関節置換術，前足部関節形成術が主たる手術で，HAQ-DI の平均差 0.10，95％CI[0.01，0.19]，PGA の平均差 15.0，95％CI[9.1，20.8]，EQ-5D の平均差 0.04，95％CI[−0.01，0.08]であった．

疾患活動性については DAS28 の平均差 0.53，95％CI[0.35，0.71]と有意な改善が得られていた．

3）エビデンスの確実性

本推奨は，RCT はなく，観察研究のみに基づいている．

手術療法においては盲検化が困難であるため，「バイアスのリスク」は深刻である．また具体的な手術方法は様々であり，観察期間も異なっているが，結果については，ばらつきは小さいため，「非一貫性」は深刻でない．評価した患者主観的評価のうち，上肢手術の EQ-5D はサンプル数が不十分のため（総数が 400 未満），「不精確さ」を深刻とした．これらから，すべてのアウトカムごとのエビデンスレベルが「非常に低」となった．

重大なアウトカムの効果はすべて同じ方向を向いているがすべてのアウトカムが「非常に低」であるため，アウトカム全般にわたる全体的なエビデンスの確実性は「非常に低」とした．

4）推奨の強さ決定の理由

① 利益と害のバランスの評価

関節手術は，侵襲の大きい治療であり，頻度は低いものの，手術に伴う，感染をはじめとする有害事象が発現しうる．一方，原則，薬物療法で改善が困難である，不可逆的な関節破壊による，疼痛，関節機能障害に対して行われ，疼痛の軽減，身体機

能の改善が得られるため，利益は害を上回ると考えられる．また，利益と害について医師と患者・家族が十分に話し合い，利益は害を上回ると合意した場合に手術療法が選択される．

② 患者の価値観・意向

今回，日本リウマチ友の会会員 1,156 人を対象としたアンケート（第 4 章 2）において，人工関節置換術に対する満足度を調査した．股関節は 106 件の回答を得て，93.4％から「期待した効果が得られた」，89.6％から「満足している」との回答が得られた．一方「不都合が多かった」との回答は 18.9％であった．膝関節は 244 件の回答を得て，90.6％から「期待した効果が得られた」，87.3％から「満足している」との回答が得られた．一方「不都合が多かった」との回答は 12.3％であった．肘関節は 78 件の回答を得て，73.1％から「期待した効果が得られた」，65.4％から「満足している」との回答が得られた．「不都合が多かった」との回答は 19.2％であった．これらの回答は術後平均約 15 年時点のものであり，人工関節置換術は，長期わたり安定して患者の期待に応え，満足度の高い治療法であるといえる．

③ コスト

それぞれの手術に対する推奨においても記載されているが，代表的な手術である人工関節置換術における保険診療上のコスト（2020 年 4 月現在）は，以下のとおりである．人工股関節全置換術の実施に要する費用のうち，手術手技料は 376,900 円（再置換術は 548,100 円），インプラント費用は 759,600 円である．人工膝関節全置換術については，手術手技料は 376,900 円，インプラント費用は，機種より異なるが，500,000 円程度である．人工肘関節置換術については，手術手技料は 282,100 円（再置換術は 341,900 円），インプラント費用は 581,300 円である．

手足の手術については，患者状態により様々な手術法が選択され，使用される固定材料も手術手技料も異なる．手術手技料は，手関節形成術は，282,100 円，前足部関節形成術では，433,900 円（関節温存で 5 足趾ともに手術した場合：外反母趾矯正手術 107,900 円＋中足骨骨切り 4 足趾 81,500 円×4）である．

入院・手術に必要な総直接医療費は麻酔，入院期間，術後のリハビリ，患者の状態によって変化し，患者負担は，高額医療費の適応により減少する．

また，RA の関節手術は，周術期管理を含め，専門性が高い治療である．医療資源として，手術実施について，RA 関節手術について専門の医療施設と術者を要する．

術後良好に経過すれば，長期にわたり，除痛効果，可動域拡大効果が個人の ADL 拡大，生産性向上に大きく寄与する．

④ パネル会議での意見

パネル会議においては，この関節手術の推奨について高い同意度が得られた．推奨の強さは，エビデンスの確実性，患者の価値観・意向，コストと必要な医療資源を含め総合的に判断し，

「弱い」（条件付き）とした．

手術療法はあくまで，局所療法である．薬物治療による疾患活動性のコントロールが重要である．メタ解析に引用した文献においてそれぞれの手術は，現在の薬物治療のもとに行われている．Ishikawa，Kojima らの論文（採用論文 1，5）では約半数が低疾患活動性を達成しているなかでの手術であることが記載されている．近年の RA 薬物治療の進歩が背景にあると考えられる．

今回のメタ解析結果は，RCT による，非介入群との比較により得られたものでなく，手術前後の比較による改善である．改善が臨床上意味のあるものかどうかを MCID により評価した．上肢手術において，HAQ-DI の平均差は 0.20 でおおむね MCID 0.22（参考文献 1）を達成し，EQ-5D の平均差は 0.05 で MCID 0.05（参考文献 2）を達成していた．一方，これら臨床的に意味のある改善は平均的に得られているのみで，すべての症例で得られているわけではない．下肢手術については，HAQ-DI，PGA の改善はみられたものの，それぞれの MCID と比較すると効果は限定的である．Kojima らの論文（採用論文 5）によると，手術の成績に術前の状態がかかわることが示されており，手術のタイミングもつねに念頭におくべきと考えられる．また，多関節障害を有する患者においては，局所的な障害に対する治療である手術効果を，全般的身体機能評価である HAQ-DI により評価する妥当性について検証していく必要がある．

患者主観的評価，客観的数値による評価（可動域，動作速度など），医師の行う臨床評価それぞれの利点・欠点があり，相互に組み合わせて，評価する必要がある．

5) 採用論文リスト

1) Ishikawa H, et al：Mod Rheumatol 2019；29：335-343.

2) Iwata T, et al：Scand J Rheumatol 2016；45：356-362.

3) Mukka S, et al：Arch Orthop Trauma Surg 2015；135：595-600.

4) Benoni AC, et al：Acta Orthop 2012；83：179-184.

5) Kojima T, et al：Int J Rheum Dis 2018；21：1801-1808.

6) Sawachika F, et al：J Med Invest 2016；63：38-44.

6) 推奨作成関連資料一覧 (推奨作成関連資料 7 に掲載)

■参考文献

1) Strand V, et al：J Rheumatol 2011；38：1720-1727.

2) Marra CA, et al：Soc Sci Med 2005；60：1571-1582.

RA 推奨 65

推奨文

妊娠中の RA 患者への TNF 阻害薬の投与は許容される（条件付き）．ただし，その使用にあたっては，治療の必要性についての十分な検討と，児の先天異常や新生児感染症の発症に対する慎重なモニタリングの実施が求められる．

推奨の強さ　**弱い**　　エビデンスの確実性　**非常に低**　　パネルメンバーの同意度　**7.92**

RA CQ65

妊娠中の RA 患者に対する TNF 阻害薬の投与は児への安全性において許容されるか？

サマリー	妊娠中の RA 患者への TNF 阻害薬投与による児への望ましくない効果は中程度と考えられる．また，これらの結果はすべて観察研究に基づくもので，おもな対象薬剤は ADA，CZP，ETN であること，および疾患活動性管理が不十分な状態の児への影響については検討されていないことに注意が必要である．
注　記	疾患活動性のコントロールされていない RA は，妊娠転帰の不良と関連するため，妊娠中も寛解または低疾患活動性を維持することは，母体および胎児の健康の最適化のために極めて重要である．妊娠中の RA 患者への TNF 阻害薬使用にあたっては，このことを念頭におきつつ，個々の症例におけるリスクベネフィットバランスを考慮した選択が求められる．また，TNF 阻害薬間で胎児移行度に違いがあり，CZP と ETN は胎盤通過性が少ないことが報告されている．

1）推奨の背景

　疾患活動性のコントロールされていない RA は，妊娠転帰の不良と関連する（参考文献 1，2）ことが知られているため，疾患の活動性が低い間に妊娠を計画し，妊娠中も寛解または低疾患活動性を維持することは，母体および胎児の健康の最適化のために極めて重要である．TNF 阻害薬を用いて妊娠中の RA 患者を厳格に管理することは，低出生体重児の出生や早産などの妊娠合併症の増加に関連せず，むしろ児の出生時体重の増加といった妊娠転帰の改善に関連していたこと（参考文献 3）が報告されている．リウマチ専門医は妊娠期間を通じて安全な薬剤を使用することを重視すべきであり，TNF 阻害薬の使用が児への安全性において許容されるかどうかを検討することは重要である．

　ACR の RA 診療ガイドライン（参考文献 4）においても，すべての薬が妊娠前の男女や妊娠・授乳期に安全というわけではないものの，コントロールされていない全身性炎症性疾患はそれ自体が妊娠転帰不良と関連するため，RA 患者の妊娠中も必要に応じて薬物の使用は行わざるをえないと考察されている．

2）エビデンスの要約

　2019 年 1 月から 2022 年 12 月の期間に限定し，PubMed，Cochrane Library，医学中央雑誌で報告された csDMARD，bDMARD，JAK 阻害薬の妊娠中 RA 患者への投与における児への安全性に関する論文について検索を行った．2019 年以前の報告に関しては，2020 年版診療ガイドラインにおいて SR を実施した 3 文献を含めてハンドサーチを追加し，207 件を抽出した．

　安全性に関しては，重大なアウトカムとして児の先天異常（大奇形）と重篤な新生児感染症の発生を取り上げた結果，TNF 阻害薬と MTX の曝露による影響をみた論文が 10 件同定された（採用論文 1～10）．JAK 阻害薬に関しては評価している論文がなかった．また有効性に関しては，検討している論文がないこと，非妊娠時の RA 診療における bDMARD の有効性は明らかであり，2020 年版診療ガイドライン（参考文献 5）の薬物治療アルゴリズムのフェーズ II でも MTX 非併用下では TNF 阻害薬を含む bDMARD 投与が推奨されていることから今回は検討しなかった．

　まず，TNF 阻害薬非投与と比較した，児の先天異常（大奇形）に対する TNF 阻害薬投与の効果は，絶対効果として 1,000 人あたり 13 人増加，95％CI ［－3，38］，相対効果として OR＝1.51，95％CI ［0.89，2.58］であった．また，重篤な新生児感染症に対する絶対効果は，1,000 人あたり 31 人増加，95％CI ［－27，100］，相対効果として OR＝1.20，95％CI ［0.84，1.71］であった．児の先天異常の発生に対する効果は小さいが，重篤な新生児感染症に対する効果は中程度であり，総合として望ましくない効果は「中」と判断した．

先天異常は妊娠初期の薬剤曝露に起因し，新生児感染症リスクは妊娠中期以降の胎盤移行性に関連する．このため，妊娠中期以降（16 週以降）は胎盤移行性の低い薬剤を選択することが望まれるが，治療上のリスクベネフィットバランスを考慮し，その継続の有無と継続期間について個々の症例において検討されることが望ましい．

また，早産や低出生体重児の出生も妊娠における望ましくないアウトカムと考えられたが，これらのアウトカムはむしろ RA の疾患活動性と関連することが示唆されており（参考文献1，2），今回の検討からは除外した．

3）エビデンスの確実性

今回検討した研究はすべて観察研究であることから，アウトカム全般にわたるエビデンスの確実性は「非常に低」と評価した．

4）推奨の強さ決定の理由

① 利益と害のバランスの評価

今回のガイドライン改訂においては，望ましい効果について検討していないため不明である．

② 患者の価値観・意向

妊娠中の女性とその家族にとって胎児の先天異常と新生児の重篤な感染症は重要事項であり，そこに重要な不確実性またはばらつきはおそらくないと考えられる．コントロールされていない RA は妊娠転帰の不良と関連するため（参考文献1，2，4），治療の選択肢が増え，妊娠中の疾患活動性が改善されることは，治療医と患者に歓迎されると推測される．また，TNF 阻害薬は添付文書においても妊娠中有益性投与であることから実行可能性のある治療である．

③ コスト

QALY など費用対効果に対する日本の論文，エビデンスはない．しかし，妊娠中適切な RA 治療を行わずにいると，関節機能障害による ADL 低下や関節破壊による直接・間接的な医療費が増大するのみならず，妊娠転帰の悪化にもつながり，周産期・新生児医療にかかわる費用の増加も招くため，TNF 阻害薬などを使用して適切な診療を受けることが望ましい．一方で児の先天異常（大奇形）や重篤な新生児感染症についても，その後，長期にわたる医療を必要とする可能性があり，それも大きな医療負担となる．

④ パネル会議での意見

パネル会議では，妊娠中に女性が適切な RA 治療を受けずに高疾患活動性のまま経過した場合における，妊娠転帰への悪影響についても言及すべきとの意見があった．このため注記に「妊娠中も寛解または低疾患活動性を維持することは，母体および胎児の健康の最適化のために極めて重要である」と追記し，「個々の症例におけるリスクベネフィットバランスを考慮した選択が求められる」と記載した．また，今回アウトカムとして設定した先天異常（大奇形）や重篤な新生児感染症以外にも，早産や低出生体重児の出生といった周産期合併症についてもアウトカムに含むべきではなかったのか，という意見が出されたが，これらはむしろ妊娠中の RA の高疾患活動性と関連することが報告されており，現時点で薬剤の影響として報告されている研究も少ないことから，これに関しては今後の課題とした．

5）採用論文リスト

1）Allen KD, et al：Arch Gynecol Obstet 2022；306：1929-1937.

2）Burmester GR, et al：Ann Rheum Dis 2017；76：414-417.

3）Chambers CD, et al：PLoS One 2019；14：e0223603.

4）Diav-Citrin O, et al：Reprod Toxicol 2014；43：78-84.

5）Hoxha A, et al：Joint Bone Spine 2017；84：169-173.

6）Smeele HTW, et al：Ann Rheum Dis 2022；81：1367-1373.

7）Weber-Schoendorfer C, et al：Br J Clin Pharmacol 2015；80：727-739.

8）Bröms G, et al：Aliment Pharmacol Ther 2020；52：843-854.

9）Luu M, et al：Am J Gastroenterol 2018；113：1669-1677.

10）Vinet É, et al：Arthritis Rheumatol 2018；70：1565-1571.

6）推奨作成関連資料一覧 （推奨作成関連資料 8 に掲載）

資料 A　RA CQ65　文献検索式

資料 B　RA CQ65　文献検索フローチャート

資料 C　RA CQ65　バイアスのリスク

資料 D　RA CQ65　エビデンスプロファイル

資料 E　RA CQ65　フォレストプロット

資料 F　RA CQ65　Evidence to Decision テーブル

■参考文献

1）Bharti B, et al：J Rheumatol 2015；42：1376-1382.

2）Smith CJF, et al：Arthritis Care Res（Hoboken）2019；71：1019-1027.

3）Smeele HTW, et al：Ann Rheum Dis 2022；81：1367-1373.

4）Sammaritano LR, et al：Arthritis Rheumatol 2020；72：529-556.

5）日本リウマチ学会編：関節リウマチ診療ガイドライン2020．診断と治療社 2021.

RA 推奨 66

2024 NEW　妊娠・授乳期 2

推奨文

男性 RA 患者のパートナーが妊娠を望む場合，TNF 阻害薬と MTX の投与は許容される（条件付き）．

推奨の強さ **弱い**　エビデンスの確実性 **非常に低**　パネルメンバーの同意度 **8.23**

RA CQ66

男性 RA 患者のパートナーが妊娠を望む場合，csDMARD，bDMARD，JAK 阻害薬の投与は児への安全性において許容されるか？

サマリー	男性 RA 患者のパートナーが妊娠を望む場合の TNF 阻害薬および MTX の投与による児への望ましくない効果は，TNF 阻害薬および MTX 非投与と比較してわずかであると判断した．理論的には精液を介した受胎後の胚や胎児への影響は少ないと考えられる．
注　記	妊娠と薬情報センターの薬剤情報データベースによると，現在まで，男性の薬剤使用とパートナーの妊娠・出生児に関する疫学研究において，児の先天異常（大奇形）のリスク上昇を示した報告はない．男性の薬剤曝露による児の先天異常（大奇形）発生のメカニズムとして，精子核酸への作用によるもの（変異原性）と，精液に分泌された薬物がパートナーの腟粘膜から吸収されて胎児に作用した結果として生じるものと 2 つのパターンが考えられるが，いずれも可能性は低く，特段の配慮は不要であると考えられている．JAK 阻害薬に関してはデータがなく，推奨を作成できなかった．

1）推奨の背景

　男性 RA 患者のパートナーが妊娠を望む場合，懸念されるのは男性の生殖能力への DMARD の潜在的影響と薬剤に関連した催奇形性である．理論上，精液を介した受胎後の胚や胎児への影響は少ないと考えられるが，DMARD のこれらの潜在的影響に関する発表データはほとんどないため，男性の DMARD の使用が児への安全性において許容されるかどうかを検討することは重要である．なお，ACR の RA 診療ガイドライン（参考文献1）においては，男性 RA 患者のパートナーが妊娠を望む場合の薬剤による胚や胎児への影響は小さいと想定されると記載されている．

2）エビデンスの要約

　2019 年 1 月から 2022 年 12 月の期間に限定し，PubMed，Cochrane Library，医学中央雑誌で報告された，配偶者が妊娠を望む男性 RA 患者（または自己免疫疾患患者）における csDMARD，bDMARD，JAK 阻害薬の児への安全性に関する論文について検索を行った．2019 年以前の報告に関しては，2020 年版診療ガイドラインにおいて SR を実施した 3 文献を含めてハンドサーチを追加し，212 件を抽出した．

　安全性に関しては，重大なアウトカムとして児の先天異常（大奇形）の発生を取り上げた結果，TNF 阻害薬と MTX の曝露による影響をみた論文が 5 件同定された（採用論文1〜5）．MTX 以外の csDMARD や TNF 阻害薬以外の bDMARD，JAK 阻害薬に関しては評価している論文がなかった．また，有効性に関しては，検討している論文がないこと，一般 RA 診療における csDMARD および bDMARD，JAK 阻害薬の有効性は明らかであり，2020 年版診療ガイドライン（参考文献2）の薬物治療アルゴリズムでも MTX および TNF 阻害薬を含む bDMARD 投与が一般的な治療法として推奨されていることから，今回は検討しなかった．

　TNF 阻害薬非投与と比較した，TNF 阻害薬の投与による重篤な有害事象（先天異常）は，絶対効果として 1,000 人あたり 1 人増加，95％CI［−3，19］，相対効果として OR＝1.30，95％CI［0.28，6.14］であった．MTX 非投与と比較した，MTX の投与による重篤な有害事象（先天異常）は，絶対効果として 1,000 人あたり 2 人減少，95％CI［−21，42］，相対効果として OR＝0.94，95％CI［0.38，2.33］であった．その他の DMARD に関する研究はなかった．以上から，TNF 阻害薬非投与と比較した TNF 阻害薬投与による望ましくない効果，MTX 非投与と比較した MTX 投与による望ましくない効果はともに「わずか」と判断した．

　男性の薬剤曝露による児の先天異常発生のメカニズムとして，精子核酸への作用によるもの（変異原性）と，精液に分泌された薬物がパートナーの腟粘膜から吸収されて胎児に作用し

た結果として生じるものと2つのパターンが考えられる．通常の精液中にも奇形がある精子は20%ほど含まれている．もし男性が投与された薬剤が精子に影響するとすれば，理論的には薬剤の影響を受けた精子は受精能を失う，ないし受精しても着床しないと考えられ，児の先天異常（大奇形）のリスクになる可能性は極めて低い．精液を介した腟粘膜からの吸収については，仮にMTXのように催奇形性があることが証明された薬であっても女性の体内で血中濃度が上昇するほどの吸収があるとは考えにくい．

3) エビデンスの確実性

今回検討した研究はすべて観察研究であることから，アウトカム全般にわたるエビデンスの確実性は，TNF阻害薬とMTXの曝露の影響いずれも「非常に低」と評価した．

4) 推奨の強さ決定の理由

① 利益と害のバランスの評価

男性RA患者のパートナーが妊娠を望む場合の男性RA患者に対する望ましい効果について検討していないが，MTXおよびTNF阻害薬の有効性は明らかであり，害が利益を上回る可能性は低いと考えられる．

② 患者の価値観・意向

男性RA患者とその家族にとって胎児の先天異常は重要事項であり，そこに重要な不確実性またはばらつきはおそらくないと考えられた．一般的にRAの疾患コントロールには何らかのcsDMARDやbDMARD，JAK阻害薬による治療が必須であるため，女性パートナーが挙児を希望する際の男性側のTNF阻害薬とMTX治療が許容されれば，治療の選択肢が増えて治療医と患者に歓迎されると想定される．

③ コスト

男性RA患者のパートナーが妊娠を望む場合のQALYなどの費用対効果に対する日本の論文，エビデンスはない．しかし，パートナーが挙児を希望している期間，適切なRA治療を行わずにいると関節障害によるADL低下や関節破壊による直接・間接的な医療費が増大するため，MTXやTNF阻害薬などを使用した適切な診療を受けることが望ましい．一方で児の先天異常が起こると，新生児期およびその後，長期にわたり医療を受ける必要があり，それも大きな医療負担となる．

④ パネル会議での意見

パネル会議では女性のTNF阻害薬使用と同様，男性のMTXおよびTNF阻害薬使用のエビデンスも観察研究に基づいたもので限られたものであるにもかかわらず，なぜ男性の薬剤使用のほうがより許容されやすいのか，その論理的根拠を詳しく述べる必要があるとの意見が出された．これに対して，注記およびエビデンスの要約の項で，男性の薬剤曝露による児の先天異常発生のメカニズムについて詳細な解説を追加した．

5) 採用論文リスト

1) Eck LK, et al：Obstet Gynecol 2017；129：707-714.
2) Larsen MD, et al：Am J Gastroenterol 2016；111：1608-1613.
3) Lichtenstein GR, et al：Am J Gastroenterol 2018；113：1678-1688.
4) Micu MC, et al：J Rheumatol 2019；46：1084-1088.
5) Weber-Schoendorfer C, et al：Rheumatology 2014；53：757-763.

6) 推奨作成関連資料一覧 （推奨作成関連資料8に掲載）

資料A　RA CQ66　文献検索式
資料B　RA CQ66　文献検索フローチャート
資料C　RA CQ66　バイアスのリスク
資料D　RA CQ66　エビデンスプロファイル
資料E　RA CQ66　フォレストプロット
資料F　RA CQ66　Evidence to Decision テーブル

■参考文献

1) Sammaritano LR, et al：Arthritis Rheumatol 2020；72：529-556.
2) 日本リウマチ学会編：関節リウマチ診療ガイドライン2020．診断と治療社 2021.

3 関節リウマチ治療のQ & A

1. ヒドロキシクロロキン

2024 NEW

Question

RA患者にHCQ投与は有用か？

背景

HCQはわが国ではRAに対する保険適用がないが，世界的には標準治療薬の1つとして位置づけられている．わが国でも先進医療として一部の施設で使用された結果が公表されており，RA患者に対するHCQの有用性を理解することは重要である．本項では，2020年版診療ガイドラインのHCQの項に，わが国で実施された先進医療の成績を追記し，将来的なわが国での臨床応用を検討するための資料としてアップデートする．

Answer

HCQは単剤での有効性は低いが，他のcsDMARDとの併用で有効性を上昇させる効果がある．重篤な有害事象は長期間使用時の網膜症であるが頻度は低く，海外では極めて安全な薬剤として認知されている．わが国では保険適用のある全身性エリテマトーデスの全例PMSが終了し，日本人における安全性が一定程度確立された．依然としてRAに対しては保険適用がなく，本診療ガイドラインでも推奨は作成しなかったが，今後わが国でも有用性が確立されることが期待される．

解説

本Q&Aにおけるエビデンスとして，HCQに関して行われたSR[1]を参考にRCT 7件を参照したが，うち1件は情報不足[2]，1件は学会抄録のみで論文化の情報がなく[3]，計5件を評価対象とし[4]~[8]，資料Aエビデンスプロファイルにまとめた．本Q&Aにおける重大なアウトカムとして，複合指標のDAS28-ESRの変化量，ACR50達成割合，mTSS変化量および重篤な有害事象を用いた．DAS28-ESR変化量では，HCQ＋SASP＋MTX群（$n=153$）とETN＋MTX群（$n=154$）との間に非劣性が示された

（MD＝0.17, 95%CI［0.02, 0.32］, 劣性マージン0.60）[4]．ACR50達成割合では，メタ解析でHCQ＋SASP＋MTX群（$n=283$）はTNF阻害薬（ETNまたはIFX）＋MTX群（$n=282$）にわずかに劣り（RR＝0.74, 95%CI［0.55, 0.99］）[4][5]，HCQ＋MTX群（$n=58$）はSASP＋MTX群（$n=55$）またはHCQ＋SASP＋MTX群（$n=58$）に対して有意差を認めなかった（SASP＋MTX群：RR＝0.36, 95%CI［0.81, 2.29］，HCQ＋SASP＋MTX群：RR＝0.72, 95%CI［0.49, 1.07］）[6]．mTSSの変化量では，HCQ＋SASP＋MTX群（$n=153$）とETN＋MTX群（$n=154$）との間に有意な差は示されなかったが（HCQ＋SASP＋MTX群0.54，ETN＋MTX群0.29）[4]，HCQ群（$n=28$）とSASP群（$n=22$）の比較ではHCQ群での進行を認めた（MD＝10.0, 95%CI［3.0, 26.5］）[7]．重篤な有害事象発生割合では，HCQ＋SASP＋MTX群（$n=352$）はTNF阻害薬（ETNまたはIFX）＋MTX群（$n=347$）と有意差を認めなかった（RR＝0.84, 95%CI［0.54, 1.29］）[8]．HCQとHCQ＋MTXを比較した試験は1件認めたが[3]，学会抄録情報しか得られず対象外とした．これら以外にHCQとプラセボを比較した試験が同定されたが，重大なアウトカムで評価されておらず対象外とした[9]．これらの採用された試験はいずれもRCTで「バイアスのリスク」に深刻な問題はなかったが，いわゆるtriple therapy（HCQ＋SASP＋MTX 3剤併用）は，HCQの効果がどの程度反映されているか不明のため，「非直接性」に深刻な限界があると判断された．また「不精確さ」については総サンプル数やRRの95%CIの下限と上限から深刻または非常に深刻な限界があると判断される報告も多く，DAS28-ESR変化量，ACR50達成割合，mTSS変化量および重篤な有害事象におけるエビデンスの確実性は，それぞれ「低」「低」「低」「非常に低」と評価した．以上から，エビデンスの確実性は低いものの，HCQは単剤での有効性は低いが他のcsDMARDとの併用で有効性を上昇させる効果があり，安全性も高いと判断された．

わが国で実施された先進医療では，HCQ内服24週間の結果

が，HCQ 介入群 60 例とヒストリカルコントロール群 60 例の間で比較された[10]．傾向スコアマッチングで抽出された各群 46 例における 24 週時の ACR20 達成割合は，HCQ 群で 46 例中 25 例（54.4％，95％CI［39.0，69.1］），ヒストリカルコントロール群で 46 例中 13 例（28.3％，95％CI［16.0，43.5］），群間差 26.1％，95％CI［8.6，43.6］，$p = 0.007$（McNemar 検定）で，HCQ 投与群で ACR20 達成割合が有意に高かった．HCQ 内服開始後の有害事象は，60 例中 36 例（60％，95％CI［46.5，72.4］）に 59 件認められ，因果関係のある重篤な有害事象は 0 件であった．有害事象による中止は 60 例中 7 例（11.7％，95％CI［2.8，22.6］）で，下痢 2 件（因果関係あり），薬疹 2 件（因果関係あり），原病増悪 2 件（因果関係なし）のほか，振戦と高カルシウム血症 1 件（因果関係否定できず）であった．網膜症は認めなかった．

日本人の長期安全性については，わが国で保険適用のある全身性エリテマトーデスの全例 PMS の結果が 2023 年 7 月に公表された[11]．2016 年 1 月から 2021 年 12 月に，眼障害以外の有害事象は 1 年間，眼障害の有害事象は 3 年間調査された．安全性解析対象症例は 1,142 例で，副作用発現は 209 例（18.3％），重篤な副作用発現は 36 例（3.2％），調査中止に至る有害事象例は 163 例（14.3％）で，発疹 32 例（2.8％），下痢 22 例（1.9％），眼障害 30 例（2.6％，白内障，ドライアイなども含む）などで，新規の安全性シグナルは認められなかった．

海外の動向としては，欧米では 50 年以上前から RA に対して使用されてきた歴史がある．米国，英国，ドイツ，フランス，カナダ，豪州など多くの欧米諸国で RA に対して承認されている．ACR の RA 診療ガイドラインでは，免疫抑制効果を最小限にしたい合併症のある患者への使用や，triple therapy として MTX，SASP との併用療法が推奨され，安全性については，血算，肝機能，腎機能などのモニタリングは不要とされている[12]．EULAR のリコメンデーションでは，直接的な推奨はないものの，軽症 RA に対して治療戦略上限定的な立ち位置があると紹介されている[13]．ただし，わが国での薬価は海外に比して高く設定されている．402.40 円/200mg 錠（2023 年 9 月現在）であり，1 日 1 錠，1 錠・2 錠隔日，2 錠投与でそれぞれ年間 145,876 円，220,314 円，293,752 円となり，他の csDMARD と比較すると TAC より安価であるが，SASP，BUC，IGU，LEF よりは高価となる．

現時点では保険適用がなく，本診療ガイドラインにおいて推奨としては取り上げなかったが，今後，全身性エリテマトーデスに対するリアルワールドデータや前述の先進医療の成績をふまえた RA に対する使用症例集積も期待されるため，Q&A セッ

ションで解説することが妥当と判断された．

また，今回のアップデートに際し，JIA に対する HCQ の位置づけを補足する．HCQ は JIA に対し，海外では他の治療法と併用という条件付きで標準的治療薬として欧州 3 か国（英国，ドイツ，フランス）で承認されている．米国および豪州ではガイドラインに記載されており，単剤あるいは他の csDMARD と併用で JIA の患者（児）に対して安価で安全性が高い薬として使用されている．JIA 少関節炎型・多関節炎型の患者（児）を対象として HCQ，GST，ペニシラミンを比較した 50 週間の非盲検並行群間比較試験（$n = 72$）によれば，疾患活動性指標による有益性は 3 剤で同等であるが，忍容性は HCQ が他の 2 剤より高かったことが示されている[14]．わが国では，現時点では保険適用がなく，使用経験も乏しいことから，本項に補足する記載にとどめるが，JIA に対する新たな治療選択肢となるよう，今後の有用性確立が期待される．なお，4-アミノキノリン化合物の毒性作用に感受性が高い 6 歳未満の幼児への投与は禁忌である．

■作成関連資料一覧（作成関連資料に掲載）

資料 A　エビデンスプロファイル

■文献

1) Rempenault C, et al：Arthritis Care Res（Hoboken）2020；72：36-40.

2) Nuver-Zwart IH, et al：Ann Rheum Dis 1989；48：389-395.

3) Dissanayake T, et al：J Rheumatol 2014；41：1493-1494（Posters 99）（abstract）.

4) O'Dell JR, et al：N Engl J Med 2013；369：307-318.

5) van Vollenhoven RF, et al：Lancet 2009；374：459-466.

6) O'Dell JR, et al：Arthritis Rheum 2002；46：1164-1170.

7) van der Heijde DM, et al：Lancet 1989；1：1036-1038.

8) Faarvang KL, et al：Ann Rheum Dis 1993；52：711-715.

9) the HERA Study：Am J Med 1995；98：156-168.

10) Takei H, et al：Mod Rheumatol 2023；34：50-59.

11) プラケニル®錠200mg 使用成績調査 最終解析結果―安全性に関する情報―．旭化成ファーマ株式会社，2023 年 7 月.

12) Singh JA, et al：Arthritis Care Res（Hoboken）2016；68：1-25.

13) Smolen JS, et al：Ann Rheum Dis 2020；79：685-699.

14) Kvien TK, et al：J Rheumatol 1985；12：533-539.

3 関節リウマチ治療の Q & A

2. 整形外科手術のリスク因子

Question

RA 患者における整形外科手術のリスク因子には，どのようなものがあるか（投与薬剤を含む）？

背景

　2014 年版診療ガイドラインでは bDMARD の手術部位感染（SSI）および創傷治癒遅延に対する影響について推奨を決定したが，今回は RA CQ57（RA 推奨 57：手術・リハビリテーション 12）において，併存症の影響についてエビデンスを渉猟し，推奨を決定した．一方，bDMARD や副腎皮質ステロイド（以下，ステロイド）使用も術後合併症のリスク因子であり，そのほかにも非常に多くの重要なリスク因子が存在するため，今回渉猟した文献で併存症のリスク因子の推奨に使用しなかったものについて，この Q&A の中で紹介する．

Answer

　RA 患者は RA そのものが整形外科術後合併症リスク因子であるだけでなく，様々な併存症や使用薬剤，手術の種類によっても合併症発生のリスクが高まる．

解説

　RA は OA と比較して，SSI などのリスクは同等であるとする論文も少数みられるが，メタ解析を含むほとんどの論文で，RA はいまだに SSI のリスク因子であることが示されている（参考文献 8，11，18，20〜26）．たとえば Cordtz らは，3,913 例の RA 患者の人工膝関節全置換術ないし人工股関節全置換術と，120,499 例の OA 患者の同手術を比較し，SSI について多変量解析を行い，RA 患者の HR（vs. OA 患者）が HR＝1.46，95％CI[1.13，1.88]と高く，リスク因子であると示している（参考文献 25）．データベース研究をまとめた今回のメタ解析でも，OA に対する RA の SSI の RR は RR＝1.59，95％CI[1.17，2.15]であっ

た（参考文献 8，11，20，23，26）．bDMARD を含む効果的な治療が行き渡った現在においても，RA が SSI のリスク因子であることは疑いがないと考えられる．ただし創傷治癒遅延および術後死亡については，リスク因子であるとするものとないとするものが混在しており，結論を得ることができなかった．

　bDMARD の使用は SSI の発生率を上昇させるとする論文と上昇させないとする論文が混在するが，日本からの論文を含むメタ解析では，発生率を上昇させるとする論文が多い（参考文献 3，5，10，13〜15，19，20，25，28）．今回行ったメタ解析でも SSI 発生に関する bDMARD 使用（vs. csDMARD 使用）は RR＝1.66，95％CI[1.25，2.19]となった．一方，創傷治癒遅延は RR＝1.25，95％CI[0.85，1.84]（参考文献 10，15，28），術後死亡に関する bDMARD 使用は RR＝0.97，95％CI[0.44，2.17]（参考文献 25，28）であり，関連する論文が少ないことから，bDMARD の影響は不明であるといわざるをえない．また JAK 阻害薬についての論文はほとんどみられない．

　また経口ステロイドの使用は渉猟しえた論文の多くで SSI のリスク因子であると報告されている（参考文献 17，20，25，29）．多変量解析の結果，使用量の増加に応じて SSI のリスクが高まるとする論文もみられ（参考文献 17，29），特に PSL 換算 1 日 10mg を超える使用量では SSI のリスクが高い．経口ステロイド使用例は非使用例に対して術後死亡の HR が HR＝2.87，95％CI[1.12，7.34]と上昇していることを報告した研究もある（参考文献 25）．経口ステロイドの使用は，他の副作用や合併症に対する影響と同様，術後合併症を減らすためにはなるべく投薬を控え，必要な場合もなるべく少なくすべきとの結論となった．

　その他も多くのリスク因子があげられているが，高齢（参考文献 1，15，25），男性（参考文献 11，18，20），足部手術（参考文献 1，3，5，13，15）や脊椎手術（参考文献 2，4），長い手

術時間（参考文献 7，15，16，25）などは術後合併症のリスクであると報告されていることは知っておくべきと考えられる．

RA 推奨 57（手術・リハビリテーション 12）の解説文にも記載したが，術後合併症研究は，RCT や大規模研究を組むことが非常にむずかしいため，エビデンスレベルが高くなくとも，今後も臨床データを丹念に解析して論文化する努力が必要と考えられる．また RA 治療において整形外科手術を考慮するときに，これらのリスク因子を理解し，患者との協働的意思決定に生かすべきである．

■**作成関連資料一覧（作成関連資料に掲載）**

資料 A　文献検索式

資料 B　文献検索フローチャート

資料 C　エビデンスプロファイル

■**参考文献**

1）Berthold E, et al：Acta Orthop 2013；84：495-501.

2）Momohara S, et al：Mod Rheumatol 2013；23：440-409.

3）Scherrer CB, et al：Arthritis Care Res（Hoboken）2013；65：2032-2040.

4）Godot S, et al：Arthritis Care Res（Hoboken）2013；65：1874-1879.

5）Kubota A, et al：Mod Rheumatol 2014；24：430-433.

6）Stundner O, et al：J Arthroplasty 2014；29：308-313.

7）Pugely AJ, et al：J Arthroplasty 2015；30（9 Suppl）：47-50.

8）Schnaser EA, et al：J Arthroplasty 2015；30（9 Suppl）：76-80.

9）Singh JA, et al：Arthritis Care Res（Hoboken）2015；67：718-724.

10）Ito H, et al：Mod Rheumatol 2015；25：672-678.

11）Schrama JC, et al：Acta Orthop 2015；86：469-476.

12）Jauregui JJ, et al：Clin Rheumatol 2016；35：595-600.

13）Kadota Y, et al：Mod Rheumatol 2016；26：68-74.

14）Goodman SM, et al：Rheumatology（Oxford）2016；55：573-582.

15）Tada M, et al：Clin Rheumatol 2016；35：1475-1481.

16）Yano K, et al：Mod Rheumatol 2016；26：211-215.

17）George MD, et al：Arthritis Care Res（Hoboken）2017；69：1845-1854.

18）Kong L, et al：Int Wound J 2017；14：529-536.

19）Mabille C, et al：Joint Bone Spine 2017；84：441-445.

20）Salt E, et al：Semin Arthritis Rheum 2017；46：423-429.

21）Lee DK, et al：Knee Surg Sports Traumatol Arthrosc 2017；25：3800-3807.

22）Siu KT, et al：Hong Kong Med J 2018；24：152-157.

23）Horowitz JA, et al：Spine（Phila Pa 1976）2018；43：E1040-E1044.

24）Kurdi AJ, et al：Am J Orthop（Belle Mead NJ）2018；47（7）.

25）Cordtz RL, et al：Ann Rheum Dis 2018；77：281-288.

26）Bernstein DN, et al：Spine J 2018；18：1861-1866.

27）Cordtz R, et al：Semin Arthritis Rheum 2020；50：30-35.

28）Ito H, et al：J Rheumatol 2020；47：502-509.

29）George MD, et al：Ann Intern Med 2019；170：825-836.

3 関節リウマチ治療の Q & A

3. 妊娠・授乳期のマネジメント

2024
NEW

Question 1

妊娠中の RA 患者に TNF 阻害薬以外の bDMARD, csDMARD, JAK 阻害薬の投与は安全か？

背 景

妊婦に対する介入試験が困難であることから，妊娠中の薬の安全性に関する情報は限られており，2020 年版診療ガイドライン以降に報告されたエビデンスを追加し，TNF 阻害薬以外のbDMARD，csDMARD，JAK 阻害薬の妊婦への使用法に関する検討が必要である．

Answer

（1） csDMARD

① MTX・ペニシラミン

催奇形性があるため，妊婦には投与しない．MTX は中止後 1月経周期をあけて妊活可能とする．

② LEF・IGU・MZR

動物実験で催奇形性が示されており，ヒトにおける疫学研究が乏しいかないため妊婦に投与することは避ける．

③ SASP・TAC

リスクベネフィットを勘案し，状況により妊婦への使用が可能である．

④ その他の csDMARD

リスクベネフィットを勘案し，状況により妊婦へ使用することが容認できる．

（2） TNF 阻害薬以外の bDMARD

① TCZ・ABT

リスクベネフィットを勘案し，状況により妊婦へ使用することが容認できる．

② SAR・バイオ後続品（BS）

リスクベネフィットを勘案し，状況により妊婦へ使用することが考慮できる．

（3） JAK 阻害薬

動物実験で催奇形性が示されており，ヒトにおける疫学研究が乏しいかないため妊婦に投与することは避ける．

注：【Answer】の用語は以下のように定義した．

定義	用語
ヒトで催奇形性が示されている	投与しない
動物実験でリスクがあり，ヒトでの経験がないか乏しい	避ける
動物実験のリスクを問わず，ヒトでの疫学研究においてリスクを認めず	可能である
動物実験でリスクがなく，ヒトでの疫学研究においてリスクを認めず	可能である
動物実験でリスクがなく，ヒトでの限られた報告ではリスクを認めず	容認できる
動物実験でリスクがなく，ヒトでの疫学研究はないが類薬ではリスクを認めず	考慮できる
動物実験でリスクがなく，上市後に長い年月が経っているが明らかな有害事象の報告なし	容認できる

解 説

挙児希望がある RA 患者では，流産や催奇形性などのリスクが低いと考えられる薬剤を用いて寛解状態を維持しながら妊活することが望ましい．挙児希望がない場合は，流産や催奇形性などのリスクを有する薬剤であっても使用は可能であるが，避妊を指導する．

妊娠判明後は流産や催奇形性，胎児毒性のリスクがないと考えられる薬剤については継続が可能である．ただし，寛解状態で妊娠すると寛解状態を維持できることが多いため[1]，薬物治療の継続については適宜判断する．妊娠成立後も薬剤を継続する場合には，流産と先天異常の自然発生率がそれぞれ約 15%，3％前後であることを説明する[2] [3]．流産率は年齢により，先天

異常はどの時期に誰がどの基準で判定するかにより，数値に幅があることに留意する必要がある．本 Q&A では，2020 年版診療ガイドライン作成以降に公表された各薬剤の情報についてナラティブレビューを実施し，新しい情報を追記した．TNF 阻害薬についてはある程度の量の情報が集積されたため SR を行い「妊娠 CQ1」として独立させた．以下，各薬剤について解説する．

(1) csDMARD

① MTX

低用量の MTX 使用と妊娠に関する欧州（ENTIS）と北米（OTIS）の奇形情報機関による合同の前向きコホート研究に参加した女性は，リウマチ性疾患のために MTX を服用していた[4]．投与量は 30mg/週以下で，中央値は 10mg/週であった．MTX への曝露情報と児の転帰は，母親との電話面接または母親ないし医師への質問票によって確認された．大奇形発生率は妊娠後 MTX 曝露群において 6.6%（7/106）であり，健常対照群の 2.9% と比べて有意に増加していた（調整 OR = 3.1，95%CI[1.03，9.5]）．自己免疫疾患対照群の 3.6% と比べても高率であったが，有意差は認めなかった（調整 OR = 1.8，95%CI[0.6，5.7]）．本研究において MTX 曝露群における人工妊娠中絶の累積発生率は 33.1% と高率であった（健常対照群に対する調整 HR = 7.4，95%CI[4.5，12.2]）．49 件の中絶のうち 4 件は胎児の先天異常によるものであると判明している．残りの人工妊娠中絶例は，先天異常児への恐れ，母体的または社会的理由によるとされている．人工妊娠中絶例に対して全例に胎児の剖検が行われるわけではないため，先天異常発生例が過小評価されている可能性が残る点には注意を要する．

② ペニシラミン

動物実験で催奇形性を認め，複数の症例報告においても動物実験と一致する先天異常を認めている[5]~[7]．

③ LEF

動物実験で催奇形性を認めたため，添付文書上では妊婦に対しての投与は禁忌である．OTIS の前向きコホート研究の報告では，妊娠第 1 三半期に LEF を使用した RA 女性 64 人，疾患コントロール 108 人，健常コントロール 78 人の 3 グループの大奇形発生率には有意差はみられなかった[8]が，安全性を判断するには十分なデータがあるとはいえない．

④ IGU，MZR

動物実験で催奇形性を認めたため，添付文書上，妊婦に対しての投与は禁忌であるが，ヒトでのデータはない．

⑤ SASP

いくつかの症例集積研究や症例対照研究で催奇形性を疑う結果は出ていない[9]~[12]．

⑥ BUC

疫学研究や論文化された症例報告がなく，判断が困難である

が，発売から長い年月の中で催奇形性のリスクを疑う報告はなされていない．

⑦ TAC

動物実験で催奇形性があることから，わが国の添付文書においては妊婦に対して禁忌とされていたが，移植患者の妊娠例の報告が多数あり[13][14]，これらを検討した結果，2018 年 7 月に妊婦に対しての禁忌が解除され，有益性投与となっている．

(2) TNF 阻害薬以外の bDMARD

① TCZ

症例集積研究において，明らかな先天異常のリスク上昇を示唆する結果はみられない[15][16]．成人スチル病の妊婦に対して妊娠中期より TCZ を開始し継続した症例報告[17]や妊娠経過を通じて継続した症例報告[18]において，児に異常はみられなかった．

② ABT

症例集積研究において，児の先天異常のリスクは上昇していなかった[19]．

③ SAR

妊娠中に継続投与し健康な児を出産した症例報告が 1 報ある[20]．出産後の追跡も行っており，6 か月以内に児に異常は認められなかった．

④ BS（IFX BS，ETN BS，ADA BS）

BS は先行医薬品（RP）と同等・同質の品質，安全性，有効性をもつと考えられるため，妊婦に対する投与の報告はないが，RP のデータをもとに検討することになる．

(3) JAK 阻害薬

以下①~④のいずれの JAK 阻害薬も，動物の生殖発生毒性試験において，無毒性量とヒト最大用量における曝露量比に基づく安全域が 10 倍未満であり，ヒトでの生殖発生毒性が懸念される状況であることを勘案し，妊娠中の使用は避ける．

① TOF

臨床試験中の 74 例の妊娠第 1 三半期曝露例に関する報告では，先天異常のリスク上昇は示唆されなかった[21]が，安全性を判断するには情報が不十分である．

② BARI

症例報告が 1 報あり，妊娠前から妊娠 17 週まで BARI に曝露した女性が正常な児を出産し，9 か月までの追跡調査で発育に問題はみられなかった[22]．

③ UPA

公表論文ではないが European Medicines Agency より公表されている assessment report によると[23]，妊娠 4~8 週に UPA に曝露していた 4 例は先天異常のない児を出産した．人工妊娠中絶 2 例（胎児異常なし，または不明），自然流産 6 例，調査時点で妊娠継続中 3 例，追跡調査不能 1 例であった．自然流産した 6 例の被験者全員が，MTX を併用していたか，妊娠前 1 か月以内に MTX を使用していた．

④ **PEFI, FIL**

ヒトでのデータはない.

■**文献**

1) de Man YA et al：Arthritis Rheum 2008；59：1241-1248.

2) 佐藤孝道：周産期医学 1991；21：1775-1778.

3) Morris JK, et al：Arch Dis Child 2019；104：1181-1187.

4) Weber-Schoendorfer C, et al：Arthritis Rheumatol 2014；66：1101-1110.

5) Solomon L, et al：N Engl J Med 1977；296：54-55.

6) Mjolnerod OK, et al：Lancet 1971；1：673-675.

7) Scheinberg IH, et al：N Engl J Med 1975；293：1300-1302.

8) Chambers CD, et al：Arthritis Rheum 2010；62：1494-1503.

9) Mogadam M, et al：Gastroenterology 1981；80：72-76.

10) Willoughby CP, et al：Gut 1980；21：469-474.

11) Nielsen OH, et al：Scand J Gastroenterol 1983；18：735-742.

12) Norgård B, et al：Aliment Pharmacol Ther 2001；15：483-486.

13) Westbrook RH, et al：Liver Transpl 2015；21：1153-1159.

14) Coscia LA, et al：Best Pract Res Clin Obstet Gynaecol 2014；28：1174-1187.

15) Nakajima K, et al：Mod Rheumatol 2016；26：667-671.

16) Hoeltzenbein M, et al：Semin Arthritis Rheum 2016；46：238-245.

17) Imaizumi C, et al：Intern Med 2022；61：3137-3140.

18) Saito J, et al：RheumatologyOxford）2019；58：1505-1507.

19) Kumar M, et al：Semin Arthritis Rheum 2015；45：351-356.

20) Mizutani S, et al：Intern Med 2023；62：633-636.

21) Mahadevan U, et al：Inflamm Bowel Dis 2018；24：2494-2500.

22) Costanzo G, et al：Ther Adv Musculoskelet Dis 2020；12：1759720X19899296.

23) European Medicines Agency：Rinvoq（upadacitinib）assessment report．Procedure No．EMEA／H／C／004760／0000（EMA/608624/2019 Corr.1），2019．https://www.ema.europa.eu/en/documents/assessment-report/rinvoq-epar-public-assessment-report_en.pdf

---

Question 2

授乳中の RA 患者に csDMARD, bDMARD, JAK 阻害薬の投与の投与は安全か？

背 景

母乳栄養は，児に対する抗感染作用，児の認知能力への好影響，母親の体重回復など母児にとってメリットは大きい．しかしながら産後は高率に RA が再燃するため，DMARD が必要となるケースが多い．治療薬は治療の必要性，薬の授乳期における安全性の情報，患者の希望などを総合的に検討して選択することが望ましく，2020 年版診療ガイドライン以降に csDMARD，bDMARD，JAK 阻害薬について報告された情報を追加し，各薬剤の授乳婦への使用に関して検討する必要がある．

Answer

(1) csDMARD

① **MTX・ペニシラミン・LEF・IGU**

授乳中は使用しない.

② **SASP・TAC**

母乳栄養のメリットを考慮し，授乳中も使用することが可能である.

③ **BUC・MZR**

母乳栄養のメリットを検討したうえで，授乳しながら使用することが容認できる.

注：【Answer】の用語は以下のように定義した.

定義	用語
乳汁中の薬物濃度測定結果がないか乏しい（MTX は薬物の特性〔抗がん剤〕を加味）	使用しない
乳汁中の薬物濃度測定結果あり，児への影響なし	可能
薬物の特性（高分子化合物）からの判断，さらに乳汁中の薬物濃度測定結果あり，児への影響なし	可能
薬物の特性（高分子化合物）からの判断，乳汁中の薬物濃度測定結果はなし	可能
乳汁中の薬物濃度測定結果ないが，上市後に長い年月が経っていても明らかな有害事象の報告なし	容認できる

(2) bDMARD

先行バイオ医薬品（RP），バイオ後続品（BS）ともに母乳栄養のメリットを考慮し，授乳中も使用することが可能である．

(3) JAK 阻害薬

授乳中は使用しない．

解　説

母乳栄養と薬物治療が両立できる薬剤は，母乳を介して乳児が摂取することになる量（RID*）が少ない低分子化合物とbDMARDであろう．

$$*RID = \frac{母乳を介する薬の用量（mg/kg/日）}{乳児の治療量（mg/kg/日）**} \times 100 （\%）$$

**乳児の治療量が決まっていない場合には母親の体重あたりの治療量で代用可

(1) csDMARD

① MTX

乳汁移行に関する報告は，産後1か月の絨毛癌患者に対してMTX 22.5mg（15mg/m²）を連日経口投与した例で測定されたものである．初回投与の10時間後に乳汁中濃度はピークとなったが，2.3μg/Lと低く，投与後12時間で乳汁中に分泌された総量はわずか0.32μgと算出されている（尿中は4.3mg）[1]．この結果から，RAにおける週1回低用量投与では，さらに乳汁中への移行は少ないことが予想され，乳児への影響はない可能性が高い．しかし，現時点では臨床経験が限られるため，薬剤の特性を考慮して母乳栄養中の投与は推奨されない．

② ペニシラミン

乳汁中への移行がみられなかったとする報告[2]や，母親がシスチン尿症のために内服していた授乳例で，3か月間の授乳期間に児に問題はみられなかったとする報告がある[3]が，情報が乏しいため授乳中の使用は推奨されない．

③ LEF，IGU

情報がないため，授乳中の使用は推奨されない．

④ SASP

代謝産物であるスルファピリジン，メサラジンともに乳汁への移行はわずかであることがわかっており，母乳栄養中の投与が可能である．児に血性下痢を生じた症例報告があるが[4]，著者らは，児でアレルギー反応が生じたためと考察している．また，同様の報告は続いていないため，授乳を中止する理由には

ならないと考えられる．

⑤ TAC

乳汁中への移行が少なく[5]，授乳を受けた児にも問題はみられていない[6]．

⑥ BUC，MZR

母乳中濃度に関する情報はないものの，発売されてからの長い年月の中で，授乳を受けた児における有害事象は報告されていない．

(2) bDMARD

① RP

分子量が大きく，乳汁中にはほとんど分泌されない，または分泌されていても乳児の経口摂取における生体利用率は非常に低いと考えられるため，授乳は可能である．実際にRPであるIFX，ADA，ETN，GOL，CZP，TCZ，ABTでは乳汁への移行が少ないことが確認されている[7]~[10]．IFX，ADA，ETN，TCZ使用患者の授乳児における薬剤血中濃度は検出感度以下であることも報告されている[9][11]~[13]．

② BS

授乳に関するデータはないが，RPと同様に考える．

(3) JAK 阻害薬

授乳に関するデータがないため，使用中の授乳は避ける．

■文献

1) Johns DG, et al：Am J Obstet Gynecol 1972；112：978-980.

2) 泉　陽一：帝京医学雑誌 2012；35：17-24.

3) Gregory MC, et al：Lancet 1983；2：1158-1160.

4) Branski D, et al：J Pediatr Gastroenterol Nutr 1986；5：316-317.

5) French AE, et al：Ann Pharmacother 2003；37：815-818.

6) Thiagarajan KM, et al：Prog Transplant 2013；23：137-146.

7) Vasiliauskas EA, et al：Clin Gastroenterol Hepatol 2006；4：1255-1258.

8) Matro R, et al：Gastroenterology 2018；155：696-704.

9) Murashima A, et al：Ann Rheum Dis 2009；68：1793-1794.

10) Mahadevan U, et al：Clin Gastroenterol Hepatol 2013；11：286-292.

11) Kane S, et al：J Clin Gastroenterol 2009；43：613-616.

12) Fritzsche J, et al：J Clin Gastroenterol 2012；46：718-719.

13) Saito J, et al：Rheumatology（Oxford）2018；57：1499-1501.

Question 3

妊娠中に bDMARD を使用していた母体より出生した児に対する生ワクチン（ロタウイルスワクチン・BCG ワクチン）の投与はどのようにしたらよいか？

背 景

妊娠末期まで bDMARD を使用する患者では，bDMARD は胎盤を介して胎児に移行し，出生後も児の血中に一定期間残存する．これらの児に生ワクチンを接種した場合に bDMARD の影響を受ける可能性があり，母体が使用した bDMARD の種類・期間，生ワクチンの種類や接種時期を考慮する必要がある．

Answer

妊娠末期まで bDMARD を使用していた母体より出生した児に対する生ワクチン接種は 6 か月以降とする．ロタウイルスワクチンの接種は見送り，BCG は少なくとも 6 か月を過ぎてから接種する．

解 説

IFX で治療されていた母体から出生した児が，生後 3 か月で BCG の接種を受け，播種性 BCG 感染症が原因で死亡したという症例が報告されてから[1]，bDMARD で治療している母体から出生した児の生ワクチン接種について注意喚起がなされるようになった．上記の症例の母親は分娩に近い時期まで IFX 治療を継続しており，胎盤を介して移行した IFX が児の血中に残存している時期に BCG 接種を受けた結果，播種性 BCG 感染症を発症したと推察された．TNF 阻害薬の胎盤移行性は製剤により異なり，IgG 製剤である IFX，ADA は母体よりも胎児の血中濃度が高く[2,3]，ETN ならびに CZP はほとんど移行しないこと[2,4]が示されている．TCZ は報告によって数値は異なるが[5~7]，IgG 製剤である割に移行率はさほど高くない．bDMARD の中で児への移行量が多い IFX，ADA を妊娠末期まで使用していた例において，これらの薬剤が出生 6 か月まで児の血中に検出されたとの報告がある[2,3]ことから，妊娠末期まで bDMARD を継続して使用していた場合には児への生ワクチン接種時期は 6 か月以降とする．わが国の 0 歳児が受けるべき定期予防接種のうち，生ワクチンはロタウイルスワクチンと BCG ワクチンである．以下，ワクチンごとに解説する．

(1) ロタウイルスワクチン

生ワクチン接種を生後 6 か月以降とする場合，ロタウイルスワクチン投与は 1 回目の標準的接種期間が生後 14 週 6 日までであることから，接種を見送ることとなる．近年，胎盤移行量が多い TNF 阻害薬への子宮内曝露例であってもロタウイルスワクチン接種により児に大きな影響はなかったとする報告が散見されるようになったため，今後，判断が変更となる可能性はある．実際に ACR のリウマチ・筋骨格系疾患患者における予防接種ガイドライン（2022 年）においては，TNF 阻害薬を妊娠第 2 もしくは第 3 三半期に使用した場合であってもロタウイルスワクチンを通常の接種時期に接種することが条件付きで推奨されている[8]．このガイドラインでは TNF 阻害薬以外にわが国で RA に適応のある bDMARD についての言及はない．

以下にロタウイルスワクチンに関する報告を示す．

bDMARD（おもに TNF 阻害薬）への子宮内曝露児がロタウイルスワクチンの標準接種時期に接種を受け，明らかな有害事象はみられなかったとする症例集積研究が複数ある[9~15]．また，bDMARD を使用した女性（IFX 19 例，CZP 12 例，ADA 7 例，IFX と CZP 1 例，ウステキヌマブ 1 例）より生まれた児のうち，ロタウイルスワクチン接種例でデータが得られた 40 児において，6 例（IFX 5 例，ADA 1 例）に発熱，1 例（IFX）に下痢がみられた[16]．これは一般集団で予想される頻度と同程度であると著者らは考察している．CDC とワクチン安全性データリンクからの報告では，妊娠中に bDMARD（ETN 25%，ADA 21.4%，IFX 19.9% を含む）の処方を受けた母親から出生した 960 児のうち，ロタウイルスワクチン接種を受けた 929 児において，生後 1 年以内に下痢，血便，嘔吐と診断された頻度は bDMARD の処方がなかった母親からの出生児と差はみられなかったと報告されている[17]．

(2) BCG ワクチン

わが国において BCG ワクチンの標準接種推奨時期（2013 年～）は生後 5~8 か月となっている．

英国からの SR では，bDMARD に子宮内曝露された児に対する生ワクチン接種の影響が検討され，ADA，CZP，ETN，IFX，GOL，TCZ，ウステキヌマブへの子宮内曝露がある 276 例が研究対象となった[18]．このうち 215 例に BCG ワクチンが接種され，上述した死亡例が 1 例[1]と副反応が 7 例にみられた．副反応がみられた 7 例中 6 例は生後 1 か月未満に BCG ワクチン接

種を受けており，7 例とも IFX への曝露症例であった．副反応は抗結核療法を必要とすることなく消失している．副反応がみられなかった症例の多くは，主に TNF 阻害薬への子宮内曝露児（多くは第 3 三半期の曝露）で生後 1～8 か月に BCG ワクチンを接種していた．同論文内には SR で抽出された論文からの情報以外に Medicines and Healthcare Products Regulatory Agency への情報開示請求で得た症例が掲載されており，TNF 阻害薬に胎内で曝露された児における 4 件の致死的播種性 BCG 感染症が明らかになっている．これらの母体の使用薬剤は 2 例が IFX，1 例が ADA，1 例は種類不明の TNF 阻害薬であったが，曝露時期や BCG ワクチン接種時期などの詳細は不明である．

これまでの情報をふまえ，bDMARD の子宮内曝露児への BCG ワクチン接種については，わが国での標準的な接種期間も勘案し，少なくとも 6 か月を過ぎてから接種することが勧められる．

■文献

1）Cheent K, et al：J Crohns Colitis 2010；4：603-605.

2）Mahadevan U, et al：Clin Gastroenterol Hepatol 2013；11：286-292.

3）Zelinkova Z, et al：Aliment Pharmacol Ther 2011；33：1053-1058.

4）Murashima A, et al：Ann Rheum Dis 2009；68：1793-1794.

5）Saito J, et al：Rheumatology（Oxford）2019；58：1505-1507.

6）Moriyama M, et al：Scand J Rheumatol 2020；49：165-166.

7）Tada Y, et al：Rheumatology（Oxford）2019；58：1694-1695.

8）Bass AR, et al：Arthritis Care Res（Hoboken）2023；75：449-464.

9）Esteve-Solé A, et al：Front Immunol 2017；8：1123.

10）Lee KE, et al：Intest Res 2019；17：237-243.

11）Moens A, et al：J Crohns Colitis 2019；13：12-18.

12）Smith RC, et al：J Immunol Sci 2020；4：41-4.

13）Prieto-Peña D, et al：Clin Exp Rheumatol 2021；39：105-114.

14）Weiss B, et al：Front Pediatr 2022；10：935034.

15）Saito J, et al：Rheumatology（Oxford）2018；57：1499-1501.

16）Beaulieu DB, et al：Clin Gastroenterol Hepatol 2018；16：99-105.

17）Zerbo O, et al：Pediatrics 2022；150：e2021056021.

18）Goulden B, et al：Rheumatology（Oxford）2022；61：3902-3906.

4 ガイドラインを広めるために

2024
NEW

1) 診療ガイドラインの普及に向けた取り組み

　日本リウマチ学会より発刊されたこの「関節リウマチ診療ガイドライン 2024 改訂—若年性特発性関節炎 少関節炎型・多関節炎型診療ガイドラインを含む」を普及させることにより，RA 治療の標準化が一層進み，医療消費者の大きなメリットにつながることが期待される．医療提供者であるリウマチ専門医を対象とした診療ガイドラインであるが，日常臨床で十分に活用されるためには，RA 診療に携わるメディカルスタッフや協働的意思決定を行う医療消費者である患者自身にもその内容を理解していただくことが必要である．そのため，本診療ガイドラインの促進要因と阻害要因について，統括委員会で検討した．

　本診療ガイドライン普及の促進要因として，診療ガイドラインの配布と情報発信法が最も重要である．まず書籍での出版販売を行うが，「クイックリファレンス」や図表を豊富に用いることで，メディカルスタッフや医療消費者にも理解しやすい内容にするとともに，推奨作成関連資料の Web 公開により，医療提供者が必要とする情報を入手しやすいように配慮した．次に発刊後に，日本語のダイジェスト版を作成し，日本リウマチ学会およびその関連学会や団体，患者会，Minds ガイドラインライブラリ（Web サイト）などを通じて公開する．また，本診療ガイドラインに関する講演会やセミナーなどを開催してその普及に努める．

　本診療ガイドラインを RA 診療の質向上のための単なる情報源ではなく，実際に活用可能なものとするには，様々な阻害要因を想定し，それらに対処する必要がある．第一に，薬物治療では，副作用への懸念から診療ガイドラインに沿った治療が行われないケースがあると想定される．特に JIA，高齢者や妊娠・授乳期の患者ではその可能性が高い．そのため，本診療ガイドラインでは高齢 RA 患者の治療および合併症に関する推奨文を作成し，JIA と妊娠・授乳期についてもこの問題点に対応した．また，患者アンケート調査の結果を用い，患者代表の意見を推奨に取り入れるように努めた．リウマチ専門医は，本診療ガイドラインの患者教育の解説文を参考に効果的な患者教育を実施するとともに，患者の価値観・意向に加えて，利益と害のバラ

ンスの評価を十分に説明し，協働的意思決定を行うことが求められる．第二に，bDMARD や JAK 阻害薬が高価であることから，経済的にこれらの薬剤の使用がむずかしく，薬物治療のアルゴリズムに沿った治療が行われないケースが考えられる．本診療ガイドラインでは，バイオ後続品の推奨文を作成し，この問題に対応した．第三に，外科的治療の地域格差・施設間格差があげられる．RA に対する外科的治療は，手術手技，後療法に習熟した施設および術者によって行われるべきものが多く，格差解消のためには，短期的には十分な情報提供が，中・長期的には整形外科医の医療レベルの標準化や専門医の増加が求められる．第四に，術後を除く RA に対するリハビリテーション治療，特に維持療法を，外来において保険診療で行うのが困難な状況があげられる．介護保険を利用できる場合は，通所・訪問によるリハビリテーションは可能であるが，それ以外の場合にも，保険診療で運動療法・作業療法が指導・継続可能となるように，行政に働きかけ続ける必要がある．

2) 外部評価

　診療ガイドラインは，エビデンスの検索と質の評価，評価アウトカムの設定から推奨の作成に至る作成プロセスについての外部評価を受ける必要がある．本診療ガイドラインの評価は，外部評価委員 3 名による評価を受け，日本医療機能評価機構 EBM 普及推進事業（Minds）[1] による Appraisal of Guidelines for Research& Evaluation（AGREE）Ⅱ の公開前評価を受審中である（2024 年 3 月時点）．また，日本リウマチ学会，日本小児リウマチ学会，日本整形外科学会にパブリックコメントを依頼した．外部評価委員を，本ガイドライン作成に直接かかわっておらず，診療ガイドラインおよび RA 診療に精通している内科医 1 名，整形外科 1 名，小児科医 1 名の計 3 名のリウマチ専門医に依頼した．外的妥当性として本診療ガイドライン作成過程の妥当性に加え，RA 診療の現状に過不足ない内容が記載されているか否か，エビデンスの普及のための臨床現場への適用可能性と実現可能性について独立した評価が行われた．

(1) パブリックコメントへの対応

　2020 年版診療ガイドラインのパブリックコメントの主たる

内容と対応を以下に示す.

> ① CQ と推奨文の対応
> ② 推奨文の表現
> ③ 副腎皮質ステロイド（ステロイド）の使用法

①は, "十分なエビデンスが得られない等の理由により, 推奨文の内容は必ずしも当該 CQ と完全には対応していないこと"を明記した.

②は, 推奨文中の比較対象を明確にし, かつエビデンスを忠実に反映した表現に修正した.

③は, ステロイドの推奨の注記とアルゴリズムの図に関する貴重なご意見であった. 推奨の注記については, パネル会議での結論から導かれたもので, 推奨の内容と解説からご理解いただけるものと判断した. アルゴリズムは, 注記の記載を変更しご意見を反映した.

2024 年改訂版診療ガイドラインのパブリックコメントの主たる内容と対応を以下に示す.

> ① MTX 2.5mg 錠の記載
> ② RA の非薬物治療・外科的治療のアルゴリズムの解説に関する記載
> ③ JIA 少関節炎型・多関節炎型に対するステロイド関節内投与に関する記載
> ④ JIA 推奨 1 の記載
> ⑤ JIA 推奨 2 の記載
> ⑥ JIA 推奨 3 の記載

①は, MTX 2.5mg 錠は RA に対しては保険適用外の薬剤であり, 日本の RA 診療ガイドラインの推奨として記載することは困難と判断した.

②は, 非薬物治療・外科的治療を検討する時期が遅れてしまう可能性に関するご指摘であった. 本文の記載を修正し, ご意見を反映させた.

③は, 欧米では標準治療とされている JIA 少関節炎型に対するステロイド関節内注射の記載がないことについてのご指摘であった. 「第 4 章 6-1. 成人診療科リウマチ医のための若年性特発性関節炎診療の基礎知識と用語解説」の「1) JIA 診療の基礎知識 （3）JIA 少関節炎型・多関節炎型に適用のある薬剤とその用法用量」に, 国内で使用可能な治療として JIA に対するステロイド関節内注射について追記した.

④は, NSAID のみで滑膜炎が軽快する患児に対する MTX 投与の必要性に関するご指摘であった. JIA 推奨 1 が強い推奨であっても, 経験のある小児リウマチ医が NSAID のみで軽快する可能性を考慮して治療することを制限するものではないため, 修正なしとした.

⑤は, 条件付き推奨なので, その内容を記載する必要性に関するご指摘であった. 推奨のサマリーを「MTX あるいは bDMARD が使用可能な患者では, これらの薬剤を投与しないことを条件付きで推奨する」と修正した.

⑥は, 推奨文の「短期間」が「長期間」ではないかというご指摘と, 短期間のブリッジング治療としてステロイドの全身投与を行わない根拠がなく, 臨床での治療を制限しないようにしてほしいというご希望であった. 検討した論文がステロイドの短期投与の論文なので, 推奨文自体は問題ない. この推奨では, 効果がみられたアウトカムでもその効果は弱く, 望ましくない効果も様々なので, 条件付きで推奨しないと記載としている. また, 短期的なブリッジングについても, 注記に「疾患活動性が高い場合にはやむをえず」と記載している. 条件付きでステロイドの全身投与を行わないことを推奨しており, 実際に行われている治療を制限はしていないため, 修正なしとした.

（2）外部評価委員からの評価結果への対応

2024 年改訂版診療ガイドラインの外部評価委員からの評価結果と対応を以下に示す.

> **全般的なコメント**
> ① 2014 年版診療ガイドライン作成時に採用した GRADE 法がこのガイドラインでも有効に使用されている点は評価できる.
> ② ガイドラインに取り上げることが困難であった分野にも踏み込み, 全ライフステージの RA 患者を対象としている点が高く評価できる.
> ③ 薬価については, 2024 年度の薬価にアップデートすることを勧める.
>
> **各章に関するコメント**
> ① 推奨文一覧に各推奨文の本文が記載されているページ数を付記して, 読者が参照しやすいようにする.
> ②「第 1 章 1. 背景・特徴と使用上の注意」は本診療ガイドラインのイントロダクションとして重要な記載であり, また「第 2 章 2. 推奨の作成手順」が記載されたことで, 本診療ガイドラインの使い方が明確に示されており, よりよいものになっている.
> ③「エビデンスの確実性」は読者に誤解を与えやすい項目なので, 巻頭の説明記載の充実を希望する.
> ④ 本文における項目の評価と総体としてのエビデンスの評価に大きな乖離を感じる（特に bDMARD の項目, JIA 推奨 5 の項目）.
> ⑤「第 4 章 6. 小児および移行期・成人期の若年性突発性関節炎マネジメント 2. クリニカルクエスチョンと推奨（JIA 推奨 1～6）」に関する記載では, ガイドライン作成過程で担当者が十分に議論を尽くして作られたことがうかがえ, 現時点で修正すべき点はみられない.
> ⑥「第 4 章 6-1. 成人診療科リウマチ医のための若年性特発性関節炎診療の基礎知識と用語解説」で, 以下の点を検討していただきたい.
> ・JIA 関連ぶどう膜炎のリスク因子としての「女児」の妥当性
> ・JIA の疾患活動性を臨床的寛解, 低・中・高疾患活動性の 4 群に分けるための評価法と cut-off 値で採用した論文の追記

全般的なコメントへの対応

①と②は，特に対応なし．

③は，本診療ガイドラインでは「第 4 章 4. 関節リウマチ治療における医療経済評価」の表 2 に bDMARD および JAK 阻害薬の薬価と患者負担額を掲載し，解説文中および付録の Evidence to Decision テーブルの各所に薬価に関する記載がある．これらの薬価は執筆時点のものであり，2024 年改定の薬価一覧を，診断と治療社 Web サイト（https://www.shindan.co.jp/）の本書紹介ページに電子付録として掲載し，読者が参照できるようにする．

各章に関するコメントへの対応

①は，CQ と推奨一覧に参照ページの欄を追加した．

②は，特に対応なし．

③と④は，「エビデンスの確実性」の説明を追加するとともに，「全体的なエビデンスの確実性」についても新たに記載した．本診療ガイドラインは GRADE 法を使用しているので，重大なアウトカムの中に「エビデンスの確実性」が「低」または「非常に低」のアウトカムがあると，「全体的なエビデンスの確実性」も低くなる場合があること，同じカテゴリーの薬剤に対して，対象集団や使用条件が異なる複数の推奨を作成したことをわかりやすく説明した．

⑤は，特に対応なし．

⑥は，JIA 関連ぶどう膜炎のリスク因子としての「女児」の記載を削除した．JIA の疾患活動性を臨床的寛解，低・中・高疾患活動性の 4 群に分けるための評価法と cut-off 値を引用した論文（Consolaro A, et al：Pediatr Rheumatol Online J 2016；14：23）を追記した．

3) モニタリング・外部監査

(1) モニタリング

本診療ガイドラインを公開後，適用可能性を検証するためにモニタリングを実施する．

(a) モニタリングの指標

①　ガイドラインの利用状況

②　各推奨の遵守状況

③　各推奨内容の実践における問題点とその程度

(b) 各指標の測定方法

①と③は日本リウマチ学会の専門医を対象に，本診療ガイドライン出版から一定期間経過後にアンケート調査を実施し，本診療ガイドラインの利用状況，実践における問題点などについて質問し，その結果を集計する．②は保険データベースあるいはコホート研究のデータベースなどを用いて，各推奨の対象患者における遵守状況を検討する．遵守状況の評価基準として，推奨されている薬物治療（休薬を含む），手術，リハビリテーション，検査の実施割合などがおもな測定項目である．

(2) 監査

日本リウマチ学会に本診療ガイドラインを評価するための組織を設置し，モニタリング結果をふまえて本診療ガイドライン公開後の評価を実施する．監査結果を次回の本診療ガイドライン改訂に反映させる．

4) ガイドラインの改訂

本診療ガイドラインは，エビデンスが不十分な CQ については，future question として次回以降の改訂に委ねた．また，今後のさらなる新薬の承認や医療環境の変化が予測されるため，3 年後を目処にエビデンスの集積状況を考慮して改訂を検討する．改訂の際は改めて診療ガイドライン作成組織を編成する．

■文献

1) 日本医療機能評価機構 EBM 普及推進事業（Minds）ガイドラインライブラリ．https://minds.jcqhc.or.jp/

第 4 章

多様な患者背景に対応するために

1 わが国における関節リウマチ診療の実態

三重大学医学部附属病院リウマチ・膠原病センター／東京女子医科大学医学部膠原病リウマチ内科学講座　中島亜矢子
東京女子医科大学医学部膠原病リウマチ内科学講座／東京女子医科大学リウマチ性疾患先進的集学医療寄附研究部門　酒井　良子
昭和大学統括研究推進センター／東京女子医科大学医学部膠原病リウマチ内科学講座　井上　永介

　本研究班のリウマチ疫学分科会において，日本の90％以上の診療をカバーするとされる2017年度のNDB Japanを用いてRA患者の推定，処方薬剤，合併症，専門施設受診実態，およびこれらの都道府県別実態などを明らかにした．以下，わが国におけるRA診療の実態を示す．

1）RAの定義とRA患者割合の算出

　2017年4月から2018年3月までのNDB Japanを用いて，日本における16歳以上のRA患者数，患者割合，診療実態を検討した．NDB Japanのうち，各診療機関で保険診療を行った医科レセプト，DPCレセプト，および調剤レセプトを用いて，以下のようにRAを定義した．すなわち，RAに関する保険病名の確定病名が1回以上付与されており，1回の処方箋の処方日数にかかわらず，2017年度中に2月以上，何らかのDMARDの処方箋発行があった症例と定義した．RAの確定診断名を有した症例数は111.6万人，その中で上記の定義により，日本全体でのRA患者数は82.5万人，日本の人口データから，患者割合は0.65％と算出した．男女比は1：3.21で女性が76.2％であった．日本の人口分布データから算出した各年齢別の患者割合を**表1**[1]に示す．患者割合は，年齢が高くなるにつれ，70〜79歳で1.63％と最も高くなった．RA患者における年齢別割合を**図1**[1]に示す．70〜79歳が全体の28.6％を占め，次いで60〜69歳が26.4％を占めていた．

表1　年齢別RA患者の患者割合と男女比

年齢（歳）	患者割合（%）*	男女比（男性1に対して）
16〜19	0.03	2.76
20〜29	0.07	3.94
30〜39	0.18	3.84
40〜49	0.39	3.72
50〜59	0.78	3.67
60〜69	1.23	2.95
70〜79	1.63	2.89
80〜84	1.52	3.22
85〜	1.06	4.06
全体	0.65	3.21

＊日本の人口分析データより算出
（Nakajima A, et al：Int J Rheum Dis 2020；23：1676-1684 より作成）

2）RA患者への処方実態

　今回定義されたRA患者のうち，2017年度中1月以上処方されていたDMARDおよびその処方割合は，何らかのcsDMARD 95.0％，中でもMTXは63.4％，bDMARD 22.9％，JAK阻害薬0.9％，経口ステロイド42.1％，注射ステロイド11.1％，NSAID 62.4％であった（**表2，図2**）[1]．

　csDMARDの内訳は，MTX 63.4％，SASP 24.9％，BUC 14.5％，TAC 11.9％，IGU 9.2％，以下MZR，GST，LEFなどその他で8.4％であった（**図3**）[1]．

　bDMARDの内訳は，TNF阻害薬14.4％，IL-6阻害薬5.7％，T細胞選択的共刺激調節薬（ABT）3.9％であった（**表2，図2**）[1]．

① 年齢別薬物療法処方実態

　csDMARD，MTX，bDMARD，副腎皮質ステロイド（以下，ステロイド），NSAIDの年齢別処方割合を**表2**[1]および**図4**[1]に示す．何らかのcsDMARDを処方されていた患者は，40歳代以上で95％に及んでいた．MTX処方割合は40〜50歳代で最も高く70％を超え，その後は年齢が上がるとともに低下，85歳以上では40％以下となった．一方，経口ステロイド処方割合は40〜50歳代で最も低く，その後年齢が上がるとともに増加した．bDMARD処方割合は，20歳未満では50％以上であったが，年齢が上がるとともにその割合は低下し，85歳以上では13.7％であった．2017年度1年間の間に1度でも注射ステロイドを処方

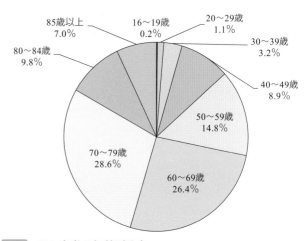

図1　RA患者の年齢別分布

（Nakajima A, et al：Int J Rheum Dis 2020；23：1676-1684 より作成）

表2 年齢別処方実態

	全例	年齢別								
		16〜19歳	20〜29歳	30〜39歳	40〜49歳	50〜59歳	60〜69歳	70〜79歳	80〜84歳	85歳以上
RA患者数（人）	825,772	1,626	9,293	26,811	73,201	122,602	217,714	236,407	80,583	57,535
csDMARD（%）	95.0	84.9	88.9	88.7	94.1	96.1	95.8	95.1	94.6	95.2
MTX（%）	63.4	60.4	61.4	61.3	71.5	73.0	69.2	61.4	50.5	38.2
SASP（%）	24.9	10.9	18.7	22.5	21.4	22.2	23.0	25.6	30.1	33.9
BUC（%）	14.5	1.5	6.6	8.1	10.3	12.3	14.0	15.3	18.0	22.6
TAC（%）	11.9	15.4	16.3	14.3	11.4	10.3	11.1	12.8	13.5	11.8
IGU（%）	9.2	3.7	7.3	8.2	9.9	9.9	9.3	9.3	8.9	7.4
bDMARD（%）	22.9	50.9	39.8	36.2	27.9	24.0	22.6	22.1	19.4	13.7
TNF阻害薬（%）	14.4	29.5	26.1	26.9	19.8	16.2	14.1	12.9	10.8	7.4
IL-6阻害薬（%）	5.7	22.7	13.2	8.8	7.0	6.2	6.1	5.3	4.2	2.7
ABT（%）	3.9	1.2	2.1	2.3	2.4	2.8	3.5	5.1	5.5	4.4
JAK阻害薬（%）	0.90	‐‡	0.85	0.78	0.98	0.99	1.00	0.97	0.66	0.37
経口ステロイド（%）	42.1	45.5	45.7	44.0	38.8	37.3	38.7	43.4	49.3	52.0
注射ステロイド（%）	11.1	4.7	7.0	8.8	9.8	11.2	10.8	11.6	12.7	12.0
NSAID（%）	62.4	56.0	61.5	64.8	67.1	66.0	61.8	61.0	62.0	56.9
オピオイド（%）	7.2	2.6	3.7	4.8	5.4	5.9	5.9	8.2	10.6	10.3

（Nakajima A, et al：Int J Rheum Dis 2020：23：1676-1684 より作成）

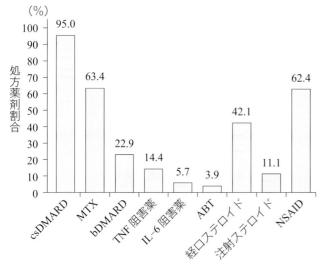

図2 RA患者に処方された薬剤

（Nakajima A, et al：Int J Rheum Dis 2020：23：1676-1684 より作成）

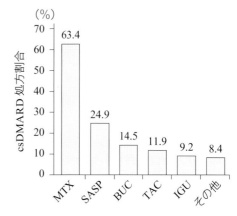

図3 RA患者に処方された csDMARD

（Nakajima A, et al：Int J Rheum Dis 2020：23：1676-1684 より作成）

されたのは20歳未満で4.7%，その後年齢が上がるごとに増加し85歳以上では12.0%であった．NSAID処方割合は，20歳以下で56.0%，40歳代で最も高く67.1%，85歳以上でも56.9%に処方されていた．オピオイドは，20歳未満で2.6%，その後年齢が上がるごとに増加し80歳代以上で約10%に処方されていた．

② 年齢別 bDMARD 処方実態

年齢別 bDMARD の処方実態を図5[1]に示す．bDMARD 全体，TNF阻害薬，IL-6阻害薬とも年齢が上がるごとに処方割合が低下した一方，ABT の処方割合は年齢が上がるごとに増加した．ABT に対する TNF阻害薬および IL-6阻害薬の処方割合比は，20歳未満の24.0，18.4から85歳以上の1.7，0.6へと低下した．

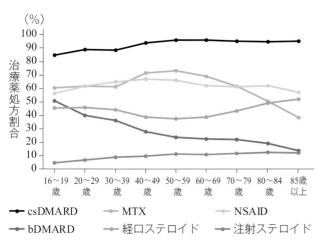

図4 年齢別治療薬処方実態

（Nakajima A, et al：Int J Rheum Dis 2020：23：1676-1684 より作成）

3）RA患者の関節手術実態

2017年度1年間に全体で11,100例に手術が行われていた．年

齢別の人工関節置換術，関節形成術，滑膜切除術数と RA 患者の中での割合を**表3**[1]に示し，手術数をグラフに示す**(図6)**[1]．

4) RA 患者の合併疾患保有実態

各疾患の確定病名と，対応する 1 剤以上の薬剤処方で定義した，RA 患者の年齢別合併疾患保有実態を示す**(表4, 図7)**[1]．心血管障害，脳血管障害，骨粗鬆症，糖尿病は，年齢が上がるごとにその割合が増加したが，うつは年齢を通じて 5％程度とほぼ一定であった．

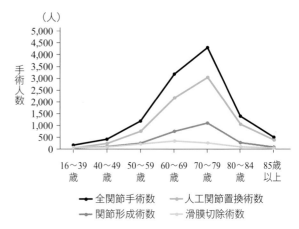

図6 年齢別関節手術の実態

（Nakajima A, et al：Int J Rheum Dis 2020；23：1676-1684 より作成）

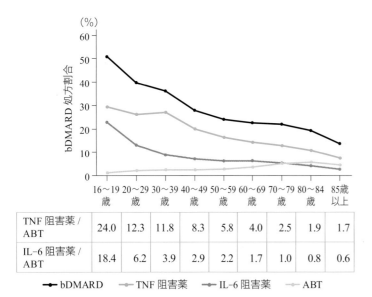

	16～19歳	20～29歳	30～39歳	40～49歳	50～59歳	60～69歳	70～79歳	80～84歳	85歳以上
TNF 阻害薬 / ABT	24.0	12.3	11.8	8.3	5.8	4.0	2.5	1.9	1.7
IL-6 阻害薬 / ABT	18.4	6.2	3.9	2.9	2.2	1.7	1.0	0.8	0.6

図5 年齢別 bDMARD の処方実態と ABT との処方比

（Nakajima A, et al：Int J Rheum Dis 2020；23-1676-1684 より作成）

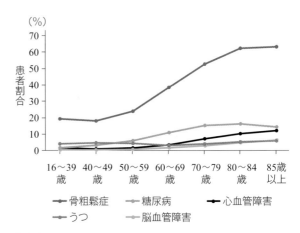

図7 年齢別合併疾患保有の実態

（Nakajima A, et al：Int J Rheum Dis 2020；23：1676-1684 より作成）

表3 年齢別関節手術の実態

	全例	16～39歳	40～49歳	50～59歳	60～69歳	70～79歳	80～84歳	85歳以上
RA 患者数（人）	825,772	37,730	73,201	122,602	217,714	236,407	80,583	57,535
全関節手術（%）	11,112 (1.35)	167 (0.44)	413 (0.56)	1,183 (0.96)	3,170 (1.46)	4,290 (1.81)	1,389 (1.72)	500 (0.87)
人工関節置換術（%）	7,670 (0.93)	53 (0.14)	231 (0.32)	756 (0.62)	2,169 (1.00)	3,036 (1.28)	1,050 (1.30)	375 (0.65)
関節形成術（%）	2,612 (0.32)	42 (0.11)	101 (0.14)	256 (0.21)	748 (0.34)	1,100 (0.47)	275 (0.34)	90 (0.16)
滑膜切除術（%）	1,106 (0.13)	74 (0.20)	97 (0.13)	210 (0.17)	339 (0.16)	262 (0.11)	85 (0.11)	39 (0.07)

（Nakajima A, et al：Int J Rheum Dis 2020；23：1676-1684 より作図）

表4 年齢別合併疾患保有の実態

	全例	16～39歳	40～49歳	50～59歳	60～69歳	70～79歳	80～84歳	85歳以上
RA 患者数（人）	825,772	37,730	73,201	122,602	217,714	236,407	80,583	57,535
心血管障害（%）	5.3	1.6	1.1	1.6	3.5	7.2	10.4	12.1
脳血管障害（%）	2.3	0.4	0.5	0.8	1.5	2.9	4.8	6.3
骨粗鬆症（%）	41.7	19.2	18.0	24.0	38.4	52.7	62.3	63.3
糖尿病（%）	11.1	1.6	3.3	6.1	10.8	15.2	16.2	14.2
うつ（%）	4.3	4.2	4.8	4.4	3.3	4.2	5.4	5.9

（Nakajima A, et al：Int J Rheum Dis 2020；23：1676-1684 より作成）

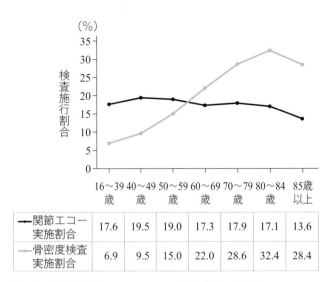

（Nakajima A, et al：Int J Rheum Dis 2020；23：1676-1684 より作成）

図8 年齢別関節エコー，骨密度検査実施の実態

5）関節エコー，骨密度検査実施実態

表5[1]，**図8**[1] に，関節エコー，骨密度検査実施実態を示す．ここまでの詳細は，文献1に掲載されている．

6）都道府県別 RA 患者割合，RA 治療薬処方割合，RA 関連手術実態

都道府県別RA患者割合（**図9**）[2]，RA治療薬処方実態（**図10，図11a, b**）[2]，都道府県別RA関連手術実態（**図12**）[2] を示す．

7）専門施設受診実態

専門医が在籍している診療施設もしくはリウマチ学会教育施設を「専門施設」と定義し，2017年度の受診実態を検討した．専門施設を1度も受診しなかった「専門施設受診なし」例は

表5 年齢別関節エコー，骨密度検査実施の実態

	全例	16〜39 歳	40〜49 歳	50〜59 歳	60〜69 歳	70〜79 歳	80〜84 歳	85 歳以上
RA 患者数	825,772	37,730	73,201	122,602	217,714	236,407	80,583	57,535
関節エコー（%）	17.6	17.6	19.5	19.0	17.3	17.9	17.1	13.6
骨密度検査（%）	22.5	6.9	9.5	15.0	22.0	28.6	32.4	28.4

（Nakajima A, et al：Int J Rheum Dis 2020；23：1676-1684 より作成）

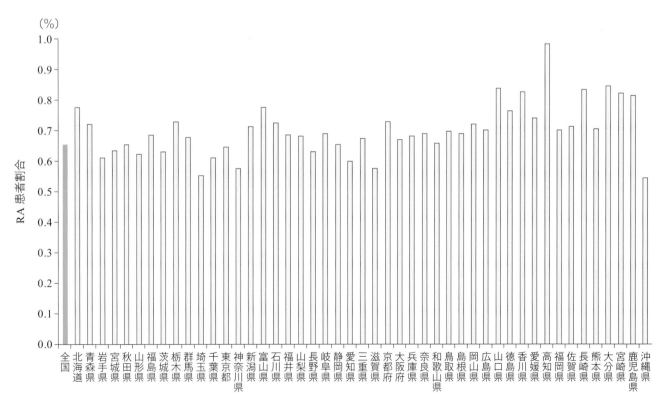

図9 都道府県別 RA 患者割合

（Nakajima A, et al：Mod Rheumatol 2022；32：105-113 より作成）

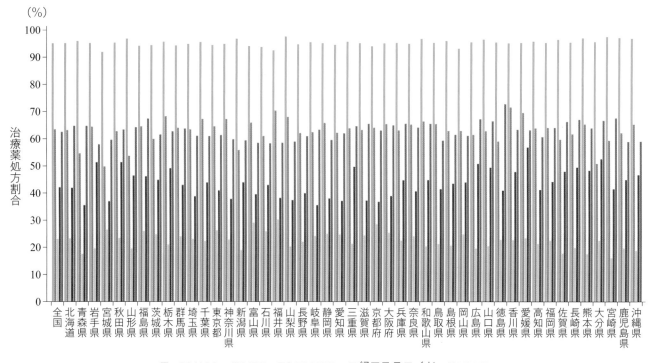

図10 都道府県別 RA 治療薬処方実態

(Nakajima A, et al：Mod Rheumatol 2022；32：105-113 より作成)

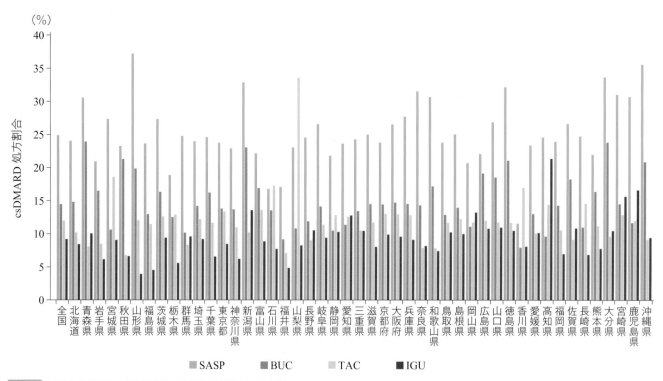

図11a 都道府県別 csDMARD（MTX 以外）処方実態

(Nakajima A, et al：Mod Rheumatol 2022；32：105-113 より作成)

31.8％，専門施設のみを受診した「専門施設のみ受診」例は 51.9％であり，専門施設と非専門施設の双方を受診した「専門施設受診歴あり」例は 16.4％であった**（図13a）**[2]．年齢別の専門施設受診実態を**図13b**[2]に示す．16〜19歳以下では約80％が専門施設のみを受診していたのに対し，年齢が高くなるごとに

専門施設受診割合は低下した．

2017年度の専門施設の受診実態の都道府県別割合を**図14**[2]に示す．専門施設を1度も受診しなかった患者の割合は全国平均で31.8％であり，それより10％以上専門施設受診がない患者の割合が高い県は12県25.5％であった．

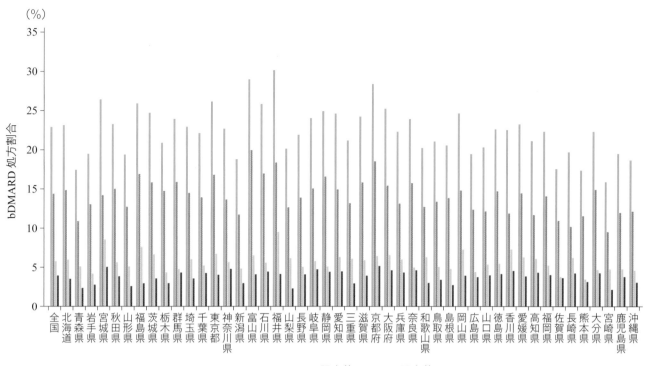

図 11b　都道府県別 bDMARD 処方実態

（Nakajima A, et al：Mod Rheumatol 2022：32：105-113 より作成）

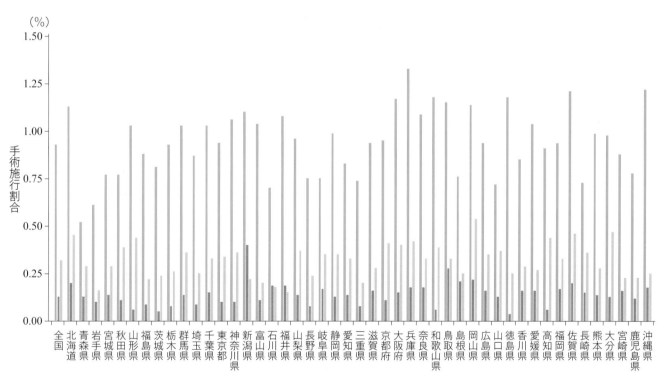

図 12　都道府県別 RA 関連手術実態

（Nakajima A, et al：Mod Rheumatol 2022：32：105-113 より作成）

8）専門施設受診実態別の MTX および bDMARD 使用実態

　都道府県別，専門施設受診なし例と専門施設のみ受診例にお

ける，RA の代表的治療薬である MTX および bDMARD の処方
実態を**図 15**[2]，**図 16**[2] に示す．MTX の処方割合は，専門施設受
診なし例と専門施設のみ受診例において，処方は同程度になさ
れていたが（**図 15**）[2]，bDMARD 処方割合は，専門施設受診な

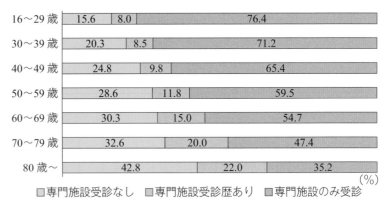

図13a RA患者の専門施設受診実態

図13b RA患者の年齢別専門施設受診実態

（Nakajima A, et al：Mod Rheumatol 2022；32：105-113 より a：作成，b：引用）

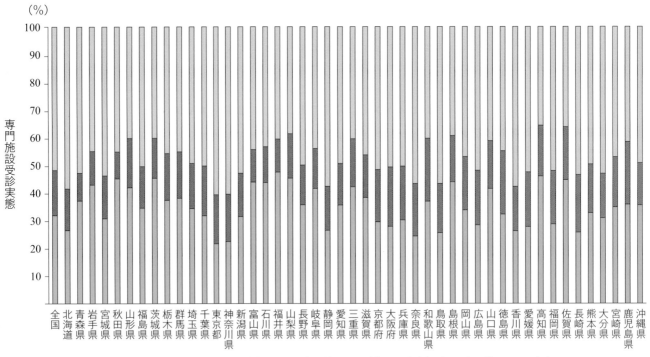

図14 RA患者の都道府県別専門施設受診実態

（Nakajima A, et al：Mod Rheumatol 2022；32：105-113 より引用）

し例と比較し，専門施設のみ受診症例のほうが高い傾向であった**（図16）**[2]．

　以上，2017年NDB Japanデータを解析し，上記のような日本のRA診療の実態を示した．

　今回，日本の1億2,000万人の90％以上をカバーするとされるNDB Japanを用いてRA患者82.5万人0.65％と初めて推定した．これまで日本のRA人口，患者割合については，Yamanakaら[3]，Kojimaら[4]が，それぞれ異なる約106万人，46.8万人のデータベースを用いて，70.6万人0.6％，82.2万人0.75％と推定していたが，本研究では選択バイアスの影響がより少ない大規模データを用いて推定した．

　本研究は2017年度の横断的検討であり，NDB Japanにおいては，患者の疾患活動性，身体機能障害度データなどは格納され

ていないため，本研究はあくまで処方実態・専門施設受診実態を示したものである．その治療の妥当性を検討するものではないことを申し添えておく．また，NDB Japanは保険病名に基づくものであり，その診断の妥当性の検証はこれまでなされていないものの，本研究で用いたDMARD処方によりRAを定義する方法と同様の手法で，韓国では診断の妥当性が最も高いことが報告されている[5]．今後，わが国においてもレセプト病名の妥当性の検証が進むことが望まれる．

　日本においては，リウマチ専門医の偏在があり，地域による診療格差があることは否めない．今回，日本のリウマチ診療の実態を示したことが，今後のRA診療の標準化および今後のRAの医療政策の改訂と立案に繋がる基礎的データに資することを期待する．

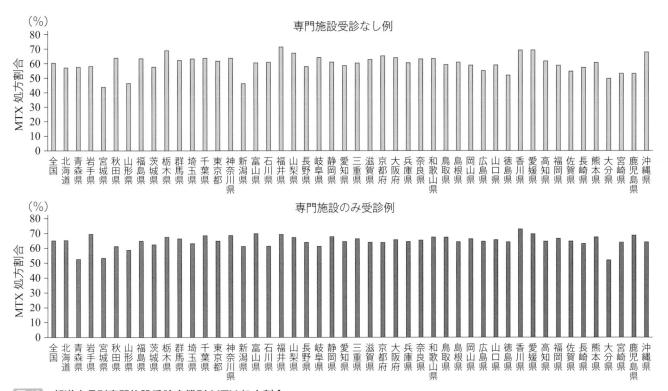

図15 都道府県別専門施設受診実態別 MTX 処方割合

(Nakajima A, et al：Mod Rheumatol 2022；32：105–113 より引用)

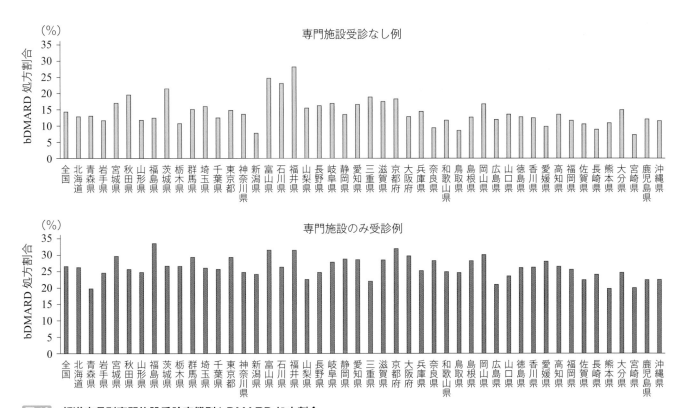

図16 都道府県別専門施設受診実態別 bDMARD 処方割合

(Nakajima A, et al：Mod Rheumatol 2022；32：105–113 より引用)

■**文献**

1）Nakajima A, et al：Int J Rheum Dis 2020；23：1676–1684.

2）Nakajima A, et al：Mod Rheumatol 2022；32：105–113.

3）Yamanaka H, et al：Mod Rheumatol 2014；24：33–40.

4）Kojima M, et al：Mod Rheumatol 2019；30：941–947.

5）Cho SK, et al：Rheumatol Int 2013；33：2985–2992.

2　本診療ガイドライン作成のための患者の価値観の評価〜患者アンケート調査〜

国立長寿医療研究センターフレイル研究部　小嶋　雅代
公益社団法人日本リウマチ友の会　長谷川三枝子

1）調査の目的と方法

2020 年版診療ガイドラインにおいて，患者の声をエビデンスとして反映させることを目的として自記式アンケート調査を実施した．前半は RA 患者の現状を把握するための質問を行い，後半は具体的な治療法に対する満足度を尋ねた．

調査対象者は 20 歳以上の公益社団法人日本リウマチ友の会（以下，日本リウマチ友の会）1,600 人とした．20〜49 歳 300人，50〜64 歳 500 人，65〜74 歳 500 人，75 歳以上 300 人を，各都道府県の会員数に合わせ層別に無作為抽出し，調査用紙，返信用封筒，調査協力依頼文を自宅住所に郵送した．調査票の発送・受取は日本リウマチ友の会に委託し実施した．調査期間は，2019 年 9 月 1 日〜20 日とした．

前回，2014 年版診療ガイドライン[1] の作成のために 2013 年 8月 12 日〜9 月 20 日に実施した調査と同様に，医療への満足度の 100 点満点中 81 点以上（前回調査の上位 3 分の 1 をカットポイントとした）を従属変数，「主治医とリウマチの治療目標について話し合ったこと」の有無，現在のリウマチの具合（PGA），1 年前と比べたリウマチの症状，罹病期間を独立変数，年齢，性別を調整因子として，ロジスティック回帰分析を用いて分析した．

薬物治療および手術治療に対する受け止め方については，薬物治療については，MTX，副腎皮質ステロイド（以下，ステロイド），合成抗リウマチ薬，bDMARD，JAK 阻害薬，および抗 RANKL 抗体について，受けたことがあるか，良い効果があっ

たか，副作用は強かったか，投与を受けて良かった点が悪かった点を上回るかどうかを尋ねた．手術治療についても，股・膝・肘・肩・足関節について，手術を受けたことがあるか，手術を受けた時期，期待した効果が得られたか，不都合があったか，手術を受けて良かったと思うか，再手術を受けたかについて尋ねた．なお，各手術の効果については，初回の手術についてのみ尋ねた．

患者にとって治療の利益が害を上回るか，各薬物および手術部位における回答のばらつきを比較するために，「投与を受けて良かったと思うか」および「手術を受けて良かったと思うか」については，悪い点のほうが多い＝1，どちらともいえない＝2，良い点のほうが多い＝3 として，中央値からの平均絶対偏差（MAD median，それぞれの値と全体の中央値との差の絶対値の平均値）を算出し，MAD median が大きいほど患者評価のばらつきが多く，小さいほどばらつきが少ないと定義した．

2）回答者の基本情報

表1 に質問紙回答者の年齢，診断時の年齢，罹病期間，PGA，医療への満足度を示す．

調査期間中に 1,156 通の返送があり，回答率は 72.3％であっ

表1　質問紙回答者の年齢，罹病期間，現在の PGA，医療への満足度

	回答者数（人）	平均値	標準偏差	最小値	最大値
年齢（歳）	1,140	63.0	11.9	21	93
診断時の年齢（歳）	1,141	41.2	14.5	2	81
罹病期間（年）	1,129	21.8	13.5	0	67
PGA（0〜100）	1,132	32.4	23.8	0	95
医療への満足度（0〜100）	1,140	75.9	17.1	0	100

全体の回答者数は 1,156 人

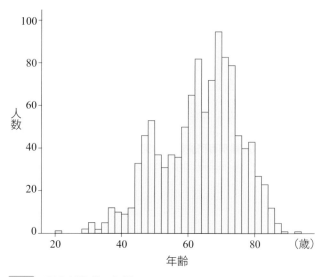

図1　調査対象者の年齢

た．そのうち男性は96人（8.3%），女性は1,038人（89.8%），不明・無回答が22人（1.9%）であった．

世代別回答率は20〜49歳65.0%（195人），50〜64歳76.0%（380人），65〜74歳73.4%（377人），75歳以上62.7%（188人）であった．ほぼ全員（1,128人，97.6%）が現在，医療機関（医院，診療所を含む）でリウマチの治療を受けていると回答した．

回答者の平均年齢は63.0±11.9歳であった（最小21-最大93，不明16人，**図1**）．

RA（あるいは若年性特発性関節炎）と診断された時の平均年齢は41.2±14.5歳であった（最小2-最大81歳，不明79人，**図2**）．

3) 現在のリウマチの具合について

① 「今日の全体的なリウマチの具合はどうですか?」（PGA，図3） 「現在のリウマチの症状は1年前と比べてどうですか?」（図4）

PGAの平均値は32.4±23.8で，15前後に大きなピークがあり，50前後にも小さなピークがみられた（**図3**）．20以下が最も多く半数近くを占めた（462人，40.0%）．

1年前と比べた症状の変化については（**図4**），「変わらない」が最も多く（662人，57.0%），次いで「良くなった」（214人，18.5%），「悪くなった」（212人，18.3%），「寛解した」（56人，4.8%），未記入（12人，1.0%）の順であった．

② 「関節機能や筋力・体力の維持のために調子のよいときに心がけていることがありますか?」（図5）

関節機能や筋力・体力の維持のために「何もしていない」との回答は192人（16.6%）だった．「食事に気を付ける」との回答が550人（47.6%）と最も多く，次いで「ストレッチ運動をする」501人（43.3%），「ウォーキングをする」357人（30.9%），「筋力トレーニングをする」215人（18.6%），「水泳をする」56人（4.8%）であった．「その他」と回答した人が290人（25.1%），無回答12人（1.0%）であった．

③ 今受けている医療にどのくらい満足していますか?

医療への満足度を100点満点で評価した値は61〜80点が最も多く（506人，43.8%），81点以上は394人（34.1%），41〜60点が195人（16.9%），21〜40点が36人（3.1%），0〜20点が9人（0.8%）とつづいた（無回答16人，1.4%）．平均値は75.9±17.1点であった．

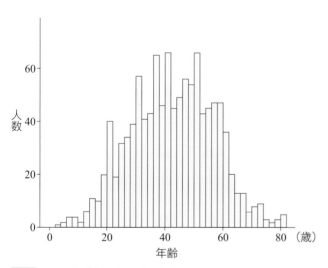

図2 RAと診断された時の年齢

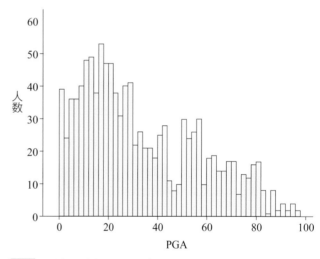

図3 現在のリウマチの具合 PGA

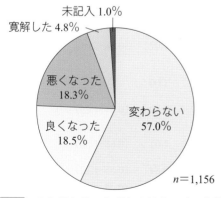

図4 1年前と比べた現在のリウマチの症状

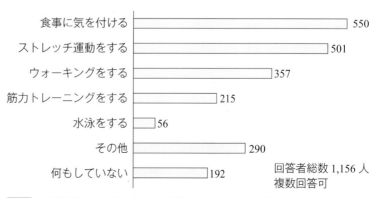

図5 関節機能や筋力・体力の維持のためにこころがけていること

④ 「主治医とリウマチの治療目標について話し合う」こと（図
6）と医療への満足度との関連（表2）

「主治医とリウマチの治療目標について話し合ったことがある」と回答した者の割合は450人（38.9%），「説明を受けたこ

とがある」392人（33.9%），「どちらもない」287人（24.8%），未記入27人（2.3%）であった（図6）.

表2に「医療への満足度」と「主治医と治療目標について話し合ったことがあるか」，「1年前と比べたリウマチの症状」，「全体的なリウマチの具合（PGA）」，「罹病期間」との関連を示す.

主治医と治療目標について「話し合ったことがある」と回答した者は，話し合ったことも説明を受けたことも「どちらもない」と回答した者に比べ，現在受けている医療に満足している見込みが6倍以上高かった（未調整OR＝6.19，調整OR＝7.13）.医療への満足度に対する他の関連要因としては，「前年よりも症状が悪くなった」場合には満足度を得にくく，現在のリウマチの具合が良ければ（PGA≦10）満足度を得やすいという結果が得られた.罹病期間が長い（32年以上）と医療への満足度を得にくい傾向がみられたが，他項目の調整後は有意な関連は消失した.

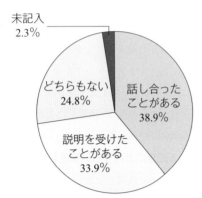

未記入
2.3%

どちらもない
24.8%

話し合った
ことがある
38.9%

説明を受けた
ことがある
33.9%

図6 主治医との話し合い「主治医とリウマチの治療目標について話し合ったことがあるか」

表2 「医療への満足度」の関連要因

	人数	全体に占める%	医療への満足度が81点以上の人の割合		項目ごとの解析			性・年齢，すべての項目の影響を調整した解析		
			人数	%	OR	（95%CI）	p値	OR	（95%CI）	p値
現在の主治医とリウマチの治療目標について話し合ったことがありますか？										
どちらもない	287	24.8%	39	13.6%	1.00			1.00		
話し合ったことがある	450	38.9%	222	49.3%	6.19	（4.21-9.10）	＜0.001	7.13	（4.72-10.8）	＜0.001
説明を受けたことがある	392	33.9%	125	31.9%	2.98	（2.00-4.44）	＜0.001	3.36	（2.20-5.13）	＜0.001
未記入	27	2.3%	8	29.6%	2.68	（1.10-6.54）	0.03	2.81	（1.05-7.52）	0.04
現在のリウマチの症状は，1年前と比べてどうですか？										
変わらない	662	57.3%	236	35.6%	1.00			1.00		
寛解した	56	4.8%	33	58.9%	2.59	（1.49-4.51）	0.00	1.15	（0.60-2.21）	0.68
良くなった	214	18.5%	81	37.9%	1.10	（0.80-1.51）	0.56	0.85	（0.59-1.21）	0.35
悪くなった	212	18.3%	39	18.4%	0.41	（0.28-0.60）	＜0.001	0.44	（0.29-0.67）	＜0.001
未記入	12	1.0%	5	41.7%	1.29	（0.40-4.11）	0.67	3.54	（0.79-15.9）	0.10
今日の全体的なリウマチの具合はどうですか？										
PGA＞10	907	78.5%	252	27.8%	1.00			1.00		
PGA≦10	225	19.5%	137	60.9%	4.07	（3.00-5.52）	＜0.001	3.72	（2.61-5.30）	＜0.001
未記入	24	2.1%	5	20.8%	0.87	（0.34-2.22）	0.77	1.07	（0.38-3.01）	0.90
罹病期間										
12年未満	304	26.3%	118	38.8%	1.00			1.00		
12年以上21年未満	284	24.6%	99	34.9%	0.84	（0.60-1.18）	0.32	0.89	（0.61-1.29）	0.53
21年以上31年未満	267	23.1%	94	35.2%	0.86	（0.61-1.20）	0.37	1.01	（0.68-1.50）	0.95
32年以上	274	23.7%	80	29.2%	0.65	（0.46-0.92）	0.02	0.84	（0.55-1.27）	0.40
未記入	27	2.3%	3	11.1%	0.20	（0.06-0.67）	0.01	0.23	（0.03-2.04）	0.19

ロジスティック回帰分析により算出（解析対象人数1,156人）.すべての項目の影響を調整した解析では，性・年齢が不明なものは除外（解析対象人数1,130人）.

表3 薬物治療に対する患者の評価

	MTX 1,055 人		ステロイド 873 人		合成 抗リウマチ薬 875 人		bDMARD 745 人		JAK 阻害薬 67 人		抗 RANKL 抗体 104 人	
良い効果の有無	人数	％	人数	％	人数	％	人数	％	人数	％	人数	％
なかった	68	6.4	31	3.6	195	22.3	16	2.1	10	14.9	5	4.8
どちらともいえない	250	23.7	179	20.5	317	36.2	54	7.2	13	19.4	62	59.6
あった	716	67.9	656	75.1	352	40.2	667	89.5	44	65.7	35	33.7
無回答	21	2.0	7	0.8	11	1.3	8	1.1	0	0.0	2	1.9
副作用の有無	人数	％	人数	％	人数	％	人数	％	人数	％	人数	％
強い	287	27.2	279	32.0	171	19.5	114	15.3	15	22.4	4	3.8
どちらともいえない	347	32.9	340	38.9	353	40.3	260	34.9	27	40.3	51	49.0
弱い	392	37.2	230	26.3	329	37.6	351	47.1	24	35.8	45	43.2
無回答	29	2.7	24	2.7	22	2.5	20	2.7	1	1.5	4	3.8
投与を受けて良かったか	人数	％	人数	％	人数	％	人数	％	人数	％	人数	％
1．悪い点のほうが多い	116	11.0	111	12.7	151	17.3	24	3.2	7	10.4	4	3.8
2．どちらともいえない	385	36.5	415	47.5	473	54.1	154	20.7	27	40.3	72	69.2
3．良い点のほうが多い	531	50.3	327	37.5	227	25.9	553	74.2	33	49.3	27	26.0
無回答	23	2.2	20	2.3	24	2.7	14	1.9	1	1.5	1	1.0
中央値	3		2		2		3		2		2	
MAD median	0.60		0.51		0.44		0.28		0.59		0.30	

ばらつきの指標．MAD median：Mean absolute deviation about the median，中央値についての平均絶対偏差＝各値（xi から x の中央値を引いた値）の絶対値の平均値．

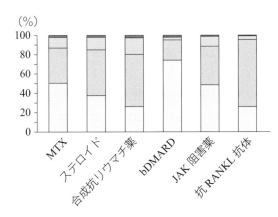

凡例：
□ 良い点のほうが多い　■ どちらともいえない
■ 悪い点のほうが多い　■ 無回答

図7 薬物治療に対する患者の評価「投与を受けて良かった点が悪かった点を上回りますか？」

表4 最初の手術を受けたのは何年前ですか？

	各部位の手術を受けたと回答した人数（人）	手術時期の回答者数（人）	平均値（年前）	標準偏差（年前）	最小値（年前）	最大値（年前）
股関節	106	104	14.4	8.5	0.0	30.0
膝関節	244	244	15.1	8.4	0.3	55.0
肘関節	78	74	14.2	8.1	1.0	41.0
肩関節	17	15	7.9	5.3	1.0	19.0
足関節	63	62	9.2	5.8	0.6	25.0

い点のほうが多い」との回答を上回ったが（図7），特にbDMARD は 74.2％（553 人）が「良い点のほうが多い」と回答し，ばらつきも小さかった（MAD median ＝ 0.28）．

4）薬物治療について

　表3に薬物治療に対する患者の評価の結果を示す．

　「良い効果があった」との回答割合は，bDMARD（667 人，89.5％），ステロイド（656 人，75.1％）で高く，合成抗リウマチ薬（352 人，40.2％），抗 RANKL 抗体（35 人，33.7％）では比較的低かった．副作用が「強い」との回答はステロイドが最も多く（279 人，32.0％），抗 RANKL 抗体が最も低かった（4人，3.8％）

　いずれの薬物治療も「良い点のほうが多い」との回答が「悪

5）手術治療について

　手術治療（人工関節置換術）を受けたことがあると回答したのは，339 人，全体の 29.3％であった．

　表4に受けた手術部位別人数と初回の手術時期を示す．膝関節が最も多く（244 人，21.1％），次に股関節（106 人，9.2％），肘関節（78 人，6.7％），足関節（63 人，5.4％），肩関節（17人，1.5％）であった．膝関節，股関節の置換術を受けた患者の半数は，両側の手術を受けていた．また，再手術を受けたことがある患者の割合が多かったのは，肘関節（17 人，21.8％），股

表5　手術治療（人工関節置換術）に対する患者の評価

	股関節 106人		膝関節 244人		肘関節 78人		肩関節 17人		足関節 63人	
期待した効果が得られたか	人数	％	人数	％	人数	％	人数	％	人数	％
なかった	3	2.8	5	2.0	7	9.0	2	11.8	6	9.5
どちらともいえない	3	2.8	18	7.4	14	17.9	5	29.4	18	28.6
あった	99	93.4	221	90.6	57	73.1	10	58.8	39	61.9
無回答	1	0.9	0	0.0	0	0.0	0	0.0	0	0.0
不都合があったか	人数	％	人数	％	人数	％	人数	％	人数	％
多かった	20	18.9	30	12.3	15	19.2	1	5.9	17	27.0
どちらともいえない	19	17.9	39	16.0	19	24.4	10	58.8	13	20.6
少なかった	67	63.2	175	71.7	43	55.1	5	29.4	33	52.4
無回答	0	0.0	0	0.0	1	1.3	1	5.9	0	0.0
手術を受けて良かったと思うか	人数	％	人数	％	人数	％	人数	％	人数	％
1.　後悔している	0	0.0	2	0.8	4	5.1	0	0.0	2	3.2
2.　どちらともいえない	9	8.5	27	11.1	20	25.6	6	35.3	23	36.5
3.　満足している	95	89.6	213	87.3	51	65.4	9	52.9	38	60.3
無回答	2	1.9	2	0.8	3	3.8	2	11.8	0	0.0
中央値	3		3		3		3		3	
MAD median	0.09		0.13		0.37		0.40		0.43	

ばらつきの指標，MAD median：Mean absolute deviation about the median，中央値についての平均絶対偏差＝各値（xiからxの中央値を引いた値）の絶対値の平均値.

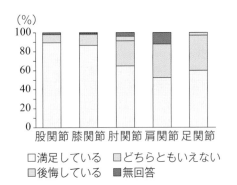

図8　人工関節置換術に対する患者の評価「手術を受けて良かったと思いますか？」

関節（21人，19.8％），足関節（10人，15.9％），膝関節（24人，9.8％），肩関節（1人，5.9％）の順であった.

　表5に受けた手術治療に対する患者の評価結果を示す. いずれの部位においても，「期待した効果が得られた」との回答が多く，特に股関節（99人，93.4％），膝関節（221人，90.6％）で高かった. 「不都合がありましたか」との質問に対しては，膝，股，肘，足関節では「少なかった」との回答が過半数を超えたが，肩関節では「どちらともいえない」との回答が6割近くを占めた.

　「手術を受けて良かったと思いますか」との質問に対しては（図8），いずれの部位でも「満足している」との回答が5割を超えた. 特に股関節は89.6％（95人），膝関節は87.3％（213人）と高く，ばらつきも極めて小さかった（MAD median＝0.09，0.13）.

6）考察

　前回から6年後の患者調査となった. 今回の調査参加者の平均年齢は63.0±11.9歳であった. 調査対象者は日本リウマチ友の会会員の年齢構成に合わせて層別に無作為抽出しており単純な比較はできないが，前回の2013年の調査参加者の平均年齢57.3±12.9歳に比べ5.7歳高くなっている. 診断時年齢の平均値41.2歳は前回調査の39.4±13.8歳よりも1.8歳増加しており，近年の高齢発症例の増加を反映しているといえる[2]. RAは今後，患者集団全体の高齢化がますます進むと予測されており[3]，加齢による心身の機能低下に対する備え，フレイル，サルコペニア予防が必要である. 今回の調査により，8割以上のRA患者が自らの関節機能や筋力・体力維持のために何らかの自助努力をしていることが明らかとなったことは心強い. 今後はRA患者の特性に配慮したフレイル，サルコペニア予防対策が講じられるべきであり，リウマチ専門医を中心とした多職種協働でのエビデンスに基づく有効なプログラムが開発されることが期待される[4,5].

　わが国におけるT2T実践[6]の指標となることを目指し，前回の調査と同様に「主治医とリウマチの治療目標について話し合っているか」を尋ねた. 残念なことに前回に比べ，「主治医とリウマチの治療目標について話し合ったことがある」と回答した者の割合は，42.7％から38.9％に低下し，「説明を受けたことがある」と回答した者の割合はほとんど変わらなかった（2014年33.3％，今回33.9％）. また，医療への満足度との関連につい

ても憂慮すべき結果であった．すなわち，治療目標について主治医と話し合ったことも説明を受けたことも「どちらもない」と回答した者に比べ，話し合ったことがある者が現在の医療に満足している見込みが有意に高いという結果は前回と同じであるが，OR が 2 倍近く上がっており（前回の未調整 OR = 3.47，調整 OR = 3.05，今回の未調整 OR = 6.19，調整 OR = 7.13），患者からみた医療の質の格差が広がっている可能性が懸念される．

薬物治療に関しては，bDMARD の患者評価が圧倒的に高いことが確認された．他の薬剤についてはある程度の効果は期待できるものの副作用も認められ，両者のバランスのもとに許容されている状況が再確認された．JAK 阻害薬と抗 RANKL 抗体については比較的新しい薬剤であり，回答者が少ないため，結果の解釈には注意が必要であるが，JAK 阻害薬は「良い点のほうが多い」が 49.3% であるのに対し，「どちらともいえない」も 40.3% と同程度あり，患者による評価のばらつきの大きいことが示された（MAD median = 0.59）．しかしながら，「悪い点のほうが多い」との回答は 10.4% と低く，合成抗リウマチ薬（17.3%）より少なかった．抗 RANKL 抗体と合成抗リウマチ薬については，いずれも「良い効果」を感じている者が 40% 前後で，「良い点のほうが多い」と回答した者の割合も 26% 前後と似通っているが，合成抗リウマチ薬では「副作用が強い」と回答した者が 19.5% あったのに対し，抗 RANKL 抗体では 3.8% にすぎず，また「悪い点のほうが多い」との回答も 3.8% と少なく，患者が感じるデメリットが小さいことが明らかとなった．今後，JAK 阻害薬，抗 RANKL 抗体については，長期的な使用に対する患者評価について，引き続き情報を収集・分析する必要がある．

手術治療については，いずれも高い患者満足度が得られていることが確認できた．特に，股関節，膝関節については，ばらつきも小さく，治療法が確立していると考えられる．肘，肩，足関節については回答者数が少ないため結論を得ることはできないが，股関節，膝関節に比べると，様々な改善の余地があるといえよう．

本調査の限界として，以下の点があげられる．第一に，調査対象者が日本リウマチ友の会の会員に限定されている点に留意する必要がある．現在のわが国の RA の患者数は 80 万人強と推計される[3]が，日本リウマチ友の会の会員数は調査時点で 1 万 5 千人を超え，全患者数の約 1.9% を占める．今回の調査では，都道府県別・年齢層別に 10 分の 1 の会員を無作為抽出して行

い，医療機関を経由せずに日本リウマチ友の会事務局より会員宅へ調査票を発送・返却を受け，広く偏りのない意見を収集するよう努めた．しかしながら，日本リウマチ友の会の会員は RA 患者全体の中では比較的罹病期間が長く，またリウマチ医療への期待・関心が高い人が多いと考えられる．本調査の回答率は 72.3% で，特に 50～64 歳では 76.0% と高かった．本調査において，「主治医とリウマチの治療目標について話し合ったことがある」と回答した患者は全体の 38.9% であったが，全国的にはこれより低い可能性がある．また，患者からみた医療の質の格差についても，会員間以上に広がっている恐れがあり，T2T のさらなる普及推進が必要である．第二に，今回は回収率・回答率を優先し，自記式選択式のアンケート調査としたため，質的な詳しい調査ができなかった点があげられる．本調査において，全般的には現在のリウマチの具合，以前と比べての体調の変化，そして医療者とのコミュニケーション・治療目標の共有の有無が患者満足度に大きな影響を与えることが確認された．また，いずれの薬物治療，手術治療においても，患者が「良い効果があった」と感じていても，必ずしも治療に満足しているとは限らないことが明らかとなった．しかしながら，各治療における患者の満足度の阻害要因の特定には至っておらず，また，個別の薬剤および人工関節置換術以外の手術療法についての評価も本調査では行っていない．治療に関する詳しい情報を収集・分析するうえで，今回のような自記式アンケート調査には回答の信頼性の問題から限界があり，インタビューなどを含むさらなる調査が求められる．

本診療ガイドラインが，全国の RA 医療の質の向上，患者からみたリウマチ医療の質の格差の縮小につながることを期待する．

■文献

1) 日本リウマチ学会：関節リウマチ診療ガイドライン 2014. メディカルレビュー社 2014.

2) Kato E, et al：Int J Rheum Dis 2017；20：839-845.

3) Kojima M, et al：Mod Rheumatol 2019；30：941-947.

4) Boots AM, et al：Nat Rev Rheumatol 2013；9：604-613.

5) Nawrot J, et al：J Rheumatol 2018；45：590-594.

6) Smolen JS, et al：Ann Rheum Dis 2010；69：631-637.

3 今日の関節リウマチ治療における患者教育

名古屋大学医学部附属病院整形外科　小嶋　俊久
国立長寿医療研究センターフレイル研究部　小嶋　雅代
名古屋大学医学部附属病院整形外科　祖父江康司
慶應義塾大学医学部リウマチ・膠原病内科　金子　祐子

1) 今日の RA 治療における患者教育の意義

21 世紀に入り，RA の薬物療法は劇的に進歩した．本診療ガイドラインは前回の 2014 年版診療ガイドラインと比べ，基本的な治療方針に変わりはないものの，裏づけとなるエビデンスが厚くなり，治療効果の確実性が格段に増している．それはすなわち，個々の患者に対して最適な治療を選択し提案する医療者側の責務の重さが増したといいかえることができる．そして，患者自身が RA についての正しい知識と理解をもち，主治医と協働して自らの治療目標を設定し，積極的に治療に参加することが，治療の継続性，および安全性を高めるうえで重要となっている．そうした認識のもと，2014 年版診療ガイドラインでは非薬物療法の中の 1 つとして取り上げられていた患者教育を，本診療ガイドラインでは別章としてまとめることとなった．

Education とは，本来，その人のもつ能力を引き出すという意味であり，教え授けるものではない．T2T を基本方針とする今日の RA 診療においては，単なる「患者教育」にとどまらない education こそが必要とされている．

2) EULAR の patient education に関するリコメンデーション

EULAR が 2015 年に発表した「炎症性関節炎患者に対する患者教育についてのリコメンデーション」（採用論文 1）はわが国においても大変有用と考えられるので紹介する（**表1**）．これは，T2T の実践には patient education が必須との認識のもと，欧州 10 か国から患者，看護師，作業療法士，理学療法士など多分野にわたる 15 人の専門家が集まり，膨大な文献レビューをもとに，2 つの基本的な考え方と 8 つの推奨から構成されるリコメンデーションをまとめたものである．その作成過程では，まず patient education とは何かを定義するところから，エビデンスをもとに徹底的に吟味された．その結果，patient education とは「計画的な双方向の学習過程であり，患者が炎症性関節炎を伴う生活を管理し，健康で幸せな暮らしができるよう支援することを目的とする」と定義され，医師と患者自身の双方向かつ能

動的な治療への参加，さらには，看護師，および他の医療スタッフのかかわりも重要であると述べられている．

本リコメンデーションは，2016 年ロンドンで開催された EULAR の STOPE 会議において各国の言語に翻訳し，それぞれの国で普及させるというプロジェクトが提案され，わが国では房間（大阪行岡医療大学，当時），中原（大阪行岡医療大学），金子，竹内（慶應義塾大学）によって翻訳された（採用論文 2）．今後は全国での普及と実装が図られる予定である．

3) RA 治療における患者教育の効果に関するエビデンス

2014 年版診療ガイドラインにおいては，「RA 治療において患者教育（patient education）は有用か」という CQ を立てて SR を行った．Cochrane review 1 件（参考文献 1）をもとに 2012 年まで追加文献検索を行い，5 件の RCT の結果をまとめたところ，身体機能，疼痛，患者全般評価，心理状況の改善については一貫して短期的な効果が認められるが，長期的な効果は不明と結論づけられた．

今回，2013 年から 2018 年まで追加検索を行ったところ，新たに 4 件の RCT（治療に関するパンフレットの配布の仕方，採用論文 3），患者個々の問題に対する教育による解決（採用論文 4），自己効力感への効果（採用論文 5），資料の種類による治療アドヒアランスへの影響（採用論文 6），および 2 件の SR（いずれも治療アドヒアランス，採用論文 7，8），1 件の学会リコメンデーション（採用論文 6）が CQ に合致した．このうち，今回の診療ガイドラインにおける重大アウトカムが取り上げられていたのは，患者主観的評価（RAPID3）（採用論文 4）および身体機能（HAQ-DI）（採用論文 6）について評価していた 2 件であるが，いずれにおいても教育介入によるこれらのアウトカムの有意な改善は認められなかった．患者教育自体に，薬剤のような，直接の治療効果はないため，これらのアウトカムで患者教育を評価することは困難である．採用論文 3 においては，一方的に，ケアに関するパンフレットを送った群に比し，請求に応じてパンフレットを送った群では，パンフレットの使用頻度は高かった．採用論文 4 において，患者それぞれの問題につ

表1　患者教育についての EULAR リコメンデーション

Recommendation（採用論文1より引用）	日本語版（STOPE Japan Committee 編）
Overarching principle	基本的な考え方
1. Patient education is a planned interactive learning process designed to support and enable people to manage their life with inflammatory arthritis and optimise their health and well-being	患者教育は，計画的な双方向の学習過程であり，患者が炎症性関節炎と付き合いながら自分自身の生活を管理し，健康で幸せな暮らしができるよう支援することを目的としている
2. Communication and shared decision making between people with inflammatory arthritis and their healthcare professionals are essential for effective patient education	炎症性関節炎患者と医療者とのコミュニケーションならびに共同意思決定は，効果的な患者教育に必要不可欠である
3. Recommendation	リコメンデーション
4. Patient education should be provided for people with inflammatory arthritis as an integral part of standard care in order to increase patient involvement in disease management and health promotion	患者教育は，炎症性関節炎患者に対する標準治療の欠かせない一部として提供されるべきである．それにより患者は疾患管理と健康増進に積極的にかかわることができる
5. All people with inflammatory arthritis should have access to and be offered patient education throughout the course of their disease including as a minimum; at diagnosis, at pharmacological treatment change and when required by the patient's physical or psychological condition	少なくとも，診断時や薬物治療の変更時，患者の健康状態または精神状態に応じて必要なときなどを含め，炎症性関節炎患者はすべて，病気の経過中いつでも患者教育を受けることができ，また，提供されるべきである
6. The content and delivery of patient education should be individually tailored and needs-based for people with inflammatory arthritis	患者教育の内容と伝達は，炎症性関節炎患者の個々のニーズに合わせるべきである
7. Patient education in inflammatory arthritis should include individual and/or group sessions, which can be provided through face-to-face or online interactions, and supplemented by phone calls, written or multimedia material	炎症性関節炎を対象とした患者教育は，個人セッションもしくはグループセッション，またはその両方を含めるべきである．それらのセッションは対面式またはオンラインでのやりとりを通じて提供され，補足的に電話や印刷物あるいはマルチメディア教材を使用することができる
8. Patient education programmes in inflammatory arthritis should have a theoretical framework and be evidence-based, such as self-management, cognitive behavioral therapy or stress management	炎症性関節炎を対象とした患者教育プログラムは，自己管理や認知行動療法，ストレス管理などの理論的枠組みを有し，エビデンスに基づいたものであるべきである
9. The effectiveness of patient education in inflammatory arthritis should be evaluated and outcomes used must reflect the objectives of the patient education programme	炎症性関節炎を対象とした患者教育の有効性は評価されるべきであるが，使用されるアウトカム評価の指標は必ず患者教育プログラムの目的を反映していなければならない
10. Patient education in inflammatory arthritis should be delivered by competent health professionals and/or by trained patients, if appropriate, in a multidisciplinary team	炎症性関節炎を対象とした患者教育は，十分な知識や技能をもった医療者もしくはトレーニングを受けた患者またはその両方，必要であれば分野横断的なチームによって提供されるべきである
11. Providers of patient education in inflammatory arthritis should have access to and undertake specific training in order to obtain and maintain knowledge and skills	炎症性関節炎を対象とした患者教育を行うものは，知識と技能を習得し維持するために特定のトレーニングを受ける機会をもつことができ，また受けるべきである

いて教育することは，その問題解決に対して効果があることが示された．採用論文5においては the Educational Needs Assessment Tool という質問紙を用い患者の必要度を評価し，教育指導を行い，自己効力感の有意な改善が示されている．いずれにおいてもそれぞれの患者が求めていることを把握することが，教育の効率を上げることを示唆している．

今回のSRにおいて，「治療に対するアドヒアランス」が新たなRA患者教育のアウトカムとして既報のSRに取り上げられていたことは特筆に値する（採用論文7，8）．薬物の効力が確実であれば，患者の治療に対するアドヒアランスは実際の治療効果の重大な決定要因となる．ちなみに，採用論文7，8では，2014年版診療ガイドラインで用いた Cochrane review に含まれる論文も多数あるが，いずれも介入によるアドヒアランス向上の一貫性のある効果は認めていない．採用論文6においては，マルチメディアを用いたときと，いわゆる講義によるもので，

治療アドヒアランスに差はなかった．アドヒアランスを向上させる介入方法とともに，アドヒアランスの低い患者をどのように支援していくかを検討すべきかもしれない．

4）患者の価値観・意向

今回の診療ガイドライン作成のための自記式アンケートの結果から（「第4章2. 本診療ガイドライン作成のための患者の価値観の評価〜患者アンケート調査〜」〔p.220〕参照），患者が治療の目標について合意のうえ，能動的に参加することが，受けている医療への「満足度」をあげるために重要であることが示された．

先に述べたように，patient education が，「計画的な双方向の学習過程であり，患者が炎症性関節炎を伴う生活を管理し，健康で幸せな暮らしができるよう支援することを目的とする」も

のであれば，患者と医師とのかかわり，医師と患者との協働的意思決定においても患者教育が重要であることはいうまでもない．

5) 患者教育に要するコスト，利益と害

　患者教育のコストについて，RA については難病外来指導管理料の加算はなく，保険診療で算定できるものは限られている．bDMARD の自己注射に対しては，在宅自己注射指導管理料が算定可能である．製薬企業から提供される教育資材を用いる場合もあるが，独自に教育資材を開発し使用している医療者・医療機関も多い．患者教育は各医療機関の時間的，経済的な負担となっており，今後わが国の RA 診療において一層の充実を図るためには，財源・制度上の裏づけが必要である．

　患者教育に関する害について直接的なエビデンスはないが，患者の価値観・ニーズをふまえず，一方的な押しつけと受け止められた場合には，身体的・精神的な負担となりうるため注意が必要であろう．患者教育の利益は 3) で吟味した直接的なものにとどまらず，EULAR リコメンデーション（採用論文 1, 2）にあるように，今日の RA 治療の基礎として必要不可欠なものとして理解すべきである．

6) おわりに

　今日の RA 治療には患者教育を超えた patient education の実践，すなわち，患者自身が，医療者と協働し，病気をもちながらも自分らしい生活を維持できるセルフマネジメント力を醸成していくことが求められている．わが国の RA 診療の場における patient education の取り組みはまだ検討の緒に就いた段階で，現況把握や実践に向けた障害に関する評価が行われている．今後いかに実践し普及させていくかが，現在 RA 診療に携わるわれわれの大きな課題である．

■採用論文

1) Zangi HA, et al：Ann Rheum Dis 2015；74：954-962.

2) 房間美恵，他：臨床リウマチ 2019；31：181-187.

3) Claassen A, et al：BMC Health Serv Res 2018；18：211.

4) Pot-Vaucel M, et al：Joint Bone Spine 2016；83：199-206.

5) Ndosi M, et al：Ann Rheum Dis 2016；75：1126-1132.

6) Unk JA, et al：J Am Assoc Nurse Pract 2014；26：370-377.

7) Lavielle M, et al：RMD Open 2018；4：e000684.

8) Galo JS, et al：Ann Rheum Dis 2016；75：667-673.

■作成関連資料一覧（作成関連資料に掲載）

資料 A　文献検索式

資料 B　文献検索フローチャート

資料 C　エビデンスプロファイル

資料 D　フォレストプロット

■参考文献

1) Riemsma RP, et al：Cochrane Database Syst Rev 2003；2：CD003688.

4 関節リウマチ治療における医療経済評価

東京女子医科大学医学部内科学講座膠原病リウマチ内科学分野　田中　榮一

2024 NEW

1) はじめに

　RA は，慢性炎症性疾患であり，関節破壊の進行に伴って関節の変形，身体機能の悪化をもたらす．そのため，QOL の大幅な低下をきたし多大な社会的経済的負荷の原因となる．RA のような慢性疾患では，継続的な通院や治療が必要であるため，生涯にわたる患者の医療費負担は大きいことが知られている．近年の RA 治療の飛躍的な進歩に伴い，さらなる医療費の高騰が懸念され，社会的にも重要な問題となっているにもかかわらず，わが国における RA の医療経済学的評価研究は欧米に比しほとんど行われていないのが現状である．わが国でも高騰する医療費の適正化を考えるうえで，RA 診療における医療経済の評価は重要であると認識されるようになっており，2020 年版診療ガイドラインにおいても，「第4章　多様な患者背景に対応するために」という章が作成され，その中で「関節リウマチ治療における医療経済評価」という項目が設けられた．日本における RA 医療費の現状や医療経済的検討（費用対効果），おもに海外における高額な RA 治療薬の費用対効果，bDMARD による RA の労働生産性への影響に関する検討などについて，特定非営利活動法人日本医学図書館協会の協力のもと，文献検索で得られた結果について述べた．本項では，それらの記載内容をそのまま維持しつつ，一部のデータをアップデートして記載する．

2) 医療費の分類（表1）

　医療費は，直接費用（direct cost）と，間接費用（indirect cost）からなる．直接費用は疾病に関連して実際に支払いが発生する費用で，投薬・処置・検査・手術・リハビリなどのため，病院や薬局などへ支払う直接医療費と，本人や家族が支払う疾病以外にかかる費用，すなわち交通費・自助具・介護費用・家の改修などの直接非医療費に分類される．間接費用は，本人や介護者の生産性・労働性の低下などによる社会的損失のことであり，①RA により仕事を休んだり，転職したり離職することなどによる生産性損失（absenteeism）と，②仕事は続けていても，RA のために以前と同様に仕事ができないことによる生産性損失（presenteeism）に分類される．RA は罹病期間が長期にわたる慢性疾患であり，身体機能低下を伴うため，直接費用のみならず，間接費用における疾病負担費も大きな問題になる．

3) 日本における RA 医療費の現状

　令和 2（2020）年度の日本における国民医療費は 42 兆 9,665 億円で，前年度の 44 兆 3,895 億円に比べ 1 兆 4,230 億円，3.2% の減少となっている（**図1**）[1]．人口 1 人あたりの国民医療費は 34 万 600 円，前年度の 35 万 1,800 円に比べ 3.2% の減少となっている[1]．傷病分類別医科診療医療費構成割合でも，RA が含まれる「筋骨格系及び結合組織の疾患」は，「循環器系の疾患」，「新生物（腫瘍）」に次ぐ第 3 位を占めている[1]．日本は 2007 年に，65 歳以上の人口の割合が全人口の 21% を占める超高齢社会へと世界に先駆けて突入した．今後も高齢者率は高くなると予測されており，高齢化に伴い，RA 医療費も高額になることが予想されている．

　東京女子医科大学膠原病リウマチ痛風センターにおける RA 患者の前向き調査である IORRA コホートを用いた RA 外来医療費の推移に関する検討[2]でも，RA 外来医療費が経年的に増加しており，特に bDMARD が使用可能となった 2003 年以降の増加が目立っている．また，直接医療費については，DAS28 にて評価した疾患活動性上昇，J-HAQ にて評価した身体機能障害悪

表1　医療費の分類

直接費用	直接医療費	外来医療費（投薬料・注射料・検査料・診察料など）
		入院医療費（入院基本料・手術料・食事料など）
		代替医療費（健康食品・民間薬・はり灸など）
	直接非医療費	本人や家族が支払う医療以外の費用（交通費・介護費用・家の改修費用など）
間接費用		本人や介護者の生産性・労働性の低下などによる社会的損失

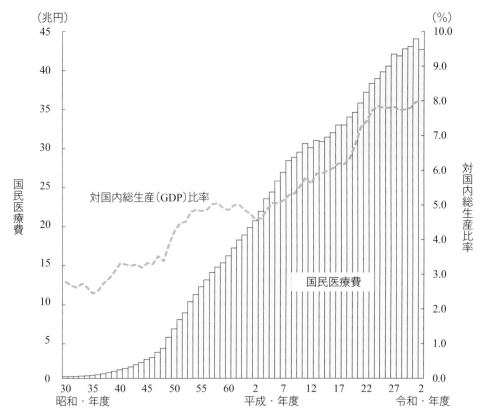

図1 令和2年度国民医療費の概況（国民医療費・対国内総生産比率の年次推移）

（厚生労働省：令和2年度国民医療費の概況．https://www.mhlw.go.jp/toukei/saikin/hw/k-iryohi/20/dl/data.pdf より引用）

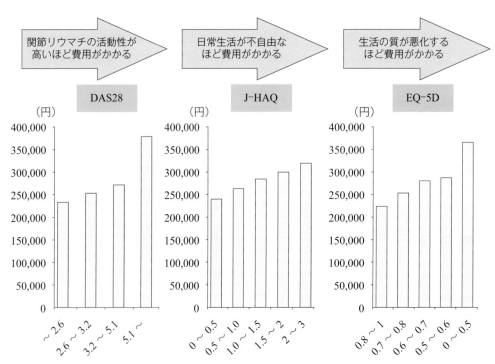

図2 各指標別にみた関節リウマチ患者1人あたりの年間直接医療費

（Tanaka E, et al：Mod Rheumatol 2013：23：742-751 より引用・改変）

化，QOLの指標であるEQ-5Dの悪化とともに高額になるという結果も得られた（**図2**）[3]．このことは，RAにかかわる費用は特にRA治療が不十分な場合に高額になるということを示している．RAを発症早期から積極的にコントロールすることにより疾患活動性が抑制できれば，身体機能障害も進まず，結果的に生涯の医療費が軽減できる可能性が考えられる．

4）RA 治療における高額な薬剤の医療経済的検討（費用対効果）の重要性

日本において 2023 年 9 月現在，3 種類のバイオ後続品（BS）を除くと 9 種類の bDMARD が使用可能であるが，いずれの製剤も csDMARD に比して著しく高価である．体重 50kg の RA 患者の自己負担額（3 割負担）は，多くの製剤で 1 か月あたり 20,000〜35,000 円と，薬剤の費用のみでも高額である（表2）．最近，RA に対し使用できるようになった JAK 阻害薬も 1 か月あたり 40,000〜45,000 円とさらに高額である（表2）．これらの薬剤は非常に有効性が高く，疾患活動性のみならず関節破壊や身体機能障害の進行を有意に抑制することが，多くの国内外の臨床試験や観察研究により示されているが，やはり費用対効果も検討しなければならない．

使用する薬剤の臨床的効果と経済的効率の両面を評価し，薬剤費用に見合った価値があるかどうかを分析する学問がファーマコエコノミクス（薬剤経済学）である．欧州を中心に高額な薬剤や医療技術に対する薬剤経済評価は医療政策の決定のためにすでに広く用いられており，特に英国では薬剤経済評価結果が薬価の決定や薬剤使用に際してのガイダンス作成に活用されている．英国には 1999 年に設立された NICE とよばれる評価機関と，NHS という税金でまかなわれる公的医療制度がある．NICE は医薬品や医療機器などの費用対効果の評価を行っているが，費用対効果がよくないと判断された場合は，NHS での使用が推奨されなくなる．たとえば，RA の bDMARD に関しては，csDMARD による併用治療が無効（うち 1 剤は MTX）で DAS28＞5.1 の場合にのみ使用できるという厳しいガイドラインがある．

日本においても，高額な医療技術の増加による医療保険財政への影響についての懸念から，医療技術の費用対効果評価の導入の検討を目的に，2012 年 5 月に中央社会保険医療協議会費用対効果評価専門部会が設置され，2016 年 4 月に一部の高額な抗がん剤や C 型肝炎治療薬に対する費用対効果評価の試行的導入が始まったが，RA に使用される高額な薬剤に対する薬剤経済評価の報告はほとんどないのが現状である．

RA のような慢性疾患の薬剤経済評価においては，おもに費用効用分析（cost-utility analysis）が用いられる．この方法においては，評価対象の医療技術および比較対照の医療技術について，「費用」と「効果」を別々に積算する．

このときに使われる概念が QALY であり，1 QALY* を獲得するための必要な費用が ICER** である．

*1 QALY（質調整生存年）＝完全に健康な状態で過ごす 1 年間
**ICER（増分費用効果比）＝新薬による増加費用／新薬による延長 QALY で求められる

日本においては ICER が 540 万円以下であれば医療経済学的

に許容しうると判断されている[4]．

筆者らは，日本の RA 患者の前向きコホート研究である IORRA の日常診療データに基づくシミュレーション分析により，日常診療で RA 患者に bDMARD を使用した場合の生涯の薬剤経済評価を行い，bDMARD を用いた治療群の費用対効果は，アンカードラッグである MTX を用いた治療群に比べて，ICER は 540 万円以下となり，十分許容可能な範囲であることを報告した（表3）[5]．これらの結果から，日本において bDMARD は高額であるが，必要な RA 患者に適切に使用することは，社会的な視点からも有用であるという可能性が示された．

5）RA 治療における医療経済的検討に関するエビデンス

「RA 治療において bDMARD または JAK 阻害薬を使用する場合，医療経済性を考慮すべきか？」という CQ に対し，Cochrane Library，医学中央雑誌，PubMed のデータベースを用いて，2013 年から 2018 年までの関連する文献を網羅的に検索した結果，RA 患者における bDMARD および JAK 阻害薬に関する医療経済的な検討を行っている 79 件が抽出された．このうち，32 件について詳細な検討を行った．わが国で RA に保険適用外である RTX に関する報告，bDMARD を含まない報告，ナースケア導入に関する報告など本 CQ に該当しない文献を除き，17 件を対象とした（表4）．このうち 6 件は csDMARD と bDMARD の比較であり[5]〜[10]，5 件は TNF 阻害薬や MTX に抵抗性の RA 患者における bDMARD 同士を比較した検討[11]〜[15]，4 件は bDMARD の減量や休薬の有無を比較する検討であった[16]〜[19]．その他として，1 件は bDMARD と JAK 阻害薬の比較[20]，1 件は IFX の RCT と日常診療との比較[21] であった．これらの報告では，RA における bDMARD 使用の費用対効果はおおむね良好ではあったが，一定の見解は得られていない．また，bDMARD が減量・休薬できるのであれば医療経済的には有用であるとする報告も散見された．しかしながら，文献による研究デザインやアウトカム，調査期間，個々の国での保険システムや薬価，ICER の閾値などのばらつきが大きいといった問題があるため，今回はメタ解析を実施しなかった．

前述した報告はほとんどが海外からの報告である．これらの検討はいくつかのレビューにもまとめられており[22][23]，bDMARD の使用は，csDMARD による治療と比較して，1 QALY あたりの ICER は容認可能とする報告が比較的多いものの，やはり一定の見解は得られていないのが現状である．海外では，このように bDMARD などの高額な薬剤に関する費用対効果の検討が行われているが，日本では RA に関する詳細な医療経済的な検討はほとんど行われていない．しかし，個々の国での保険システムや薬価が異なることによる「費用」の観点から，ま

表2　bDMARD および JAK 阻害薬の薬価および患者負担額の一覧

（体重 50kg の患者自己負担額〔3 割負担〕，2023 年 9 月現在）

作用対象	薬剤名（商品名）	薬剤名（一般名）	投与経路	薬価（円）	1 か月薬価(円)（28 日）	1 か月あたりの 3 割負担額（円）	年間（52 週）での 3 割負担額（円）
bDMARD（TNF 阻害薬）	レミケード 100（3mg/kg　1 回 / 8 週）	IFX	点滴	60,233	60,233	18,070	234,909
	レミケード 100（6mg/kg　1 回 / 8 週）		点滴	60,233	90,350	27,105	352,363
	レミケード 100（10mg/kg　1 回 / 8 週）		点滴	60,233	150,583	45,175	587,272
	インフリキシマブ BS「*」（3mg/kg　1 回 / 8 週）	IFX BS	点滴	24,994	24,994	7,498	97,477
	インフリキシマブ BS「*」（6mg/kg　1 回 / 8 週）		点滴	24,994	37,491	11,247	146,215
	インフリキシマブ BS「*」（10mg/kg　1 回 / 8 週）		点滴	24,994	62,485	18,746	243,692
	インフリキシマブ BS　CTH（3mg/kg　1 回 / 8 週）		点滴	24,994	24,994	7,498	97,477
	インフリキシマブ BS　CTH（6mg/kg　1 回 / 8 週）		点滴	24,994	37,491	11,247	146,215
	インフリキシマブ BS　CTH（10mg/kg　1 回 / 8 週）		点滴	24,994	62,485	18,746	243,692
	エンブレル 25 シリンジ（2 回 / 週）	ETN	皮下	10,860	86,880	26,064	338,832
	エンブレル 25 ペン（2 回 / 週）		皮下	10,450	83,600	25,080	326,040
	エンブレル 50 シリンジ（1 回 / 週）		皮下	22,140	88,560	26,568	345,384
	エンブレル 50 ペン（1 回 / 週）		皮下	20,417	81,668	24,500	318,505
	エタネルセプト BS25 シリンジ（2 回 / 週）	ETN BS	皮下	6,678	53,424	16,027	208,354
	エタネルセプト BS25 ペン（2 回 / 週）		皮下	6,422	51,376	15,413	200,366
	エタネルセプト BS50 シリンジ（1 回 / 週）		皮下	12,722	50,888	15,266	198,463
	エタネルセプト BS50 ペン（1 回 / 週）		皮下	12,421	49,684	14,905	193,768
	ヒュミラ 40 シリンジ（1 回 / 2 週）	ADA	皮下	52,931	105,862	31,759	412,862
	ヒュミラ 40 ペン（1 回 / 2 週）		皮下	51,022	102,044	30,613	397,972
	ヒュミラ 80 シリンジ（1 回 / 2 週）		皮下	104,672	209,344	62,803	816,442
	ヒュミラ 80 ペン（1 回 / 2 週）		皮下	99,143	198,286	59,486	773,315
	アダリムマブ BS シリンジ（1 回 / 2 週）	ADA BS	皮下	29,267	58,534	17,560	228,283
	アダリムマブ BS ペン（1 回 / 2 週）		皮下	27,884	55,768	16,730	217,495
	シンポニー 50 シリンジ（1 回 / 4 週）	GOL	皮下	113,149	113,149	33,945	441,281
	シンポニー 50 オートインジェクター（1 回 / 4 週）		皮下	109,382	109,382	32,815	426,590
	シンポニー 100 シリンジ（1 回 / 4 週）		皮下	226,298	226,298	67,889	882,562
	シンポニー 100 オートインジェクター（1 回 / 4 週）		皮下	218,764	218,764	65,629	853,180
	シムジア 200 シリンジ（1 回 / 2 週）	CZP	皮下	57,801	115,602	34,681	450,848
	シムジア 200 オートクリックス（1 回 / 2 週）		皮下	57,116	114,232	34,270	445,505
	ナノゾラ 30 シリンジ（1 回 / 4 週）	OZR	皮下	112,476	112,476	33,743	438,656
bDMARD（IL-6 受容体阻害薬）	アクテムラ 162 シリンジ（1 回 / 2 週）	TCZ	皮下	32,485	64,970	19,491	253,383
	アクテムラ 162 シリンジ（1 回 / 週）		皮下	32,485	129,940	38,982	506,766
	アクテムラ 162 オートインジェクター（1 回 / 2 週）		皮下	32,608	65,216	19,565	254,342
	アクテムラ 162 オートインジェクター（1 回 / 週）		皮下	32,608	130,432	39,130	508,685
	アクテムラ 400（8mg/kg　1 回 / 4 週）		点滴	54,665	54,665	16,400	213,194
	ケブザラ 150 シリンジ（1 回 / 2 週）	SAR	皮下	36,275	72,550	21,765	282,945
	ケブザラ 200 シリンジ（1 回 / 2 週）		皮下	47,777	95,554	28,666	372,661
	ケブザラ 150 オートインジェクター（1 回 / 2 週）		皮下	36,230	72,460	21,738	282,594
	ケブザラ 200 オートインジェクター（1 回 / 2 週）		皮下	47,958	95,916	28,775	374,072
bDMARD（T 細胞選択的共刺激調整薬）	オレンシア 250（500mg / 4 週）	ABT	点滴	54,444	108,888	32,666	424,663
	オレンシア 125 シリンジ		皮下	28,375	113,500	34,050	442,650
	オレンシア 125 オートインジェクター		皮下	28,547	114,188	34,256	445,333
JAK 阻害薬	ゼルヤンツ錠 5mg（2 回 / 日）	TOF	経口	2,660	148,954	44,686	580,922
	オルミエント錠 4mg（1 回 / 日）	BARI	経口	5,275	147,697	44,309	576,019
	スマイラフ錠 150mg（50mg＋100mg）（1 回 / 日）	PEFI	経口	4,578	128,178	38,454	499,896
	リンヴォック錠 15mg（1 回 / 日）	UPA	経口	5,089	142,498	42,749	555,741
	ジセレカ錠 200mg（1 回 / 日）	FIL	経口	4,894	137,021	41,106	534,381

2024 年改定の薬価一覧は下記の Web サイトの本書紹介ページにて掲載
〔https://www.shindan.co.jp/〕

表3 bDMARD 群と MTX 群の生涯累積費用

（社会的視点，薬剤費は 10 割で計算，2012 年の薬価を使用）・QALY の比較

	生涯累積費用（円）	QALY	ICER（円）（費用/QALY）
bDMARD 群（TCZ を含む）	34,853,554	11.066	3,817,871
bDMARD 群（TCZ を含まない）	36,668,104	10.831	4,885,450
MTX 群	24,264,393	8.292	reference

bDMARD 群（平均年齢 53 歳）の 1 人あたりの RA 患者に，生涯にかかる費用は，約 3,500～3,700 万円と，MTX 群（平均年齢 56 歳）の 2,400 万円に比し，高額であると推定された．一方，獲得できる QALY は，bDMARD 群のほうが大きく，TCZ の使用有無にかかわらず，ICER は 540 万円の閾値を下回った．

（Tanaka E, et al：Mod Rheumatol 2017：27：227–236 より引用・改変）

表4 関節リウマチにおける医療経済的検討に関するエビデンスの一覧

試験の内容（カッコ内は試験名）	調査内容（カテゴリー別）				評価を行った主要なアウトカム	調査期間	文献番号
	bDMARD 有無の比較	bDMARD 製剤間の比較	減量，休薬	その他			
MTX 単剤 vs. TCZ を含んだ bDMARD 群，または TCZ 含まない bDMARD 群（IORRA コホート）	○				Cost，QALY，ICER	生涯	5
早期 RA に対する triple vs. ETN（TEAR 試験）	○				Cost，QALY，ICER	60 か月	6
IFX vs. triple（SWEFOT 試験）	○				Cost，QALY，ICER	21 か月	7
ADA＋MTX 併用 vs. MTX 単剤（PREMIER 試験）	○				Cost，QALY，ICER	6 か月	8
ETN 半量 vs. ETN 通常量 vs. MTX	○				Cost，QALY，ICER	生涯	9
csDMARD vs. 抗 TNF-α 阻害薬	○				効果に対する Cost	NA	10
TNF 阻害薬不応に対する他の TNF 阻害薬，RTX，ABT の比較（SWITCH 試験）		○			Cost，QALY，ICER	48 週	11
TNF 阻害薬不応に対する他の TNF 阻害薬，RTX，ABT の比較		○			効果，Cost，QALY	12 か月	12
ABT vs. ADA（AMPLE 試験）		○			ACR 改善に対する Cost	24 か月	13
MTX 不応の TCZ，ETN，ADA の単剤投与の比較		○			NNT に対する Cost	6 か月	14
CZP vs. ADA，ETN，IFX		○			Cost，QALY，ICER	生涯	15
TNF 阻害薬中止 vs. 継続（POET 試験）			○		Cost，QALY，ICER	12 か月	16
TNF 阻害薬減量，中止（DRESS 試験）			○		Cost，QALY，DCER	18 か月	17
TNF 阻害薬減量，中止（DRESS 試験）			○		RA 再燃率，TNF-α 阻害薬使用割合	36 か月	18
TNF 阻害薬の間隔延長（STRASS 試験）			○		Cost，QALY，DCER	18 か月	19
TOF＋MTX vs. ADA＋MTX				○	Cost，QALY，ICER	6 か月	20
IFX（ATTRACT 試験，STURE 試験）				○	Cost，QALY，ICER	生涯	21

た，使用できる薬剤（MTX 使用量，日本独自の csDMARD〔BUC，TAC，IGU など〕，日本では RA に対する保険適用が認められていない csDMARD〔HCQ など〕や bDMARD〔RTX など〕）の違いや，さらには QOL や ICER の閾値が各国において，また時代背景によっても異なることなどの「効果」の観点からも，海外の医療経済評価に関する結果をそのまま日本にあてはめることは困難であると考えられる．今後，日本独自の医療経済的な検討結果の集積が求められる．

6）RA 治療における間接費用に関するエビデンス

　RA 治療における間接費用は，直接費用とほぼ同等から直接費用の 3 倍に相当するとするレビューもあり[24]，重要な社会的問題であることは疑いない．長期の RA 罹病期間，高齢発症 RA，多臓器合併症，高疾患活動性，低教育レベルなどが，就労障害に至るリスク因子として報告されているが，最も影響を与

表5　関節リウマチにおける労働生産性に関するおもなエビデンスの一覧

筆頭著者	報告年	国	研究デザイン	製剤	観察人数	RA 平均罹病期間（年）	観察期間	対照群	評価を行った指標	文献番号
Kimel	2008	北米，欧州など	RCT（PREMIER 試験）	ADA	268	0.7	2 年	あり（MTX 単剤群，米国一般集団）	SF-36，就労状況	27
Zhang	2008	カナダ	観察研究（CanAct 試験）	ADA	389	12.5	12 週	なし	HLQ	28
Halpern	2009	欧州，豪州，カナダ	RCT, open-label extension 試験（DE033 試験）	ADA	158	10.5	24 週	あり（ノルウェーのRA コホート）	仕事の継続期間	29
Anis	2009	欧州，南米，アジアなど	RCT（COMET 試験）	ETN	105	0.7	52 週	あり（MTX 単剤群）	WPAI，WLQ	30
Kavanaugh	2009	北米，欧州など	RCT（RAPID1，RAPID2 試験）	CZP	1,275	6.2	52 週	あり（MTX 単剤群）	WPS-RA	31
Eriksson	2013	スウェーデン	RCT	IFX	105	0.88	21 か月	あり（MTX＋SASP＋HCQ 群）	欠勤日数	32
Hone	2013	米国	観察研究	ETN	204	5.1	6 か月	なし	WPAI	33
Hussain	2015	サウジアラビア	観察研究（AWARDS 試験）	ADA	63	5.3	6 か月	なし	WPAI	34
Zhang	2015	欧州など	RCT（PRIZE 試験）	ETN	196	0.5	52 週	なし	VOLP	35
Emery	2016	A：欧州，北米など B：英国	RCT（A：OPTIMA 試験，B：PROWD 試験）	ADA	A：146 B：64	A：0.3 B：0.8	A：26 週 B：24 週	あり（MTX 単剤群）	RA-WIS，WPAI	36
Smolen	2016	欧州，南米，アジアなど	RCT（PRESERVE 試験）	ETN	763	6.9	36 週	なし	WPAI	37
Rendas-Baum	2017	北米，欧州など	RCT（A：ORAL-Step 試験，B：ORAL-Standard 試験）	TOF	A：267 B：405	A：6.99.0 B：11.3～13.0	2 年	あり（A：プラセボ群，B：プラセボ群とADA 群）	SF-36，就労状況	38
Takeuchi	2017	日本	観察研究（ANOUVEAU 試験）	ADA	1,808	6.4	48 週	なし	WPAI	39
Tanaka	2018	日本	観察研究（FIRST ACT-SC 試験）	TCZ-sc	377	6.9	52 週	あり（csDMARD 群）	WPAI，QOL	40
Westhovens	2019	ベルギー	観察研究	CZP	141	6.4	32～56 週	なし	WPS-RA	41
Michaud	2019	北米，欧州など	RCT（RA-BEAM 試験）	BARI	486	9	24 週	あり（プラセボ群とADA 群）	WPAI	42
Behrens	2020	ドイツ	観察研究	ADA	783	7.8	2 年	なし	WPAI	43

えている因子は身体機能障害の悪化であることが示されている[25) 26)]．また，高額な薬剤に関する費用対効果などの医療経済的検討を行う際は，直接費用のみならず，これらの間接費用も考慮した検討が望まれている．

「RA 治療において bDMARD または JAK 阻害薬を使用する場合は，使用しない場合と比べ労働生産性を改善させるか？」という CQ に対し，Cochrane Library，医学中央雑誌，PubMed のデータベースを用いて，2008 年から 2020 年までの関連する文献を網羅的に検索した．RA 患者における bDMARD または JAK 阻害薬の就労に対する影響を検討している抽出論文のうち，主要な 17 件の研究について詳細な検討を行った（**表5**)[27)～43)]．す

べての報告において，bDMARD または JAK 阻害薬の使用による RA 患者の就労状況の改善効果や労働生産性の改善効果が認められていた．これらの論文の研究デザインは，RCT のサブ解析として行われたものが 10 件，観察研究が 7 件であった．RCT のうち，RA 平均罹病期間が 1 年未満の早期 RA 患者に対する検討は 5 件あり，早期からの bDMARD 導入による労働生産性改善へのインパクトが示されていた．評価を行った製剤については，bDMARD が 15 件（TNF 阻害薬がほとんどであり，1 件のみ TCZ），JAK 阻害薬が 2 件であった．評価方法は，absenteeism，presenteeism，両者を併せた overall work impairment が評価可能な WPAI を使用した報告が多かったが，ほかにも様々な評価方

法が用いられていた。また、海外にて行われた研究が多くを占めたが、日本における検討も2件報告されている。日本においては、RA患者に対するADA（ANOUVEAU試験）[39]やTCZ導入（FIRST ACT-SC試験）[40]による就労改善効果が報告されたが、エビデンスはいまだ十分であるとはいえないのが現状である。欧米と比べると、家事に従事するRA患者の割合が多いという特殊性もあり、RAの間接費用に関する日本における独自の評価がさらに必要であろうと思われる。

7) RAにおけるバイオ後続品（バイオシミラー）について

近年、TNF阻害薬に対するBSが開発され、その普及が患者の経済的負担軽減や医療保険財政改善につながることが期待されている。BSはすでに使用許可を得た先行バイオ医薬品（RP）と類似したbDMARDである。すなわち、BSはRPとの比較試験で、品質、有効性、安全性においてバイオシミラリティ（同等性・同質性）が示された場合にのみ承認され、RPと同じ方法で適切な患者に使用することができる。本診療ガイドラインにおいても、「既存治療で効果不十分で中等度以上の疾患活動性を有するRA患者に、バイオ後続品は先行バイオ医薬品と比べ、同等に有用か？」と、「先行バイオ医薬品を使用中のRA患者に、バイオ後続品への切り替えは、切り替えない場合と同等に有用か？」というCQが、BSに関して採用されたが、これらに対する推奨作成に関するエビデンスの検討においても、BSはRPと同様に使用することができることを支持する結果が得られた。

欧州、特に北欧においては、国策としてRPからBSへの切り替えが積極的に行われており、急速にそのシェアが拡大している。これらのBSの開発・普及に伴い、BSの包括的原則とコンセンサスリコメンデーションが発表された[44]。この中で、「BSの利用は、RA疾患の個々の患者の治療コストを大幅に下げ、すべての患者にとって最適な治療へのアクセスを高める」と述べられており、このことがBS出現の大きな目的であり、意義であると思われる。BSがさらに安価な製剤となることで、これまで経済的に導入が困難であった患者においても使用可能になり、また、患者のRA治療に対するアドヒアランスの向上も期待できる。

わが国においても、2023年9月現在、IFX、ETN、ADAのBSがRAに使用可能であり、薬価はRPの約4～6割程度である（**表2**）。このように安価なBSの開発・普及が、RA医療費にとってよい影響を及ぼす可能性は高い。一方で、どのような患者でRPからBSに切り替えても問題ないのか、BS同士の切り替えは可能か、BSの長期の安全性は問題ないのかなども含め、BSに関するエビデンスはいまだ十分であるとはいえない。

個々の症例で適切にBSを使用していくために、今後もエビデンスを蓄積していく必要がある。

8) おわりに

分子標的治療薬の導入によりRA治療は各段に進歩したが、その反面、RA患者の経済的負担額は増加傾向にある。しかしながら、RA治療が早期より適切に開始され、関節破壊の進行を防止することができれば、将来的な関節手術の必要がなくなり、寝たきりにならず、介護を受ける必要もなくなり、さらに就労が可能となることなどが期待され、将来的な医療費は軽減される可能性がある。ただし、これまでに述べてきた多くのエビデンスは欧米における研究結果であり、日本におけるbDMARD、JAK阻害薬の費用対効果の検討はほとんどなされていないのが現状である。欧米の一部の国々では、新規薬剤の承認審査あるいは薬価審査において医療経済性評価成績が必要とされている。わが国でも高騰する医療費の適正化を考えるうえで、今後、RAのような慢性疾患における医療経済的評価はますます重要となるであろうと思われる。

さらに日本の保険医療には、国民皆保険制度、後期高齢者医療制度、高額療養費の支給制度、身体障害者制度、生活保護制度など、他国と異なる独自のシステムを採用している。この超高齢社会において、医療財政の破綻も危惧される中、日本における患者の自己負担に関する検討のみならず、間接費用や生命予後などの社会経済的な側面を考慮したRA医療費の検討の重要性がさらに増してくることは明白である。RAにおける医療経済的評価に関し、日本発の質の高いエビデンスを創出することは非常に重要であり、今後、ガイドラインにこれらのエビデンスが組み込まれることを期待したい。

■文献

1) 厚生労働省：令和2（2020）年度国民医療費の概況. https://www.mhlw.go.jp/toukei/saikin/hw/k-iryohi/20/dl/data.pdf

2) Tanaka E, et al：Mod Rheumatol 2010；20：46-53.

3) Tanaka E, et al：Mod Rheumatol 2013；23：742-751.

4) Shiroiwa T, et al：Health Econ 2010；19：422-437.

5) Tanaka E, et al：Mod Rheumatol 2017；27：227-236.

6) Jalal H, et al：Arthritis Care Res（Hoboken）2016；68：1751-1757.

7) Eriksson JK, et al：Ann Rheum Dis 2015；74：1094-1101.

8) Stephens S, et al：BMJ Open 2015；5：e006560.

9) Kobelt G：Value Health 2014；17：537-544.

10) Scott DL, et al：Health Technol Assess 2014；18：i-xxiv, 1-164.

11) Brown S, et al：Health Technol Assess 2018；22：1-280.

12) Manders SH, et al：Arthritis Res Ther 2015；17：134.

13）Weijers L, et al：Rheumatol Int 2017；37：1111-1123.

14）Batticciotto A, et al：Adv Ther 2016；33：1360-1373.

15）Hidalgo-Vega Á, et al：Cost Eff Resour Alloc 2015；13：11.

16）Tran-Duy A, et al：Arthritis Rheumatol 2018；70：1557-1564.

17）Kievit W, et al：Ann Rheum Dis 2016；75：1939-1944.

18）Bouman CA, et al：Ann Rheum Dis 2017；76：1716-1722.

19）Vanier A, et al：Value Health 2017；20：577-585.

20）Lee MY, et al：Clin Ther 2015；37：1662-1676.

21）Lekander I, et al：Value Health 2013；16：251-258.

22）van der Velde G, et al：Arthritis Care Res（Hoboken）2011；63：65-78.

23）Schoels M, et al：Ann Rheum Dis 2010；69：995-1003.

24）Rat AC, et al：Joint Bone Spine 2004；71：518-524.

25）Eberhardt K, et al：J Rheumatol 2007；34：481-487.

26）Filipovic I, et al：Rheumatology（Oxford）2011；50：1083-1090.

27）Kimel M, et al：J Rheumatol 2008；35：206-215.

28）Zhang W, et al：J Rheumatol 2008；35：1729-1736.

29）Halpern MT, et al：Ann Rheum Dis 2009；68：930-937.

30）Anis A, et al：Rheumatology（Oxford）2009；48：1283-1289.

31）Kavanaugh A, et al：Arthritis Rheum 2009；61：1592-1600.

32）Eriksson JK, et al：JAMA Intern Med 2013；173：1407-1414.

33）Hone D, et al：Arthritis Care Res（Hoboken）2013；65：1564-1572.

34）Hussain W, et al：Open Rheumatol J 2015；9：46-50.

35）Zhang W, et al：RMD Open 2015；1：e000042.

36）Emery P, et al：Rheumatology（Oxford）2016；55：1458-1465.

37）Smolen JS, et al：Arthritis Res Ther 2016；18：114.

38）Rendas-Baum R, et al：Rheumatology（Oxford）2017；56：1386-1394.

39）Takeuchi T, et al：Adv Ther 2017；34：686-702.

40）Tanaka Y, et al：Arthritis Res Ther 2018；20：151.

41）Westhovens R, et al：Acta Clin Belg 2019；74：342-350.

42）Michaud K, et al：Rheumatol Ther 2019；6：409-419.

43）Behrens F, et al：Clin Rheumatol 2020；39：2583-2592.

44）Kay J, et al：Ann Rheum Dis 2018；77：165-174.

5 高齢発症関節リウマチのマネジメントに関するコンセンサスステートメント

名古屋市立大学／国立長寿医療研究センター フレイル研究部　小嶋　雅代
東邦大学医学部内科学講座膠原病学分野　杉原　毅彦
LORIS Study Group

2024 NEW

1)　コンセンサスステートメント作成の経緯

　RA の薬物治療は 21 世紀に入り飛躍的に向上し，DMARD による目標達成に向けた治療を早期から行うことにより，多くの患者で身体機能を改善し，関節破壊の進行を抑制することが可能となった．しかしながら，そのエビデンスは主として 65 歳未満を対象とした RCT に基づいており，高齢発症 RA 患者の初期治療は，主治医がそれらのエビデンスと自らの経験をもとに進めざるをえない状況にある．

　近年増加が指摘されている高齢発症 RA は，男性患者が比較的多く，肩などの大関節から症状が急激に出現し，非高齢発症 RA と同様に関節破壊が進行する[1]~[5]．一方で，非高齢発症 RA に比べ，RF 陰性の場合が多いなどの特徴があることが知られている[6]~[9]．高齢発症 RA 患者においては，治療が不十分であると急速に要介護状態に陥る危険性が特に高く[10]，その治療指針の確立は社会的にも喫緊の課題である．

　そこで，2020 年版診療ガイドライン[11]のパネルメンバーを中心に，RA 診療の内科・整形外科の専門家，臨床疫学の専門家が集結し，AMED の支援を受け，研究班（Late-onset Rheumatoid Arthritis Registry〔LORIS〕Study Group）を立ち上げ（**表 1**），高齢発症 RA のレジストリ研究[12]を開始するとともに，高齢発症 RA のマネジメントに関するコンセンサスステートメントを作成した[13]．

2)　作成の手順

　今回のステートメントでは，65 歳以上で発症した高齢発症 RA 患者の初期治療を取り上げ，以下の 3 つに分けて作成した．

① 治療の前提となる，現在のわが国の治療実態（FACT シート）

② 患者・家族を含む治療関係者間で共有が必要と考えられる基本概念（基本的な考え方）

③ 今後，エビデンスの検証が必要であるが，エキスパートが望ましいと考える薬物治療の考え方（エキスパートオピニオン）

　具体的な手順としては，LORIS Study 共同研究者による対面会議と Web 会議を各 1 回開催し，文献レビューと国内の既存コホート（IORRA，NinJa，TBCR，NICER-J，KURAMA，CRANE）の解析結果をふまえたディスカッションののち，メール会議にて修正 Delphi 法を用いて合意形成を図った．9 点満点（1：全く同意できない ～ 9：完全に同意する）で投票し，2 回目の同意の集計結果が平均で 7 点以上あればコンセンサスステートメントとして確定することとした．コンセンサスステートメントの作成に関しては，老年医学の専門家，臨床疫学の専門家，診療ガイドライン作成の専門家，患者団体の役員で構成されるアドバイザリーボード，および日本リウマチ学会 高齢発症 RA 調査委員会の助言を受けた．最終的にすべてのステートメントに対する同意度の平均が 8 点を上回った．確定したステートメント文と同意度の平均を**表 2** に示す[1][9][14]~[21]．

3)　ステートメントに関する留意点

　本ステートメントは，リウマチ専門医による診療実績が豊富で，他科との連携体制の整った医療機関での治療を前提とし，MTX を用いた初期治療を標準治療として考えた．しかしながら，高齢者は様々な面で個人差が大きく，併存症や認知機能の低下などによるリスク管理の難しさから MTX を用いることができない場合がある．また，家族などからの支援・協力，介護・福祉サービスの利用状況など，本人を取り巻く生活環境も治療選択のうえで考慮する必要があり，これらの環境整備を図ることも，十分な治療効果を得るために重要である．

　フレイルとは，加齢に伴い心身の活力が低下した状態であり，要介護の前段階と考えられている[22]．RA 患者は，慢性炎症によりサルコペニアに陥りやすく[23]~[25]，フレイルのハイリスク集団と考えられるが[26]，日常診療において，RA 患者におけるフレイルの定義および評価方法が確立されていないため，今回のステートメントでは用語として使用することを避けた．代わりに，「基本的な考え方」の第 1 項目において，身体面（身体機能・ADL），精神面（意欲・抑うつ・認知機能）を含む総合的な機能評価と，心理・社会・経済的な側面を考慮する重要性を

表1 　LORIS Study Group：令和 3 年度採択 AMED 免疫アレルギー疾患実用化研究事業「高齢発症関節リウマチ患者の健康寿命延伸を目指した治療戦略の確立」研究班構成員

●研究代表者

小嶋　雅代	国立長寿医療研究センターフレイル研究部／名古屋市立大学

●運営委員

針谷　正祥	東京女子医科大学医学部内科学講座膠原病リウマチ内科学分野
川人　豊	京都府立医科大学大学院医学研究科免疫内科学講座
杉原　毅彦	東邦大学医学部内科学講座膠原病学分野
小嶋　俊久	国立病院機構名古屋医療センター整形外科

●分担研究者

浅井　秀司	名古屋大学医学部附属病院整形外科
阿部　麻美	新潟県立リウマチセンターリウマチ科
石川　肇	新潟県立リウマチセンター
伊藤　宣	倉敷中央病院整形外科
金子　祐子	慶應義塾大学医学部内科学教室（リウマチ・膠原病）
岸本　暢將	杏林大学医学部腎臓・リウマチ膠原病内科
佐竹　昭介	国立長寿医療研究センターフレイル研究部
田中　榮一	東京女子医科大学医学部内科学講座膠原病リウマチ内科学分野
西田圭一郎	岡山大学病院運動器疼痛センター
橋本　求	大阪公立大学大学院医学研究科膠原病内科学
原田　遼三	倉敷スイートホスピタル整形外科
日髙　利彦	宮崎善仁会病院リウマチセンター
平田信太郎	広島大学病院リウマチ・膠原病科
松井　和生	手稲渓仁会病院リウマチ膠原病内科
松井　利浩	国立病院機構相模原病院臨床研究センターリウマチ性疾患研究部
松下　功	金沢医科大学リハビリテーション医学科
松本　拓実	河北総合病院リウマチ・膠原病科
森信　暁雄	京都大学大学院医学研究科内科学講座臨床免疫学

●アドバイザリーボード

門永登志栄	公益社団法人日本リウマチ友の会
荒井　秀典	日本サルコペニア・フレイル学会／国立長寿医療研究センター
梅垣　宏行	名古屋大学大学院医学研究科地域在宅医療学・老年科学
中山　健夫	京都大学大学院医学研究科社会健康医学系専攻健康情報学
安藤　昌彦	名古屋大学医学部附属病院先端医療研究センターデータセンター
鍬塚八千代	名古屋大学医学部附属病院先端医療研究センタークリニカルデータマネジメント室
鈴木　啓介	国立長寿医療研究センター先端医療開発推進センター

示した．「基本的な考え方」の第 3 項目に，「他科・多職種と連携し，運動・栄養指導も含めた包括的ケア」の重要性を示したが，フレイル，サルコペニアを RA の日常診療でどのように評価し，治療介入していくかは，今後の課題である．特に，運動療法・リハビリテーションは患者のニーズも高く，身体機能の維持のため重要と考えられるが，現状では対応できていない施設が多く，プロトコルも確立していない．具体的な評価，および有効な介入方法について，早急に検討を開始すべき課題である．

副腎皮質ステロイド（以下，ステロイド）の使用については，国際的にも意見が分かれるところであり[27)～29)]，使用期間に関するエビデンスは不十分である[30)]．リウマチ性多発筋痛症様の症状を呈する症例では，長期に使用せざるをえない場合もあるが，ステロイドの使用は感染症[31)～33)]，骨粗鬆症[34)]，心血管イベント[14) 35)]などの害のリスクを高めるので，短期で必要最低量の使用を心がけるべきである．「グルココルチコイド誘発性骨粗鬆症の管理と治療のガイドライン」[36)]の「3～6 か月で椎体骨折のリスクがピークに達する」という記載をふまえ，本ステートメントでは 6 か月を使用期間の目安として示した．今回のステートメントでは取り上げていないが，NSAID の使用方法についても今後検証すべきである．

なお，本ステートメントの作成には，令和 3 年度採択 AMED 免疫アレルギー疾患実用化研究事業「高齢発症関節リウマチ患者の健康寿命延伸を目指した治療戦略の確立」（研究代表者：小嶋雅代）の研究費を用いた．

表2 高齢発症 RA のマネジメントに関するコンセンサスステートメント

①	高齢発症 RA のマネジメントに関する FACT シート[*1]	同意度平均
1	近年，65 歳以上の高齢で発症する RA（高齢発症 RA）患者が増加している[1].	8.89
2	高齢発症 RA では，若年 RA に比べて，有害事象の発生頻度が高い[14)~19)].	8.89
3	高齢発症 RA では，非高齢発症 RA に比べて，MTX をベースとした初期治療が行われる割合が低い[4)9)].	8.58
4	高齢発症 RA においても，DMARD を適切に使用した場合，非高齢発症 RA と同程度の臨床的寛解達成率が期待できる[4)15)16)20)].	8.16

②	高齢発症 RA のマネジメントに関する基本的な考え方[*2]	同意度平均
1	高齢発症 RA のマネジメントは，疾患活動性だけでなく，暦年齢に，身体機能・意欲・抑うつ・認知機能・ADL を含む総合的な機能評価，併存症・臓器障害，心理・社会・経済的な側面を加味して決定する.	9.00
2	高齢発症 RA のマネジメントにおいては，併存症や安全性などへの配慮をしつつ，適切な治療調節の機会を逃さないようにする.	9.00
3	高齢発症 RA のマネジメントにおいては，他科・多職種と連携し，運動・栄養指導も含めた包括的なケアが必要である.	8.45

③	高齢発症 RA の薬物治療に関するエキスパートオピニオン[*3]	同意度平均
1	高齢発症 RA の初期治療では，安全性に十分配慮しながら MTX を開始し，必要量まで増量することが望ましい[16)21)].	8.47
2	血清反応陰性で低疾患活動性の高齢発症 RA の初期治療では，MTX 以外の csDMARD を考慮してもよい[21)].	8.21
3	MTX で治療目標未達成の高齢発症 RA では，安全性に十分配慮しながら，MTX に bDMARD を追加することが望ましい[16)].	8.47
4	安全性の理由で MTX 以外の csDMARD を開始し，治療目標未達成の高齢発症 RA では，安全性に十分配慮しながら bDMARD を追加または bDMARD に変更することを考慮してもよい[16)].	8.58
5	csDMARD で治療目標未達成の高齢発症 RA では，安全性に十分配慮しながら JAK 阻害薬の使用を考慮してもよい.	8.16
6	高齢発症 RA の初期治療では，副腎皮質ステロイドの使用を必要最小量とし，可能な限り 6 か月以内で中止すべきである.	8.37

＊1　既存コホートデータで示された実態であり，今後の治療の前提となるもの.
＊2　エビデンスはないが，高齢発症 RA 治療の基本概念として共有が必要と考えられるもの.
＊3　現段階ではエビデンスが十分ではなく，レジストリデータでの検証が必要なもの.
RA：関節リウマチ，ADL：日常生活動作，MTX：メトトレキサート，DMARD：疾患修飾（性）抗リウマチ薬，csDMARD：従来型合成疾患修飾（性）抗リウマチ薬，bDMARD：生物学的疾患修飾（性）抗リウマチ薬，JAK：ヤヌスキナーゼ

■**文献**

1）Kato E, et al：Int J Rheum Dis 2017；20：839-845.

2）van der Heijde DM, et al：J Rheumatol 1991；18：1285-1289.

3）Mueller RB, et al：Rheumatology（Oxford）2014；53：671-677.

4）Murata K, et al：Int J Rheum Dis 2019；22：1084-1093.

5）Romão VC, et al：Semin Arthritis Rheum 2020；50：735-743.

6）Boots AM, et al：Nat Rev Rheumatol 2013；9：604-613.

7）Deal CL, et al：Arthritis Rheum 1985；28：987-994.

8）Pease CT, et al：Rheumatology（Oxford）1999；38：228-234.

9）Matsui T, et al：Mod Rheumatol, online ahead of print. doi:10.1093/mr/roae006.

10）Sugihara T, et al：Drugs Aging 2016；33：97-107.

11）日本リウマチ学会：関節リウマチ診療ガイドライン 2014. メディカルレビュー社 2014.

12）Kojima M, et al：BMC Rheumatol 2022；6：90.

13）Kojima M, et al：Mod Rheumatol, online ahead of print.

doi:10.1093/mr/roae011（in press）.

14）Ajeganova S, et al：J Rheumatol 2013；40：1958-1966.

15）Li, X, et al：Arthritis Res Ther 2022；24：255.

16）Sugihara, T, et al：Rheumatology（Oxford）2021；60：4252-4261.

17）Fleischmann, R, et al：RMD Open 2017；3：e000546.

18）Curtis, JR, et al：Clin Exp Rheumatol 2017；35：390-400.

19）Bathon, JM, et al：J Rheumatol 2006；33：234-243.

20）Jinno, S, et al：Rheumatol Int 2020；401987-1995.

21）Sugihara, T, et al：Rheumatology（Oxford）2015；54：798-807.

22）日本老年医学会：フレイルに関する日本老年医学会からのステートメント. 2014. https://www.jpn-geriat-soc.or.jp/info/topics/pdf/20140513_01_01.pdf

23）Tam K, et al：J Clin Rheumatol 2024；30：18-25.

24）Torii M, et al：Mod Rheumatol 2019；29：589-595.

25）Dietzel R, et al：RMD Open 2022；8：e002600.

26）Germonpré S, et al：Clin Exp Rheumatol 2023；41；1443-1450.

27）Smolen JS, et al：Ann Rheum Dis 2023；82：3-18.

28）Fraenkel L, et al：Arthritis Rheumatol 2021；73：1108-1123.

29）日本リウマチ学会編：関節リウマチ診療ガイドライン 2020. 診断と治療社，2021.

30）Bergstra SA, et al：Ann Rheum Dis 2023；82：81-94.

31）George MD, et al：Ann Intern Med 2020；173：870-878.

32）Dixon WG, et al：Ann Rheum Dis 2012；71：1128-1133.

33）Widdifield J, et al：Arthritis Care Res（Hoboken）2013；65：353-361.

34）Abtahi S, et al：Rheumatology（Oxford）2022；61：1448-1458.

35）Widdifield J, et al：J Rheumatol 2019；46：467-474.

36）日本骨代謝学会グルココルチコイド誘発性骨粗鬆症の管理と治療のガイドライン作成委員会（委員長 田中良哉）編：グルココルチコイド誘発性骨粗鬆症の管理と治療のガイドライン 2023. 南山堂 2023.

6 小児および移行期・成人期の若年性特発性関節炎マネジメント

1. 成人診療科リウマチ医のための若年性特発性関節炎診療の基礎知識と用語解説

移行期・成人期の JIA 患者を成人診療科で担当するリウマチ医が知っておくべき基礎知識と用語について，少関節炎型・多関節炎型を中心に解説する．JIA 診療の全般に関しては，市販されている「若年性特発性関節炎診療ハンドブック 2017」，「若年性特発性関節炎（JIA）における生物学的製剤使用の手引き 2020 年版」や論文化されたガイダンス（Modern Rheumatology 2019；29：41-59）をご参照いただきたい．

1）JIA 診療の基礎知識

(1) JIA の ILAR 分類基準

小児慢性関節炎に対して，コンセンサスの得られた診断基準は存在せず，国際的な病名・分類基準として「若年性特発性関節炎（juvenile idiopathic arthritis：JIA）」が普及している．

以前は，わが国や北米では「若年性関節リウマチ（juvenile rheumatoid arthritis：JRA）」，欧州では「若年性慢性関節炎（juvenile chronic arthritis：JCA）」と異なる分類基準が用いられ，国際的な研究や議論の障壁となっていた．そこで 1994 年に，WHO と ILAR の主導で JIA の疾患概念と分類基準が提案され，2 回の改訂を経て，現在は 2001 年の Edmonton 版が用いられている[1]．

JIA は「16 歳未満で発症し，少なくとも 6 週間以上持続する原因不明の慢性関節炎」と定義される．JIA は発症時の病態で定義されるため，成人となっても JIA として取り扱われることには留意が必要である．JIA は，①全身型，②少関節炎（持続型・進展型），③RF 陰性多関節炎型，④RF 陽性多関節炎型，⑤付着部炎関連関節炎型，⑥乾癬性関節炎型，⑦分類不能関節炎型，の 7 病型に分類される（表1）．病型により特徴的な合併症（ぶどう膜炎やマクロファージ活性化症候群）や予後，病態に関与する免疫細胞の違いなどが明らかになっている[2]．

本診療ガイドラインでは，RA に比較的病態が類似する JIA 少関節炎型・多関節炎型を対象としている．JIA 多関節炎型は，発症から 6 か月以内に 5 か所以上の罹患関節を認める，左右対称性の慢性関節炎であり，さらに RF の有無によって，RF 陰性多関節炎型と RF 陽性多関節炎型（3 か月以上の間隔で測定して 2 回以上陽性）に分類される．一方，少関節炎型は発症 6 か月

以内の罹患関節数が 4 か所以下にとどまる病型であり，さらに発症 6 か月以上経て罹患関節が初めて 5 か所以上に及んだ場合は少関節炎進展型，4 か所以下にとどまる場合は少関節炎持続型として分類される[1]．わが国の JIA 全体に占める比率は，RF 陽性多関節炎型 13〜18％，RF 陰性多関節炎型 12〜14％，少関節炎型 15〜20％と把握されている[3][4]．

なお 2023 年現在，PRINTO が中心となり，より病態の相違を反映した新しい分類基準が検討されている[5]．

(2) JIA 少関節炎型・多関節炎型の特徴・予後・関節外症状

前述のように，JIA は病型により特徴・予後・関節外症状が異なる．

RF 陽性多関節炎型は，他の病型と比べて関節破壊のリスクが高く寛解率が低い．そのため，より積極的な治療介入が望まれる．RF 陰性多関節炎型には複数のサブタイプがあり，①抗核抗体陽性やぶどう膜炎の合併などを呈し JIA 少関節炎型に類似したサブタイプ，②成人期の血清反応陰性 RA に類似したサブタイプ，③関節腫脹が乏しいが進行性の関節拘縮や関節破壊を認めるサブタイプ，が知られている[6]．JIA 少関節炎型は，膝関節や足関節などの下肢の大関節が罹患しやすい．

JIA 少関節炎型・多関節炎型の関節外症状として，最も重要なものはぶどう膜炎である．リスク因子として，①幼児期発症，②抗核抗体陽性，③少関節炎型・RF 陰性多関節炎型・分類不能関節炎型，が知られている．小児では自覚症状の訴えが乏しいため，3〜6 か月毎の定期的な眼科受診が必要である（表2）[7]．JIA 少関節炎型・多関節炎型では，RA の関節外症状として知られる ILD，LPD，血管炎の合併はまれである．

5 年累積無治療寛解率は少関節炎型で 44.4％，RF 陰性多関節炎型で 37.4％と比較的高いが，RF 陽性多関節炎型では 10.4％と低く[8]，成人期にも医療継続を要する可能性がより高い病型である．

(3) JIA 少関節炎型・多関節炎型に適用のある薬剤とその用法用量

経口 MTX は，「関節症状を伴う若年性特発性関節炎」に対し，わが国で承認されている唯一の csDMARD である．添付文

表1 ILAR 分類基準による JIA 病型分類

分類	定義	除外
全身型	1か所以上の関節炎と2週間以上続く発熱（うち3日間は連続する）を伴い，以下の徴候を1つ以上伴う関節炎． 1）暫時の紅斑，2）全身のリンパ節腫脹，3）肝腫大または脾腫大，4）漿膜炎	a, b, c, d
少関節炎型	発症6か月以内の炎症関節が1〜4か所に限局する関節炎．以下の2つの型を区別する． 1）持続型：全経過を通して4か所以下の関節炎 2）進展型：発症6か月以降に5か所以上に関節炎がみられる	a, b, c, d, e
RF 陰性多関節炎型	発症6か月以内に5か所以上に関節炎が及ぶ型で，RF が陰性．	a, b, c, d, e
RF 陽性多関節炎型	発症6か月以内に5か所以上に関節炎が及ぶ型で，RF が3か月以上の間隔で測定して2回以上陽性．	a, b, c, e
乾癬性関節炎型	以下のいずれか． 1）乾癬を伴った関節炎 2）少なくとも以下の2項目を伴う例 　（A）指趾炎 　（B）爪の変形（点状凹窩，爪甲剥離など） 　（C）親や同胞に乾癬患者	b, c, d, e
付着部炎関連関節炎型	以下のいずれか． 1）関節炎と付着部炎 2）関節炎あるいは付着部炎を認め，少なくとも以下の2項目以上を伴う例 　（A）現在または過去の仙腸関節の圧痛±炎症性の腰仙関節痛 　（B）HLA-B27 陽性 　（C）親や同胞に強直性脊椎炎，付着部炎関連関節炎，炎症性腸疾患に伴う仙腸関節炎，Reiter 症候群または急性前部ぶどう膜炎のいずれかの罹患歴がある 　（D）しばしば眼痛，発赤，羞明を伴う前部ぶどう膜炎 　（E）6歳以上で関節炎を発症した男児	a, d, e
分類不能関節炎型	6週間以上持続する小児期の原因不明の関節炎で，上記の分類基準を満たさないか，または複数の基準に重複するもの．	

除外項目
a：患児や親・同胞での乾癬罹患や乾癬既往歴
b：6歳以降に発症した HLA-B27 陽性の関節炎男児
c：強直性脊椎炎，付着部炎関連関節炎，炎症性腸疾患に伴う仙腸関節炎，Reiter 症候群または急性前部ぶどう膜炎のいずれかに罹患しているか，親・同胞に罹患歴がある
d：3か月以上の期間をおいて少なくとも2回以上の IgM-RF 陽性
e：全身型 JIA
（Petty RE, et al ：J Rheumatol 2004：31：390-392 より作成）

書では，1週間単位の投与量を MTX として 4〜10mg/m²（最大量 16mg/週）とされており，欧米の 10〜15mg/m² と比較し少量に定められている．JIA における経口 MTX の薬物動態は年齢に依存しており，成人に比較し高用量を要する[9)][10)]．MTX 皮下注製剤は 2023 年現在，わが国では JIA に保険適用はない．また TAC について，2022 年から社会保険診療報酬支払基金により「難治性・既存治療で効果不十分な若年性特発性関節炎」に対し 0.05〜0.15mg/kg/日（最大量 3mg/日）での適応外使用が通知されている．

全身性の副腎皮質ステロイド（以下，ステロイド）については JIA 推奨3を参照されたい．本診療ガイドラインでは，全身投与の既知の副作用を勘案し，全身投与を行わないことを条件付きで推奨する．

ステロイドの関節内注射については，トリアムシノロンアセトニド水性懸濁注射液（ケナコルト-A®）が「若年性関節リウマチ（スチル病を含む）」に対し承認されている．ステロイドの関節内注射は，活動性関節数が多い場合には必ずしも適切な選択ではないが，関節炎症による歩行障害など ADL に支障をき

たしている場合，より迅速な疾患のコントロールが必要な場合に考慮される．ステロイド関節内注射により少なくとも4か月間，関節炎の臨床的改善がみられた場合は，必要に応じて繰り返すことが可能である．

bDMARD は，MTX 不応，もしくは消化器症状や肝障害などの副作用で MTX 増量困難な症例に適応を検討する．2023 年現在，既存治療で効果不十分な「多関節に活動性を有する若年性特発性関節炎」に対して，ETN（エンブレル®，2009 年承認），ADA（ヒュミラ®，2011 年承認），TCZ（アクテムラ®，2008 年承認），ABT（オレンシア®，2018 年承認）の4剤が承認されている．RA に比較して，保険適用のある bDMARD は少なく，剤形も限定的であることに注意が必要である（**表3**）．バイオ後続品（BS）にも，JIA に保険適用があるものがある．エンブレル®はバイアル製剤のみの保険適用であるが，後続品2ではシリンジ製剤が適用となっている．

(4) JIA 少関節炎型・多関節炎型の公費負担制度

対象となる公費負担制度には，小児慢性特定疾病事業，指定難病事業，自治体による乳幼児医療費助成制度や子ども医療費

表2 ぶどう膜炎未発症の JIA 患者における眼科的評価の推奨間隔

JIA 発症から 4 年以下

JIA 発症病型	抗核抗体	眼科受診推奨間隔	
		発症年齢 6 歳以下	発症年齢 7 歳以上
少関節炎型 RF 陰性多関節炎型 乾癬性関節炎型 分類不能関節炎型	160 倍以上	3 か月毎	2 年目まで 6 か月毎, 以降 12 か月毎
少関節炎型 RF 陰性多関節炎型 乾癬性関節炎型 分類不能関節炎型	80 倍以下	6 か月毎	12 か月毎
上記以外	値は問わず	12 か月毎	

JIA 発症から 4 年超, 7 年以下

JIA 発症病型	抗核抗体	眼科受診推奨間隔	
		発症年齢 6 歳以下	発症年齢 7 歳以上
少関節炎型 RF 陰性多関節炎型 乾癬性関節炎型 分類不能関節炎型	160 倍以上	6 か月毎	12 か月毎
少関節炎型 RF 陰性多関節炎型 乾癬性関節炎型 分類不能関節炎型	80 倍以下	12 か月毎	
上記以外	値は問わず	12 か月毎	

JIA 発症から 7 年を超える症例では, すべての病型で 12 か月毎
治療中止 1 年間は 3 か月毎, 以降 3 年後までは 6 か月毎に眼科的評価を行うことが望ましい
(日本リウマチ学会 小児リウマチ調査検討小委員会 ぶどう膜炎ワーキンググループ編:受診間隔. 小児非感染性ぶどう膜炎初期診療の手引き 2020 年版. p62-64, 羊土社 2020 より引用・改変)

表3 「多関節に活動性を有する若年性特発性関節炎」に対し保険適用を有する bDMARD （2023 年 10 月現在）

一般名	TCZ	ETN	ADA	ABT
商品名	アクテムラ® 80mg, 200mg, 400mg バイアル	エンブレル® 10mg, 25mg バイアル	ヒュミラ® 20mg, 40mg シリンジ	オレンシア® 250mg バイアル
薬効分類名	ヒト化抗ヒト IL-6 受容体モノクローナル抗体製剤	完全ヒト型可溶性 TNF-α/LTα レセプター製剤	ヒト型抗ヒト TNF-α モノクローナル抗体製剤	T 細胞選択的共刺激調節薬
標的分子	IL-6 受容体	TNF-α, β	TNF-α	CD80/86 （T 細胞）
投与経路	点滴	皮下注射	皮下注射	点滴
1 回投与量	8mg/kg	0.2~0.4mg/kg（25mg 上限）	15~30kg 未満：20mg 30kg 以上：40mg	10mg/kg 75kg~100kg 未満：750mg 100kg 以上：1,000mg
投与間隔	4 週毎	1~2 回/週	2 週毎	初回投与後 2, 4 週, 以後 4 週毎
後続品		【後続品 1】 エタネルセプト BS 皮下注用「MA」 10mg バイアル 25mg バイアル	【後続品 1】 アダリムマブ BS 皮下注「FKB」 20mg シリンジ 0.4mL 40mg シリンジ 0.8mL 40mg ペン 0.8mL	
		【後続品 2】 エタネルセプト BS 皮下注「日医工」 10mg シリンジ 1.0mL 25mg シリンジ 0.5mL	【後続品 2】 アダリムマブ BS 皮下注「第一三共」 20mg シリンジ 0.4mL 40mg シリンジ 0.8mL 40mg ペン 0.8mL	
		エタネルセプト BS 皮下注「TY」 10mg シリンジ 1.0mL 25mg シリンジ 0.5mL	【後続品 3】 アダリムマブ BS 皮下注「MA」 20mg シリンジ 0.4mL 40mg シリンジ 0.8mL 40mg ペン 0.8mL	

助成制度などがある.

　小児慢性特定疾病事業は1974年に創設され，その後2005年の児童福祉法の改正に伴い，法律に基づく事業として法制化されている．JIAは7病型すべてが医療助成の対象である．その指定医要件として，疾病の診断または治療に5年以上従事した経験に加え，関係学会の専門医の認定を受けていること，または都道府県などが実施する研修を修了していること，のいずれかを満たす必要がある[11]．関連学会の専門医としては，日本小児科学会のほか，日本内科学会，日本整形外科学会，日本リウマチ学会などの専門医資格が定められている．本医療費助成制度の対象は，都道府県知事などに指定された指定小児慢性特定疾病医療機関が行う医療に限られている．18歳未満が新規申請の対象であるが，18歳時点において本事業の対象で，かつ継続治療が必要と認められる場合，20歳に達するまで継続可能である．

　指定難病事業では，JIAの7病型のうち全身型，少関節炎型，RF陰性多関節炎型，RF陽性多関節炎型の4病型が医療費助成の対象となっている．後者3病型が便宜的に「関節型若年性特発性関節炎」として取り扱われ，1つの疾患名「若年性特発性関節炎（指定難病107）」において「全身型」と「関節型」とで異なる臨床個人調査票を用いる．前述のようにJIAは発症時の病態で定義されるため，成人例も対象となる．「関節型若年性特発性関節炎」では，付着部炎関連関節炎型との区別のため，HLA-B27が陰性であることが，診断基準に関する事項として求められる．また，重症度分類は後述するJADASが採用されている（後述する「2）JIA診療に関する用語解説　(1) 活動性関節の定義」を参照）．小児慢性特定疾病と指定難病では医療助成の際の自己負担額が異なる（表4）[11) 12]．

　保険診療において，一般的に未就学児は2割負担，小学生以上は3割負担となるが，自治体による乳幼児医療費助成制度や子ども医療費助成制度により，通院または入院における医療費の全額または一部が還付される．住民票のある自治体の規定により対象年齢が異なるため，管轄保健所などに確認が必要である．

(5) JIA少関節炎型・多関節炎型の診療における成人移行支援とワクチン

　わが国における成人移行支援については，2014年に日本小児科学会からの「小児期発症疾患を有する患者の移行期医療に関する提言」から8年が経過し，2023年に今後の課題をとりまとめた新たな提言が公表されている[13]．JIA少関節炎型・多関節炎型は慢性疾患であり，一部は成人移行する．このため，12歳頃から，患児および保護者の移行準備状況を評価し，適切な支援を行っていく必要がある．

　移行準備状況の評価は，「小児リウマチ性疾患患者の移行準備チェックリスト」や「Transition Readiness Assessment Questionnaire（TRAQ）」などを用いる[14) 15]．評価項目には，薬や予約などの受療の自己管理や，医療者とのコミュニケーションなどが含まれており，計画的な移行準備に有用である．また，日本リウマチ学会からは，成人移行に必要な情報を記録するための移行支援手帳「MIRAI TALK」が提供されている．成人移行に向けた保護者の準備には，JIA親の会である「あすなろ会」[16]から提供されている「JIAの子どもを持つ親のToDoリスト」が活用できる．

　医療者を対象とした情報としては，「成人診療科医のための

表4　小児慢性特定疾病と指定難病による医療助成における自己負担額

階層区分	階層区分の基準		指定難病における自己負担額（原則）（円）患者負担割合2割自己負担上限額（外来＋入院）			小児慢性特定疾病における自己負担額（原則）（円）患者負担割合2割自己負担上限額（外来＋入院）		
			一般	高額かつ長期（※1）	人工呼吸器等装着者	一般	重症（※2）	人工呼吸器等装着者
生活保護	—		0	0	0	0	0	0
低所得1	市町村民税非課税（世帯）	本人年収80万円以下	2,500	2,500	1,000	1,250	1,250	500
低所得2		本人年収80万円超	5,000	5,000		2,500	2,500	
一般所得1	市町村民税7.1万円未満		10,000	5,000		5,000	2,500	
一般所得2	市町村民税7.1万円以上25.1万円未満		20,000	10,000		10,000	5,000	
上位所得	市町村民税25.1万円以上		30,000	20,000		15,000	10,000	
入院時の食費			全額自己負担			1/2自己負担		

※1　高額かつ長期：月ごとの医療費総額が5万円を超える月が年間6回以上ある者（例えば医療保険の2割負担の場合，医療費の自己負担が1万円を超える月が年間6回以上）
※2　重症：①高額な医療費が長期的に継続する者（医療費総額が5万円/月［例えば医療保険の2割負担の場合，医療費の自己負担が1万円/月］を超える月が年間6回以上ある場合），②現行の重症患者基準に適合するもの，のいずれかに該当
（小児慢性特定疾病情報センター：小児慢性特定疾病の医療費助成に係る自己負担上限額．https://www.shouman.jp/assist/expenses，難病情報センター：指定難病患者への医療費助成制度のご案内．https://www.nanbyou.or.jp/entry/5460 より作成）

小児リウマチ性疾患移行支援ガイド」[17] や「メディカルスタッフのためのライフステージに応じた関節リウマチ患者支援ガイド」[18] がある.

JIA 少関節炎型・多関節炎型患者では，定期接種ワクチンの接種が完了していない場合がある．ワクチン接種歴を確認し，接種可能なワクチンがあれば接種を検討するべきである．また，2016 年から B 型肝炎ワクチンが定期接種となり，接種した大部分の児が HBs 抗体陽性となるため，MTX や bDMARD 投与前の B 型肝炎スクリーニングの際には留意する必要がある．一方，ワクチン接種により HBc 抗体は陽性にはならない.

2) JIA 診療に関する用語解説

(1) 活動性関節の定義

1997 年に Giannini らが当時の小児関節炎に対する疾患活動性評価の標準化を目的としたコアセットを開発した[19]．コアセットの 1 つとして ACR criteria で定義された活動性関節（active arthritis）： "presence of swelling [not due to currently inactive synovitis or to bony enlargement] or, if no swelling is present, limitation of motion accompanied by heat, pain, or tenderness（非活動性の滑膜炎や骨肥大によるものではない腫脹，または腫脹がなくとも疼痛や熱感，圧痛を伴う可動域制限を有する関節）" が採用された[20][21]．これは小児において必ずしも疼痛や圧痛を正確に訴えられないことが配慮されている.

活動性関節はその後，JADAS や ACR Pedi Response などでも構成要素として同定義で包含されている．前述のコアセットは，2016 年に国際的な臨床評価法の検討組織である OMERACT により改訂が提案されたが，活動性関節については同定義のまま，コアセット評価基準の 1 つとして位置づけられている[22].

(2) ACR Pedi Response

JIA の臨床試験における評価は 1990 年代半ばまで標準化されておらず，それ以前は，活動関節数の改善率，医師の嗜好性，医師による全体的評価における全体的改善などの単一指標が用いられており，臨床試験結果の比較が困難であった.

1997 年に臨床的な治療効果におけるアウトカム評価と改善の定義に関し，6 項目より構成されるコアセットが開発された（**表5**）[19]．当初 30％改善達成基準が提唱され，「3 項目以上でベース

表5 ACR Pedi Response

| ① 医師による疾患活動性の総合評価 |
| ② 家族または患者による全身状態総合評価 |
| ③ 身体機能評価（CHAQ） |
| ④ 活動性関節炎を有する関節数 |
| ⑤ 可動域制限を有する関節数 |
| ⑥ 急性期反応物質（CRP） |

（Giannini EH, et al：Arthritis Rheum 1997；40：1202–1209 より作成）

ラインから少なくとも 30％の改善が得られ，残りの項目のうち 1 項目以上が 30％以上悪化していない治療反応」と定義された．この基準は JIA における治療効果評価のゴールドスタンダードとなり，その後，ACR に採用され，現在は ACR Pedi 30 として知られている.

ACR Pedi 30 は後に bDMARD の臨床試験の主要評価指標として採用されるようになった．FDA と EMA により，すべての JIA の第 3 相臨床試験で採用され，わが国での臨床試験でも用いられている.

しかし，2000 年以降の治療の進歩，特に早期積極的な介入へのシフトと bDMARD の導入により，ACR Pedi 30 の改善は，もはや治療介入の有効性の立証に十分とは考えられなくなった[23]．2000 年代以降の臨床試験では，ACR Pedi 30 のみならず，より厳しい改善基準である ACR Pedi 50，ACR Pedi 70，ACR Pedi 90 も評価されるようになった．それぞれコアセットの 3 項目以上で 50％，70％，90％の改善がみられ，残りの項目のうち 1 項目以上が 30％以上悪化していない治療反応と定義される.

(3) 寛解・臨床的非活動状態（clinically inactive disease：CID）の基準

Wallace らは 2004 年に，JIA 少関節炎型・多関節炎型・全身型の CID の preliminary criteria として，①活動性関節炎なし，②JIA に起因する発熱や皮疹，漿膜炎，脾腫や全身性のリンパ節腫脹なし，③活動性ぶどう膜炎なし，④JIA に起因する赤沈または CRP の正常化，⑤医師による疾患活動性評価が使用した尺度で可能な最高評価，の 5 つすべてを満たすことを提唱した（Wallace preliminary criteria）[24]．また，同基準を 6 か月以上維持することを「治療下寛解（clinical remission on medication）」，すべての関節炎に対する治療（ぶどう膜炎に対する治療も含む）を終了した状態で 12 か月維持することを「無治療寛解（clinical remission off medication）」と定義した.

これらの定義は IFX の第 3 相臨床試験で検証が行われた．医師が疾患活動性の評価を行う際に最も重視した項目が，活動性関節炎の関節数，ESR，医師の全体的評価，朝のこわばりの持続時間，であったことから，2011 年に，ぶどう膜炎活動性の詳細な定義と，朝のこわばりの持続時間を追加した改訂版を公表し（**表6**）[25]，これら 6 項目をすべて満たすことを新たな CID と定義した．新たな CID は「JIA/ACR inactive disease」として活用されている.

(4) JADAS

JADAS は，JIA の疾患活動性を評価するために開発された指標である[26]．JADAS には複数のバリエーションがあり，ESR を使用しない clinical JADAS（cJADAS）や，評価関節数が異なる（c）JADAS-10，（c）JADAS-27，（c）JADAS-71 がある.

JADAS では，RA で用いられる DAS28，SDAI，CDAI のように TJC や SJC ではなく，活動性関節数を評価する（「(1) 活動

245

表6　JIA 少関節炎型・多関節炎型，全身型の「臨床的非活動状態（clinically inactive disease）」の定義（JIA/ACR inactive disease）

活動性関節炎	なし
JIA に起因する発熱や皮疹，漿膜炎，脾腫や全身性のリンパ節腫脹	なし
SUN ワーキンググループの定義に基づく活動性前部ぶどう膜炎	グレード 0（1 視野*あたり 1 細胞未満）
JIA に起因する赤沈または CRP	正常
医師による疾患活動性評価が使用した尺度	可能な限り最高評価
朝のこわばりの持続時間	15 分以下

*1 視野＝細隙灯顕微鏡を用い，スリット光 1mm×1mm の大きさの視野

（Wallace CA, et al：Arthritis Care Res（Hoboken）2011：63：929-936 より作成）

a

b

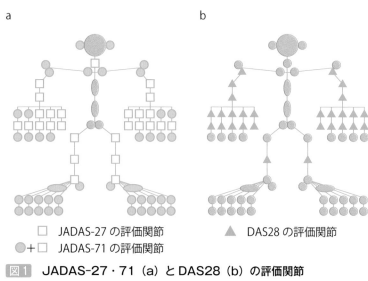

□　JADAS-27 の評価関節

●+□　JADAS-71 の評価関節

▲　DAS28 の評価関節

図1　JADAS-27・71（a）と DAS28（b）の評価関節

（a：日本小児リウマチ学会：診療支援ツール JADAS-27 の計算．http://www.praj.jp/activities/JADAS-27Calc.html より引用・改変）

表7　JADAS-27 と DAS28 の評価関節

		JADAS-27	DAS28
評価する関節数		27	28
顎関節		0	0
頚椎関節		1	0
胸鎖関節		0	0
肩鎖関節		0	0
肩関節		0	2
肘関節		2	2
手関節		2	2
手指	MCP 関節	6（Ⅰ～Ⅲ）	10
	IP 関節	2	2
	PIP 関節	8	8
	DIP 関節	0	0
股関節		2	0
膝関節		2	2
足関節		2	0
距骨下関節		0	0
足根骨部関節		0	0
足趾	足根中足関節	0	0
	MTP 関節	0	0
	IP 関節	0	0

（山口賢一：分子リウマチ治療 2016：9：62-65 より引用・改変）

性関節の定義」を参照）．JADAS-27 と JADAS-71 の評価関節には，RA で用いられる DAS28，SDAI，CDAI では対象外であるが，JIA において罹患頻度が高い頚椎関節・股関節・足関節が含まれる（図1[27]，表7[28]，表8[28]）．一方で，DAS28，SDAI，CDAI で評価される両肩関節，両第四・五 MCP 関節は JADAS-27 では評価対象外である．JADAS-10 の評価関節は JADAS-71 と同じ 71 関節であり，活動性関節数 10 以上はすべて 10 関節と評価する．

JADAS は，活動性関節数＋標準化 ESR＋医師による全般評価＋患者または保護者による全般評価で計算される．全般評価は VAS（0～10cm）により評価される．

JADAS-27 による疾患活動性評価においては，JIA の病型により基準値が異なる点に留意する必要がある．JIA 多関節炎型の疾患活動性評価では，≦1.0 を臨床的寛解，1.1～3.8 を低疾患活動性，3.9～8.5 を中疾患活動性，8.5＜を高疾患活動性と評価する．JIA 少関節炎型では，≦1.0 を臨床的寛解，1.1～2 を低疾患活動性，2.1～4.2 を中疾患活動性，4.2＜を高疾患活動性と評価する[29]．

JIA 少関節炎型・多関節炎型は，指定難病「若年性特発性関節炎」として医療費助成の申請が可能であるが，「関節型若年性特発性関節炎」の臨床調査個人票には JADAS-27 の記載が必要である．多関節炎型と少関節炎型のいずれにおいても，重症度分類判定項目である「中等度以上の活動性」として少関節炎型の基準値である JADAS-27 2.1 以上が定められている．

(5) CHAQ

CHAQ は，世界標準的な小児の身体機能評価ツールであり，整容，起床，食事，歩行，衛生，リーチ（進展），握力，活動の 8 機能領域における 30 項目の質問から構成され，各機能領域について，18 歳未満のすべての子どもに関連する質問が少なくとも 1 つあるように設定されている[30]．各項目には，「全く困難がない」（0 点），「多少困難がある」（1 点），「非常に困難がある」（2 点），「できない」（3 点）の 4 つの回答カテゴリーがある．年

表8 JIA/RA の疾患活動性評価指標

	JADAS-27	cJADAS-27	SDAI	CDAI	DAS28
圧痛関節数（TJC）	—	—	0〜28	0〜28	0〜28
腫脹関節数（SJC）	—	—	0〜28	0〜28	0〜28
活動性関節数（AJC）	0〜27	0〜27	—	—	—
炎症反応	標準化 ESR（0〜10）	—	CRP（mg/dL）	—	ln ESR
全般活動性評価（GH）	医師（0〜10）	医師（0〜10）	評価者（0〜10）	評価者（0〜10）	—
	患児/親（0〜10）	患児/親（0〜10）	患者（0〜10）	患者（0〜10）	患者（0〜100）

JADAS = AJC + 標準化 ESR + GH（医師）+ GH（患児/親）
cJADAS = AJC + GH（医師）+ GH（患児/親）
SDAI = TJC + SJC + CRP + GH（評価者）+ GH（患者）
CDAI = TJC + SJC + GH（評価者）+ GH（患者）
DAS28 = $0.56 \times \sqrt{TJC} + 0.28 \times \sqrt{SJC} + 0.70 \times \ln ESR + 0.014 \times GH$

標準化 ESR = $\dfrac{ESR（mm/h）- 20}{10}$

ln ESR = ESR（mm/h）の自然対数
（山口賢一：分子リウマチ治療 2016；9：62-65 より引用・改変）

齢に応じた運動発達により該当しない項目については，「該当しない」という選択肢が設けられている．過去1週間の身体機能について回答し，それぞれの領域で最も点数の高い項目が，その領域の点数となる．補助具の使用や，他人の介助が必要な場合には，その領域で最低2点が割り当てられる．8つの領域は平均され，障害指数（DI）が算出される．DIは0〜3の範囲で，得点が高いほど障害が強いことを示す．CHAQには，痛みの評価と全体的な well-being の評価のための10cm VASが含まれている．

CHAQはHAQと同様に，いくつかの言語に翻訳されている．日本語版は日本の生活様式に適応させた翻訳改変版JCHAQが，わが国でのTCZの臨床試験の際に作成されたが，当初，日本特有の箸を使用する食文化であること，スプーン・フォークと箸の習得年齢が異なることなどより，他言語CHAQより多い38項目の質問から構成されていた[31]．その後，日米の小児リウマチ医による議論を経て，原版である米英語版と同じく8機能分類30項目となるよう改訂された[32]．

CHAQはACR Pedi Responseの構成変数の1つであり，わが国における臨床試験の際は，日本語版が用いられている．日本小児リウマチ学会のWebサイトより無料でダウンロードが可能である[33]．

■文献

1) Petty RE, et al：J Rheumatol 2004；31：390-392.

2) Zaripova LN, et al：Pediatr Rheumatol Online J 2021；19：135.

3) Ravelli A, et al：Lancet 2007；369：767-778.

4) Narazaki H, et al：Mod Rheumatol 2023；33：1021-1029.

5) Martini A, et al：J Rheumatol 2019；46：190-197.

6) 厚生労働科学研究費補助金 免疫アレルギー疾患等予防・治療研究事業「小児期のリウマチ・膠原病の難治性病態の診断と治療に関する研究」（H20-免疫・一般-008）平成20年度総括研究報告書. 2008.

7) 日本リウマチ学会 小児リウマチ調査検討小委員会 ぶどう膜炎ワーキンググループ編：受診間隔. 小児非感染性ぶどう膜炎初期診療の手引き 2020年版. p62-64, 羊土社 2020.

8) 武井修治：若年性特発性関節炎. 日本臨牀 2014；72（増3）：399-403.

9) Wallace CA, et al：J Rheumatol 1995；22：1009-1012.

10) Reiff A, et al：Clin Exp Rheumatol 1995；13：113-118.

11) 小児慢性特定疾病情報センター：小児慢性特定疾病の医療費助成に係る自己負担上限額. https://www.shouman.jp/assist/expenses

12) 難病情報センター：指定難病患者への医療費助成制度のご案内. https://www.nanbyou.or.jp/entry/5460

13) 賀藤 均，他：日本小児科学会雑誌 2023；127：61-78.

14) 日本小児リウマチ学会：小児リウマチ性疾患版移行チェックリスト. http://www.praj.jp/activities/acrivities01.html

15) 京都大学大学院医学研究科社会健康医学系専攻健康情報学：移行準備状況評価アンケート（TRAQ）日本語版について. http://hi.med.kyoto-u.ac.jp/TRAQ.html?fbclid=IwAR0vkEsQcX1D41XltA09mCcyCTZY_Ru0bggMB2j5cO-QVlpskyA1_SSAsk_I

16) あすなろ会 若年性特発性関節炎（JIA）親の会. https://asunarokai.com/

17) 厚生労働科学研究費補助金 難治性疾患等政策研究事業 小児期および成人移行期小児リウマチ患者の全国調査データの解析と両者の異同性に基づいた全国的「シームレス」診療ネットワーク構築による標準的治療の均てん化研究班編：成人診療科医のための小児リウマチ性疾患移行支援ガイド. 羊土社 2020.

18) 厚生労働科学研究費補助金 免疫・アレルギー疾患政策研究事業「ライフステージに応じた関節リウマチ患者支援に関

する研究」研究班編：メディカルスタッフのためのライフステージに応じた関節リウマチ患者支援ガイド．羊土社 2021．

19）Giannini EH, et al：Arthritis Rheum 1997；40：1202-1209．

20）Brewer EJ, et al：Arthritis Rheum 1977；20：195-199．

21）Cassidy JT, et al：Arthritis Rheum 1986＋；29：274-281．

22）Morgan EM, et al：J Rheumatol 2017；44：1884-1888．

23）Reiff A：J Pediatr 2008；84：285-288．

24）Wallace CA, et al：J Rheumatol 2004；31：2290-2294．

25）Wallace CA, et al：Arthritis Care Res（Hoboken）2011；63：929-936．

26）Consolaro A, et al：Arthritis Rheum 2009；61：658-666．

27）日本小児リウマチ学会：診療支援ツール JADAS-27 の計算．http://www.praj.jp/activities/JADAS27Calc.html

28）山口賢一：分子リウマチ治療 2016；9：62-65．

29）Consolaro A, et al：Pediatr Rheumatol Online J 2016；14：23．

30）Singh G, et al：Arthritis Rheum 1994；37：1761-1769．

31）Miyamae T, et al：Mod Rheumatol 2008；18：336-343．

32）Miyamae T, et al：Mod Rheumatol 2020；30：905-909．

33）日本小児リウマチ学会：日本語版 CHAQ 改変版．http://www.praj.jp/activities/JCHAQ.html

JIA 推奨 1

推奨文

JIA 少関節炎型・多関節炎型の患者(児)に，MTX 投与を推奨する．

推奨の強さ **強い**　エビデンスの確実性 **非常に低**　パネルメンバーの同意度 **8.69**

JIA CQ1

JIA 少関節炎型・多関節炎型の患者(児)に，MTX は有用か？

サマリー	JIA 少関節炎型・多関節炎型の患者(児)への MTX 投与は，疾患活動性の改善効果が認められ，中等度の有害事象増加を認めるものの，害が利益を大きく上回ることはないと考えられる．アウトカム全体のエビデンスの確実性は「非常に低」だが，保険適用があり，世界的にも標準薬であること，MTX を使用せず副腎皮質ステロイドに依存する治療の害が明らかであることから，推奨の強さは「強い」とした．
注　記	経口 MTX は，JIA 少関節炎型・多関節炎型の患者(児)に対し，わが国で承認されている唯一の csDMARD であり，その有用性は高く，薬物治療の基本的な薬剤である．

1）推奨の背景

　MTX は葉酸アナログであり，主に葉酸を核酸合成に必要な活性型葉酸に還元させる dihydrofolate reductase が主たる MTX の細胞内標的となる．dihydrofolate reductase 阻害によりチミジル酸合成およびプリン体合成系を阻害し，抗免疫・抗炎症作用を有する薬剤である（参考文献 1）．低用量を週 1～2 日で投与する MTX は，小児のリウマチ性疾患の治療において最も有用な薬剤の 1 つとして登場し，1990 年代頃より多くの症例で第一選択薬となっている（参考文献 2）．活動性を有する JIA 少関節炎型・多関節炎型の患者（児）に対する MTX の有用性を確認し，利益と害のバランス，患者の価値観を考慮し，推奨の強さを決定することの重要性は高い．

2）エビデンスの要約

　2022 年 12 月 31 日までの期間において PubMed，Cochrane Central Register of Controlled Trials，医学中央雑誌で，2020 年 12 月 28 日までの期間において Embase で報告された，JIA 少関節炎型・多関節炎型の患者（児）における経口 MTX に関する論文を系統的にレビューし，重複を除いた 1,510 件が抽出された．これらのうち 42 件について詳細な検討を行い，本 CQ に関連する 3 件の RCT から 3 論文が同定された．入手可能であった 2 論

文のアウトカム評価を行った．

　採用された RCT はいずれも試験開始から全例に実薬を投与していたが，1 論文では，$5mg/m^2$/週または $10mg/m^2$/週の経口 MTX を 6 か月間投与後にアウトカムの評価が行われた．もう 1 論文の研究デザインは crossover trials 試験で，$15～20mg/m^2$/週の経口 MTX またはプラセボを 4 か月間投与後に 2 か月間の休薬期間を経て，再度治療薬を交換して 4 か月間投与された．いずれも MTX 投与 4 か月後にアウトカムの評価が行われた．

　本 CQ における重大なアウトカムとして，治療開始 4 または 6 か月時の JIA 少関節炎型・多関節炎型の活動性関節数の変化量，ACR Pedi 30 に類似した治療効果複合指標*の達成割合，可動域制限を有する関節数の変化量，薬剤継続率，薬剤毒性割合を取り上げた．活動性関節は腫脹または疼痛を伴う可動域制限，疼痛を有する関節と定義した（採用論文 1，2）．

　プラセボと比較した経口 MTX の望ましい効果は，活動性関節数の変化量の絶対効果が MD＝－1.96，95％CI［－5.24，1.32］，治療効果複合指標の達成の絶対効果は，1,000 人あたり 196 人増加，95％CI［－16，585］，相対効果は RR＝1.73，95％CI［0.94，3.18］，可動域制限を有する関節数の変化量の絶対効果は MD＝－0.67，95％CI［－6.31，4.97］，薬剤継続率（6 か月時）は絶対効果として 1,000 人あたり 33 人増加，95％CI［－100，182］，相対効果として RR＝1.04，95％CI［0.88，1.22］であった．経

---

*具体的には以下の 2 つの指標である．

　composite index：①SJC・重症度，②運動時関節痛・重症度，③TJC・重症度，④可動域制限を有する関節数・重症度，⑤活動性関節数，⑥articular-severity score，⑦朝のこわばりの時間，から構成される特設複合指標．25％改善を評価．

　core outcome variables：①医療者 VAS，②患者（児）／保護者 VAS，③活動性関節数，④可動域制限を有する関節数，⑤ESR，から構成される特設複合指標．3 つ以上の variable において 30％の改善，かつ 30％以上の悪化をきたす variable が 1 つ以下と定義．

□ MTX は JIA 少関節炎型・多関節炎型の関節炎に対して有効と考えられ，望ましい効果は「小さい」と判断した．

プラセボと比較した，6 か月時の経口 MTX の望ましくない効果については，薬剤毒性割合の絶対効果は 1,000 人あたり 40 人増加，95％CI［−59, 299］，相対効果は RR ＝ 1.33，95％CI［0.52, 3.45］であり，望ましくない効果は「中」と判断した．

3）エビデンスの確実性

本推奨作成に用いたエビデンスについては，いずれも RCT に基づいている．

JIA 少関節炎型・多関節炎型の活動性関節数，ACR Pedi 30 に類似した治療効果複合指標の達成割合，薬剤継続率については，「非直接性」「不精確さ」において，可動域制限を有する関節数については，「非一貫性」「非直接性」「不精確さ」において深刻な問題を認めた．

望ましくない効果である薬剤毒性割合に関しては，「バイアスのリスク」「非一貫性」「非直接性」「その他の検討」では深刻な問題は認められなかったが，RR の 95％CI が「相当な害」とみなされる基準の 1.25 を含んでおり，「不精確さ」は深刻と評価した．

重大なアウトカムに関する介入の効果の方向性は利益が小さく増加，害は中等度増加と異なる方向となるため，重大なアウトカムのエビデンスの確実性は「非常に低」とした．

4）推奨の強さ決定の理由

① 利益と害のバランスの評価

プラセボと比べて 4 または 6 か月時の経口 MTX の投与の疾患活動性改善効果は，ACR Pedi 30 に類似した治療効果複合指標の達成の NNT が 5.1，薬剤継続の NNT が 30.3 であった．活動性関節数の改善に関しては MD ＝ −1.96，95％CI［−5.24, 1.32］，可動域制限を有する関節数の改善に関しては MD ＝ −0.67，95％CI［−6.31, 4.97］であった．

一方，RCT における 6 か月時までの経口 MTX 投与の有害事象に関しては，プラセボと比べ，薬剤毒性の NNH は 25 であった．

経口 MTX 使用にあたっては，重篤な有害事象および重篤な感染症に留意が必要であるが，対象論文では薬剤毒性割合のみが評価されていた．総合的に，プラセボと比べて経口 MTX 投与の望ましくない効果が望ましい効果を上回ることはないと考えられる．

② 患者の価値観・意向

これまでわが国における JIA 少関節炎型・多関節炎型の治療に関する大規模な意向調査は報告されていないが，疼痛改善を含む疾患活動性の改善が望ましい治療効果であり，副作用や感染症が望ましくない効果であることに関するばらつきはおそ

らくないものと考える．今後，日本小児リウマチ学会または患者会などで患者の価値観における調査が行われることが望ましい．

③ コスト

QALY など費用対効果に対するわが国のエビデンスはない．MTX はわが国で 2008 年に「関節症状を伴う若年性特発性関節炎」に対し承認された（参考文献 3）．2mg 先発医薬品の薬価は149.30 円/カプセル，後発医薬品では 42.20 〜 97.40 円/カプセル・錠（2023 年 8 月現在）で，患者（児）1 人にかかるコストとしては，平均体表面積が 1.0m² となる 10 歳で 10mg/m² ＝ 10mg を週 1 回の投与で，年間 10,972.00 〜 38,818.00（52 週計算）円である．小児慢性特定疾病医療費助成制度または指定難病医療給付制度の対象となれば，一般所得家庭で 2,194.40 〜 7,763.60 円/月程度の負担増であり，bDMARD に比較して安価と考えられる．また，追加で必要な医療資源はない．

④ パネル会議での意見

パネル会議においては，経口 MTX は「関節症状を伴う若年性特発性関節炎」に対しわが国で承認されている唯一のcsDMARD であり，その有用性は高く，国際的にも JIA 少関節炎型・多関節炎型の薬物治療の基本的な薬剤であることが確認された．アウトカム全体のエビデンスの確実性は「非常に低」だが，保険適用があり，世界的にも標準薬であること，MTX を使用せず副腎皮質ステロイドに依存する治療の害が明らかであることから，推奨の強さは「強い」とした．

わが国では MTX の皮下注製剤や細粒，内用液は承認されていない．カプセルや錠剤の服用が困難な場合，脱カプセルや錠剤粉砕による投与を行う．MTX は曝露によって健康被害がもたらされるか，または疑われる Hazardous Drugs として NIOSH基準の 1 つ以上を満たす薬剤であり，調剤の操作が伴う場合には曝露の危険性が増加する（参考文献 4, 5）．家庭内での調剤の際には曝露対策を講じる必要がある（参考文献 6）．

また JIA 少関節炎型・多関節炎型の患者（児）の価値観についてはこれまでまとまった調査がされていないため，日本小児リウマチ学会や患者会などで実施されることが望ましい．

5）採用論文リスト

1）Giannini EH, et al：N Eng J Med 1992；326：1043-1049.
2）Woo P, et al：Arthritis Rheum 2000；43：1849-1857.

6）推奨作成関連資料一覧（推奨作成関連資料 9 に掲載）

資料 A　JIA CQ1　文献検索式
資料 B　JIA CQ1　文献検索フローチャート
資料 C　JIA CQ1　バイアスのリスク
資料 D　JIA CQ1　エビデンスプロファイル
資料 E　JIA CQ1　フォレストプロット

■**参考文献**

1) Strand V, et al：Arch Intern Med 1999；159：2542-2550.

2) Singsen BH, et al：Rheum Dis Clin North Am 1997；23：811-840.

3) 日本リウマチ学会 小児リウマチ調査検討小委員会：若年性特発性関節炎初期診療の手引き 2015. メディカルレビュー社 2015.

4) National Institute for Occupational Safety and Health（NIOSH）：NIOSH List of Antineoplastic and Other Hazardous Drugs in Healthcare Settings, 2016. http://www.cdc.gov/niosh/docs/2016-161/pdfs/2016-161.pdf

5) 日本がん看護学会, 日本臨床腫瘍学会, 日本臨床腫瘍薬学会編：がん薬物療法における曝露対策合同ガイドライン 2015 年版. 金原出版 2015.

6) 日本小児リウマチ学会：メトトレキサート（MTX）を安全に服用するために. http://www.praj.jp/guideline/MTXExpo-Measure.pdf

JIA 推奨 2

推奨文

JIA 少関節炎型・多関節炎型の患者(児)に，AZA，SASP，LEF を投与しないことを推奨する(条件付き)．

推奨の強さ　**弱い**　エビデンスの確実性　**非常に低**　パネルメンバーの同意度　**7.88**

JIA CQ2

JIA 少関節炎型・多関節炎型の患者(児)に，MTX 以外の csDMARD は有用か？

サマリー	JIA 少関節炎型・多関節炎型の患者(児)に対する csDMARD として，LEF，AZA，SASP に関する論文が抽出された．LEF 投与は，16 週における評価で MTX 投与と比較しておそらく劣っている．AZA や SASP は MTX との直接比較として有用なデータがないため検証できていないが，リサーチエビデンスを参考に総合的に判断して，利益と害のバランスにおいて，AZA，SASP，LEF 投与が MTX 投与を大きく上回ることはないと考えられる．小児における LEF の安全性データは乏しく，わが国では AZA，SASP，LEF は JIA に保険適用外である．MTX あるいは bDMARD が使用可能な患者では，これらの薬剤を投与しないことを条件付きで推奨する．
注　記	わが国で JIA 少関節炎型・多関節炎型の患者(児)に対する csDMARD は，MTX のみが保険適用があり，TAC は「55 年通知」で「難治性・既存治療で効果不十分な JIA」に対する適応外使用の保険適用が認められている．TAC については MTX を含めて治療効果を直接比較した論文がなく，今回の推奨対象には含まれていない．

1）推奨の背景

活動性の JIA 少関節炎型・多関節炎型（RF 陽性または陰性）の患者（児）に対する標準的第一選択薬は MTX である．しかし，禁忌や不耐のため MTX を使用できない場合には，MTX 以外の csDMARD を使用する機会がある．また，わが国では海外で用いられない固有の csDMARD が使用されている．これらの有用性を検討することは重要である．

2）エビデンスの要約

MTX 以外の csDMARD 8 剤（SASP，BUC，TAC，IGU，LEF，MZR，AZA，CsA）について，2022 年 12 月 31 日までの期間において PubMed，Cochrane Central Register of Controlled Trials，医学中央雑誌で，2020 年 12 月 31 日までの期間において Embase で報告された論文の SR を行った．このうち，エビデンス評価まで行えた薬剤は AZA，LEF，SASP の 3 剤のみであった．

① AZA

Cochrane review はなく，PubMed，医学中央雑誌の検索で抽出された 6 件のうち，RCT である 1 件が抽出された．採用論文は AZA とプラセボの比較試験であり，AZA における重大なアウトカムとして，可動域制限を有する関節数の変化量と薬剤継続率が評価対象候補となったが，対象症例数が少なく，関節評価

が中央値のみの記載であったため，薬剤継続率のみでの評価とした（採用論文 1）．プラセボ群と比較した，16 週時の AZA 群の望ましい効果として，薬剤継続率の絶対効果は 1,000 人あたり 132 人増加，95％CI［－557，1,000］，相対効果は RR＝1.18，95％CI［0.24，5.86］であった．望ましくない効果は判定不能とした．

② LEF

Cochrane review は 1 件あり，PubMed，医学中央雑誌の検索で抽出された 3 件のうち，RCT である 1 件が抽出された．採択論文は LEF と MTX の比較試験であり，LEF における重大なアウトカムとして，活動性関節数の変化量，ACR Pedi 30 達成割合，可動域制限を有する関節数の変化量と薬剤継続率，重篤な有害事象，重篤な感染症を評価した（採用論文 2）．MTX と比較した，16 週時の LEF の望ましい効果は，活動性関節数の変化量の絶対効果が MD＝0.8，95％CI［0.4，1.2］，ACR Pedi 30 達成の絶対効果は 1,000 人あたり 214 人減少，95％CI［－349，－45］，相対効果は RR＝0.76，95％CI［0.61，0.95］，可動域制限を有する関節数の変化量の絶対効果は MD＝0.1，95％CI［－0.22，0.42］，薬剤継続率の絶対効果は 1,000 人あたり 39 人減少，95％CI［－117，39］，相対効果は RR＝0.96，95％CI［0.88，1.04］であった．望ましくない効果は，重篤な有害事象の絶対効果として 1,000 人あたり 0 人と不変（MTX 群の発現率を外挿した場合

は1,000人あたり32人増加, 95％CI［−14, 1,000］), 相対効果としてRR＝7.00, 95％CI［0.37, 131.89］であった. 重篤な感染症の絶対効果として1,000人あたり0人と不変, 95％CI［0, 0］, 相対効果としてRR＝3.00, 95％CI［0.13, 71.82］であった.

③ SASP

Cochrane reviewは1件あり, PubMed, 医学中央雑誌の検索で抽出された19件のうち, RCTである1件が抽出された. 採用論文はSASPとプラセボの比較試験であり, SASPにおける重大なアウトカムとして, 活動性関節数の変化量, 可動域制限を有する関節数の変化量と重篤な有害事象が評価対象候補となった（採用論文3）. プラセボと比較した, 24週時のSASPの望ましい効果は, 活動性関節数の変化量の絶対効果がMD＝−4.76, 95％CI［−8.06, −1.04］, 可動域制限を有する関節数の変化量の絶対効果はMD＝−0.52, 95％CI［−3.22, 2.18］であった. 望ましくない効果は, 重篤な有害事象の絶対効果として1,000人あたり61人増加, 95％CI［−28, 1,000］, 相対効果としてRR＝2.92, 95％CI［0.12, 69.20］であった.

④ TAC

Cochrane reviewはなく, PubMed, 医学中央雑誌の検索で抽出された2件（参考文献1, 2）のうち, RCTは抽出されなかった. 後述するが, TACは社会保険診療報酬支払基金によってJIA少関節炎型・多関節炎型に対しての適応外使用が通知されたcsDMARDであるため, 今後のエビデンス蓄積が望まれる薬剤として, ここに記載する.

3）エビデンスの確実性

本推奨作成に用いたエビデンスについては, いずれもRCTに基づいている.

MTX以外のcsDMARDのエビデンスの確実性については, 採用された論文は現在の標準的アウトカムを用いた評価に乏しく, 重大なアウトカムについて全般にわたるエビデンスの確実性をGRADE法によって評価することは困難であったが, 論文の質, 評価されたアウトカムの種類, RRの点推定値の方向性とばらつきなどから, AZA, LEF, SASPのいずれも「非常に低」と判断された. これらの結果と採用論文が限られていることを総合的に判断し, MTX以外のcsDMARD全体にわたる全般的なエビデンスの確実性を「非常に低」とした.

4）推奨の強さ決定の理由

① 利益と害のバランスの評価

MTX以外のcsDMARDは, 重大なアウトカムに関するエビデンスの確実性は高くないものの, エビデンスプロファイルから, 望ましい効果と望ましくない効果のバランスはLEFとMTXの比較ではおそらくMTXが優れていると考えるが, AZA

やSASPとMTXとの比較については有用なデータがないため検証できていない. また, わが国でRAに保険適用があり, JIA少関節炎型・多関節炎型の患者（児）に対しても臨床的に用いられているTACは, RCTデータがないため, 本CQにおいてエビデンス評価ができなかったが, 有効性を示す報告（参考文献1, 2）もあり, 今後の検証が望まれる.

② 患者の価値観・意向

これまでわが国におけるJIA少関節炎型・多関節炎型の治療に関する大規模な意向調査は報告されていないが, 疼痛改善を含む疾患活動性の改善は望ましい治療効果であり, 副作用や感染症が望ましくない効果であることに関するばらつきはおそらくないものと考える. 今後, 日本小児リウマチ学会または患者会において患者の価値観における調査を行うことが望ましい.

③ コスト

QALYなど費用対効果に対する日本の論文, エビデンスはない. MTXはJIA少関節炎型・多関節炎型に対し国内で承認されている唯一のcsDMARDであり, 2mg先発医薬品の薬価は149.30円/カプセル, 後発医薬品では42.20〜97.40円/カプセル・錠（2023年8月現在）, LEFは10mg錠108.00円, 20mg錠185.40円, AZAは50mg錠88.20円, SASPは500mg錠11.20円, TAC 1mgカプセルは先発医薬品453.20円, 後発医薬品114.40円である. 患者（児）1人にかかるコスト（52週計算）としては, 平均体表面積が1.0m², 体重35kg前後となる10歳で10mg/m²＝10mgを週1回の投与で, MTX 10,972.00〜38,818.00円, LEF（維持量10mg/日として）39,312.00円, AZA（2.5mg/kg/日として）64,209.60円, SASP（30〜50mg/kg/日として）4,076.80円, TAC（0.1mg/kg/日として）166,566.40〜659,859.20円である.

小児慢性特定疾病医療費助成制度または指定難病医療給付制度の対象となれば, 一般所得家庭でそれぞれMTX 2,194.40〜7,763.60円/年, LEF 7,862.40円/年, AZA 12,841.20円/年, SASP 815.36円/年, TAC 33,313.28〜131,971.84円の負担であり, おおむね軽微な増加または減少と考えられる.

④ パネル会議での意見

パネル会議においては, JIA少関節炎型・多関節炎型の患者（児）に対する, MTX以外のcsDMARDとMTXとの有効性や安全性を直接比較するデータが乏しいことから, LEF以外のcsDMARDについて明確なエビデンスを提示することはできなかった. また, 小児におけるLEFの安全性データが乏しいことも指摘された. 症例数が少ないJIA少関節炎型・多関節炎型においてはGRADE法の限界があるとの認識も示された. リサーチエビデンスを参考に総合的に判断して, 利益と害のバランスにおいて, AZA, SASP, LEF投与がMTX投与を大きく上回ることはないと考えられ, わが国では保険適用外であることも勘案し, これらの製剤を投与しないことを条件付きで推奨するとした. 今回のSRにおいて, まとまったRCTがないため検証さ

れなかったが，TAC は 2022 年から社会保険診療報酬支払基金によって MTX に不応・不耐の JIA 少関節炎型・多関節炎型の患者（児）に対して 0.05〜0.15mg/kg/日での適応外使用が通知されているので，JIA 少関節炎型・多関節炎型の患者（児）における有用な csDMARD の 1 つとして今後エビデンスの構築が望まれる．

5）採用論文リスト

1）Kvein TK, et al：J Rheumatol 1986；13：118-123.

2）Silverman E, et al：N Engl J Med 2005；352：1655-1666.

3）van Rossum MA, et al：Arthritis Rheum 1998；41：808-816.

6）推奨作成関連資料一覧（推奨作成関連資料 9 に掲載）

資料 A　JIA CQ2　文献検索式

資料 B　JIA CQ2　文献検索フローチャート

資料 C　JIA CQ2　バイアスのリスク

資料 D　JIA CQ2　エビデンスプロファイル

資料 E　JIA CQ2　フォレストプロット

■参考文献

1）Yamazaki S, et al：Mod Rheumatol 2022；32：783-791.

2）Shimizu M, et al：Rheumatology（Oxford）2014；53：2120-2122.

JIA 推奨3

推奨文

JIA 少関節炎型・多関節炎型の患者(児)に，csDMARD による治療に追加して短期間の副腎皮質ステロイドの全身投与を行わないことを推奨する(条件付き).

推奨の強さ **弱い**　　エビデンスの確実性 **非常に低**　　パネルメンバーの同意度 **7.94**

JIA CQ3

JIA 少関節炎型・多関節炎型の患者(児)に，副腎皮質ステロイド全身投与は有用か？

サマリー	疾患活動性を有する JIA 少関節炎型・多関節炎型の患者(児)に対する短期間の副腎皮質ステロイドの全身投与は，対照群と比較して効果と安全性は明らかでなく，全身投与の既知の副作用を勘案して，全身投与を行わないことを条件付きで推奨する.
注　記	副腎皮質ステロイドの全身投与の様々な副作用は既知であるが，小児ではさらに成長抑制のリスクがある．疾患活動性が高い場合にはやむをえずブリッジング療法として投与を行う場合があるが，短期的使用とし，副作用に注意する．特に骨端線閉鎖前の投与には小児科医との連携が必要である.

1）推奨の背景

　JIA 少関節炎型・多関節炎型患者（児）に対する標準的第一選択薬は MTX であるが（参考文献 1），MTX の効果発現には 2 か月程度を要するため，関節炎による疼痛緩和を目的として，イブプロフェンやナプロキセンなどの NSAID が併用される．一方，副腎皮質ステロイド（以下，ステロイド）の全身投与は，様々な炎症病態に対する抗炎症作用を有するが，易感染性・高血圧・骨量低下・成長抑制などの副作用が知られている．このため，疾患活動性を有する JIA 少関節炎型・多関節炎型の患者（児）に対して，ステロイド全身投与の併用が有用かを検討することは，治療方針決定に重要である.

2）エビデンスの要約

　わが国で使用可能な，内服あるいは静脈注射で投与するすべてのステロイドを対象として評価した．2022 年 12 月 31 日までの期間において PubMed，Cochrane Central Register of Controlled Trials，医学中央雑誌で，2020 年 12 月 31 日までの期間において Embase で報告された JIA 少関節炎型・多関節炎型患者（児）におけるステロイド全身投与に関する論文を系統的にレビューし，重複を除いた 1,687 件が抽出された．これらのうち 14 件について詳細な検討を行った．MTX を含む csDMARD を使用した患者を対象とした試験についても評価対象とし，本 CQ に関連する 2 件の RCT から 2 論文が同定された．DEX 静注 3 日間投与（全身投与）による RCT が 1 件と，PSL 経口 6 週間投与（全身投与）による RCT が 1 件であり，介入が異なるため別個にア

ウトカム評価を行った.

　本 CQ における重大なアウトカムとして，DEX 全身投与では治療開始 16 週時の ACR Pedi 30 達成割合および重篤な有害事象を取り上げ，PSL 全身投与では治療開始 12 週時の臨床的非活動状態達成割合（Wallace preliminary criteria），ACR Pedi 30 達成割合および重篤な有害事象を取り上げた.

　MTX と比較した，16 週時の DEX 全身投与と MTX の併用の望ましい効果は，ACR Pedi 30 達成の絶対効果が 1,000 人あたり 53 人増加，95%CI［−142，307］，相対効果は RR＝1.07，95%CI［0.81，1.41］であった．また，SASP または MTX と比較した，12 週時の PSL 全身投与と SASP または MTX の併用の臨床的非活動状態達成の絶対効果は 1,000 人あたり 155 人減少，95%CI［−233，73］，相対効果は RR＝0.38，95%CI［0.11，1.29］，ACR Pedi 30 達成の絶対効果が 1,000 人あたり 30 人増加，95%CI［−170，355］，相対効果は RR＝1.06，95%CI［0.66，1.71］であった．以上から望ましい効果は「様々」とした.

　MTX と比較した，16 週時の DEX 全身投与と MTX の併用の望ましくない効果は，重篤な有害事象への絶対効果および相対効果は評価不能であった．また，SASP または MTX と比較した，12 週時の PSL 全身投与と SASP または MTX の併用の重篤な有害事象への絶対効果は 1,000 人あたり 31 人減少，95%CI［−59，265］，相対効果は RR＝0.50，95%CI［0.05，5.24］であった．以上から望ましくない効果は「中」とした.

　一方，推奨の参考にしたアウトカムの望ましくない効果の評価においては，MTX と比較した，16 週時の DEX 全身投与と MTX の併用の高血糖への相対効果は RR＝4.68，95%CI［0.23，

93.37]，クッシング症候群への相対効果は RR＝1.87，95％CI [0.63，5.52] であった．また，SASP または MTX と比較した，12週時の PSL 全身投与と SASP または MTX の併用の何らかの有害事象への絶対効果は 1,000 人あたり 63 人増加，95％CI [−98，444]，相対効果は RR＝1.29，95％CI [0.55，3.03]，消化管への有害事象への絶対効果は 1,000 人あたり 219 人増加，95％CI [−15，720]，相対効果は RR＝2.00，95％CI [0.93，4.29]，感染症への絶対効果は 1,000 人あたり 63 人減少，95％CI [−178，230]，相対効果は RR＝0.75，95％CI [0.29，1.92] であった．以上から望ましくない効果は「様々」とした．

3）エビデンスの確実性

　本推奨作成に用いたエビデンスについては，いずれも RCT に基づいている．

　DEX 全身投与においては，ACR Pedi 30 達成割合では，「バイアスのリスク」「非一貫性」「その他の検討」では深刻な問題は認められなかったが，「非直接性」が深刻，RR の 95％CI が「相当な利益」とみなされる基準の 1.25 を含んでおり「不精確さ」は深刻と判断し，エビデンスの確実性は「低」と評価した．重篤な有害事象に関しては，「バイアスのリスク」「非一貫性」「その他の検討」では深刻な問題は認められなかったが，「非直接性」が深刻，介入と比較対照の双方で重篤な有害事象の発生が 0 のため「不精確さ」は深刻と判断し，エビデンスの確実性は「低」と評価した．

　PSL 全身投与においては，臨床的非活動状態達成割合，ACR Pedi 30 達成割合について，「非一貫性」「非直接性」「その他の検討」のいずれも深刻ではなかったが，単盲検臨床試験のため「バイアスのリスク」が深刻，RR の 95％CI が「相当な利益」または「相当な害」みなされる基準の 1.25 と 0.75 の双方を含んでおり，「不精確さ」は非常に深刻と判断し，エビデンスの確実性は「非常に低」と評価した．重篤な有害事象に関しても，「非一貫性」「非直接性」「その他の検討」のいずれも深刻ではなかったが，単盲検臨床試験のため「バイアスのリスク」が深刻，RR の 95％CI が「相当な利益」または「相当な害」とみなされる基準の 0.75 と 1.25 の双方を含んでおり，「不精確さ」は非常に深刻と判断し，エビデンスの確実性は「非常に低」と評価した．

　重大なアウトカムに関する介入の効果の方向性は，利益が様々，害は中程度減少（推奨の参考にしたアウトカムは方向性が様々）で，患者にとって同じではないため，アウトカム全般のエビデンスの確実性は最も低い「非常に低」とした．

4）推奨の強さ決定の理由

① 利益と害のバランスの評価

　ステロイド全身投与による望ましい効果と望ましくない効果の方向性は様々であり，介入による望ましい効果がみられたア

ウトカムでもその効果は弱かった．

　一方，JIA に対する長期間のステロイド全身投与は，成長抑制のリスクとなることが観察研究で示されている（PSL 換算で 1mg/kg/日を 6 か月間維持すると，身長 Z スコアは 0.64 低下，95％CI [−0.82，−0.56]）（参考文献 2）．

　このような長期的な影響の可能性を考慮すると，ステロイド全身投与を行わないことがおそらく優れていると判断した．

② 患者の価値観・意向

　これまでわが国における JIA 少関節炎型・多関節炎型の治療に関する大規模な意向調査は報告されていないが，疼痛改善を含む疾患活動性の改善が望まれる治療効果であり，副作用や感染症が望まれない効果であることに関するばらつきはおそらくないものと考える．今後，日本小児リウマチ学会または患者会などで患者の価値観における調査が行われることが望ましい．

③ コスト

　QALY など費用対効果に対する日本の論文，エビデンスはない．しかし，注射用 DEX の薬価は，182.00 円〜238.00 円/6.6mg（2023 年 8 月現在）で，患者（児）1 人にかかるコストとしては，体重 30kg の患者に対して 90mg（3mg/kg）を 3 日間の投与で，7,644〜9,996 円である．また，PSL（5mg 錠）の薬価は，9.80 円/錠（2023 年 8 月現在）で，患者（児）1 人にかかるコストとしては，体重 30kg の患者に対して 15mg（0.5mg/kg）を 4 週間の投与で，823.20 円である．小児慢性特定疾病医療費助成制度または指定難病医療給付制度の対象となれば，一般所得家庭で 164.64〜1,999.20 円/月程度の負担増であり安価と考えられる．また，追加で必要な医療資源はない．このため，必要資源量は無視できるほどの増加と考えられた．

④ パネル会議での意見

　パネル会議においては，疫学研究から示唆される長期間のステロイド全身投与による成長抑制のリスクを，本 CQ への推奨にどの程度反映させるべきか議論された．わが国では，日本小児科学会専門医資格をもつリウマチ専門医は 114 人（2023 年 10 月時点）と少なく，小児リウマチ専門診療の均てん化が不十分であることも勘案し，短期間のステロイドの全身投与は，原則として推奨しないとした．ただし，高疾患活動性の患者（児）に対しては，ACR の JIA 診療ガイドライン（参考文献 3）の推奨と同様に，疼痛緩和などを目的として，副作用に注意しながら短期的なブリッジング療法を行う場合があることを注記に記載した．また，特にステロイド全身投与による成長抑制のリスクが高い骨端線閉鎖前の JIA 少関節炎型・多関節炎型の患者（児）の診療にあたっては，小児科医との連携が望ましいことも併せて記載した．

　なお，JIA 少関節炎型・多関節炎型の患者（児）の価値観についてはこれまでまとまった調査がされていないため，日本小児リウマチ学会や患者会などで実施されることが望ましいと考

えられた.

5) 採用論文リスト

1) Bhardwaj U, et al：Rheumatology（Oxford）2022；61：3370-3377.

2) Hissink Muller PC, et al：Pediatr Rheumatol Online J 2017；15：11.

6) 推奨作成関連資料一覧 (推奨作成関連資料9に掲載)

資料A　JIA CQ3　文献検索式

資料B　JIA CQ3　文献検索フローチャート

資料C　JIA CQ3　バイアスのリスク

資料D　JIA CQ3　エビデンスプロファイル

資料E　JIA CQ3　フォレストプロット

■参考文献

1) 日本リウマチ学会小児リウマチ調査検討小児委員会編：若年性特発性関節炎初期診療の手引き 2015. メディカルレビュー社 2015.

2) Guzman J, et al：Pediatr Rheumatol Online J 2017；15：68.

3) Ringold S, et al：Arthritis Rheumatol 2019；71：846-863.

JIA 推奨 4

推奨文

csDMARD が使えないまたは効果不十分で，中等度以上の疾患活動性を有する JIA 少関節炎型・多関節炎型の患者（児）に，TNF 阻害薬を推奨する．

推奨の強さ　**強い**　エビデンスの確実性　**非常に低**　パネルメンバーの同意度　**8.44**

JIA CQ4

JIA 少関節炎型・多関節炎型の患者（児）に，TNF 阻害薬は有用か？

サマリー	MTX 併用で TNF 阻害薬をプラセボと比較する並行群間比較試験と，TNF 阻害薬（MTX 併用または非併用）で治療反応性が得られた例で TNF 阻害薬を中止する薬剤中止試験において，TNF 阻害薬は望ましい効果を増加させ，再燃および重篤な有害事象を減少させた．PMS の結果による重篤な有害事象および重篤な感染症の発生頻度を考慮しても，望ましい効果は望ましくない効果を上回ると考えられる．海外のガイドラインでも投与が推奨されていること，csDMARD が使えないまたは効果不十分で中等度以上の疾患活動性を有する患者（児）に TNF 阻害薬を使用せず csDMARD を継続することの不利益や副腎皮質ステロイドに依存する治療を選択する害が明らかであることと併せて，推奨の強さは「強い」とした．
注　記	JIA 少関節炎型・多関節炎型の患者（児）に対する TNF 阻害薬は，RCT が実施されているが，検討された研究では症例数が少なく，国内のエビデンスも不足していることから，有害事象への注意は必要である．

1）推奨の背景

JIA 少関節炎型・多関節炎型（RF 陽性または陰性）の患者（児）では，疾患活動性や薬物療法の長期的影響が，成人に比して大きい可能性が高い．TNF 阻害薬はわが国の JIA 少関節炎型・多関節炎型の患者（児）に広く使用されており，疾患活動性の高い患者（児）に対する TNF 阻害薬の有効性と安全性について，検証することは重要である．

2）エビデンスの要約

2022 年 12 月 31 日までの期間において PubMed，Cochrane Central Register of Controlled Trials，医学中央雑誌で，2020 年 12 月 31 日までの期間において Embase で報告された論文を検討し，csDMARD が使えないまたは効果不十分な JIA 患者（児）における TNF 阻害薬の有効性，安全性に関する論文について SR を行い，4 論文を採用した（採用論文 1〜4）．このうち，活動性関節数 5 関節以上など活動性のある JIA 少関節炎型・多関節炎型の患者（児）への MTX と TNF 阻害薬の併用投与と MTX とプラセボ併用投与を比較した RCT（並行群間比較試験）1 試験から 1 論文（採用論文 1），5 か所以上の活動性関節を有する JIA 少関節炎型・多関節炎型の患者（児）に MTX 併用または非併用で TNF 阻害薬を投与し ACR Pedi 30 などの有効性が認められた例において TNF 阻害薬継続投与と中止で再燃を比較した RCT（薬剤中止試験）3 試験から 3 論文（採用論文 2〜4）が抽出された．

並行群間比較試験では，重大なアウトカムとして ACR Pedi 30 達成割合，CHAQ-DI 変化量を取り上げた．

MTX とプラセボ併用と比較した MTX と TNF 阻害薬併用の望ましい効果は，14 週時の ACR Pedi 30 達成の絶対効果が 1,000 人あたり 147 人増加，95%CI [−29，388]，相対効果は RR = 1.30，95%CI [0.94，1.79]，CHAQ-DI の絶対効果は MD = −0.12，95%CI [−0.37，0.13] であった（採用論文 1）．

MTX とプラセボ併用と比較した MTX と TNF 阻害薬併用の望ましくない効果は，適切なアウトカムが報告されていなかったため，判定不能であった（採用論文 1）．参考となる ADA の PMS を目的として設立された JIA 多関節炎型を対象とした欧米の STRIVE レジストリの 7 年間の中間結果では，838 例（MTX 群：301 例，ADA±MTX 群：537 例）が解析された（参考文献 1）．レジストリの ADA 投与期間中央値 [IQR] は 2.47 年 [1.0〜3.6] であり，7 年後の時点で ADA を継続している患者は 42% であった．重篤な感染症の発生率は，MTX 群で 1.5 件/100 人年，ADA±MTX 群で 2.0 件/100 人年であった．重篤な有害事象発生率は，MTX 群で 4.4 件/100 人年，ADA±MTX 群で 7.2 件/100 人年であった．登録治療に関連する重篤な有害事象についても評価が行われ，MTX 群で 0.5 件/100 人年，ADA±MTX 群で 1.7 件/100 人年であった．重篤な有害事象発生は，ADA 非使用の MTX 群においてまれであったが，ADA を使用している ADA±MTX 群では軽度の増加を認めた．死亡または悪性腫瘍の報告はなかった．総合的に勘案して望ましくない効果は「小」と判断した．

薬剤中止試験では，重大なアウトカムとして再燃割合，ACR Pedi 30 達成割合，重篤な有害事象を取り上げた．

TNF 阻害薬と MTX で治療開始し，その後の TNF 阻害薬継続（TNF 阻害薬と MTX 併用）と中止（MTX 単剤）を比較した薬剤中止試験は 2 論文あった．TNF 阻害薬中止と比較した，32 週時の TNF 阻害薬継続の望ましい効果は，再燃の絶対効果が 1,000 人あたり 133 人減少，95％CI［−234，−5］，相対効果は RR＝0.75，95％CI［0.56，0.99］，ACR Pedi 30 達成の絶対効果が 1,000 人あたり 64 人増加，95％CI［−59，233］，相対効果は RR＝1.13，95％CI［0.88，1.45］であった（採用論文 2，3）．

TNF 阻害薬と MTX で治療開始し，その後の TNF 阻害薬中止と比較した TNF 阻害薬継続の望ましくない効果は，重篤な有害事象が絶対効果として 1,000 人あたり 27 人減少，95％CI［−67，65］，相対効果は RR＝0.72，95％CI［0.31，1.67］であった．

TNF 阻害薬単剤で治療開始し，その後の TNF 阻害薬継続と中止を比較した薬剤中止試験は ETN の 1 論文（採用論文 4）があり，ETN 中止と比較した 16 週時の ETN 継続の望ましい効果は，再燃の絶対効果が 1,000 人あたり 525 人減少，95％CI［−662，−267］，相対効果は RR＝0.35，95％CI［0.18，0.67］，ACR Pedi 30 達成の絶対効果が 1,000 人あたり 453 人増加，95％CI［111，1,000］，相対効果は RR＝2.31，95％CI［1.32，4.06］であった．

ETN 中止と比較した 16 週時の ETN 継続の望ましくない効果は，重篤な有害事象の絶対効果は計算不能（プラセボ群のイベント数 0 で，外挿に適切な論文がないため），相対効果は RR＝5.19，95％CI［0.26，103.07］であった．

3) エビデンスの確実性

並行群間比較試験の 1 論文（採用論文 1）では「バイアスのリスク」を高める要因はなかった．すべての重大なアウトカムで他の病型の JIA が被験者に含まれていたため「非直接性」は深刻，ACR Pedi 30 で RR の 95％CI が「相当な利益」とみなされる基準の 1.25 を含んでおり，CHAQ-DI で MD の 95％CI が決断閾値である −0.22 を含んでいるため，それぞれ「不精確さ」は深刻と判断した．

薬剤中止試験では，3 論文（採用論文 2〜4）3 研究のうち，1 論文（採用論文 4）で割り付け時の患者背景に差があるため「バイアスのリスク」は深刻と判断した．MTX 併用で TNF 阻害薬中止後の再燃割合と ACR Pedi 30 達成割合は，I^2 から「非一貫性」は深刻，RR の 95％CI から「不精確さ」は深刻と判断した．重篤な有害事象は RR の 95％CI から「不精確さ」は非常に深刻と判断した．

重大なアウトカムに関する介入の効果は，利益が小さく増加，害は並行群間比較試験および TNF 阻害薬と MTX で治療開始した薬剤中止試験では減少，TNF 阻害薬単剤で治療開始した

1 件の薬剤中止試験では増加で，異なる方向となるため，重大なアウトカムの中でエビデンスの確実性の最も低い「非常に低」とした．

4) 推奨の強さ決定の理由

① 利益と害のバランスの評価

アウトカム全般にわたるエビデンスの確実性は「非常に低」であり，再燃（抑制）の NNT は薬剤中止試験が 7.5，ACR Pedi 30 達成の NNT は並行群間比較試験が 6.8，薬剤中止試験が 15.6，重篤な有害事象の NNH は並行群間比較試験，薬剤中止試験ともに計算不能であった．前述の STRIVE レジストリの検討では，MTX 群，ADA±MTX 群の比較検討で，ADA の使用により重篤な有害事象発生の軽度増加を認めた．以上から，JIA 少関節炎型・多関節炎型の患者（児）に対して，総合的に TNF 阻害薬投与による望ましくない効果が望ましい効果を上回ることはおそらくないと考えられる．

② 患者の価値観・意向

これまでわが国における JIA 少関節炎型・多関節炎型の治療に関する大規模な意向調査は報告されていないが，疼痛改善を含む疾患活動性の改善が望ましい治療効果であり，副作用や感染症が望ましくない効果であることに関するばらつきはおそらくないものと考える．今後，日本小児リウマチ学会または患者会などで患者の価値観における調査が行われることが望ましい．

③ コスト

JIA 少関節炎型・多関節炎型は「若年性特発性関節炎」の 1 つとして小児慢性特定疾病，指定難病であり，医療費助成の対象であるため，患者個人にかかる負担は大きくない．JIA に保険適用を有する TNF 阻害薬の薬価は，ETN 10mg バイアル，ETN 25mg バイアル，ETN バイオ後続品（BS）10mg バイアル，ETN BS 25mg バイアル，ETN BS 10mg シリンジ，ETN BS 25mg シリンジの薬価は，それぞれ 5,300.00 円，13,373.00 円，2,890.00 円，6,513.00 円，3,008.00 円，6,678.00 円である．ADA 20mg シリンジ，ADA 40mg シリンジ，ADA 40mg ペン，ADA BS 20mg シリンジ，ADA BS 40mg シリンジ，ADA BS 40mg ペンの薬価は，それぞれ 26,297.00 円，52,931.00 円，51,022.00 円，15,311.00 円，29,267.00 円，27,884.00 円である（2023 年 9 月現在）．TNF 阻害薬使用により，患者（児）の疾患活動性が制御されれば，その後の直接医療費，間接医療費，さらには社会保障費などの低減につながることが予想される．

④ パネル会議での意見

パネル会議において，csDMARD で効果不十分または使用できない JIA 少関節炎型・多関節炎型の患者（児）に対する TNF 阻害薬の有効性が日常診療で確立しており，TNF 阻害薬は ACR Pedi 30 の達成割合を増加させ，TNF 阻害薬単剤で治療開始した 1 件の薬剤中止試験以外では，再燃および重篤な有害事象を減

少させることが確認された．前述の PMS で，長期におよぶ有害事象に関する情報が明らかにされ，海外のガイドラインでも投与が推奨されていること（参考文献 2，3），csDMARD が使えないまたは効果不十分で中等度以上の疾患活動性を有する患者（児）に，TNF 阻害薬を使用せず csDMARD を継続することの不利益や副腎皮質ステロイドに依存する治療を選択する害が明らかであることと併せて，推奨の強さは「強い」とした．

また，今回採用した臨床試験のほとんどにおいて，全身型 JIA，JIA 少関節炎型・多関節炎型，付着部炎関連関節炎，乾癬性関節炎，進展型少関節炎，持続性少関節炎など多様な病型が含まれている．病型によっては寛解になりやすいもの，進展しやすいものなど予後が異なる（参考文献 4）ため，病型ごとの CQ および推奨作成が必要という意見があった．しかし，現時点では病型ごとの被験者数は少なく，推奨作成は困難と考えられる．

5）採用論文リスト

1）Ruperto N, et al：Arthritis Rheum 2007；56：3096-3106.

2）Lovell DJ, et al：N Engl J Med 2008；359：810-820.

3）Brunner HI, et al：Ann Rheum Dis 2018；77：21-29.

4）Lovell DJ, et al：N Engl J Med 2000；342：763-769.

6）推奨作成関連資料一覧（推奨作成関連資料 9 に掲載）

資料 A　JIA CQ4　文献検索式

資料 B　JIA CQ4　文献検索フローチャート

資料 C　JIA CQ4　バイアスのリスク

資料 D　JIA CQ4　エビデンスプロファイル

資料 E　JIA CQ4　フォレストプロット

■参考文献

1）Brunner HI, et al：Arthritis Care Res（Hoboken）2020；72：1420-1430.

2）Ringold S, et al：Arthritis Care Res（Hoboken）2019；71：717-734.

3）Onel KB, et al：Arthritis Care Res（Hoboken）2022；74：521-537.

4）Glerup M, et al：Arthritis Care Res（Hoboken）2020；72：507-516.

JIA 推奨5

推奨文

csDMARD が使えないまたは効果不十分で，中等度以上の疾患活動性を有する JIA 少関節炎型・多関節炎型の患者(児)に，IL-6 阻害薬を推奨する.

推奨の強さ **強い**　エビデンスの確実性 **中**　パネルメンバーの同意度 **8.50**

JIA CQ5

JIA 少関節炎型・多関節炎型の患者(児)に，IL-6 阻害薬は有用か？

サマリー	TCZ 単剤で治療反応性が得られた例で TCZ を中止する薬剤中止試験において，TCZ 投与は 16 週時に良好な反応性を示した. 二重盲検期間で，TCZ 継続は TCZ 中止(プラセボ)と比較して望ましい効果の程度は小さく，望ましくない効果の程度はわずかであった. 安全性への配慮は必要なものの，海外のガイドラインでも IL-6 阻害薬投与が推奨されていることも考慮し，推奨の強さは「強い」とする.
注　記	JIA 少関節炎型・多関節炎型の患者(児)に対する IL-6 阻害薬は，薬剤中止試験が 1 件実施されている. 試験数が少なく，国内のエビデンスも不足していることから，有害事象への注意は必要である.

1) 推奨の背景

JIA 少関節炎型・多関節炎型（RF 陽性または陰性）の現在の標準治療は，まず csDMARD である MTX や NSAID による治療を開始し，効果不十分な場合に追加治療を検討する（参考文献 1）. csDMARD で効果不十分な JIA 少関節炎型・多関節炎型患者（児）に対する治療選択肢として，日本リウマチ学会 小児リウマチ調査検討小委員会が編集した「若年性特発性関節炎初期診療の手引き 2015」に記載されている「全身型以外の若年性特発性関節炎 治療アルゴリズム」（参考文献 1）において bDMARD が挙げられており，ACR の JIA 診療ガイドライン（参考文献 2）でも同様となっている. わが国で承認されている薬剤は，TNF 阻害薬の ETN・ADA，IL-6（受容体）阻害薬の TCZ，そして T 細胞選択的共刺激調節薬の ABT である. IL-6 阻害薬である TCZ は IL-1 β阻害薬であるカナキヌマブとともに全身型 JIA にも適応を有する bDMARD であり，複数の病型にまたがる有用性は治療選択において重要な意義があり，わが国でも様々な病型の JIA 患者（児）に広く用いられている.

2) エビデンスの要約

2022 年 12 月 31 日までの期間において PubMed，Cochrane Central Register of Controlled Trials，医学中央雑誌で，2020 年 12 月 31 日までの期間において Embase で報告された，MTX で効果不十分な JIA 少関節炎型・多関節炎型患者(児)における IL-6 阻害薬に関する論文を系統的にレビューし，重複を除いた 484 件が抽出された. これらについて詳細な検討を行い，本 CQ に関連する 1 件の RCT から 2 論文（採用論文 1，2）が同定された.

本 CQ における重大なアウトカムとして，ACR Pedi 30 達成割合，再燃割合，CHAQ-DI 変化量，重篤な有害事象および重篤な感染症を取り上げた. その結果として最終的に採用された RCT は，4 週毎に 16 週間 TCZ を投与後，反応した場合に中止か継続かを割り付けた薬剤中止試験 1 件であった.

プラセボ群と比較した，TCZ 群の 40 週時の望ましい効果は，ACR Pedi 30 達成の絶対効果が 1,000 人あたり 201 人増加，95% CI [43，402]，相対効果は RR = 1.37，95%CI [1.08，1.74] であった. 同様に再燃の絶対効果はプラセボ群に比較して TCZ 群では 1,000 人あたり 226 人減少，95%CI [−313，−87]，相対効果は RR = 0.53，95%CI [0.35，0.82] であった. CHAQ-DI 変化量の絶対効果は MD = −0.08，95%CI [−0.29，0.13] であった. 以上より，望ましい効果は「小さい」と判断した.

プラセボ群と比較した，TCZ 群の 40 週時の望ましくない効果は，重篤な有害事象は絶対効果として，1,000 人あたり 0 人と不変，95%CI [−29，117]，RR = 0.99，95%CI [0.21，4.75] であった. 重篤な感染症も二重盲検期間には TCZ 群で 1 人(1.2%) に肺炎を認めたのみであった. 全 TCZ 曝露例では肺炎 4 人(2.1%)，気管支炎 2 人（1.1%），蜂窩織炎 2 人（1.1%），水痘 1 人（0.5%），胃腸炎 1 人 （0.5%）であった. 以上より望ましくない効果は「わずか」と判断した.

3) エビデンスの確実性

本推奨作成に用いたエビデンスについては，いずれも採用さ

れた唯一の RCT である TCZ の薬剤中止試験（CHERISH 試験）に基づいている．

ACR Pedi 30 達成割合，再燃割合，CHAQ-DI 変化量については，「バイアスのリスク」「非一貫性」「非直接性」はいずれも深刻ではなく，「不精確さ」は ACR Pedi 30 達成割合では RR の 95％CI が「相当な利益」とみなされる基準の 1.25 を含んでいるため深刻，再燃割合では RR の 95％CI が「相当な害」とみなされる基準の 0.75 を含んでいるため深刻，CHAQ-DI 変化量では MD の 95％CI が MCID である -0.22 を含んでいることから深刻とそれぞれ判断した．エビデンスの確実性はいずれも「中」と評価した．

重篤な有害事象に関しては，「バイアスのリスク」「非一貫性」「非直接性」はいずれも深刻ではなく，「不精確さ」は RR の 95％CI が「相当な利益」または「相当な害」とみなされる基準の 0.75 と 1.25 の双方を含んでおり非常に深刻と判断し，エビデンスの確実性は「低」と評価した．

重大なアウトカムに関する介入の効果は，利益が小さく増加，害がわずかに低下で，同じ方向となるため，重大なアウトカムの中でエビデンスの確実性の最も高い「中」とした．

4）推奨の強さ決定の理由

① 利益と害のバランスの評価

望ましい効果の程度は小さく，望ましくない効果の程度はわずかであることから，効果のバランスは介入（IL-6 阻害薬）がおそらく優れている．重大なアウトカムの NNT は，ACR Pedi 30 達成で 5.0，再燃では -4.4 で，NNH は，重篤な感染症が -2,214 である．

② 患者の価値観・意向

これまでわが国における JIA 少関節炎型・多関節炎型の治療に関する大規模な意向調査は報告されていないが，疼痛改善を含む疾患活動性の改善が望ましい治療効果であり，副作用や感染症が望ましくない効果であることに関するばらつきはおそらくないものと考える．今後，日本小児リウマチ学会または患者会などで患者の価値観における調査が行われることが望ましい．

③ コスト

採用された論文では QALY に関する検討はなかった．日本で TCZ は多関節に活動性を有する JIA に対し保険適用を有す

る．薬価は，TCZ 点滴静注 200mg が 25,805.00 円/瓶，400mg が 54,665.00 円/瓶であり（2023 年 10 月現在），200mg/回を使用した場合，4 週毎の投与で年間の薬価総額は 309,660.00 円，3 割負担の患者で自己負担額は 92,898.00 円である．これに注射料と化学療法加算などが加わる可能性があり，さらに加入保険や年齢，収入によって自己負担は異なる．

④ パネル会議での意見

パネル会議においては，採用された臨床試験において MTX 不応・不耐の中等度の疾患活動性を有する JIA 少関節炎型・多関節炎型の患者（児）を対象として，最初に 16 週間投与した TCZ の有効性は ACR Pedi 70 達成割合も 62.2％に達していたことも重要であるとの指摘があった．エビデンスとして採択されたのは 1 製剤による 1 臨床試験（薬剤中止試験）のみであるが，小児ではプラセボ対照試験は倫理的に実施不可能であり，小児における薬剤中止試験は成人 RA を対象とする薬剤中止試験とは趣旨が異なることが確認された．成人 RA よりも薬剤中止に伴う再燃率が低いことに関して，少関節炎型で発症した症例が含まれていることが一因として推察された．安全性に関するエビデンスが不十分であることに留意する必要があるが，TCZ は国内外で当該患者に広く使用されており，推奨の強さは「強い」が妥当であると結論された．

5）採用論文リスト

1）Brunner HI, et al：Ann Rheum Dis 2015；74：1110-1117.

2）Brunner HI, et al：Arthritis Rheumatol 2021；73：530-541.

6）推奨作成関連資料一覧 （推奨作成関連資料 9 に掲載）

資料 A　JIA CQ5　文献検索式

資料 B　JIA CQ5　文献検索フローチャート

資料 C　JIA CQ5　バイアスのリスク

資料 D　JIA CQ5　エビデンスプロファイル

資料 E　JIA CQ5　フォレストプロット

■参考文献

1）Okamoto N, et al：Mod Rheumatol 2019；29：41-59.

2）Onel KB, et al：Arthritis Rheumatol 2022；74：553-569.

JIA 推奨6

推奨文

他の DMARD が使えないまたは効果不十分で中等度以上の疾患活動性を有する JIA 少関節炎型・多関節炎型の患者(児)に，短期的治療において，JAK 阻害薬投与を推奨する(条件付き)．

推奨の強さ **弱い**　エビデンスの確実性 **低**　パネルメンバーの同意度 **7.63**

JIA CQ6

JIA 少関節炎型・多関節炎型の患者(児)に，JAK 阻害薬は有用か？

サマリー	JIA 少関節炎型・多関節炎型の患者(児)に対する JAK 阻害薬は，わが国では現在，臨床試験中であり，安全性のデータが十分に得られていないが，リサーチエビデンスを参考に総合的に判断して，害が利益を大きく上回ることはないと考えられ，条件付きで推奨する．
注　記	JAK 阻害薬の安全性は世界的な議論の途上にあり，わが国では臨床試験実施中であることから，保険適用外使用を考慮する際には患者背景などを十分に勘案する必要がある．

1) 推奨の背景

疫学レセプトデータベースである JMDC Claims Database の解析では，30歳未満の JIA 少関節炎型・多関節炎型(RF 陽性または陰性)の40〜54%，指定難病患者データベースの解析では，20歳代の JIA 少関節炎型・多関節炎型の患者(児)の約85%で b/tsDMARD が処方されており，MTX で効果不十分な JIA 少関節炎型・多関節炎型の患者(児)が多く存在すると考えられる(参考文献1)．これらの患者(児)に対して JAK 阻害薬の追加治療が有用かを検討することは，治療方針の決定に重要である．なお，わが国で RA に承認された JAK 阻害薬は5種類あるが，JIA 少関節炎型・多関節炎型に対する JAK 阻害薬の有用性についてはこれまで検討されていない．JIA 少関節炎型・多関節炎型に対して JAK 阻害薬の臨床試験が実施中であり，2023年10月現在で保険適用外である．

2) エビデンスの要約

わが国で RA に承認されている5種類の JAK 阻害薬，TOF，BARI，PEFI，UPA，FIL を対象として評価した．2022年6月30日までの期間を設定し，PubMed，Cochrane Central Register of Controlled Trials，Embase，医学中央雑誌で報告された JIA 少関節炎型・多関節炎型の患者(児)における JAK 阻害薬(TOF，BARI，PEFI，UPA，FIL)に関する論文を系統的にレビューし，重複を除いた133件が抽出された．これらのうち13件について詳細な検討を行い，本 CQ に関連する2件の RCT から9論文が同定された．アウトカム評価は TOF と BARI を統合して行っ

た．採用された RCT はいずれも試験開始から全例に実薬を投与し，BARI は12週時，TOF は18週時の ACR Pedi 30 達成患者を実薬またはプラセボに無作為に割り付けするデザイン(薬剤中止試験)で実施された．TOF の RCT では実薬投与を受けた被験者の77%，BARI の RCT では74%が無作為割り付けに進んだ．

本 CQ における重大なアウトカムとして，臨床的非活動状態達成割合(JIA/ACR inactive disease)，JADAS-27-CRP 変化量，再燃割合，ACR Pedi 30 達成割合，CHAQ-DI 変化量，重篤な有害事象および重篤な感染症を取り上げた．

MTX と比較した，MTX+JAK 阻害薬の望ましい効果は，臨床的非活動状態達成(44週時)の絶対効果が1,000人あたり88人増加，95%CI [4, 235]，相対効果は RR=1.74，95%CI [1.03, 2.97]，JADAS-27-CRP 変化量(26〜32週時)の絶対効果が MD=−4.36，95%CI [−4.79, −3.93]，再燃(26〜32週時)の絶対効果が1,000人あたり293人減少，95%CI [−377, −162]，相対効果は RR=0.44，95%CI [0.28, 0.69]，ACR Pedi 30 達成(26〜32週時)の絶対効果が1,000人あたり259人増加，95%CI [127, 420]，相対効果は RR=1.61，95%CI [1.30, 1.99]，CHAQ-DI 変化量(44週時)の絶対効果が MD=−0.12，95%CI [−0.14, −0.10] であったことから，JAK 阻害薬は JIA 少関節炎型・多関節炎型に対して有効と考えられ，望ましい効果は「小さい」と判断した．

MTX と比較した，MTX+JAK 阻害薬の26〜32週時の重篤な有害事象の絶対効果は1,000人あたり9人増加，95%CI [−11, 85]，相対効果は RR=1.51，95%CI [0.40, 5.72]，重篤な感染

症の絶対効果[*]は 1,000 人あたり 165 人増加，95%CI［−37，1,000］，相対効果は RR＝3.84，95%CI［0.43，34.38］であったことから，望ましくない効果は「中」と判断した．

3) エビデンスの確実性

本推奨作成に用いたエビデンスについては，いずれも RCT に基づいている．

JIA 少関節炎型・多関節炎型の臨床的非活動状態達成割合，JADAS-27-CRP 変化量，再燃割合，ACR Pedi 30 達成割合，CHAQ-DI 変化量については，「バイアスのリスク」「非一貫性」「非直接性」「その他の検討」のいずれも深刻な問題を認めなかったが，「不精確さ」を深刻と判断し，エビデンスの確実性は「中」と評価した．

重篤な有害事象と重篤な感染症に関しては，「バイアスのリスク」「非一貫性」「非直接性」「その他の検討」では深刻な問題は認められなかったが，RR の 95%CI が「相当な害」とみなされる基準の 1.25 を含んでおり，「不精確さ」は深刻と判断し，エビデンスの確実性は「低」と評価した．

重大なアウトカムに関する介入の効果は，利益が小さく増加，害も中程度に増加で，異なる方向となるため，重大なアウトカムの中でエビデンスの確実性の最も低い「低」とした．

4) 推奨の強さ決定の理由

① 利益と害のバランスの評価

MTX と JAK 阻害薬の併用投与 26〜32 週時の疾患活動性改善効果は，MTX 単剤投与と比べて再燃阻止の NNT が 3.4，ACR Pedi 30 達成の NNT が 3.9，CHAQ-DI 変化量（44 週時）に関しては MD＝−0.12，95%CI［−0.14，−0.1］であった．

一方，有害事象に関しては，RCT においては，26〜32 週時までの JAK 阻害薬と MTX の併用投与は MTX 単剤投与と比べ，重篤な有害事象の NNH が 111，重篤な感染症の NNH が 8 であった．これらの NNH の差は，重篤な感染症の絶対効果の計算で，他論文のデータを外挿したためである．

JAK 阻害薬使用にあたっては，重篤な有害事象および重篤な感染症に留意が必要であるが，総合的に MTX と JAK 阻害薬の併用投与は MTX 単剤投与と比べて望ましくない効果が望ましい効果を上回ることはないと考えられる．

② 患者の価値観・意向

これまでわが国における JIA 少関節炎型・多関節炎型の治療に関する大規模な意向調査は報告されていないが，疼痛改善を含む疾患活動性の改善が望ましい治療効果であり，副作用や感染症が望ましくない効果であることに関するばらつきはおそら

くないものと考える．今後，日本小児リウマチ学会または患者会などで患者の価値観に関する調査が行われることが望ましい．

③ コスト

QALY など費用対効果に対する日本の論文，エビデンスはない．BARI の薬価は 2mg/4mg：2,705.90 円/5,274.90 円（2023 年 7 月現在）で，9 歳以上は 4mg/日，9 歳未満は 2mg/日の治療が想定されることから，患者（児）1 人にかかる BARI 併用のコストとしては 1 か月 30 日として，9 歳以上において約 158,247.00 円/月，9 歳未満において約 81,177.00 円/月増加する．2 割負担（未就学児）では 16,235.40 円/月，3 割負担（小学生以上）では 24,353.10〜47,474.10 円/月増加する．また，TOF は体重 40kg 以上の小児において 10mg/日：5,319.80 円/日の治療が想定されることから，患者（児）1 人にかかる TOF 併用のコストとしては 1 か月 30 日として，159,594.00 円/月程度増加する．3 割負担（小学生以上）では 47,878.20 円/月増加するが，これらの薬剤についても自治体による乳幼児医療費助成制度などが適用される．

小児慢性特定疾病医療費助成制度または指定難病医療給付制度の対象となれば，一般所得家庭で上限 1〜2 万円/月程度の負担増となる．

④ パネル会議での意見

パネル会議においては，JAK 阻害薬は，わが国では JIA 少関節炎型・多関節炎型に対して保険適用外であること，また長期安全性について十分なデータが得られていないことから，現段階で積極的に推奨するには時期尚早との意見があった．また，患者代表からも若年者への投与に関して慎重に検討してほしいとの意見もあった．臨床試験の結果もふまえながら，長期安全性について引き続き評価していく必要がある．また，JIA 少関節炎型・多関節炎型の患者（児）の価値観についてはこれまでまとまった調査がされていないため，日本小児リウマチ学会や患者会などで実施されることが望ましい．

5) 採用論文リスト

1) Ruperto N, et al：Lancet 2021；27：1984-1996.

2) Ramanan AV, et al：Lancet 2023；402：555-570.

3) Ruperto H, et al：Lancet 2008；372：383-391.

6) 推奨作成関連資料一覧 （推奨作成関連資料 9 に掲載）

資料 A　JIA CQ6　文献検索式

資料 B　JIA CQ6　文献検索フローチャート

資料 C　JIA CQ6　バイアスのリスク

資料 D　JIA CQ6　エビデンスプロファイル

資料 E　JIA CQ6　フォレストプロット

---

[*] プラセボ群の重篤な感染症の発現例数が 0 であったため，他研究からプラセボ群の発現率を外挿した結果，重篤な有害事象よりも重篤な感染症の絶対効果が大きくなった．外挿に適した JIA 少関節炎型・多関節炎型での大規模疫学調査がなかったため，採用論文 3 のデータを使用した．

資料 F　JIA CQ6　Evidence to Decision テーブル

■**参考文献**

1) 厚生労働科学研究費補助金 免疫・アレルギー疾患政策研究 事業「難治性・希少免疫疾患におけるアンメットニーズの把握とその解決に向けた研究」（20FE1001）令和 4 年度 総括・分担研究報告書. 2022.

6 小児および移行期・成人期の若年性特発性関節炎マネジメント

3. 小児および移行期・成人期の若年性特発性関節炎マネジメントのQ&A

Question

JIA 少関節炎型・多関節炎型の評価に DAS28-ESR は推奨されるか？

背　景

　疾患活動性評価として，JIA 少関節炎型・多関節炎型では JADAS が，RA では DAS28-ESR，SDAI，CDAI などが使用されている．JIA 少関節炎型・多関節炎型の移行期・成人患者の診療における疾患活動性評価指標に関しては，エビデンスに基づく明確な指針は示されていない．

Answer

　小児期の JIA 少関節炎型・多関節炎型の患児の診療における評価指標は，JADAS が DAS28-ESR より適切であるが，移行期・成人期の患者についてはエビデンスが不足しており，今後ライフステージに応じた新たな指標の検討が必要である．DAS28-ESR の使用においては JADAS との相違に留意する（JADAS の詳細については，「第 4 章 6-1. 成人診療科リウマチ医のための若年性特発性関節炎診療の基礎知識と用語解説」〔p.241〕を参照）．

エビデンスの評価

　2022 年 11 月 30 日までの期間を設定し，PubMed，Cochrane Central Register of Controlled Trials，医学中央雑誌で報告された JIA 少関節炎型・多関節炎型患者（児）における DAS28-ESR に関する論文を系統的にレビューし，重複を除いたのち，JIA 少関節炎型・多関節炎型の評価における DAS28-ESR の有用性について記載した論文は 3 件であった．検索期間外であったが，移行期・成人期の JIA 少関節炎型・多関節炎型の評価における DAS28-ESR と JADAS-27 の有用性を比較した論文が 1 件同定

され，これも採用論文に追加し，合計 4 件とした．

　42 例の JIA 患児（年齢中央値 14 歳，IQR 11〜16 歳）において，DAS28-ESR における寛解（2.6 未満）と活動期（2.6 以上）の間，あるいは寛解（2.6 未満）・軽症（2.6 以上 3.2 未満）と中等症（3.2 以上 5.1 未満）・重症（5.1 以上）の間，JADAS-27 における寛解（1.0 以下）・低疾患活動性（1.1 以上 3.8 以下）と中等症（3.9 以上 8.5 以下）・重症（8.5 超）の間で CHAQ スコアの値に有意差が認められ，DAS28-ESR と CHAQ スコアの間には相関係数 0.36 の有意な正の相関，JADAS-27 と CHAQ スコアの間には相関係数 0.57 の有意な正の相関が示された（採用論文 1）．抗 TNF 療法（IFX または ETN）を受けた JIA 少関節炎型・多関節炎型を主とする非全身型 JIA 41 例（治療開始時年齢中央値 11 歳）を対象とした後方視的観察研究で，治療開始 24 か月間の DAS28-ESR，JADAS-71 の双方を用いた評価が行われている．receiver operating characteristic 解析の結果，抗 TNF 療法施行群と非施行群では，寛解または再燃の検出に対する特異度，感度に有意差は認められなかったが，診断 OR は，JADAS-71 が抗 TNF 療法下の患児の寛解や抗 TNF 療法中止例の再燃を検出する際により高かった一方で，DAS28-ESR は，抗 TNF 療法下の患児の再燃や抗 TNF 療法中止例の寛解においてより高い結果が示されている（採用論文 2）．DAS28-ESR，CDAI と比較して JADAS の validation を実施した研究では，横断的データを用いてそれぞれの疾患活動性スコアと JIA の各種アウトカム（患者による疼痛評価，CHAQ スコア，SJC，TJC，restricted joint count）との相関が示されている．JADAS-27 における相関係数は他の 2 つの疾患活動性スコアと比べ，同程度から 0.1 程度高かった．臨床試験（MTX 高用量 vs. 中用量，メロキシカム vs. ナプロキセン）データを用いた解析（MTX 試験 595 例，年齢中央値 7.8 歳，NSAID 試験 225 例，年齢中央値 8.0 歳）では，

ベースラインからエンドポイントまでの変化量の相関係数は JADAS-27 と DAS28-ESR, JADAS-27 と CDAI のそれぞれの間で，MTX の試験では 0.80 と 0.86，NSAID の試験では 0.74 と 0.86 であった．各疾患活動性スコア変化量と CHAQ スコア変化量の相関係数は，JADAS-27 のほうが DAS28-ESR, CDAI よりも 0.06～0.08 数値的には高かった．MTX 試験の ACR Pedi 30/50/70 の判別能は各疾患活動性スコアで同等であった．SRM を用いた臨床試験における各疾患活動性スコアの臨床的な変化に対する反応性は，MTX の試験では JADAS-27, DAS28-ESR, CDAI で 1.27, 1.23, 1.06，NSAID の試験では 0.98, 0.89, 0.93 と，いずれも良好であった（採用論文 3）．移行期・成人期の JIA 患者 294 例（発症時年齢中央値 14 歳，罹病期間中央値 21 年）において，SDAI, DAS28-ESR と比較して JADAS-27 を用いた場合は高疾患活動性の患者割合が高く，寛解の患者割合が低かった．DAS28-ESR, SDAI, JADAS-27 を用いてベースラインから 1 年間の平均疾患活動性で患者を寛解，低・中・高疾患活動性群に分類すると，ベースラインから 2 年間の推定平均 ΔJ-HAQ の有意な増加傾向が，DAS28-ESR（$p = 0.01$）および SDAI（$p = 0.018$）を用いて測定されたベースラインから 1 年間の平均疾患活動性の増加とともに観察されたが，JADAS-27 では統計学的に有意な ΔJ-HAQ の増加傾向は認められず，DAS28-ESR は SDAI とともにその後の身体機能の変化と有意に関連することが示唆された（採用論文 4）．

解　説

JIA 少関節炎型・多関節炎型は RA と罹患関節部位の頻度が異なり，DAS28-ESR の評価対象外となる足関節炎を 27.0～60.3%，股関節炎を 5.5～19.5%，頚椎関節炎を 5.5～20.6% の患者（児）が罹患することが報告されている（参考文献 1）．このため，小児期の JIA 少関節炎型・多関節炎型の患児の診療における評価指標には，これらの関節評価を含めた JADAS が広く使用され，難病申請・更新には JADAS-27 が用いられている．一方，JIA 少関節炎型・多関節炎型の移行期・成人期の患者の診療における疾患活動性評価指標のエビデンスは不足している．移行期・成人期の患者に DAS28-ESR を使用する際には JIA で高頻度に所見を認める頚椎関節や足関節が含まれないことから過少評価となりうることに留意し，JADAS を使用する際には VAS スケールの比率が大きく，疾患活動性が高めに評価されて過大評価となりうることに留意することが必要である（採用論文 4）．

■採用論文

1) Miyamae T, et al：Mod Rheumatol 2020；30：905-909.

2) Lamot L, et al：Clin Exp Rheumatol 2011；29：131-139.

3) Consolaro A, et al：Arthritis Rheum 2009；61：658-666.

4) Miyamae T, et al：Mod Rheumatol 2023；33：588-593.

■参考文献

1) Bazso A, et al：J Rheumatol 2009；36：183-190.

日本リウマチ学会 関節リウマチ診療ガイドライン2024改訂
—若年性特発性関節炎 少関節炎型・多関節炎型診療ガイドラインを含む
ISBN978-4-7878-2633-6

2024年5月1日　　初版第1刷発行

関節リウマチ診療ガイドライン2020
2021年4月26日　初版第1刷発行
2021年5月14日　初版第2刷発行
2021年5月21日　初版第3刷発行
2021年11月16日　初版第4刷発行

編　集　者　一般社団法人日本リウマチ学会

発　行　者　藤実正太

発　行　所　株式会社　診断と治療社

　　　　　　〒100-0014　東京都千代田区永田町2-14-2　山王グランドビル4階

　　　　　　TEL：03-3580-2750（編集）　03-3580-2770（営業）

　　　　　　FAX：03-3580-2776

　　　　　　E-mail：hen@shindan.co.jp（編集）

　　　　　　　　　　eigyobu@shindan.co.jp（営業）

　　　　　　URL：https://www.shindan.co.jp/

表紙デザイン　長谷川真由美（株式会社サンポスト）

印刷・製本　日本ハイコム株式会社